The Legend of Zelda
Hyrule Encyclopedia

THE LEGEND OF ZELDA
HYRULE ENCYCLOPEDIA
ゼルダの伝説　ハイラル百科

序

　1986年2月21日にファミリーコンピュータの周辺機器、ディスクシステムで『ゼルダの伝説』が発売されてから30年。アクションアドベンチャーのジャンルを確立させた本シリーズは、2Dから3Dへ、ときにはマルチプレイを導入するなど、時代に合わせた進化をしてきた。

　本書は30年の節目に、現時点で判明しているゲーム内の設定を集積、登場するあらゆるものに着目して紡いだ"『ゼルダの伝説』の世界"を編纂した一冊である。手にしたプレイヤーが、冒険の思い出を振り返り懐かしむだけでなく、これからも継続していく"トライフォースを巡る輪廻の物語"の旅立ちの一助になれば幸いである。

004 CHAPTER.1
HISTORICAL RECORDS

さまざまな事象をビジュアルとともに収集した史料

102 CHAPTER.2
DATABASE

シリーズに登場する町、アイテム、ダンジョン、敵を網羅

214 CHAPTER.3
ARCHIVES

物語、登場人物、開発資料ほか、タイトルごとに歴史を紡ぐ

本書での略称・呼称について

ゼルダの伝説	ゼルダの伝説	ゼルダの伝説 4つの剣+	4つの剣+
リンクの冒険	リンクの冒険	ゼルダの伝説 ふしぎのぼうし	ふしぎのぼうし
ゼルダの伝説 神々のトライフォース	神々のトライフォース	ゼルダの伝説 トワイライトプリンセス	トワイライトプリンセス
ゼルダの伝説 夢をみる島	夢をみる島	ゼルダの伝説 夢幻の砂時計	夢幻の砂時計
ゼルダの伝説1	ゼルダの伝説	ゼルダの伝説 大地の汽笛	大地の汽笛
ゼルダの伝説 時のオカリナ	時のオカリナ	ゼルダの伝説 時のオカリナ 3D	時のオカリナ 3D
ゼルダの伝説 夢をみる島DX	夢をみる島DX	ゼルダの伝説 スカイウォードソード	スカイウォードソード
ゼルダの伝説 ムジュラの仮面	ムジュラの仮面	ゼルダの伝説 風のタクト HD	風のタクト HD
ゼルダの伝説 ふしぎの木の実 大地の章	大地の章	ゼルダの伝説 神々のトライフォース2	神々のトライフォース2
ゼルダの伝説 ふしぎの木の実 時空の章	時空の章	ゼルダの伝説 ムジュラの仮面 3D	ムジュラの仮面 3D
ゼルダの伝説 風のタクト	風のタクト	ゼルダの伝説 トライフォース3銃士	トライフォース3銃士
ゼルダの伝説 神々のトライフォース&4つの剣	4つの剣	ゼルダの伝説 トワイライトプリンセス HD	トワイライトプリンセス HD

掲載タイトルとシリーズの変遷

1986.2.21
ゼルダの伝説
ファミリーコンピュータ ディスクシステム

1987.1.14
リンクの冒険
ファミリーコンピュータ ディスクシステム

1991.11.21
ゼルダの伝説 神々のトライフォース
スーパーファミコン

1993.6.6
ゼルダの伝説 夢をみる島
ゲームボーイ

1994.2.19
ゼルダの伝説1
ファミリーコンピュータ

1998.11.21
ゼルダの伝説 時のオカリナ
NINTENDO 64

1998.12.12
ゼルダの伝説 夢をみる島DX
ゲームボーイ｜ゲームボーイカラー

2000.4.27
ゼルダの伝説 ムジュラの仮面
NINTENDO 64

2001.2.27
ゼルダの伝説 ふしぎの木の実 大地の章・時空の章
ゲームボーイカラー

2002.12.13
ゼルダの伝説 風のタクト
ニンテンドーゲームキューブ

2003.3.14
ゼルダの伝説 神々のトライフォース&4つの剣
ゲームボーイアドバンス

2004.3.18
ゼルダの伝説 4つの剣+
ニンテンドーゲームキューブ

2004.11.4
ゼルダの伝説 ふしぎのぼうし
ゲームボーイアドバンス

2006.12.2
ゼルダの伝説 トワイライトプリンセス
ニンテンドーゲームキューブ｜Wii

2007.6.23
ゼルダの伝説 夢幻の砂時計
ニンテンドーDS

2009.12.23
ゼルダの伝説 大地の汽笛
ニンテンドーDS

2011.6.16
ゼルダの伝説 時のオカリナ 3D
ニンテンドー3DS

2011.11.23
ゼルダの伝説 スカイウォードソード
Wii

2013.9.26
ゼルダの伝説 風のタクト HD
Wii U

2013.12.26
ゼルダの伝説 神々のトライフォース2
ニンテンドー3DS

2015.2.14
ゼルダの伝説 ムジュラの仮面 3D
ニンテンドー3DS

2015.10.22
ゼルダの伝説 トライフォース3銃士
ニンテンドー3DS

2016.3.10
ゼルダの伝説 トワイライトプリンセス HD
Wii U

CHAPTER.1
HISTORICAL RECORDS

　これまでに発売された『ゼルダの伝説』シリーズに登場する事象を、共通の項目で収集し、写真や図を含めて構成しているビジュアル百科。各タイトルによってさまざまな「伝説」が紡がれているが、それらに登場する共通の要素に関して、分野ごとに分類して編纂している。ハイラルを中心とした世界の造詣を深め、冒険の記憶を豊かに彩るものである。

　『ゼルダの伝説』シリーズの世界は、冒険のなかでの遊びや手応えをそのとき最も面白いかたちにすることを目指して創造されたものである。そこに付随する物語は、冒険のための彩りのひとつ。語られていない部分についての詳細は不明瞭な部分もあり、その解釈は時世や語り継ぐものによって移り変わることがある。

　今回、この第1章は以下の点に留意しながら、現時点での解釈をできる限り詳細に編纂したものである。（2017年2月現在）
①ゲーム中の表現、開発資料、各種文献をできる限り参照して記述する。
②各タイトルにおける世界観のつながりや、物語としての深みを掘り下げた際に、できる限り自然な解釈をする。ただし、保有する資料や文献を参考にしたうえで、一部編集部独自の解釈を加えたり、物語を膨らませて紡いでいる箇所もある。

　すなわちビジュアル百科は、この世界の事象にさまざまな想像を膨らませ、各自の冒険を豊かに紡いでいくためのひとつの手引きとするものである。本書で紡がれる事象は、新たな発見により、今後も書き換えられていく可能性があることを改めて記述させていただく。

［本章を読み解く前に］

・主人公として語られる者の名は、勇者もしくはリンクとしている
・本章ではオリジナル版とリメイク版（HD版含む）については同一呼称で表記している

本章でハイラル本史として編纂したタイトル

- ゼルダの伝説
- リンクの冒険
- ゼルダの伝説 神々のトライフォース(神々のトライフォース＆4つの剣 版を含む)
- ゼルダの伝説 夢をみる島／夢をみる島DX
- ゼルダの伝説 時のオカリナ／時のオカリナ 3D
- ゼルダの伝説 ムジュラの仮面／ムジュラの仮面 3D
- ゼルダの伝説 ふしぎの木の実 大地の章・時空の章
- ゼルダの伝説 風のタクト／風のタクト HD
- ゼルダの伝説 神々のトライフォース＆4つの剣
- ゼルダの伝説 4つの剣＋
- ゼルダの伝説 ふしぎのぼうし
- ゼルダの伝説 トワイライトプリンセス／トワイライトプリンセス HD
- ゼルダの伝説 夢幻の砂時計
- ゼルダの伝説 大地の汽笛
- ゼルダの伝説 スカイウォードソード
- ゼルダの伝説 神々のトライフォース2
- ゼルダの伝説 トライフォース3銃士

【伝承と歴史】006

- ハイラルの歴史 — 007
- 三大神と創世神話／女神ハイリア — 008
- トライフォース — 009
- 神の国ハイラルとハイリア人 — 010
- ハイラル王国 — 011
- ゼルダ — 012
- 勇者 — 014
- ガノンドロフ（ガノン） — 016
- 精霊 — 018
- 妖精 — 019
- 聖地と賢者 — 020
- 時の神殿とマスターソードの台座 — 022

【異世界と異国】024

- 闇の世界 — 025
- 影の世界 — 026
- ロウラル — 028
- ホロドラム — 030
- ラブレンス — 031
- タルミナ — 032
- コホリント島 — 034
- 海王の海域 — 035
- 光の神の大地（新ハイラル王国） — 036
- ドレース王国 — 038

【さまざまな種族】040

- シーカー族 — 040
- ゲルド族 — 041
- ゴロン族 — 042
- ゾーラ族 — 044
- コキリ族／デクナッツ族 — 046
- コログ族／リト族 — 047
- ピッコル族／風の民 — 048
- 天空人 — 049
- 古代の亜人 — 050
- そのほかの種族 — 051

【地理と自然】052

- 地図と地形の変化 — 053
- 動物 — 058
- 植物 — 060
- 魚 — 061
- 虫 — 062

【文化と暮らし】064

- ハイラル城 — 066
- 城下町と娯楽 — 068
- 牧場 — 069
- 食べ物・食事 — 070
- 文字 — 072
- カカリコ村 — 074
- 釣り — 075

【武器・装備・道具類】076

- 剣（ソード） — 076
- マスターソード — 078
- フォーソード — 079
- 盾（シールド） — 080
- 防具・装飾品 — 082
- 弓矢 — 084
- 爆弾 — 086
- フックショット — 088
- そのほかの道具 — 089
- ルピー — 090
- 楽器・旋律 — 092

【魔物・魔族】094

- 邪悪の根源と輪廻 — 095
- ブリン類（モリブリン、ボコブリンなど） — 096
- スタル類（スタルフォスなど） — 098
- オクタ類（オクタロックなど） — 100
- チュチュ類 — 101

伝承と歴史

　『ゼルダの伝説』の世界を深く知るにあたり、まずはこの世界の始まりと神話、長い歴史とそのつながり、多くの物語に共通する「勇者」などについて知る必要がある。天地創造から始まる神話と伝承、繁栄と衰退を繰り返すハイラルの歴史を、基礎知識として綴っていく。

　右図は17タイトルの伝説をつないだ時系図（個々の物語については3章P.214からを参照）。『時のオカリナ』の時空転移などにより、世界は3つの軸に分かれていく。ハイラルのさまざまな歴史的事象は、この歴史年表をひとつの土台として分析されるものである。

7年の時を行き来した、時の勇者の帰還。『時のオカリナ』以降の歴史に影響を与える

A

天地創造

スカイウォードソード (#15)
魔の根源の出現、封印
女神ハイリアがゼルダとして転生
マスターソード誕生

影の一族を追放
聖地を封印
ハイラル王国建国

ふしぎのぼうし (#11)
ピッコル伝説の剣からフォーソードが誕生
魔神グフー誕生、封印

魔人グフー復活、封印

4つの剣 (#9)
魔人グフー復活、フォーソードに封印

ハイラル統一戦争

時のオカリナ (#5)
魔盗賊ガノンドロフ、聖地へ
トライフォース分裂
魔王ガノン誕生

B 時の勇者が敗北
六賢者が魔王ガノンを封印
封印戦争

神々のトライフォース (#3)
魔王ガノン復活、退治
トライフォース、ハイラル城へ返還

夢をみる島 (#4)

ふしぎの木の実 (#7)

トライフォース分裂

神々のトライフォース2 (#16)
ロウラル王国の侵攻
トライフォース、ハイラルの聖地へ返還

トライフォース3銃士 (#17)

トライフォースを使った王政、国の繁栄
ハイラル王国衰退、地方の小王国へと縮小

ゼルダの伝説 (#1)
ガノン復活、討伐
隠された知恵のトライフォースを発見

リンクの冒険 (#2)
古のゼルダ姫が復活
隠された勇気のトライフォースを発見

C [子供時代] ガノンドロフの陰謀を阻止

ムジュラの仮面 (#6)

トワイライトプリンセス (#12)
魔盗賊ガノンドロフ、影の世界へ追放
影の一族、ハイラル王国へ侵攻
ガノンドロフ復活、討伐

4つの剣＋ハイラルアドベンチャー (#10)
ガノンドロフ転生、魔獣ガノンに
魔神グフー復活、討伐
フォーソードにガノン封印

D [大人時代] 魔王ガノンを封印

ハイラル水没

風のタクト (#8)
ガノンドロフ復活、トライフォースがひとつに
ガノンドロフ討伐
ハイラル消滅。新天地を目指す

夢幻の砂時計 (#13)

新しい大地に、ハイラル王国を建国

大地の汽笛 (#14)
魔王マラドー復活、討伐
ロコモ族の賢者が天上に帰還

時系図の見方

時代の経過と出来事

トライフォース分裂 ─ 発売順（リメイク、派生を除く）

神々のトライフォース2 (#16)
ロウラル王国の侵攻
トライフォース、ハイラルの聖地へ返還 ─ ハイラル王国が舞台のタイトル

トライフォース3銃士 (#17) ─ 同じ時代の出来事

異世界やハイラル王国以外が舞台のタイトル

以降の時系図については、これを簡略化したものを記載して解説をする

【時のオカリナ】六賢者とゼルダ姫によるガノン封印

【大地の汽笛】新しい歴史の幕開け

ハイラルの歴史

歴史の出来事を、左の図の順に沿って簡単に解説していく。これが現在、伝説で紡がれているハイラル全史である。

A 女神と時の勇者

【天地創造】三大神がハイラルを創造。神の力をもつ黄金の三角トライフォース（P.009）を残し、そこを聖地とする。

【女神ハイリア】地の底より魔族出現。トライフォースと世界の守護を任された女神ハイリアは人間に転生し、これを封印する。（P.008）

【スカイウォードソード】精霊に導かれた少年が、退魔の剣マスターソード（P.078）を完成させ勇者（P.014）となる。魔の根源はトライフォースの力で消滅する。

【影の一族の追放】世界は長きにわたり平穏であったが、強い魔力を持った一族がトライフォースを欲し争いを起こす。神は光の精霊を遣わし、彼らを影の世界へ追放した。（P.026）

【聖地封印】賢者ラウルが時の神殿を造り聖地への入口を封じる。（P.020）

【ハイラル王国建国】ハイリアの地にハイラル王国を建国。（P.011）

【ピッコル伝説】ピッコル族（P.048）から大きなフォースと一本の剣を授かり、魔物を封印。

【ふしぎのぼうし／魔神グフー誕生】フォースが魔人グフーに狙われる。ピッコルの伝説の剣からフォーソードが誕生（P.079）し、魔神となったグフーを封印。

【魔人グフー復活、封印】復活したグフーを再びフォーソードで封印。

【4つの剣】魔人グフーが再び復活する。フォーソードで封印。

【ハイラル統一戦争】各地で種族間の紛争が絶えず起こる。ハイラル王が戦乱を鎮めハイラル王国が全土を統一する。

【時のオカリナ】聖地に魔盗賊ガノンドロフ（P.016）侵入。トライフォースに触れ、トライフォースは3つに分裂する。時の勇者として選ばれた少年はマスターソードを使い、7年の時を行き来して六賢者を目覚めさせる。

【魔王ガノン誕生】ガノンドロフの手元に残った力のトライフォース、ゼルダ姫に宿った知恵のトライフォース、時の勇者に宿った勇気のトライフォースが集結。決戦となる。

B トライフォースの継承

【ガノン封印】勇者敗北。ガノンドロフは知恵のトライフォース、勇気のトライフォースを奪い魔獣ガノンに変貌。六賢者とゼルダ姫はトライフォースごとガノンを聖地に封印する。

【封印戦争】聖地をめぐり争いが勃発。七賢者が聖地への入口を封じる。

【神々のトライフォース】聖地（闇の世界）に封印されたガノンは、光の世界での復活をもくろむ。ナイトの一族の末裔である少年が、闇の世界でガノンを討伐。トライフォースを取り戻し世界は元どおりに。

【夢をみる島】修行の旅へ出た勇者はコホリント島に漂着する。

【ふしぎの木の実】ハイラル城を訪れた青年が、トライフォースの導きで試練の地ホロドラム、ラブレンヌに飛ばされる。勇者としてガノンの完全復活を阻止。トライフォースが分裂し飛び立つ。

【トライフォースの分裂】トライフォースは、ガノンの魂、ゼルダ姫、そして勇者の心に宿る。

【神々のトライフォース2】ハイラルの平行世界であるロウラル（P.028）の司祭ユガに、トライフォースが狙われる。勇者はガノンの魂から力のトライフォースを取り戻し、トライフォースが再びひとつになる。

【トライフォース3銃士】ドレース王国（P.038）が勇者を募集。魔境の魔女の呪いをかけられた姫を救う。

【王国繁栄】ハイラル王がトライフォースを使い国を繁栄させる。しかし王子にはその素質がなく、王は死後トライフォースを隠す。隠し場所を知るゼルダ姫は、王子の側近により魔法で永遠の眠りにつく。（P.011）

【王国衰退】王国は、一地方のハイラル小王国にまで衰退する。

【ゼルダの伝説】ガノン復活。力のトライフォースが奪われる。ゼルダ姫は知恵のトライフォースを8つに分けて隠し、勇気ある少年がこれを集めてガノンを討伐。

【リンクの冒険】ガノンを倒した少年は、古の王が残した試練に挑む。大神殿に隠された勇気のトライフォースを得て、眠っていたゼルダ姫を目覚めさせる。ハイラル王国に3つのトライフォースがそろった。

C 光と影と

【勇者の帰還】ゼルダ姫と六賢者はガノンドロフを力のトライフォースごと封印。元の時代に戻った時の勇者は、ゼルダ姫とともにガノンドロフの野望を未然に食い止める。このとき彼は勇気のトライフォースを宿していた。

【ムジュラの仮面】時の勇者は、旅の最後に別れた相棒の妖精を捜し異世界タルミナ（P.032）へと迷いこむ。

【ガノンドロフ処刑】ハイラル王国はガノンドロフを反逆者として処刑しようとする。しかし力のトライフォースに選ばれたガノンドロフは神の力を得ていたため、賢者たちは影の世界（P.026）へと追放する。

【トワイライトプリンセス】影の世界で魂と化したガノンドロフだが、光の世界へと復活。勇者により討ち滅ぼされる。

【ハイラルアドベンチャー】ガノンドロフが転生。邪器トライデントを手にして魔獣ガノンとなり、魔神グフーの封印を解く。フォーソードを手にした勇者がグフーを倒しガノンを封印する。

D 新しい世界

【ガノン封印】力のトライフォースごとガノンを封印。時の勇者は元の時代へ戻り、勇気のトライフォースは8つに飛び散る。

【ハイラル水没】ガノンが復活。勇者は現れず。世界の滅亡を防ぐため、神はガノンをハイラルごと幻想の水に沈め封印する。

【風のタクト】ガノンドロフが再び蘇る。古のハイラル王が風の勇者とゼルダ姫（テトラ海賊団の首領）を導き、トライフォースは再びひとつに。王は、争いを繰り返す古のハイラルを消滅させた。（P.011）

【夢幻の砂時計】ゼルダ姫たちは新しい大地を目指して出航。海王の海域（P.035）に巻き込まれながらも船旅を続ける。

【ハイラル国建国】光の神の大地にたどり着く。ロコモ族の賢者と親しくなり、この地に建国。（P.036）

【大地の汽笛】古に封印されていた魔王マラドーが復活。ゼルダ姫と勇者が討伐。ロコモ族の賢者は天界へと帰還し、大地はハイラルの人間たちに託された。

三大神と創世神話

この世が混沌として何もない時代、世界は3人の女神によって創造された。力の女神ディンが大地を、知恵の女神ネールが秩序を、勇気の女神フロルがあらゆる生き物を。創造神がこの世を去るとき、自らの力を象徴する黄金の聖三角"トライフォース"を残した。触れた者の願いを叶えるという万能の力である。役目を終えた神は、神の国へと帰っていった。神がトライフォースを残した理由は謎に包まれているが、トライフォースそのものは世界の理であり、なくてはならないものである。

創造神はハイラルの基盤となる神であり、各地を見守る精霊や妖精たち（P.018）も神から役割を授かった存在である。一般的な人間にとっては信仰の対象であるが、世界が大きな危機にある際は賢者や巫女に啓示を、勇者に試練を与える。

ディン（力）　ネール（知恵）　フロル（勇気）
3人の女神の紋章。その力を示す場所やものに残されている

勇者へ与える試練のひとつ、神の塔

女神ハイリア

三大神が去った後、トライフォースと世界は女神ハイリアに委ねられる。ところがトライフォースを狙って地の底から邪悪なる者たちが現れた。彼らは魔族（P.094）として恐れられ、その魔の根源は「終焉の者」と呼ばれるほどの強大な力で世界を支配しようとした。戦う力をもたない人間たちは女神に泣きすがるしかなかった。女神は大地の一部を切り取り、トライフォースとともに天高くへと人間を逃がした。大地と天空を雲海で隔離し、壮絶な戦いを繰り広げ、終焉の者を封印したのである。

しかし封印は長く持たないことがわかっていた。女神ハイリアはトライフォースの力で終焉の者を消滅させる決意をし、人間に転生。人間の勇者とともにトライフォースを手にし、「終焉の者」を消滅させた。女神ハイリアは人間として、再び地上で暮らすことを決意する。

人間のために戦った女神ハイリアは、ハイリアでもっとも身近に親しまれている神である。

■1 ハイリアにゆかりある大地の泉。女神像に祈りを捧げることで、ゼルダは女神のころの記憶を取り戻した　■2 壁画に残された女神ハイリア　■3 女神が空へ打ち上げた島スカイロフト。トライフォースが眠る島は女神の島と呼ばれている。古の大地のことは神話となっており、神官の家系にのみ口伝された　■4 封印を安定させるため、数千年のあいだ眠りについたハイリア（ゼルダ）

神の力 トライフォース

触れた者の願いを叶える究極のフォース。フォースとは万物の力の源であり、トライフォースは究極の力である。ただし願いが叶うのは最初に触れた者だけであり、これは使用者が死ぬまで有効である。3つの三角は、さらに細かい破片に分かれて飛び散ったり、悪用を恐れた王族の手によって分けられたりすることもある。

トライフォースは願いの善悪の判断をしないが、正しく使いこなすには力・知恵・勇気の均衡が必要であり、神の試練に対してその資格を示す必要がある。そうでない者が触れると3つに分かれ、触れた者のもっとも強い願いのみが手もとに残る。残った2つの力は神に選ばれた者に宿り、手の甲に三角の印が浮き出る。真の力を得るには残る2つのトライフォースを手に入れなければならない。

『時のオカリナ』ではガノンドロフ（P.016）が触れて分裂。彼の手もとに残ったのは力のトライフォースだけで、ゼルダ姫が知恵、勇者となる少年が勇気のトライフォースを宿した。分裂したトライフォース同士が近づくと、ひとつになろうと共鳴する。以降、トライフォースをめぐってガノンとの戦いが繰り返されている。

力（ディン・炎）
知恵（ネール・水）
勇気（フロル・風）

トライフォースをめぐる歴史と所在

※ 完全体 トライフォースが3つそろって安置された状態

スカイウォードソード
完全体 スカイロフト
魔の根源を消滅させるため、ゼルダと勇者がそれぞれトライフォースを扱う資格を得ていく。終焉の者の消滅を願う
完全体 封印の地

トライフォースをめぐる争いが起こり、聖地ごと封印する
完全体 ハイラルの聖地（光の神殿）

時のオカリナ
ガノンドロフが触れたことにより3つに分裂。聖地は闇の世界に
力 ガノンドロフ
知恵 ゼルダ姫
勇気 時の勇者

ガノンドロフを倒し、封印する
力 ガノンドロフとともに封印
知恵 ゼルダ姫
勇気 時の勇者

時の勇者敗北。ガノンドロフは勇気のトライフォース、知恵のトライフォースを奪い、魔獣ガノンに。賢者によって封印される
完全体 闇の世界（元聖地）

時の勇者が元の時代に戻るが、勇気のトライフォースを宿していたため聖地のトライフォースに影響。3人が力の所有者となる
力 ガノンドロフ
知恵 ゼルダ姫
勇気 時の勇者

神々のトライフォース
闇の世界のガノンがもっており、倒して奪い返す。勇者が触れ、トライフォースの精霊に世界を平和に戻すことを願う
完全体 ハイラル城

ふしぎの木の実
完全体 ハイラル城
勇者の資格をもつ少年に試練を与え、最後は鳥のように飛んでいく

分裂。 力 ガノン（封印） 知恵 ゼルダ姫 勇気 勇者の心

神々のトライフォース2
ロウラル（P.028）に狙われるが取り戻す。勇者とゼルダ姫が触れ、ロウラルのトライフォースを復活
完全体 ハイラルの聖地

偉大な王が、トライフォースを使い国を繁栄させる。死後、素質を持った者が現れたら手の甲に三角の印が浮き出る魔法をかけ、勇気のトライフォースを大神殿に隠した
力 知恵 ゼルダ姫 勇気 大神殿

ゼルダの伝説
ガノンに力のトライフォースを奪われ、知恵はゼルダ姫が8つに分けて隠す。倒して取り戻す
力 知恵 ハイラル王国
勇気 大神殿

リンクの冒険
勇気のトライフォースを求めて大神殿に挑む。トライフォースの力で古のゼルダ姫を目覚めさせる
完全体 ハイラル王国

トワイライトプリンセス
資格をもつ者に宿り、さまざまな力を発揮する。ガノンドロフは完全体を求めるが勇者に敗北し、証は消滅する
力 ガノンドロフ（消滅）
知恵 ゼルダ姫
勇気 トアル村の勇者

時の勇者が元の時代に戻り、勇気のトライフォースは8つに分かれ飛び散る。その後ガノンが復活、ハイラルは海に沈む
力 ガノンドロフ（封印）
知恵 2つに分け、ハイラル王（封印）、王女が代々受け継ぐ（後のテトラ）
勇気 ハイラルとともに海に沈む

風のタクト
力 ガノンドロフ
知恵 ゼルダ姫
勇気 風の勇者が集める
トライフォースが再びひとつに。ガノンドロフから守り、ハイラル王がハイラルの消滅を願う
完全体 消滅？

神の国ハイラルとハイリア人

三大神によって創られ、女神ハイリアに守られたこの世界は「ハイラル」と呼ばれている。山と森に囲まれた、美しい大地である。

女神ハイリアをルーツとするハイリア人

人間に転生した女神ハイリアを祖とする「ハイリア人」は、もっとも神に近い存在とされ、特徴である長い耳は「神の声を聞くため」と言われている。かつてはさまざまな魔法の力を使いこなしていたが、ハイリアの血が薄れるとともに力を使える者は少なくなっていった。しかし王家の人間は依然その血が濃く、とくに王女に強く表れては、ハイラルが危機に瀕したときにその力を示してきた。

力を使う素質を持った者は、時代により巫女、賢者（P.020）として名を連ね、尊ばれることがある。

❶天空から大地へ、女神の島とともに戻ってきたトライフォース。そしてハイリアの血筋の巫女ゼルダは、大地で生きることを決意する　❷神の力をもつと言われるゼルダ姫。夢で神のお告げを聞く　❸ガノンドロフにさらわれた女の子たち。ゼルダ姫を探すため、ガノンドロフは耳のとがった女の子をさらっていた

さまざまな伝承や歴史を記した絵地図。正確な地形を示したものではなく、絵巻のように鑑賞して楽しむためのもの。ハイラル城などの象徴的な建造物、遺跡、魔物などが描かれている

ハイラル王国

信心深い人々により、世界は平和が続いていた。トライフォースは神官たちによって守られ、その加護によって繁栄した豊かで美しいこの大地は「神の国」と呼ばれていた。しかしトライフォースが心ない者たちや魔物に狙われ、争いが起こるようになる。そこで由緒正しきハイリアの血統は、ハイラル王国を建国し王となることでこれを制御したのである。

しかし王国はたびたび魔族（P.094）の脅威にさらされ、繁栄と衰退を繰り返す。民族間の紛争や宗教弾圧といった闇の歴史も生んでいった。そういったなかでさまざまな伝統や伝説が生まれ、小王国にまで衰退する歴史もあれば、過去の呪縛を解き新しいハイラル王国（P.036）を築く歴史も紡がれている。

女神ハイリアの紋章

ハイラル王国の紋章
女神ハイリアの紋章がトライフォースを抱えたようなシンボル。古代の時の神殿（P.022）にも同様の彫刻がある

ゼルダ姫以外の王族と臣下たち

ゼルダ姫（P.012）については多くの伝説が残るものの、ほかの王族についてはあまり記録が残っていない。『ふしぎのぼうし』のダルタス王、『風のタクト』のダフネス王、古のグスタフ王だけが伝説上に名が残されている。ほかにも、伝説に語られる偉大な王や、反対に王族であっても神の力を扱うことのできない例がある。

1 『ふしぎのぼうし』の王家の墓。グスタフ王が眠っている **2** 王族の者として、ピッコル（P.048）の秘密を受け継ぎ、ピッコル祭りを仕切る『ふしぎのぼうし』のダルタス王 **3** 『神々のトライフォース』のハイラル王（左下）は、司祭アグニムの正体に気づかず暗殺された。勇者の働きにより、トライフォースの力で生命を取り戻している **4** 王女と臣下たちの肖像画。ハイラル封印の際、継承者となる王女の警護に選ばれた者たちである。封印から逃れ、子孫はテトラ海賊団を結成。『大地の汽笛』の新しい王国でも一部の子孫の姿があり、王家への忠誠を誓っている **5** 歴史上もっとも名を残した王、ダフネス・ノハンセン・ハイラル。ハイラル封印を神から指導された当時の王。『風のタクト』のガノン復活に呼応して目覚め、小舟に魂を移し赤獅子の王として勇者を導いた。争いの輪廻を断ち切るため、トライフォースの力でハイラルを消滅させ、自らも泡と消えた **6** 知恵のトライフォースの片割れを併せ持ち、テトラをゼルダ姫として目覚めさせる **7** トライフォースにより国を発展させた偉大な王。死後もトライフォースが正しく使われるよう神殿に隠す。『リンクの冒険』の神殿や守護者は、この王と信頼のおける魔法使いによってつくりだされた。しかし後に悲劇を招く **8** トライフォースを継承できず、秘密を握るゼルダ姫を問い詰める王子。側近の魔法使いによりゼルダ姫は永遠の眠りにおちてしまう。後悔した王子はこの悲劇を忘れぬよう、今後生まれる姫に「ゼルダ」と名付けるよう定めたという

神に選ばれし伝説の姫　ゼルダ

勇者を主人公としながらも、「ゼルダの」と題して語られる数々の伝説。神の力を継承するゼルダ姫こそ、歴史の表舞台で伝説を残していることは間違いない。

▶王国の最初の大事件

ゼルダ姫の存在は、過去にピッコルから授かった大きなフォースそのもの。それを魔神グフーに狙われた。願いの帽子をかぶって王国の復興を願うと、あまりの力の大きさに世界はフォースで満ちあふれるようになったという。

▶魔神も見惚れる高嶺の花

ゼルダ姫は、過去に魔神グフーを封印したフォーソードを管理する役目をもつ。しかしグフーは復活。グフーは姫を花嫁にしようと、風の宮殿へとさらっていった。

▶転生した女神ハイリア

ハイラル王国はまだ存在せず、ゼルダは姫ではなく女神ハイリアの生まれ変わり。騎士学校の校長の娘として生まれ、ふつうの活発な少女であった。古の女神の力を取り戻し、勇者を目覚めさせ、魔族から世界を守る運命を背負う。

神の声を聞き、時を操る王女◀

神の声を聞く力をもつ。盗賊ガノンドロフがトライフォースを狙っていること、森から来た少年が世界を救う勇者となることを夢のお告げで知る。しかし父王から相手にされず、お告げの少年に時を操る神器「時のオカリナ」を託す。乳母インパの計らいでシーカー族（P.040）の少年に変装し、ガノンドロフの追尾を逃れていた。ガノンを封印し、ゼルダ姫は自分の判断が過ちであったことを詫びて勇者を7年前の世界へと帰す。この出来事はその後の世界のあり方に大きく影響し、さまざまな形の伝説となって後世に残されている。

歴代タイトルのゼルダ

「ゼルダの伝説」の名を冠していても、実はすべてのタイトルに登場するわけではない。また、『ムジュラの仮面』は回想シーンでの登場となる。

ゼルダの伝説　リンクの冒険　神々のトライフォース

時のオカリナ　時のオカリナ3D　ムジュラの仮面　ムジュラの仮面3D　ふしぎの木の実

風のタクト　風のタクトHD　4つの剣　4つの剣+　ふしぎのぼうし

トワイライトプリンセス　トワイライトプリンセスHD　大地の汽笛　スカイウォードソード　神々のトライフォース2

▶トライフォースへと導く王女

ガノン復活をたくらむ司祭に捕らえられ、ナイトの血を引く者にテレパシーで助けを求めた。賢者の血を引く巫女たちとともに、勇者をトライフォースへと導いていく。

▷ 新世界への引率者

大海原を駆る海賊の女首領として生きてきたテトラ。彼女こそ古の王国ハイラルの後継者であった。運命に導かれ、王女として覚醒する。
再びテトラ海賊団として船出したゼルダ姫は、新しいハイラル国の建国者として語られている。新しい時代を象徴すべき人物である。

▷ 勇者と旅をともにした姫

新しいハイラル王国を建国したゼルダ姫（テトラ）の玄孫。ややお転婆。遠いこの地でもゼルダ姫の神聖な力は健在であり、魔王復活の器として体を奪われた際、かろうじて魂だけを切り離した。ファントムの鎧に魂を宿して戦い、勇者と旅をともにする。

▷ 影の世界との和解へ

影の世界（P.026）の軍勢に攻め込まれ、降伏か、死かを問われる。決定権をもったゼルダ姫が選んだのは、民の身を案じて降伏することであった。その支配下になることを受け入れ、民への追悼の意から黒いローブをまとう。この事件がきっかけで、影の世界の真の王女ミドナと会合。お互いを分かち合い、光と影の世界のあいだにあった古くからのわだかまりを解いたのである。

▷ 王国に真の光を

魔神グフーを封印したフォーソードの異変を察知。ガノンが復活するが、6人の巫女とフォーソードをもつ勇者とともに光の力で闇を払う。歓喜する国民たちを城からひとり見つめる姿は、姫としての慈しみに満ちたものであった。

▷ 絵画のような美しい姫

知恵のトライフォースを宿しており、異世界ロウラル（P.028）に連れ去られ絵画にされてしまう。しかし勇者とともに、ロウラルをも救った心優しい姫である。

▷ 初代ゼルダ姫の伝説

かつてトライフォースの秘密を守り、魔法で永遠の眠りにつかされてしまった姫がいた。名はゼルダ。その悲劇を忘れぬよう、姫は「ゼルダ」の名を継ぐことになったという。勇者の活躍により初代ゼルダ姫がついに目覚めたことで、「ゼルダ姫」が2人いる時代になる。

▷ 人々の希望

ハイラル王国の人々の希望の象徴。ゼルダ姫が危機に陥ると、絶望の炎が灯ってしまうのである。（P.030）

▷ 神の力を悪しき手より守る

大魔王ガノンが狙う「知恵のトライフォース」を隠したことで捕われの身となるが、乳母インパに勇者を探させガノンの野望を食い止める。トライフォースを悪しき手から守るのは王族の役目であり、ガノンに狙われることは因果ともいえる。

013

神に選ばれし少年 勇者

伝説のなかの主人公として語り継がれる勇者。多くはハイラルの危機において出現する、神に認められた勇気ある人物である。その証として勇気のトライフォースをその手の甲に宿す。血筋や定められた運命により勇者となることもあるが、ごくふつうの少年が何らかの事件をきっかけに勇者へと成長することも多い。

同一人物が伝説を残すことはまれで、ほとんどがその時代を生きた別の人物。そのため時代ごとに「時の勇者」「風の勇者」のように呼ばれる場合もある。しかしながらその多くは、緑色の服を身にまとい、左手に退魔の剣マスターソードを携えた姿であると強く印象づけられている。数々の剣技や魔法を使いこなし、迷宮の謎を解いて強大な敵に打ち勝つ。

そんな選ばれし勇者といえど、時折ふつうの少年らしさを見せる。彼が世界を救うのは、名誉のためではなく大切な誰かのためなのである。知恵と勇気と力の均衡を測るため、神はさまざまな試練を課す。これは戦う術を持たずに生を受けた人間そのものへの試練であり、勇者とは人間が秘めた勇気の象徴として尊ばれる。だからこそ人はいつも、勇者の伝説を語り継いでいくのである。

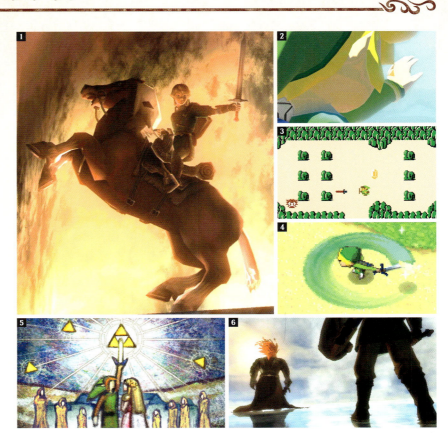

1 馬に乗り平原を縦横に疾駆する姿も、勇者の象徴的な姿のひとつ。馬は牝で名はエポナと呼ばれることが多い　**2** 神に認められた勇者の証　**3** 体力あるときに放つことのできる剣ビーム　**4** 回転斬りの剣技　**5** 勇者を描き、後の時代に語り継がれたもののひとつ　**6** 勇者と終焉の者の決戦。泣きわめくばかりで戦うことのできなかった人間から、何千年もの時を経て、初めて勇者が誕生した

歴代タイトルの勇者

伝説をつなぐ、冒険の主人公。名前は一般的に「リンク」とされる。年齢は12〜17歳くらい（『時のオカリナ』の子供時代は7歳くらいだが、まだ幼すぎると判断したマスターソードによって7年間封印されている）。

ゼルダの伝説　リンクの冒険　神々のトライフォース　夢をみる島

時のオカリナ※　時のオカリナ※　時のオカリナ3D※　時のオカリナ3D※　ムジュラの仮面　ムジュラの仮面3D　ふしぎの木の実

風のタクト　風のタクトHD　4つの剣　4つの剣+　ふしぎのぼうし　トワイライトプリンセス　トワイライトプリンセスHD

夢幻の砂時計　大地の汽笛　スカイウォードソード　神々のトライフォース2　トライフォース3銃士

※それぞれ子供時代、大人時代の姿

勇者の軌跡

それぞれの時代の勇者がどのような経歴であったか。その生い立ちもしくは職業、伝説の勇者としてどのような活躍をしたかの記録、服装（もともと着ていた服および緑の服に着替える理由）、そしてその後どうしたのかなどを記す。

A

スカイウォードソード
- **生い立ち** 騎士学校の生徒。鳥乗りの儀の巫女役を務めるゼルダの幼なじみ
- **記録** 女神ハイリアに選ばれた勇者。剣の精霊ファイに導かれてマスターソードを完成させ、終焉の者を封印する
- **服装** 私服から支給された騎士の制服に着替える。この年のものは緑色
- **その後** 大地に定住することを決めたと思われる

ふしぎのぼうし
- **生い立ち・職業** ゼルダ姫とは幼なじみ。鍛冶屋の見習い
- **記録** 帽子のような姿のエゼロを頭に乗せる。フォーソードを扱い、ゼルダ姫を救うためグフーと戦う。最後にエゼロが、自身の姿のような緑の帽子を贈り、勇者の象徴ともなる

4つの剣
- **記録** フォーソードで体が4人に分かれ、魔人グフーを倒す
- **服装** 分身した姿は、服の色がそれぞれ赤、青、紫になる

時のオカリナ
- **生い立ち** 戦乱の時代、ハイリア人の一市民の家庭に生まれる。その戦争の中で住処を追われた母親は、赤子を抱いて禁断の森へと逃れた。その赤子が世界を救う運命にあると精霊デクの樹は悟り、コキリ族（P.046）としてコキリの森で育てられた
- **記録** 妖精ナビィとともに旅立ち、勇気のトライフォースを宿す「時の勇者」となる。7年の眠りについた後、マスターソードを手にガノンと戦う
- **服装** コキリ族の日常着である緑色の服
- **その後** **B** 敗北。賢者がガノンを封印する **C D** ガノンを倒し、元の時代に帰還する

B 敗北

神々のトライフォース
- **生い立ち** 王族を守るナイトの一族の末裔。おじさんと2人暮らし
- **記録** マスターソードでガノンを倒し、トライフォースに願って平和を取り戻す
- **その後** 修行の旅に出る

夢をみる島
- **生い立ち** 『神々のトライフォース』と同一人物
- **記録** 船が嵐に遭いコホリント島に流れ着いた

ふしぎの木の実
- **生い立ち** 馬で旅をしていた少年
- **記録** 手の甲に証があり、トライフォースの試練へ挑む。カンガルーのリッキー、クマのムッシュ、恐竜のウィウィいずれかと冒険をする
- **その後** 修行のため船出する

神々のトライフォース2
- **職業** 鍛冶屋の見習い
- **記録** 壁に入る能力を使う。勇気のトライフォースを得る
- **服装** 鍛冶屋の作業着
- **その後** ドレース王国へ

トライフォース3銃士
- **生い立ち** 『神々のトライフォース2』と同一
- **記録** 伝説のトーテム勇者に
- **服装** アレな服から兵士の服に着替える

ゼルダの伝説
- **職業** ハイラル王国を旅する12〜3歳の少年
- **記録** 隠された知恵のトライフォースを捜し、ガノンを倒す
- **服装** 旅の普段着

リンクの冒険
- **生い立ち** 『ゼルダの伝説』と同一人物。16歳になり手の甲にトライフォースの印が現れる
- **記録** 大神殿の謎を解き、勇気のトライフォースを得て古のゼルダ姫を目覚めさせる

C 子供時代

ムジュラの仮面
- **生い立ち** 『時のオカリナ』と同一人物
- **記録** 勇気のトライフォースを手にしたまま元の時代へ戻る。ゼルダ姫と会い時のオカリナを預かると、旅をともにした妖精ナビィを捜して森から異世界へと迷い込む。妖精チャットとともにタルミナを救うが、勇者としての記録は残っていない
- **その後** 死後、光の狼（骸骨兵士）となり剣技の後継者を求める

トワイライトプリンセス
- **生い立ち・職業** 山羊追いなどを生業とするトアル村の牧童。剣術や馬術もたしなむ。時の勇者から勇気のトライフォースを継承している
- **記録** 狼の姿に変身。ミドナ（影の世界の女王）とともにマスターソードを得てザント、ガノンを倒す
- **服装** 私服はトアル村のもの。相撲姿にもなる。緑の服は、光の精霊から授かった古の勇者の服
- **その後** 村の子供たちとともに帰還

4つの剣＋ ハイラルアドベンチャー
- **生い立ち** ゼルダ姫と幼なじみ
- **記録** フォーソードを使って4人に分身。魔神グフーを倒す

D 大人時代

風のタクト
- **生い立ち** プロロ島で育った少年。祖母、妹と暮らしている
- **記録** しゃべる船・赤獅子の王に乗り、海底に沈んだ勇気のトライフォースを得てガノンドロフと戦う。「風の勇者」と呼ばれる
- **服装** 普段着はエビ模様の青い服。緑の服は古の勇者の服を模したもので、男の子が誕生日のお祝いとして着る古い習わし
- **その後** 新しい世界を求めテトラ海賊団とともに出航する

夢幻の砂時計
- **生い立ち** 『風のタクト』と同一人物
- **記録** 幽霊船の謎に巻き込まれる。海王の海域で妖精シエラ（勇気の精霊）と冒険を繰り広げる（ハイラルでの時間は10分程度）
- **その後** テトラ海賊団として大陸を発見。新生ハイラル国に定住したかどうかは定かではない

大地の汽笛
- **職業** 機関士見習い
- **記録** 神の汽車に乗り、幽体となったゼルダ姫とともに魔王マラドーを倒す
- **服装** 機関士の服を着ていたが、ゼルダ姫からハイラル兵士の服（かつての勇者を模したもの）を借りて城を抜け出す
- **その後** そのまま機関士になったとも、ゼルダ姫を守る剣士になったとも言われている

大魔王 ガノンドロフ（ガノン）

西の果ての砂漠を拠点とする義賊集団、ゲルド族（P.041）の首領。通り名をガノン。百年に一度生まれるゲルド族の男は王となるしきたりがあり、ゲルドの王となるべく育てられた。野心家で、義賊としての一族のあり方には反発。大勢で弱い者から盗んだり殺したりといった非道な行為を行った。魔法の力も扱うことができ、魔盗賊と呼ばれる大盗賊となる。

ハイラル王国による統一戦争によって、ゲルド砂漠一帯もハイラル王国の統治下となった。ガノンドロフはゲルド族の首領としてハイラル王家に忠誠を誓った。しかしそれは、ハイラルの秘宝トライフォースを狙った策略でもあった。

トライフォースに触れたガノンドロフであるが正しく使うには至らず、手もとには力のトライフォースだけが残った。残る2つのトライフォースを求めるが勇者との戦いで力が暴走し、魔獣の姿へと変貌。六賢者により聖地（P.020）へと封印された。以降、復活と封印を繰り返しながらトライフォースをめぐる戦いが続いている。

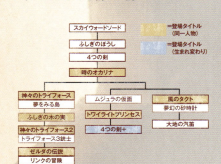

1 トライフォースは3つに分かれたが、力のトライフォースを得たガノンドロフ。因縁の始まりである **2** ガノン城へと変わり果てたハイラル城 **3** ガノンの塔の上層階でパイプオルガンを弾き、勇者の訪れを待つ **4** ガノンドロフの育ての親、双子の魔法使いコタケとコウメ **5** 自身の幻影として作りあげた魔物、ファントムガノン。ほかにもクグツガノンといった、自身をモチーフとした魔物を具象化させている

歴代タイトルのガノン／ガノンドロフ

ガノンの姿でのみ登場するタイトルと、人間から魔獣に変身するタイトル、変身しないタイトルがある。人間時のエピソードが明らかになったのは『時のオカリナ』であるため、そのガノンドロフが生まれるより遥か昔の『スカイウォードソード』には登場しないのだが、魔の根源である終焉の者（P.095）には、どこかガノンドロフの面影がある。

ゼルダの伝説
トライフォースを狙う魔王ガノン。豚のような姿をした、魔族たちの親玉

神々のトライフォース
闇の世界から復活をたくらむガノン。かつて人間だったころの話が賢者から語られる

時のオカリナ
聖地のトライフォースを手にした魔盗賊ガノンドロフ。魔獣ガノンへ変貌、封印される

ふしぎの木の実
ツインローバが復活させる。不完全な儀式だったため、理性をもたない凶暴な状態

風のタクト
神の封印から目覚め、トライフォースの後継者ゼルダ姫を捜す。魔獣にはならずに倒される

4つの剣+
ガノンドロフの生まれ変わりが、ゲルド族の掟をやぶってトライデントを手にし魔獣となる

トワイライトプリンセス
影の世界に追放されたがゼントを利用して復活。魔獣になる、馬に乗って戦うなど多彩

神々のトライフォース2
ロウラルの司祭ユガが、ガノンのもつトライフォースを得るため賢者を使って魂を呼び出す

魔族の意思を受け継ぐ闇の男の人物像

　魔王となったガノンドロフの闇の力はすさまじいものであったが、光の矢や銀の矢を弱点とし、退魔の剣マスターソードに敗れ、賢者によって封印される。その魂はゼルダ姫や勇者への憎悪に満ち、強い思念をもって何度も封印を破ることとなる。世界を魔族のものにすべく、トライフォースを求め続けたのである。歴史の移ろいによっては知性に乏しい状態で復活を繰り返しつつも、魔物たちからはしばしば絶大な支持を集めていた。

　しかし、少しばかり年を経たガノンドロフは、魔獣の姿にはならずそれまでと違う言葉で心境を語ったことがある。故郷の砂漠は、風が死を運んできた。ハイラルに吹く風は死とは違うものを運んでくる。この風がほしかったのかもしれない、と。そのような言葉を最期に残し、魔族としてトライフォースを欲し続ける呪縛のようなものから解き放たれたのである。

1 魔獣ガノン　2 処刑場にて。力のトライフォースが覚醒し拘束具を破壊、賢者のひとりを殺害したことが『トワイライトプリンセス』で語られる　3 処刑に使われた剣を所持し使用。鞘をゲルド模様の布で包んでいる　4 『時のオカリナ』で魔獣ガノンが使用した武器。ガノンドロフが好んだポーズがあらわれている　5 魔獣ガノンの代表的な武器、三つ叉の槍トライデント　6 『風のタクト』では二刀流。剣には「コタケ コウメ」の銘が刻まれている　7 8 『風のタクト』のガノンドロフは、過酷な環境にある故郷を思い出しながら、ハイラルを欲した心境を顧みる。マスターソードを額に受け、その退魔の力で石化。ハイラルとともに泡となって消えた

精霊

精霊とは、特別な力や役割をもち、物質とは異なる精神体のような存在である。その姿は基本的には見えないものであり、たとえば「妖精のブーメラン」が風を起こすことができるのは風の精霊が宿っているからである。トライフォースにも精霊が宿ることがあり、『神々のトライフォース』では資格ある者の願いを明確に聞き届けた。

精霊はこの世の自然や物質に宿ることで姿形を現すこともできるが、見る者や時代によって目に映る姿が変わることも珍しくはない。なかでも神の命により各地を治める精霊は、神と人間をつなぐ役割を持ち、人に崇められる守り神のような存在となっている。ハイラルではディン、ネール、フロルにまつわるシンボルマークや名前をもつこともある。人間の目に見える精霊は、カメやクジラなど動物の姿をしていることも多く、人間たちの暮らしに密接に関わることさえある。また、海王（P.035）のようにひとつの世界を守護する大精霊もまれに存在している。

1 『スカイウォードソード』剣の精霊ファイ。神の言葉を勇者に伝え、導くためだけに女神ハイリアに生み出された存在。人の目には金属的な色を帯びた女性の姿として映る。その役割が訪れた時に目覚め、終われば再び眠りにつく　2 『スカイウォードソード』空の精霊ナリシャ。三龍とあわせてひとつになる「女神の詩」を歌う　3 『時のオカリナ』の大人時代、呪いで枯れたデクの樹の根元から新しく生まれてきた子供。時の勇者に出生の秘密を話すことがひとつの役割。『風のタクト』の時代には大きく成長している

太古の三龍

森と水源を守る水龍フィローネ、火山一帯を取り仕切る炎龍オルディン、砂漠を管轄する雷龍ラネール。女神ハイリアから大地を託されるとともに、空の精霊ナリシャとあわせて、勇者に「女神の詩」の一節を伝えることが役目である。魔物を一掃するため森全体を水で沈める、火山を噴火させるなど、その地域にある自然の力そのものを持つ。雷龍は機械亜人（P.050）を統制して時空石を採掘、発展させた。

フィローネ　オルディン　ラネール

光の精霊

神より遣わされ、トライフォースを狙う一族の魔力を奪い、彼らを影の世界（P.026）に追放した。魔力は「影の結晶石」に封じ、4つに分けて各地で守っていた。精霊の名と地域名は同一でラトアーヌ、フィローネ、オルディン、ラネールである。精霊の泉に住んでいるがふだん人の目に映ることはなく、勇者にはそれぞれの土地の霊力のある動物の姿（山羊、猿、蝶、蛇）で見える。『トワイライトプリンセス』でその役目を終え姿を消した後は、精霊の泉は妖精の泉となって人々に生命力を与え続けている。

光の精霊　精霊が去ったあとの泉

各地の守り神

『時のオカリナ』のデクの樹は、森とコキリ族（P.046）を育む。水源にはゾーラ族（P.044）の里の守り神として、大きな魚のような姿をしたジャブジャブが祀られている。どちらも守り神と慕われる精霊である。火山のヴァルバジアは悪い竜として退治されたが、火山をつかさどる精霊とも呼べる存在であった。

デクの樹　ジャブジャブ

勇者の再来を待つ精霊

『風のタクト』では森の精霊デクの樹、火の精霊ヴァルー、水の精霊ジャブーが守り神として親しまれている。古代語を話しながらも、人々の生活にも溶け込んで暮らす。実は勇者の再来を待ち続けており、ハイラルの封印を解くべき日のため、フロル、ディン、ネールの神珠を守っている。

デクの樹　ヴァルー　ジャブー

妖精

妖精とは、この世界に存在する妖精界の精霊たちである。とくに大きな力を持つ大妖精は、小さな妖精たちを束ねて各地を見守っている。さらに妖精のトップとして妖精の女王が存在しており、強大な力を持っている。妖精たちは泉を拠点として各地に散らばり、あらゆる者に生命力を与えている。世界の秩序が乱れるとき、神に選ばれた勇者に力を貸すこともまた役割のひとつである。

小さな妖精をビンなどに入れて携えておけば、力尽きたときに生命力を与えてくれる。そのため、アミで捕らえたり、店で売られたりといったことも行われている。

『時のオカリナ』のコキリの森は「妖精の森」とも呼ばれ、妖精が生まれる森でもある。森の精霊デクの樹が妖精たちとコキリ族（P.046）を育んでいる。『ムジュラの仮面』では、そんな妖精の生まれ変わりだと信じる男チンクル（P.053）が、いつか自分の相棒となる妖精がくることを待ち続けている。

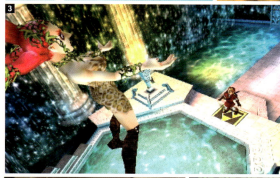

1 妖精の泉。小さな妖精がたくさんただよっており体力を回復してくれる **2** 『時のオカリナ』の妖精ナビィ。精霊デクの樹の言いつけで、勇者となる少年のもとを訪ねた。冒険のパートナーとして旅をともにする **3** ひときわ立派な泉で、勇者にさまざまな力を与えてくれる大妖精。トライフォースの台座で特定のメロディを奏でることで、高らかな笑い声とともに姿を現す **4** 『ムジュラの仮面』の双子の妖精。黄色が姉のチャット、黒が弟のトレイル **5** 『神々のトライフォース』はアミで妖精を捕まえる

歴代タイトルの主な大妖精たち

アイテムとして持ち運ぶことのできる小さな妖精については、P.139（2章）を参照。ここではそれ以上の力を与えてくれる大妖精や妖精の女王たちをいくつか並べている。

ムジュラの仮面

ふしぎのぼうし

風のタクト

神々のトライフォース
大妖精（左）と、幸せの泉の女神（右）と呼ばれる妖精の女王。闇の世界では肥満化している

地域ごとに出会う大妖精はそれぞれ別人で、地域や加護によって色や姿が異なることも

夢をみる島
体力を回復してくれる大妖精。「服のダンジョン」には妖精の女王がいる

時のオカリナ
三大神の加護を受けた大妖精たち。各地で魔法の力などを与えてくれる

ムジュラの仮面
各地方にいるが、体をバラバラにされ、はぐれ妖精（右下）の状態でさまよっている

ふしぎの木の実
力を貸してくれる妖精、大妖精、妖精の女王のほか、ヤンチャ妖精（右下）がいる

風のタクト
大妖精（左）と妖精の女王（右）。妖精の女王は幼く見えるが偉大で威厳がある

4つの剣
チョウ大妖精、トンボ大妖精（写真）、カゲロウ大妖精から、金・銀・勇者のカギをもらう

4つの剣+
魔物に体を2つに分けられた超妖精（右）を助け、大妖精（左）も力になってくれる

ふしぎのぼうし
チョウ大妖精、トンボ大妖精（写真）、カゲロウ大妖精。冒険者の泉で、質問に答えていく

トワイライトプリンセス
大妖精の洞窟にいる大妖精であり、妖精たちをとりまとめる妖精界の女王

神々のトライフォース2
ふつうの大妖精（左）のほか、ルピーを求めてくるルピー大妖精（右）が存在する

聖地と賢者

神が降り立ちトライフォースを残した場所は、聖地という。王族とともに聖地などを守護したり、神聖な力で儀式を行う役割をもつ者は賢者と呼ばれた。ハイリア人の神秘的な力は時代を経るごとに失われていくが、賢者の血筋である神官や巫女は神聖な力を保持している。また、世界が危機的な状況にある場合には、選ばれし賢者が覚醒することもある。

聖地の場所は長きにわたって不明となったが、聖地が発見されると争いが起こった。賢者ラウルは聖地のトライフォースを光の神殿に納め、それらを覆うように時の神殿（P.022）を造った。時の神殿から光の神殿へつながる鍵は、退魔の剣マスターソード（P.078）。その台座へ続く「時の扉」は王家の「時のオカリナ」と3つの精霊石がなければ開かない。精霊石は王家に忠誠を誓う3種族に託され、聖地への入口は厳重に閉ざされたのである。

ところが、ガノンドロフが聖地へ侵入し魔王となる。時の勇者は六賢者を目覚めさせ、賢者の長ゼルダ姫とともにガノンを聖地に封印した。しかし時の勇者が敗北した歴史では、その後も聖地をめぐる争いが起き、さらには闇の世界（P.025）となった聖地からは邪悪な魔物があふれだした。その時代の七賢者は聖地を封印、賢者を守ったナイトの一族がほぼ壊滅するほど激しい戦いとなり、後に封印戦争と呼ばれた。

こうした賢者もしくはその子孫たちは、歴史の中でガノンなどから狙われる定めにもある。

1 聖地の封印　**2**『時のオカリナ』聖地の一部、賢者の間。六賢者がここにガノンを引き込み、賢者の長であるゼルダ姫が外から閉じることでガノンを封印した　**3**『時のオカリナ』の時の神殿。マスターソードの台座から聖地へとつながる　**4**『神々のトライフォース2』のガノン復活の儀式。七賢者の血を引く者が集められた

歴代の賢者、巫女たち

神々のトライフォース
七賢者の子孫たちのなかでも、ゼルダ姫を含む若い巫女たちが闇の世界へのいけにえとなる

時のオカリナ
ラウルを筆頭に、それぞれの神殿の呪いを解くと覚醒する六賢者。種族はさまざま

ふしぎの木の実
ディン、ネール、フロルという女神と同名の巫女が、季節や時空の秩序を守っている

風のタクト
神に祈りの唄を捧げる森の賢者と大地の賢者。先代が殺されており、新たに目覚めさせる

4つの剣＋
グフーを封印する力をもつ6人の巫女とゼルダ姫。この巫女は実体ではなく精霊のようなもの

ふしぎのぼうし
エゼロは、ピッコルの「知」を知る者。願いの帽子を作りだしたことが災いした

トワイライトプリンセス
ガノンドロフ処刑に失敗し、六賢者のうちの1人は殺された。陰りの鏡を守り続けている

大地の汽笛
魔神マラドーを封印した神の汽車や線路を各地で守る、ロコモ族の賢者6人（P.037）

スカイウォードソード
神官の家系に生まれた巫女ゼルダが、騎士学校の儀式で女神役を務める

神々のトライフォース2
七賢者の子孫で、その自覚はあったりなかったりとさまざま。勇気のトライフォースを与える

六賢者（七賢者）とそのシンボル

　賢者のなかでも「六賢者」と呼ばれる賢者たちがいる。『時のオカリナ』では、「聖地（を守る賢者ラウル）からの声に応え5つの神殿それぞれの封印を解くことで賢者が復活し、六賢者を目覚めさせその力で戦う者こそ時の勇者である」とシーカー族に伝わっていた。事実、時の勇者と六賢者は目覚め、賢者の長たるゼルダ姫とともにガノンを封印。直後の時代である『風のタクト』のハイラル城には、その賢者たちの痕跡が残されている。六賢者にはそれぞれシンボルとなる紋章があり、いちばん古い時代では『スカイウォードソード』のハイリアの神殿に残されている。神話の時代から六賢者が存在したか、聖地を守護する象徴として描かれたものと考えられる。『トワイライトプリンセス』でも多くの地にこの紋章が見られる。

　また、『神々のトライフォース』では封印戦争で聖地を封印した賢者を「七賢者」と呼び、子孫たちに聖地とトライフォースの秘密が受け継がれている。

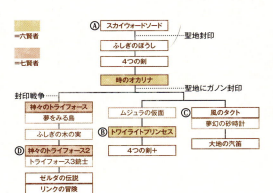

■時系図Ⓐハイリアの神殿の天井。女神ハイリアがトライフォースを天空に打ち上げた際に分断したが、6つの紋章を確認できる　❷時系図Ⓒのハイラル城。マスターソードの台座を囲うように、六賢者などのステンドグラスが施されている。ただし紋章は六賢者のものではなく各種族にまつわるもの。また、この時代は2人の賢者がマスターソードに力を注いでいる　❸時系図Ⓑのハイラル城内。玉座の両サイドに賢者の紋章が並ぶ　❹時系図Ⓑ、賢者による裁きが行われていた砂漠の処刑場。賢者のタワーがシンボル　❺時系図Ⓓの七賢者にはゼルダ姫は含まれず、各台座には紋章ではなく頭文字が描かれる

森　　炎　　水　　魂　　闇　　光

フクロウの姿で見守る光の賢者

　フクロウは知恵の象徴と言われる。幼い勇者を導いたフクロウのような怪鳥ケポラ・ゲボラは、古の賢者ラウルであった。

　賢者ラウルはマスターソードを聖地への最後の鍵とした。マスターソードはふたつの時を行き来する勇者が使ったとされている。しかし当のラウルですら、それは伝説にすぎないと思っていた。伝説に聞く名のとおり「時の神殿」を造り、ラウルは実体を捨てて聖地の賢者の間にこもった。聖地の秘密は、来るべき時のためにシーカー族が受け継いでいった。

　長い年月が流れ、トライフォースはガノンドロフに狙われた。古の賢者ラウルは鳥に生まれ変わり、勇者となるであろう幼い少年を導く。そして、7年の時を行き来する「時の勇者」が再来したのである。

　かつて時を行き来した伝説の勇者とは、何者であろうか。『スカイウォードソード』の勇者がまさにそうであるが、ラウルは知る由もない。しかし『時のオカリナ』での時の勇者の伝説は人々に長く語り継がれ、光の賢者ラウルもまた伝説となり後世に名を残したのであった。

021

時の神殿とマスターソードの台座

神殿は神を祭る建物であると同時に、神器などを安置するための場所である。そのため侵入者を拒む仕掛けが厳重に設置されている。多くの神殿のなかでも重要視されている神殿が「時の神殿」である。時代ごとに形を変えているが、マスターソード（P.078）を鍵として時を行き来する点が共通する。そして、その名称や形跡がなくなってからも、マスターソードとその台座は何かしらのかたちで存在し続けている。

神殿を守るために設置されたビーモス

2つ存在した時の扉
スカイウォードソード

『スカイウォードソード』で語られる神話の時代。2か所に存在し、時空を行き来する「時の扉」があった。ひとつは封印の神殿（ハイリアの神殿）、もうひとつは砂漠に存在。時の扉は聖剣マスターソードに宿る神聖なフォースの力（スカイウォード）によって起動する。年月の経過により、どちらもその形状を留めてはいない。

時の扉の位置。トライフォースのあったハイリアの神殿が、後に封印の神殿と呼ばれる

■1 封印の神殿にある「時の扉」、起動前　■2 「時の扉」起動時　■3 「時の扉」使用時　■4 ラネール砂漠にある時の神殿。魔族の追っ手から逃れるため破壊された。ラネール地方は太古に、時空石の産地として高い文明を築いていた場所である　■5 マスターソードの台座。数千年が経過し、周囲を草木が覆っている

トライフォースの眠る聖地への入口
時のオカリナ

『時のオカリナ』では城下町にほど近いところにあり、華美すぎず、簡素すぎない威厳ある建造物。庭の手入れも行き届いている。中は広い空間となっており、静寂のなか足音が響く。奥の扉は固く閉ざされている。その時の扉を開くと、退魔の剣マスターソードが鎮座している。それは聖地への鍵であり、時の神殿は聖地への入口なのである（P.020）。

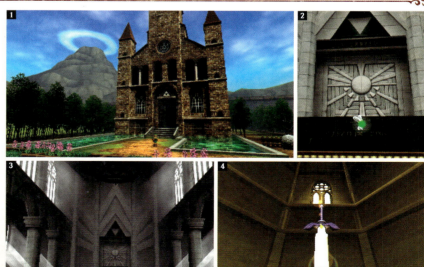

時の神殿の位置。城と城下町の付近

■1 にぎやかな城下町とは雰囲気が変わり、閑静な雰囲気　■2 閉ざされた時の扉。その秘密が台座に書かれている　■3 静寂に包まれた神殿内　■4 時の扉の奥にあるマスターソードの台座。抜くと聖地への入口が開かれる

天空人の技術が残された過去の神殿

トワイライトプリンセス

『トワイライトプリンセス』では、うっそうとした森が人の出入りを拒み、聖域と呼ばれる場所にマスターソードが眠っている。朽ちた遺跡となっているが、勇者（時の勇者の末裔と推測される）の訪れによって扉が過去へとつながり、華美な姿を確認することができる。マスターソードの台座からさらに奥の神殿に続いており、そこにあるのは古の天空人（P.049）の技術。また、光の賢者の紋章（P.021）がいたるところに記されている。

古代に造られた時の神殿は、光の神殿とも考えられる紋章が施されている

森の聖域の位置

過去と現在の対比

神殿奥への鍵はマスターソード。天空人の古い技術によってさまざまな仕掛けがつくられ、王家に選ばれた天空への使者が持つというコピーロッドがまつられている

マスターソードの台座。床には光の賢者のシンボルマークが描かれ、窓は豪華なステンドグラスが飾られる

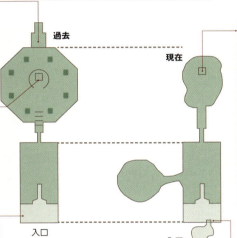

過去　現在

入口　入口

マスターソードの台座周囲も廃墟となり、荘厳な神殿の面影はない

アーチ状の建物。入口の扉から階段を降りると目の前にマスターソードの台座の部屋につながる。扉の前には守護する石像がたたずんでいる

神殿は朽ちても、守護像がマスターソードを守り続けていた。その謎を解き明かしたとき、マスターソードへの道は開かれる

過去

森の聖域へ続く道

現在

マスターソードの台座

時の神殿は存在しないものの、森の奥にたたずむマスターソードの印象を強くしたのは『神々のトライフォース』にほかならない。『風のタクト』ではハイラル城の中だが、神殿のような厳かな雰囲気になっている。

神々のトライフォース
迷いの森の奥の聖域。剣を抜くとあたりの霧が晴れる

神々のトライフォース2
迷いの森の奥の聖域。剣を抜くと、小鳥やリスが集まる

風のタクト
ハイラル城の地下。剣を抜くと、止められていた時間が流れ始める

異世界と異国

伝説の舞台はハイラルだけにおさまるわけではない。聖地とトライフォースを中心として栄えたハイラル王国のほか、異世界や異国も舞台となる。

この項では、ハイラル王国およびハイラルの聖地を中心とした世界以外を取り上げ、さまざまな世界についてハイラルおよびハイラル王国との関係性を解説する。各世界に住む人物や地域などについては、P.214（3章）からを参照のこと。

ドレース王国からつながる魔境。ハイラルの内外には不思議な世界がたくさん広がっている

ハイラルとさまざまな世界

代表的なハイラルの異世界として、平行して存在する裏の世界がある。「表の地上」、「裏の地上」というように表現することもある、表裏一体の世界もしくは対をなす世界である。ハイラルが「光の世界」と称されるのに対し「闇の世界」や「影の世界」と呼ばれている。

また、トライフォースを有すもうひとつの世界として「ロウラル」があり、これも平行して存在する異世界である。

これらの世界は、通常は互いに干渉することはないが、何らかのきっかけでふたつの世界がつながることがある。

ほかにも、何らかのきっかけで一時的につくられた幻の世界も存在している。

異国についてここで取り上げるのは「ドレース王国」で、ハイラル王国からは地続きの場所である。ほかにも天空には、女神の打ち上げた「スカイロフト」や天空人の「天空都市」、風の民の「風の宮殿」などが存在してきた歴史がある（P.048）。

また、古いハイラルが消滅したことにより世界は新しい海となった。それと接する海のひとつが、大精霊による「海王の海域」である。その向こうを「外海（外洋）」と呼ぶとして、さらにはるか先でたどり着いた「光の神の大地」に建国されたのが、「新ハイラル王国」ということになる。

このようなさまざまな世界の関係性を簡単にまとめたものが下図である。もちろんこれらが世界のつながりのすべてではなく、ここでは伝説の一舞台となった世界を取り上げている。

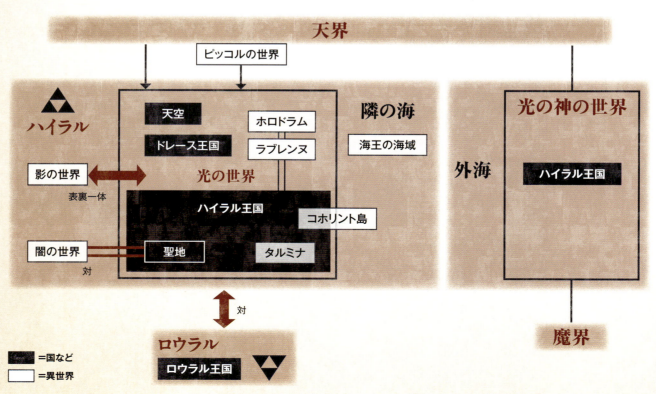

聖地の成れの果て 闇の世界

神々のトライフォース

ガノンの欲望が生み出した第二のハイラル。光と闇、表と裏として、通常の世界とは対をなしている。

もともとはトライフォースが納められた聖地（P.020）であった。魔盗賊ガノンドロフが聖地に侵入しトライフォースに触れたことで、聖地は魔が湧き出る「闇の世界」を形成した。トライフォースは触れた者の願いを叶えると同時に心を映す鏡なのである。聖地への侵入は『時のオカリナ』で、闇の世界については『神々のトライフォース』で詳しく語られている。

光の世界との関連と闇の世界の消滅

魔王ガノンと化したガノンドロフはトライフォースごと聖地に封印され、表の地上への復活をもくろむ。自身の分身「司祭アグニム」をつくってハイラル王国を陥れ、各地に闇の世界への入口を開いてしまったのである。闇の世界へと足を踏み入れた人間はその姿を保つことはできず、心を映した魔物の姿に変化してしまう。しかし勇者となる少年は、魔物とはならずウサギの姿に変化した。さらに闇の姿でも姿が変わらずにいるためにはムーンパールが、光の世界へ戻るためにはマジカルミラーが必要である。勇者がガノンを討伐し、トライフォースに元の世界に戻るよう願ったことにより、闇の世界は消滅した。

マジカルミラー　　ムーンパール

1 トライフォースの力で闇の世界へ変貌した聖地　2 3 光の世界と闇の世界の同じ場所。各地は対になっている
4 闇の世界でウサギの姿になった勇者　5 闇の世界での女神は、光の世界とはずいぶん印象が変わる

光の世界と闇の世界での魔物の変化

闇の世界では魔物にも影響を与える。色が変わるだけのものいれば、姿が変わり呼び名も変化しているものもいる。

光の世界：オクタロック／闇の世界：スラロック

光の世界：クロウリー／闇の世界：キューネ　　光の世界：ロープ／闇の世界：スカルロープ

光の世界：ゾーラ／闇の世界：クー　　光の世界：ポウ／闇の世界：ヒュー

闇の世界

闇の世界と呼ばれる場所は、ほかにも下記のような存在がある。『4つの剣＋』はハイラルの異次元世界で、『大地の汽笛』は闇に包まれた魔界である。

4つの剣＋

マジカルミラーを使って入れる、世界の裏側。家や人が闇の世界に迷い込んでしまう事件が起きた

大地の汽笛
魔王が潜む魔界へとつながる、闇の世界。薄暗く不気味な雰囲気

025

古の影の一族が栄える 影の世界

トワイライトプリンセス

光あふれるハイラルの対局にある世界。ハイラルは光の世界。光と影は表裏一体であり、決して交わることはないが、どちらが欠けても成り立たないと言われている。光の世界の者たちは、影の世界を死後の世界だと比喩することもあるが、実際は黄昏時のように穏やかで平安な地である。日は差さないが、その代わりとして世界を照らす灯の光球「ソル」が存在する。ソルの力は影の世界のすべての生命の源であり、パワーそのものとされる。

1 影の世界と「ソル」。ソルは影の宮殿に使用されている仕掛けを作動させる動力源となるほか、その輝きによってよどんだ魔を退ける **2 3** 次代王となる、影の一族のミドナ王女。黒いローブには独特の民族模様が刺繍されている

影の世界の始まりと影の一族

影の世界には「影の一族」と呼ばれる一族が暮らしている。とくに強い魔力を持つ王族の中でも、一族に認められた長が力を得て統治するしきたりである。

影の一族のルーツは、遥か昔、聖地のトライフォースをめぐる人間同士の争いにまでさかのぼる。彼らは強力な魔力を生まれ持ち、魔術を用いて聖地を支配しようとした。神は光の精霊を聖地に遣わしその者たちの魔力を封印。聖地を脅かした一族は光の世界を追われ、影の世界へと追放される。そして影の一族は元の世界に戻ることを禁じられ、永遠にハイラルの影として生きることとなったのである。

その後、長い時を経て影の世界で集落をつくり、強い魔力を持つ者が統治者となって一族をまとめあげた。影の一族と呼ばれるようになった彼らは、夕暮れ時のような美しい世界の輝きの中で穏やかな心へと浄化されていった。強力な魔力は封じられたものの、その身には魔力が宿っており、とくに強い魔力を持つ者は空間転送などの魔術を得意としている。

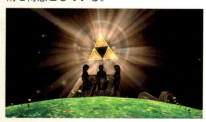

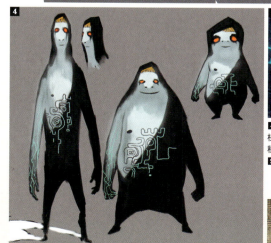

4 一般的な影の一族。体には服にも似た模様がある。言葉を発することはほぼなく、同種族間でのみ意思疎通が可能である **5** ソルの守護者

影の一族の紋章

影の世界の歴史とザントの反乱

長く平安を保ってきた影の世界であったが、光の世界に虐げられていると感じる者も存在した。王家の従者ザントは次代の長として名乗りを上げるが、強い憎しみをもっており野心家であったことから一族から認められず、長の地位と魔力は王女ミドナに受け継がれる。憎悪を募らせたザントの前に現れたのは、光の世界から追放され魂となったガノンドロフであった。ザントはガノンドロフから闇の力を与えられ、反乱を起こす。影の者たちを次々に魔物に変えて尖兵とし、王女ミドナに呪いをかけて魔力を奪った。影の世界を支配する王となったザントは、光の世界へ侵攻を開始。ハイラル城を制圧し、各地の光の精霊から光を奪って影の領域を広げていったのである。

1 ガノンドロフの力によって王となったザント。ガノンドロフを神と崇めており、法衣の模様からも信仰心がうかがえる **2** トワイライト化したハイラル。精霊が光を奪われることによって、その精霊が守護する地域は影の領域と化した。光の世界の人間たちはトワイライトの中では魂の姿となるが、本人たちはそのことに気付かない。また、その地に現れる魔物もすべて不気味な姿の影の魔物となる

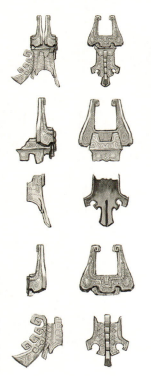

横 **後ろ**

影の結晶石
古に影の一族の魔力を封じた魔石。光の四精霊によって4つに分けられ、3つはフィローネ、オルディン、ラネールの監視下に置かれた。ひとつは影の一族の長が受け継いでいる。4つのかけらを合わせることで顔を覆うマスクのような形状になり、身に着けた者は魂を蝕まれる代わりに強力な魔力を得る

鏡の間
砂漠の処刑場に、光の世界の者たちに託された「陰りの鏡」が隠されている

陰りの鏡
光と影の交わりを禁じた神が、唯一光と影をつなぐ道として遺した神器。ザントが破壊し、破片が各地に砕け散った。影の一族に認められた真の長のみが消滅させることができる

狼の姿で現れる勇者の伝説

影の一族に古くから伝わる伝承のひとつに、「崩壊の危機に瀕した世界を救う救世主は、神獣の姿で現れる」とする一節がある。神の力を宿す勇者の血族には、気高き獣の精神が備わるとされているのだ。ハイラルが影に支配されたとき、金色に輝く狼が現れた。古の時代に、時の勇者と呼ばれた人物である。勇者の血族のみが扱える奥義を授けるため、魂がこの世にとどまっていたのである。

勇者の血を受け継ぐトアル村の青年もまた、「影の領域」内では漆黒の狼の姿となった。彼は神に認められた素質を持ち、マスターソードを得た。そして影の世界の守護者にも認められ、さらなる力を得たのである。伝説の救世主とは、光と影をつなぐ真の勇者だったのだ。

もうひとつのトライフォースの世界 ロウラル

神々のトライフォース2

ハイラルと対になるトライフォースによって成り立つ世界。人も地形も、あらゆるものが対になっており、ロウラル王国が建国されている。ロウラルのトライフォースも触れた者の願いを叶える万能の力である。それは人々の欲望をかき立て、醜い争いを引き起こしてしまった。憂いた王は、争いの元凶となるトライフォースを破壊した。しかしトライフォースは、この世の理そのものであった。つまりトライフォースを失った世界は破滅することになる。ロウラルの大地は荒れ果て、少しずつ滅亡に向かっている。ロウラルとは、ハイラルの裏側にある、滅亡する世界である。

ロウラル王国の紋章

ヒルダ姫
ロウラル王国を統治する王女

トライフォースを失い壊滅する世界

人々の暮らしは悲惨なものであった。トライフォースを壊した衝撃で起きた天変地異により、日は差さず、大地は断崖絶壁になり、動物は魔物へと変化した。当然資源は枯渇し貧困になる。ある者は盗賊に身をやつして略奪行為を行い、そうでない者も王家への憎しみを抱えて生きている。

荒れた環境に救いの道を求める人々の間には、魔物になれば幸せになれるという教えが広まっていく。それは、「盗賊になる人間よりも、魔物のほうが心がきれいである。だから魔物になれば救われる」というもの。魔物の仮面をかぶり、「もんじゃら」と唱え、魔物になれる日を待ち続けているのである。

❶ロウラルのトライフォース　❷ロウラル城。崩れ落ちた大地になんとか建っている　❸司祭ユガが発見したハイラルへの入口　❹ロウラルのトライフォース。ハイラルのゼルダ姫と勇者が願い、取り戻すことができた

ロウラルの暮らし

救いを求め、魔物の仮面をかぶって暮らしている人々

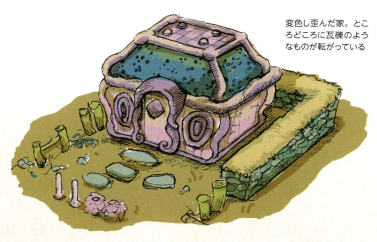

変色し歪んだ家。ところどころに瓦礫のようなものが転がっている

ハイラルとロウラル

もともとはハイラルと同じように光あふれる世界であるが、トライフォースを失った世界は、まるで闇の世界（P.025）を思い起こさせるような様相である。人々の心はすさんでいったが、本来は悪人ではない。

ハイラル

ロウラル

ハイラル

ロウラル

同じような人物だが、薄暗い色になり、表情もきつい

ハイラルとロウラルの同じ場所。橋は崩れ落ち、断崖絶壁に。断層は不気味な光を帯び、理の崩壊によって崩れ落ちた様子がわかる

ミルクバー。ハイラルでは優しいマスターが経営する店は客でにぎわい、吟遊詩人がしっとりと曲を奏でる。ロウラルでは陰険なマスターの経営のもとに、不安と不満の声が渦巻き、吟遊詩人は憂いを歌にする

ロウラルの臆病者の冒険

ロウラルにはひとりの臆病な青年がいた。ヒルダ姫に仕えていたが、国を思い気を病むヒルダ姫に対し、彼は何もすることができなかった。彼の名はラヴィオ。臆病で欲の深い怠け者で、ルピーが命よりも大事である。

ヒルダ姫たちがハイラルの世界のトライフォースを奪おうとしていることを知った彼は逃げ出し、ハイラルの勇者を頼ることにした。鳥のシロくんを相棒とし、商売道具を持って旅立つ。光と生命力にあふれたハイラルでは、野宿をすると苦手なムカデが這ってきた。そしてついに、勇者となるであろう青年の家にたどり着く。

長年大切にしてきた腕輪を、彼への粗品として贈った。腕輪からは、むわっとした青臭さに加えてカビ臭さがただよっていた。歴史を重ねた本物の証である。ハイラルの人間にとってはただの古臭い匂いだが、ラヴィオにとっては故郷の大地を思わせるものであった。

「勇者くん」と呼んで居候し、彼のいないあいだにアイテムのレンタルショップを開く。それだけでは飽き足らず、改装してお店をオープン。ハイラルでたっぷり、儲けることができた。品物が売り切れたらやることもなく、寝転がって、後は勇者くんを応援するのみ。

そんなラヴィオであったが、彼は最後の戦いを止めた。世界ではなくヒルダ姫の心を救おうとしたのである。勇者はゼルダ姫を救い、臆病者はヒルダ姫を救った。その結果ふたつの世界は救われ、再び光が照らしたのであった。

ロウラルにあるラヴィオの自宅には日記が残されており、旅立ち前の心境が綴られている

ハイラルにやってきたラヴィオは、勝手にレンタルショップをオープンする

ハイラルの勇者と、ロウラルの臆病者ラヴィオ。彼らもまた対をなす存在

トライフォースの試練 ホロドラム

『ふしぎの木の実 大地の章』で、トライフォースが少年に与えた試練の地。四季の塔にいる四季の精霊によって統制されており、大地の巫女ディンが安定を保っている。巨木「マカの木」が世界の守護者であり、8つの「大地の理（ことわり）」が聖なる力を大地に与えることで、マカの木に実りをもたらせる。ホロドラムの地下異世界として、ウーラ世界も存在している。

大地の理

豊かな大地の懐でまかれたタネは育まれる これぞ**土の恵み**！
季節がめぐりてタネが目覚める これぞ**時の恵み**！
明るい太陽の下 若葉はスクスクと育つ これぞ**太陽の恵み**！
降り注ぐしずくを受け 若葉は若木へと成長する これぞ**雨の恵み**！
ポカポカ陽気は若木をいっそうたくましくする これぞ**ぬくもりの恵み**！
可憐に咲いた花の香りは 風に運ばれ実を結ぶ これぞ**風の恵み**！
実は鳥たちに運ばれ 新たな大地で命を育む これぞ**実の恵み**！
大地にまかれたタネは 春にめざめ 夏に育ち 秋に実をむすんで 冬に眠る 永遠なる命のめぐり これぞ**四季のめぐみ**！

1 春の精霊
2 冬の様子
3 ホロドラムを守護するマカの木
4 ウーラ族が暮らすウーラ世界

マカの実

トライフォースが導いたガノン復活の阻止

　この2つの世界には、ディン、ネールともうひとり「あいことばの巫女」としてフロルが存在している。いずれもハイラルの創造神の名前である。勇者の資格ある少年がトライフォースによって飛ばされたのが、ホロドラム、ラブレンヌの地であった。
　ゲルド族（P.041）の双子の魔女ツインローバは、この2つの地を利用して大魔王ガノン復活の儀式を行おうと画策していた。儀式に必要なものは3つの炎。ホロドラムの混乱から「滅びの炎」を、ラブレンヌの嘆きから「嘆きの炎」を、そして人々の希望の象徴であるゼルダ姫をさらって「絶望の炎」を灯す。最後にゼルダ姫を「聖なる生贄」として捧げれば儀式の完成だが、勇者に邪魔をされ、焦ったツインローバは自身の肉体を捧げてガノンを復活させた。その不完全な儀式により、ガノンは知性のない魔獣として復活してしまった。そしてこの試練を乗り越えた青年は、真の勇者として認められたのである。

　『神々のトライフォース』の時代からトライフォースには精霊が宿っており、こうしてひとりの勇者を導いた。その後ハイラル王国では、トライフォースのようなものが鳥の姿になって大空へ羽ばたいていったところが目撃されている。『神々のトライフォース2』ではトライフォースは再び3つに分かれているため、このとき分裂した可能性が考えられる。

トライフォースの試練 ラブレンヌ

ふしぎの木の実 時空の章

『ふしぎの木の実 時空の章』で、トライフォースが少年に与えた試練の地。時の巫女ネールによって時の安定が保たれている。守護者である巨木「マカの木」は女の子で、8つの「時の理（ことわり）」は、時の流れを正しくする聖なる力を秘めている。過去の時代ではアンビ女王が統制をとって巨大な塔を建てていた。広大な海底の地形も広がっており、ゾーラ族が住む。

時の理

魂の記憶は 永遠なり 命果てるとも 時を超えて 心に語りかける

森の記憶は 静けさなり 澄ました耳に届く声のみが真実を語る

獣の記憶は 荒野に響くさけび声なり 遠いその声に荒ぶる心を知る

炎の記憶は 灼熱の心 その揺らめきに照らされる時 勇者のあかつき心が蘇る

土の記憶は 大地にあり その懐に伏して眠る時すべてを育むぬくもりを知る

山の記憶はおおしき姿なり 大いなる時をへだてても変わらぬ心の魂を伝える

（海の記憶）潮騒の奏でし神秘の歌 打ち寄せる波となりて勇者を冒険へといざなう

星の記憶は天にあり時を超える不滅の光は大いなる理への道標となる

1 アンビ女王が人々に建設させている塔
2 過去の時代のマカの木。幼い姿と話し方をする
3 過去の時代のアンビ宮殿、中庭
4 トカゲ人の住むミカヅキ島の海岸

マカの実

ツインローバの使いである闇の将軍ゴルゴン、闇の司祭ベラン。鎧と法衣には、ゲルド族の文様が描かれている

ムジュラの仮面の世界 タルミナ

ハイラルを救った勇者が、『ムジュラの仮面』で迷いこんだ異世界。ハイラルの森の奥に入口があり、中心地クロックタウンにつながっている。タルミナは沼・海・山・谷の4つの地方があり、ハイラルの人間と生き写しのような顔をした住人が存在する。

薄暗い森の中にある、ハイラルとタルミナをつなぐ場所。ねじまがった時空を抜けていくと、クロックタウンのシンボルである時計塔の地下に出る

ムジュラの仮面がつくりだしたスタルキッドの心の世界

「ムジュラの仮面」がお面屋からスタルキッドの手に渡り、スタルキッドが手にした「ムジュラの仮面」の魔力によって形成された世界が、タルミナである。ムジュラの民族を思わせる独特の文化が見られる異世界ながらも、ハイラルの世界と似た種族や人物が多く存在しているのは、スタルキッドの記憶と妄想が具現化したため。スタルキッドはもともとハイラルの住民であり、コキリの森のサリアらしき人物から歌を教わったことがあると語っている。

ムジュラの仮面
太古のとある民族が呪いの儀式に使ったとされる呪物。かぶった者には邪悪ですさまじい力が宿ると伝えられている。その悪用を恐れた先人たちにより、仮面は永遠の闇に封じ込められた……

クロックタウンに伝わる
お面と巨人のおとぎ話

　タルミナの中心地クロックタウンには、守護神である巨人の伝承が右のようなおとぎ話として伝わっている。巨人はタルミナに実在しており、「小鬼」はスタルキッドのことである。4人の巨人もまたムジュラの仮面がつくりだしたもので、それはスタルキッドと交流の深かった精霊が姿を変えたもの。彼の過去の出来事が、タルミナの伝承となっているのである。

　巨人が封じられ、月が落ちて滅亡する運命にあったタルミナ。時の勇者がムジュラの化身を倒すことによって新しい朝を迎え、ムジュラの仮面から邪気は消失する。勇者の心情が一時的に世界を存続させたものの、彼がタルミナを去ると世界は完全に消失。タルミナにて友（巨人）と和解したスタルキッドの心の世界もまた、新しい朝を迎えることとなる。

［伝承・刻のカーニバル］

　毎年、太陽と月が同じカサに入る和の季節。大いなる自然をうやまい、たゆみない時を尊び、その年の豊穣を願って刻のカーニバルは四界の民の手によって開かれる。

　その昔、四界の神である巨人の顔をかたどった面を祭でかぶったことから、刻のカーニバルではおのおの手作りの「お面」を持ちよる習わしになっている。カーニバルの日に結ばれた男女はそのあかしをお面で奉納するのが最良の吉とされている。

　カーニバルのシンボルである時計塔では、前夜に屋上を開き祭壇をしつらえ、古の習わしに従い、祈りの歌を謡って、神を呼ぶ儀式が行われる。刻のカーニバルは、四界の収穫の願いを神に祈る祭なのである！

［伝承・4人の巨人］

　民が今のように四界にわかれずともに暮らしていた昔の話。そのころは4人の巨人たちも民とともに暮らしていた。ある収穫を祝う祭の日、巨人たちは民に言った。我らは眠りながら皆を守ることにした。東に百歩、西に百歩、北に百歩、南に百歩。ことあれば大きな声で呼べ。たとえ山の雪に閉ざされようと、たとえ海原に飲み込まれようと、叫びは届くだろう…。

　さて…これを聞き驚き悲しんだ者がいた。小鬼だった。小鬼は、巨人たちが大地を創る前からの友であった。なぜ去りゆくのか！　なぜとどまらぬのか！　幼なじみになおざりにされたその怒りは四界におよんだ。小鬼は民に悪さをくりかえした。民はほとほと困りはて、四方に眠る巨人たちに祈りの歌を謡った。

　それを聞いた巨人たちは怒号をあげた。

　小鬼よ、小鬼よ、我らは民を守護する者なり。お前は民を苦しめた。小鬼よ、四界から去れ！　さもなくば民にかわり我らがお前を引き裂こう！

　小鬼はおびえ悲しんだ。幼きころよりの友を失ったのだ。小鬼は天界に帰っていった。

　こうして四界に和が戻った。民は喜び、四界の巨人を神としてまつったとさ。

　めでたし…　めでたし…！

タルミナの生活にはお面が密接に関係してくる。これは婚礼に使われるお面で、男性用の「太陽のお面」と女性用の「月のお面」

四界の巨人は実在し、小鬼とはスタルキッド、天界はハイラルであると推測できる

風のさかなの夢の世界 コホリント島

夢をみる島

　亜熱帯で、歌の好きな人々の暮らす温和な島。どこかで見たことがあるような現実と、空想のような非現実的なイメージが混ざった奇妙な異世界。『神々のトライフォース』でハイラル王国を救った勇者が迷い込んだ。

　ハイラル王国からそう遠くない領域に、風のさかなと呼ばれる空の精霊が住んでいる。その精霊が見る夢の世界、それがコホリント島の正体である。最初に生まれたのは大きなタマゴ。それから周りに島ができ、人や動物が生まれていった。映し出される景色だけが存在するもののすべてであり、島で暮らす住人にとっては海の向こうには「何も存在していない」認識となる。

　その夢の世界が、夢に巣食う魔物シャドーに狙われてしまった。風のさかなは夢から覚めることなく、魂を蝕まれていく。しかし風のさかなはかろうじて、自身の分身を夢の中に生み出していた。フクロウの姿となり、目覚めさせる者の訪れを待っていたのである。いっぽう、精霊の領域は現実世界では嵐となり、わずかながら外界の生き物を夢の世界へと巻き込んでいった。風のさかなは、外の世界から来た勇者を自身の目覚めへと誘導したのである。

　風のさかなが目覚めれば、この世界は泡となって消える。夢に寄生する魔物にとって、それは破滅を意味した。シャドーは世界の破滅から逃れるため、魔物を生み出していく。目覚めのための楽器を渡すまいと、魔物たちは勇者を妨害する。最終的に勇者は風のさかなを目覚めさせ島を脱出。コホリント島は泡となって消えていった。

　幻の世界であれど、島の思い出は勇者の心の中に刻まれた。その思い出こそが、コホリント島の世界であるといえる。

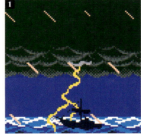
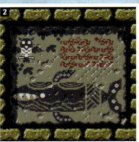

1 ハイラルからそう遠くない海上を襲う嵐。気づくとコホリント島に流れ着く　**2** 島の秘密を解く者のために残された壁画　**3** 山の上の大きなタマゴ。ここで風のさかなは眠っており、歌を奏でて目覚めさせる

外界の海で起きた大精霊の世界の事件

　風のさかなも、海王も、真の姿は知恵の使者であるクジラのような姿である。ほかにも寄生する魔物に狙われた点など、コホリント島の事件と海王の海域の事件にはいくつかの共通点がある。

　ちなみに、「風のさかな」はゾーラ族のバンド「ダル・ブルー」（P.045）が演奏する楽曲名にもなっている（ただし旋律は異なる）。また、海王の海域に巻き込まれたラインバック船長は、『大地の汽笛』に墓があり3世が健在であることから、光の神の大地（P.036）にたどり着いたことがわかる。

勇者が海王の海域を出ると、ラインバック号が遠くに見えたという

風のさかな

実体は大きな白いクジラのような姿をしている。空を飛び、風を操る風の精霊である

海王

実体は大きな白いクジラのような姿をしている。偉大な力をもった、海の大精霊である

ハイラルの隣の海　海王の海域

夢幻の砂時計

海王（うみおう）と呼ばれる大精霊が治める海域。広い海に島が点在しており、人々が暮らしている。

『夢幻の砂時計』で勇者が迷い込んだ異世界。ハイラルと同様に三大神の加護を受けた世界であり、フォースに満ちている。力の精霊リーフ、知恵の精霊ネーリ、勇気の精霊シエラが海王に仕え、南西のメルカ島にある「海王の神殿」を要としていた。ハイラルとは時間の流れが極端に異なる世界で、さらに海王と勇気の精霊は、時間を制御する力を持っている。

あるときフォースを食う魔物ベラムーに襲われ、とりつかれた海王は神殿奥に引きずり込まれてしまった。神殿を占領したベラムーは海王のフォースを吸い、それを守護する魔物ファントムをつくって誰も近寄れなくしてしまう。さらにフォースを集めるため、ベラムーは幽霊船を生み出し、財宝の噂を流して獲物をおびき寄せた。幽霊船と魔物の襲撃により、多くの住民が亡くなっている。

幽霊船は、海王の海域の外にまで出没。その噂が広まるころ、古のハイラルに代わる新たな大地を求めてテトラ海賊団が通ったのが、この海域周辺であった。彼らの旅立ちからは数か月後のことである。風の勇者の活躍によりベラムーは退治され、海王は復活。海王の海域へ誘い込む幽霊船も消滅している。

1 ベラムーと、吸い取ったフォースによってつくられた魔物　**2** 幽霊船　**3** 海王の海域に巻き込まれた人物のひとり、ラインバック船長　**4** 海王の神殿　**5 6** 精霊たちは各神殿に封印されてしまった。写真は力の精霊リーフ。精霊が封印された場所には、三大神の紋章が記された

分身

フクロウは風のさかなの心の一部。海王は分身をつくり、人間の姿でシーワンと名乗っていた。分身となって自由に動くことで、魔物を撃退する方法を探した

魔物の寄生

夢を食う魔物シャドーと、フォースを食うベラムー。どちらも寄生する魔物だ

年代

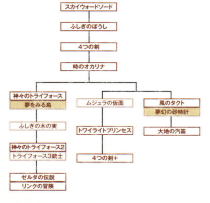

それぞれ別の歴史を歩むなかで起きた事件であるが、年代順で見れば近い時代という見方もできる。復活したガノンを倒したあと、ということも共通している

類似する精霊

『スカイウォードソード』の空の精霊ナリシャ。大空を守護する精霊であるが、魔物に寄生されてしまった。はるかに巨大であるが、大きなクジラのような姿という点は共通する

光の神の大地（新ハイラル王国）

大地の汽笛

古のハイラル王国から遥か遠く、光の神が治める大地。テトラ海賊団がたどり着いた世界に新しく建国されたハイラル王国。ハイラルの正統な後継者であるテトラ（ゼルダ姫）が建国者となり、大地の中心地である神の塔近くにハイラル城が建設された。城下町は人でにぎわい、大地に張り巡らされた線路によって汽車による移動を可能にしている。

それから100年ほど続いた世界が、『大地の汽笛』の舞台である。テトラの玄孫であるゼルダ姫は、国の最高責任者として機関士の任命などを行っている。

機関士の任命書。「あなたをハイラル王国の機関士に任命します　初心忘れるべからず」と書かれている

新しいハイラル王国の紋章。トライフォースは描かれず、赤獅子の王と海賊の剣、そして光の神のシンボルがモチーフとなっている

❶謁見の間に飾られたテトラのステンドグラス　❷ゼルダ姫の執務室。身の回りの世話はジイがこなす　❸兵士たち。制服はかつて風の勇者が着ていた緑の服にあやかっている　❹機関士のシロクニ。元剣士であり、先祖はテトラ海賊団の一員ゴンゾ　❺乗客を乗せる汽車

テトラによる建国

テトラ海賊団がこの大地にたどり着き、まず出会ったのは、神の塔を守る賢者のシャリンである。シャリンにとっては遠く離れた地からやってきた騒々しい一行であったが、退屈しのぎとして程よく、互いに打ち解けていった。

シャリンが守る神器に「大地の笛」がある。旧ハイラルに伝わる笛とはまた違った、変わった笛であった。テトラはこれをたいそう気に入り、何度もシャリンにせがんでようやく譲り受けることができた。この国の平和を築くということが条件であったが、強気のテトラにとってこれを断る理由などなかった。テトラは新しいハイラル王国をつくり、兵団を結成する。

それから100年。移住したハイリア人の血筋と、各地に住んでいたロコモ族の住民、そのほかの種族が平和に暮らす大地を築いていったのである。

ロコモ族の賢者と神の線路

　この世界は、光の神が治める大地である。かつて強大な力をもつ魔王マラドーに狙われ、光の神と魔王との壮絶な戦いの末、マラドーは地中に封印された。神の封印は、大地に線路を張り巡らせ、各地から中央の神の塔へとフォースを送り込む仕組みとなっている。各大地でロコモ族の賢者が祈りを捧げ、平穏を保ってきた。

　それからは凶暴な魔物もおらず、少しのいざこざはあれど他国が攻めてくるようなこともない、平穏な地であった。しかし、遠い地にあってもゼルダ姫のもつ神秘的な力は失われておらず、それを利用して魔王マラドーの復活をたくらむ魔族が現れる。ゼルダ姫と勇気ある機関士は、旅をともにし、マラドーを討伐。これによりロコモ族の賢者は封印を見守る役目を終えることができ、本当の意味でこの大地はハイラルの民に委ねられた。ここから、ハイラル王国の新しい歴史が動き出したのである。

❶神の塔と線路による、魔王封印を描いたもの　❷賢者シャリン。魔王が倒されたことで役割を終え、魔に手を染めた弟子ディーゴの魂とともに天界へと上っていく

神の塔と汽車

塔にある門から、4つの大地へ線路が伸びている。神の汽車はフォースの力で走っており、車輪がきらきらと輝く。

メインタワー（火・水・雪・森）

メインタワー周辺　／　生垣／石畳／線路

森の大地への門　雪の大地への門　水の大地への門　火の大地への門

神の汽車

神の塔のシンボル

各地の賢者

シャリンのほか、各地のほこらで大地を守る賢者たち。それぞれがもつ楽器によって、線路をつないでいく。

森の賢者バルブ

雪の賢者スチム

海の賢者センリン

火の賢者ボイラ

砂の賢者テンダ

CHAPTER 1　異世界と異国　光の神の大地（新ハイラル王国）

037

オシャレの国 ドレース王国

トライフォース3銃士

ハイラルにある、王政の国家のひとつ。ハイラル王国からは少し北に位置し、歩いて数週間ほどの距離にある。文化や言語に大きな違いはないが、武術や教養よりもオシャレをもっとも重要視している。

オシャレを要として成り立つ国

やや涼しく過ごしやすい気候であるため人々はフリルや帽子などで華やかに着飾り、着ぐるみ等の衣装も発展していった。とくに服屋およびトップデザイナーのマダムテーラーが世界的に有名となり、オシャレに興味のある若者がドレース王国に駆けつけたり、商人が訪れたりするなど、多くの人が集まっている。

王国一美しいと賞賛され、人々とオシャレについて語らっては国民から愛された王女に、フリル姫がいる。しかしフリル姫は魔女の呪いをかけられ、全身を脱ぐことのできないタイツの姿に変えられてしまった。着替えることができず部屋にとじこもり、王国は深い悲しみに包まれた。そればかりか「オシャレをすると魔女に呪われる」という噂も広まり、経済は悪化。フリル姫の呪いもさることながら、オシャレによって成り立っていた王国は危機的状況になってしまったのである。王は勇者募集のおふれを出し、集まった勇者によって姫の呪いは解かれた。

ドレース城と城下町の様子

マダムテーラーのロゴ

❶マダムテーラー。作った服には不思議な力が宿るとして有名になり、世界中から製作を依頼されている。見習いの少年たかしはドレース王国の出身ではなく、オシャレが好きでこの国にやってきた ❷国民とオシャレについて語らうフリル姫。好奇心旺盛で、タイツ姿になってからもたまに城を抜け出したという ❸使用する言語はハイラル王国と同じ ❹ハイラル王国から集まった人々。闘技場受付の兵士は『神々のトライフォース2』で兵士長を務めたこともあり、中途採用でそれなりに高い地位についている

038

トライフォースが導く魔境の遺跡

ドレース王国にある台座からは、フォースの力によって魔境と呼ばれる場所へ瞬時に移動することができる。台座は、トライフォースと呼ばれている。

魔境は魔物の生息する危険な一帯であり、通常は足を踏み入れることは許されない。森、水源、火山、天空などさまざまな地形があり、それぞれ神殿や砦のような巨大遺跡が残されている。かつてカメラマン志望の若者が訪れ魔境の探索をした記録があるが、たいへん危険であり、とても人の住める環境ではないということがわかっている。

トライフォースと呼ばれる台座。魔境への唯一の入口。3人でなければ開かない

魔境の遺跡。文様などを探っても、時代や民族は特定できていない

トーテム勇者の伝説と魔女の正体

フリル姫が魔女の呪いにかけられたとき、王は伝説（右）にしたがって勇者を募った。ハイラルの3つの証といえば力・知恵・勇気であるが、ドレース王国では「トンガリ耳・もみあげ・九一の前髪」が勇者の証なのだという。たしかにこの時代、ハイラルを救った勇者はそのような特徴をもっており、集った若者のひとりは正真正銘の勇者であった。ほか2人は、特徴がそっくりなただの青年である。3人はトライフォースの台座から魔女のいる魔境へと向かう。マダムテーラーの作るさまざまな服を着こなし、オシャレの力で魔境を進む。

呪いをかけた魔女は、もともとはドレース王国のデザイナーであった。彼女のセンスは人々から認められなかったが、自分の信じるオシャレに自信があった。魔女は魔境に足を踏み入れ、そこで自分のオシャレを広めていこうと考えたのである。

魔女はフリル姫のドレスがよいとは思えず、もっと似合う服を贈ろうと考えた。素材を厳選し、体型を調査し、体にフィットする最高のタイツを作りあげた。「アンタにはそれがお似合いだよ」……それは真にオシャレであると思っての言葉であり、決して脱げない呪いとなったのである。魔女シスターレディ、彼女は実はマダムテーラーと姉妹である。彼女の作る服もまた、不思議な魔力を持つことには変わらなかった。

再び伝説となったトーテム勇者。ただの青年ももみあげに恥じぬ勇者となり、オシャレの国らしい伝説が幾重にも紡がれたのであった。

トーテム勇者伝説

3人の勇者が集いし時
トライフォースの扉開き
王国の災い 振り払わん
　　その勇者
3つの印を持ちにけり
天の声をあまさず拾う
天をあおぎし トンガリ耳
命綱となり友を助ける
強靭な 聖なるもみあげ
友との確かな友情を表す
寸分の狂いない 九一の御髪
3人の絆 非常に深し
語らずとも心通ずる
いかなる時も
担ぎ担がれトーテムし
困難を切り抜け 道を開かん
ゆえにトーテム勇者と呼ばるる

トーテム勇者が
更なる試練を乗り越えし時
永遠の平和とオシャレが訪れる

勇者との戦いにおいて、派手な衣装に身を包むシスターレディ

魔境にオシャレを広めるため、シスターレディによって着飾られた魔物

さまざまな種族

ハイラルにはハイリア人だけではなく、多くの種族が存在している。ハイリア人と同じような人間以外にも、亜人と分類される種族など多種多様である。各種族とハイラル王国に住む人々との関係性は、密接なものであったり、伝説の存在であったり、もしくは知られざる存在であったりとさまざま。さらに異世界にまで広げると多くの種族が存在している。彼らの特徴、文化、かかわりと歴史などを見ていく。

女神ハイリアの時代、亜人種は女神とともに魔と戦ったといわれているが、当時のことは神話となり当の種族たちも知らない

ハイラルの影 シーカー族

創生の時代から女神ハイリアに仕え、その後も女神の血族たるハイラル王家に長きにわたって従事してきた一族。ハイラルや王家にまつわる伝承をしかるべき時代に伝え、導いていくことが、もって生まれた使命である。身体的特徴はハイリア人と大差ないが、機動力や跳躍力に優れ、魔力を使い、体術による戦闘を得意とする。さまざまな研究により技術力を高め、シーカー族独自の道具を生み出している。

その存在は王家とそれに関わる者以外には明かされず、"王国の影"として暗躍してきた。人々の争いの絶えない時代においては王家の代行者として、王の命にて暗殺や諜報活動を行い、王国に仇なす者を排除する国の闇の部分を一手に引き受けた。しかし争いが途絶え王国が平和になるに従ってその役割を失い、闇の歴史が抹消されていくに伴ってシーカー族もまた衰退の道をたどった。

ハイラル王家の伝承を影として伝える者

多くの時代で「インパ」と名のつく女性の姿がある。『時のオカリナ』では、一族の隠れ里であったカカリコ村（P.074）で生まれ育ったインパが、乳母としてゼルダ姫に仕えた。ガノンドロフによる王都襲撃の際ゼルダ姫を連れて王都を逃れ、闇の賢者として時の勇者を導いている。トライフォースの守護とともに、王家にかかわる秘密や手がかりも、ハイラル王からシーカー族の手に委ねられていた。

王族の絶対の信頼のもとに、影として生きる定めの一族である。

シーカー族の紋章

まことのめがね

まことのお面

シーカーストーン

木彫り

シーカー族ゆかりのアイテムなどに見られる紋章。真実を得んと大きく見開いた目の形である。王家の影として生き、目的のためには手段を選ばない……そんな自身の定めをも見透かしたかのように、ただ1滴の涙をこぼしている

■カカリコ村の墓地にある闇の神殿。かつてハイラル王の命を受けたシーカー族が、王家を狙う敵や反逆者の暗殺、拷問を行った地であり、ハイラルの血塗られた闇の歴史を象徴する。王家にとって忌まわしき記憶であるこの神殿について語ることは禁忌とされる ■『トワイライトプリンセス』の忘れられた里。シーカー族が作った隠れ里で、廃村と化しているが、一族の血を受け継ぐインパルが天空へ向かう王家からの使者を導く役割を受け継いでいる ■ゼルダ姫の乳母を務める老婆インパ。『ゼルダの伝説』や『リンクの冒険』で、勇者となる少年を見つけてトライフォースの知識を伝え、過去の伝承から勇者を導いていった ■■女神の使いとしてこの世にもたらされた『スカイウォードソード』のインパ。年老いてもなお封印の地を見守り続けた

砂漠の義賊集団 ゲルド族

ゲルドの砂漠の地方に住む民族。褐色の肌、高い鼻、丸い形の耳が特徴で、長寿の種族。しかし女性しか生まれてこない民族であり、百年に一度だけ男が生まれる男児が一族の王となれるしきたりがある。

砂漠地帯は灼熱と極寒の過酷な環境で、盗賊稼業を生業とする。乗馬や弓の腕が競われ、城下町へはしばしばボーイハントに訪れる。ハイリア人とは異なる顔立ちであれど、ゲルド族の若い女性はハイリア人の男性にとっても美しく魅力的であった。

ゲルドの谷に砦をかまえる『時のオカリナ』では、ガノンドロフが魔王としてハイラルを支配し、その右腕ナボールが首領となる。ナボールはガノンドロフの育ての親である魔法使いコタケ、コウメに洗脳されており、残虐な盗賊行為を行った。なおコタケ、コウメは魔法により長寿を保ち、このとき400歳ほどであった。

ガノンドロフが封印されると、世界は平和になりゲルド族も再び義賊暮らしに戻る。しかしガノンドロフが処刑された『トワイライトプリンセス』では、首領を失った一族は弱体化。ゲルド砂漠を追われる。その後の『4つの剣+』では、あやしの砂漠に集落があり、ハイリア人とも良好な関係にある一種族である。

ゲルド族の紋章
大型の毒蛇キングコブラの背を模した紋章。通行証などに描かれている

ゲルド特有の模様があしらわれた武器

ゲルドの砦の通行証

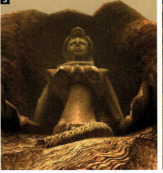

1 ゲルド族の剣士　2 『4つの剣+』のゲルドの村。独自のしきたりを守りながら長老が一族をまとめているが、勇者に対しても協力的　3 『時のオカリナ』ゲルドの砦。行き来するには通行証が必要　4 漆黒の体色が特徴のゲルド馬と、首領ガノンドロフ　5 ゲルドの砦の奥、幻影の砂漠の向こうにある魂の神殿の女神像。宗教思想が異なるため、ハイラルの民は邪神像と呼称している。ガノンドロフおよびナボールの盗賊団はここをアジトとし、魔法による洗脳の実験などが行われていた　6 首領ガノンドロフを失い、ハイラル王国からゲルド族の姿が消えた『トワイライトプリンセス』の時代。ゲルド砂漠にはハイラル王国が管理していた処刑場がある。中には蛇を巻く像とゲルド文字が残されており、魂の神殿およびゲルド族と関連づいている　7 ゲルド文字。ハイラル王国とは異なる文化をもつ

041

岩のような体の種族 ゴロン族

岩のような姿で岩を食す亜人種

　最も長い歴史を持つ亜人種。女神ハイリアが治める太古の時代から、「岩石亜人」と呼ばれて存在していた。ハイラル王家とも密接な関係を築いている種族のひとつ。

　ハイリア人と比較して大きな体格をしており、まれに山のような大きさの個体も存在する。頑丈な体を持ち、後頭部から背中にかけて皮膚が岩状になっている。足は短いが手が長く、体を丸めて転がることで、身を守りながら素早く移動することができる。

　岩を食糧とするため、上質な岩を採掘できる火山地帯などに集落を作って暮らす。性格は、ややのんびりとしており温厚。ただし族長には力や知恵等に長けた者がなることが多く、尊敬や信頼によって一族をまとめている。ほとんどのゴロン族は、語尾に「ゴロ」(子供は「コロ」)をつけて話す。

豊かな暮らしを営み娯楽と伝統を重んじる

　独自の生態と文化をもつが、爆弾の産出や鍛冶によって他種族と商売を行う。暮らしにはさまざまなこだわりがあり、たとえば食料としている岩には食用に適したものとそうでないものがあり、ゴロン族のあいだでは岩の種類によってランク付けがされている。ドドンゴの洞窟で採れるロース岩をはじめ、宝石類もゴロン族にとっては食欲をそそるものである。しかし温泉が流行した際には、湯上りのミルクも好まれた。

　娯楽にも余念がなく、歌と踊り、その力強さを生かしたさまざまなスポーツを生み出した。また、古くより体にボディペイントを施す風習がある。その模様は時代によって異なっており、伝統というよりも流行に乗ったお洒落として描かれることが多い。

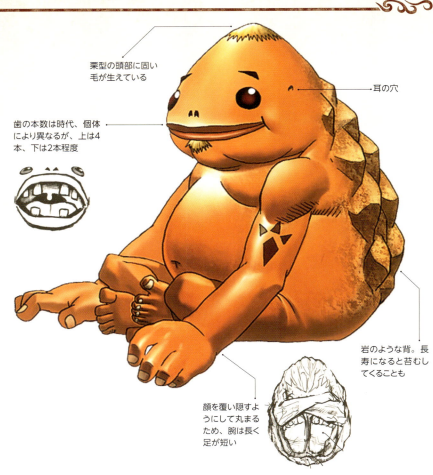

栗型の頭部に固い毛が生えている

耳の穴

歯の本数は時代、個体により異なるが、上は4本、下は2本程度

岩のような背。長寿になると苔むしてくることも

顔を覆い隠すようにして丸まるため、腕は長く足が短い

一般的な体格の比較

子供・老人

温泉

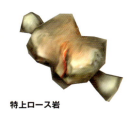

特上ロース岩

背中のボディペイント。転がったときに見映えがするよう、3本のラインを自ら施している

相撲

ハイラル王家と
ゴロン族とのかかわり

　古よりハイラルの地において女神ハイリアの加護を受けた種族であり、その後建国されたハイラル王家とも深い信頼関係を持つ。聖地封印（P.020）の際には、「炎の精霊石」を守護する務めを与えられており、族長に引き継がれた。炎の精霊石はゴロンのルビーとも呼ばれ、ゴロン族の紋章をモチーフとした形となっている。紋章の歴史も古く、かつて彼らが体にボディペイントを施した際に好まれた模様が由来となっている。

その探究心と生命力で
長い歴史を築く

　ゴロン族は、長い歴史の中でほぼ姿を変えていない珍しい亜人種である。あらゆる環境に適応する生命力があり、しばしば各地を放浪して暮らすことで生き抜いてきた。そのため、世界が危機的な状況にある際にもその種を保ち続けている。

　たとえば『風のタクト』の時代では、ハイラルの地が海底に沈んだ後も放浪していたゴロン族がわずかに生き残った。ハイラル王家との関係は白紙となったが、海を渡り、遥か遠くの大地へもいち早く定住して村を築いている。

ゴロン族の紋章

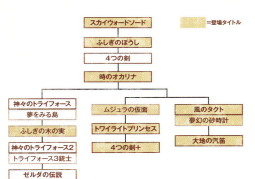

1 『スカイウォードソード』でトロッコ経営を始めようとする起業家、トロゴ。ほかにも女神伝説を解き明かそうとしているゴロンがいるなど、発想力豊か　2 『時のオカリナ』で、ガノンドロフが復活させた古竜ヴァルバジア。過去にゴロンを捕食していた竜で、それを倒した英雄の子孫がダルニアである　3 『風のタクト』でところどころで見かける露天商。顔を隠し語尾にも「ゴロ」をつけないが、ゴロン族である　4 『ふしぎのぼうし』の山のように巨大なゴロン。ほかのタイトルでも多く確認されており、ダイゴロン、チュウゴロンのような名前で呼ばれる

登場タイトルと代表的な人物

『時のオカリナ』ダルニア
族長。かつてヴァルバジアを退治した英雄の子孫。歌とダンスが大好きで、義に厚い。信頼できる者をキョーダイと呼び敬愛する。炎の賢者として覚醒する

『ムジュラの仮面』ダルマーニ3世
ゴロン族の英雄。山の異変に気づき、調査に向かった先で命を落とす

『トワイライトプリンセス』ダルボス
強さを誇る族長。4人の長老とともに多くのゴロンをまとめている

時のオカリナ　　ムジュラの仮面　　ふしぎの木の実 大地の章　　ふしぎの木の実 時空の章

風のタクト　　4つの剣＋　　ふしぎのぼうし　　トワイライトプリンセス

夢幻の砂時計　　大地の汽笛　　スカイウォードソード

※『神々のトライフォース2』に登場する賢者ロッソは、ゴロン族のマークを身につけているが、人間である

水源を守る ゾーラ族

　魚に似た身体的特徴をもつ亜人種。水中での活動に優れ、いつの時代も水とともに生きる民。ハイリア人、ゴロン族についで歴史の表舞台に立つことが多い。

　体格はハイリア人とほぼ同等程度かやや大きく、しなやかで筋肉質な体をもつ。腕に大きなヒレ、足に水かきなどを有し、自在に水中を泳ぎ回ることが可能。遊泳速度も速く、水流をさかのぼって泳ぐこともできる。潤いが不可欠な体質であり、生きるためには美しい水を必要とする。そのため歴史上の多くはハイラルの水源地を住処とし、水源を守りながら暮らす。主に魚を食糧とし、釣りの技術に長ける者もいる。性格は義理堅く誠実で、一族の歴史や規律・統率を重んじる。体質ゆえに水流域を離れることがあまりないため他種族との交流は少ないが、敵対心のない者には友好的である。語尾に「ゾラ」をつけて話すこともままあるが、時代により王族のみが使う場合と王族以外の一般の者が使う場合があり、種族の言語というよりは言葉遣いや方言の一種に近い。ほとんどは淡水域に暮らすが、時代によっては海と川に別れて暮らしている。

　王政を敷いており、王位を子世代へと世襲しながら王族が一族全体をまとめる。ハイラル王家とは古くから良好な関係を築いており、聖地封印の際には水の精霊石と水源、水脈が続く湖を守護する役割を務めている。そのためゾーラの里に入れる人間はハイラル王家の使いの者だけであった。王族の中でもとくに女性は、賢者として重要な役割を担ってきた歴史もある。しかしハイラル王国が衰退すると、その関係も次第に薄れていった。

ゾーラ族の紋章
水の民たる彼らを象徴する「ウロコ」がモチーフ

❶水源一帯を管理するゾーラの里。生活区域が限られるため、小さな里を築いている ❷水の精霊である巨大魚ジャブジャブを守り神と崇め、王族の人間が直接その世話係を務める。ジャブジャブに異変が起こると、里にも異変が起こり、氷漬けになってしまう ❸筋力が強く滝をのぼることも可能

登場タイトルと代表的な人物

『時のオカリナ』ルト
統治者の娘の姫。ゾーラに伝わるエンゲージリングとして、母親からゾーラのサファイア（水の精霊石）を引き継いだ。水の賢者として覚醒し、勇者に力を授ける

『神々のトライフォース2』オーレン
ゾーラたちを統治する女王。「スベスベ石」を持たないと肥大化してしまう。後に賢者として覚醒

ゼルダの伝説　リンクの冒険　神々のトライフォース　夢をみる島

時のオカリナ　ムジュラの仮面　ふしぎの木の実 大地の章　ふしぎの木の実 時空の章

4つの剣+　トワイライトプリンセス　神々のトライフォース2

※『ふしぎの木の実 時空の章』では、海に住む友好的な者と、川に住む魔物の2種が登場する

時代とともに大きく姿を変えていく

ゾーラ族はハイラルとともにその姿を大きく変えることで環境の変化に対応してきた。3つに分かれる歴史によって変化の大きさや方向性も異なり、身体的特徴を大きく変え進化した歴史もあれば、魔物のように生息する歴史も存在する。

ガノン封印後、ゾーラ族のラルトがマスターソードに祈りを捧げる大地の賢者に。『風のタクト』の時代では大地が海に沈み、一族が暮らせない環境になったことから、百年の内に飛行能力を持つリト族へと進化。神殿にて祈りを捧げていたラルトは、己の子孫であるリト族の少女メドリに賢者の力と務めを託す。

変遷

しなやかな体つきで泳ぎを得意とし、ウロコは美しく輝く。ハイラル王家との親交も深く、聖地への鍵「水の精霊石」を守護する。ゾーラのサファイアとも呼ばれ代々の王女が婚約の証とすることで王家に受け継がれていった。王はキングゾーラ・ド・ボン16世。
里にはゾーラの技術でつくられた潜水服「ゾーラの服」が売られているが、非常に高額。

『トワイライトプリンセス』の時代では、その後も長く王政が続き繁栄を続ける。槍と兜で武装し、神殿の警護などにあたるが、鋼鉄に貝や珊瑚をあわせた武具は装飾品のように美しい。
影の世界からの襲撃により、女王ルテラが命を落とし統治者不在の危機に陥る。その後、女王の息子である王子ラルスが幼いながらも統治者の座を受け継ぐ。

『神々のトライフォース』以降の歴史ではハイラル王国が衰退へと向かう過程でハイリア人との交流もさらに薄まる。体色や体つきも変化し、攻撃性を増して口から炎を吐けるように変化。『神々のトライフォース2』では女王オーレンが一族の統治を試みたが、敵対心のあるものと女王に従うものとに二分化。女王派は本人も含め温和だがややおっちょこちょいで、時を重ねるごとに敵対勢力が強まっていく。

生態と暮らし

異世界タルミナでは、ゾーラホールと呼ばれる場所で人気バンド「ダル・ブルー」を中心としてにぎわっている。個体ごとに身体的特徴が多彩。異変により、歌姫ルルから卵が生まれた。卵はそろってふ化しなければならないなどの生態を持ち、稚魚はゾーラに伝わる歌を教える存在となった

水源から続く湖もゾーラの守備範囲。湖底にある神殿を守っていたり、ゾーラ族しか知らない抜け道をつくっていることもある

深い水中も自在に泳げるようになる「水かき」や、遊泳ができるようになる「ゾーラの服」、長時間の潜水を可能にする「銀のウロコ」など、人間がゾーラ族と同じように水中での活動ができるようになるアイテムを所有または継承している

森の妖精の民 コキリ族

時のオカリナ

　侵入者を魔物へと変える森に囲まれた、コキリの森に住む種族。精霊デクの樹から生みだされ、子供の姿のまま成長しない。みな一様に緑の衣を着用しており、一人前になるとひとりに1匹光の妖精がやってきてパートナーとなる。他種族との交流はほぼないが、町の人間からは「森の妖精」とも呼ばれている。

　しかし種のルーツはハイリア人。ハイリア人が文明を発達させ都市を築いたことに対し、その文明から距離を取って森へと入り、独自の文化と進化を重ねたのがコキリ族である。森から出ると死んでしまうと言われているが、それはデクの樹の力の及ばない場所では歳をとるため。森の賢者が復活しデクの樹の子供が生まれてからは、森という檻から解き放たれたかのように外へ出ることも可能となった。後の時代では、王とともに神へ祈りを捧げる風の賢者を務めている。

コキリ族の紋章

森の聖域でオカリナを吹く、コキリ族のサリア。森の神殿の異変を察知し、後に賢者として覚醒する

1 ハイリア人が種のルーツであり、見た目も近い **2** 森の精霊デクの樹の広場。ゴロン族、ゾーラ族と並び、聖地（P.020）への鍵となる「森の精霊石」を託されている。コキリのヒスイともよばれ、デクの樹が所有していた **3** ハイラル平原と森を隔てる場所。迷いの森に迷い込んだ人間は、大人ならスタルフォス、子供はスタルキッドになってしまう **4** 木に家を作り、デクのタネをパチンコの弾にするなど、森にあるものを使って生活している

代表的な人物

『時のオカリナ』ミド
族長の存在しない一族の中で、みなを取りまとめる親分的存在

『風のタクト』フォド
風の神殿で祈りを捧げていた古の賢者。子孫マコレを賢者として覚醒させる

妖精のパチンコ　　コキリの盾

森の住民 デクナッツ族

　森や自然の多い場所を住処とする一族。森の精霊に対し魔の力で生まれた魔物でもある。体は種子や葉でできており、暗い顔に光る目が特徴。警戒心が非常に強く排他的であるため、他種族と敵対する。地中に身を隠しながら周囲を警戒し、口から種を吐き出して近づく敵を攻撃する。

　しかし知能はそれなりに高く、人間と商売をする種もいるなど、生まれた木の種類によって少し性格が異なる。さらに異世界タルミナでは沼地方に王国を築いている。

デクナッツ　オコリナッツ　チョロナッツ　オキナッツ

見た目と性格が少しずつ違うデクナッツ族。「〜ッピ」を語尾につけて話すことが多い

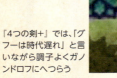

『4つの剣+』では、「グフーは時代遅れ」と言いながら調子よくガノンドロフにへつらう

商売をするアキンドナッツ

タルミナの「デク国」とゆかりの印（右上）。代々王族が治め、沼の奥地にある神殿を守護する役目も担う

世界各地の森を守る コログ族

『風のタクト』

森の精霊と呼ばれる種族。『風のタクト』では森の島のデクの樹を長とする。木でできた体は軽く、歩くとカラコロと音が鳴る。年に一度、故郷である森の島に集まり儀式を経てデクの種を受け取り、各地の島で森を育むことを使命とする。種のルーツは『時のオカリナ』のコキリ族。大地が海に沈んだ100年のうちに姿を変え、空を飛び海を越える能力を得た。

代表的な人物

『風のタクト』マコレ
年に一度の儀式の際に、演奏を担当するコログ族。後に祖先であるコキリ族のフドと勇者の導きにより、風の賢者として覚醒する

1 葉っぱの面や体色、体格などは個体により若干異なる 2 魔力の宿るデクの葉を使い、長距離の飛行も可能。
3 海を越え各地に散らばったコログ族たちは、種を島に植えその成長を見守る。儀式で生まれたデクの種には不思議な力が宿っており、一斉に植えられ同時に育たなければ枯れてしまうという性質を持つ

空飛ぶ郵便配達 リト族

『風のタクト』

鳥に似たクチバシや足を持ち、両腕を翼に変えて空を飛ぶことを得意とする種族。『風のタクト』では竜の島に集落を築き、火山の頂に座する竜ヴァルーを守り神とする。

種のルーツは『時のオカリナ』のゾーラ族にあり、生き物の住めない海に阻まれたハイラルを生き抜くために進化を遂げた。飛行は生まれつきの能力ではなく、成人の儀を終えた大人のリト族のみがヴァルーのウロコを得ることで翼をもつ。

代表的な人物

『風のタクト』メドリ
ヴァルーの世話係。祖先ラルトと勇者の導きにより大地の賢者として覚醒する

『風のタクト』コモリ
族長の息子。成人を迎える歳だが、様子のおかしいヴァルーに怯えている

1 リト族の子供は一定の歳を迎えると火山に入りヴァルーのもとへ赴く。そしてウロコを授かることで翼が生え一人前と認められる 2 飛行能力を生かし、島間での配達業を一族の生業とする 3 精霊ヴァルーとリト族。両者は近しい仲にあり、代々リト族の女性が世話係を務めてきた。世話係はヴァルーの話す古代ハイリア語を解する

天からの救世主 ピッコル族

ふしぎのぼうし

親指ほどの大きさの小人族。遠い昔の時代、天から舞い降りて、人間の勇者に黄金の光（フォース）と1本の剣を授けたとされる。100年に一度だけピッコルの国から人間の世界へやってくるが、彼らの姿は子供にしか見ることができない。

『ふしぎのぼうし』のチロリアの森にはピッコルの住む里があり、王族関係者だけがこのことを知っている。彼らは人間とは違う言語を使い、元のピッコル世界ともやや異なる言葉を話す。町などにも居を構え、人間たちの文化や暮らしを覗き見したり、密かに手を貸すようなこともある。

１２ピッコルの里。ピッコルの国とは言語も変化しており、人間の言葉も通じない　３４ピッコルの住処。葉っぱやキノコなど自然のもののほか、人間のクツやツボなどを利用することも　５町に住んでいるピッコルは、人間の住居にこっそり暮らしていることがある　６100年に一度開くピッコルの国への入口。ハイラル城から通じている

風の噂で何でも知る 風の民

ふしぎのぼうし

風との暮らしを極めたことで、風の宮殿とともに空の上にあがった種族。雲よりもさらに高い場所に住居を作っており、風の力を操り、雲の上を歩いて地上と天空を行き来することができる。

『ふしぎのぼうし』で風の宮殿に眠る風のエレメントを守護し、地上から来た者を宮殿に入れてはならないという掟に従って宮殿への入口を守って暮らす。一族を治める長は、風に乗ってやってくる噂を聞き取り地上で起こっているあらゆる事件を把握している。さらに、大いなる力「フォース」への手がかりとなる4つのエレメントと聖剣にまつわる伝承を、古の時代より受け継いでいる。

１風の民が暮らす雲の上の世界。心のきれいな者だけが歩くことができる　２タバンタ秘境の奥地にある風の遺跡。宮殿の跡地である　３石で造られた天空人の家

天空で栄えた種族

スカイロフト

ハイラル王国ができるよりもはるか昔、女神によって打ち上げられた天空の島スカイロフトがあった。人々はロフトバードという大きな鳥に乗って空を行き来していた。女神信仰が根付いており、再び地上に戻った彼らはハイリア人の祖といえる（P.008、P.064）。

古代、ハイラル王国と交流があったという天空人。天空都市は高度な技術で栄えたという。彼らがハイリア人の祖先およびもっとも神に近い民族だという説もある。

そして、風の宮殿を守る風の民。聖剣フォーソード（P.079）に必要なエレメントのひとつを守っていた。このようにハイラルの上空には、古来さまざまな都がひそかに栄えていたのである。

高度な文明を誇る 天空人

トワイライトプリンセス

　小型の鳥のような体に人に似た頭部をもつ種族。翼を有し、短時間のあいだ滑空することが可能。ハイリア王国のはるか上空に浮かぶ巨大な都市に住んでいる。極めて高い知能を持ち、地上の言語とは異なる「天空語」を用いるが、一部の天空人は地上の言葉を話すことが可能。

　ハイリア人よりも前の時代に繁栄し、呪文や魔術を用いた独自の発展を遂げ、高度な古代文明を築き上げたと言われている。天空都市は天空人の高度な文明を集結させつくられた彼らの都であり、その類稀なる技術により地上から都ごと天に浮かび上がらせたという逸話が残る。かつてハイラル王家との親交があり、シーカー族には天空への使者を導く伝承と、天空文字で記された天空の古文書が残されていた。

天空人のシンボル

■1 天空都市にあるタワー。大地はプロペラで飛んでいる　■2 大砲を使い、地上から天空都市へと飛んでいく　■3 天空都市の住居。タマゴが割れたような形状の建物　■4 天空人たちはこの機械づくりの都市に住み、壁を垂直に歩いたり、風にのって滑空したりしている

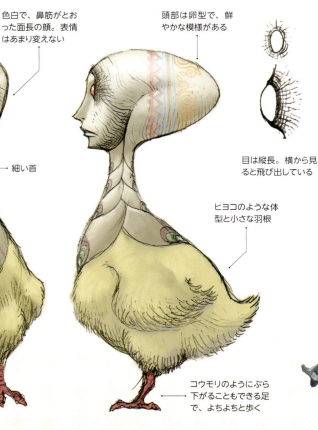

色白で、鼻筋がとおった面長の顔。表情はあまり変えない

細い首

頭部は卵型で、鮮やかな模様がある

目は縦長。横から見ると飛び出している

ヒヨコのような体型と小さな羽根

コウモリのようにぶら下がることもできる足で、よちよちと歩く

ハイラル各地で確認できるフクロウの形をした石像は、魔力を宿したコピーロッドを用いることで動かせるようになる。コピーロッドは王家が認めた天空への使者のみが持つことを許された

古代の亜人

女神ハイリアの時代に存在していた、人間以外の5種族。魔族が地上と人間たちを襲った際に、女神とともに魔族と戦ったとされる。以下の4種に加え、ゴロン族（P.042）がいる。森林地帯・火山地帯・砂漠地帯（かつては緑豊かで海を有していた）のそれぞれで種族独自の営みを送り、機械亜人のRSシリーズを除いては、集落などをもたず自然のなかで暮らしていることが多い。

岩石亜人と呼ばれたゴロン族。『スカイウォードソード』では各地の遺跡などをまわって古代の秘密を調査していた

キュイ族

草食亜人とも呼ばれる種族。フィローネ地方の森を住処としている。背中についたつぼみの中にはそれぞれの個体で異なる植物が隠されており、地面に伏せつぼみを開くことで草に擬態し身を隠す。体はふさふさとした毛に覆われており、ほとんどが人のひざ丈程度で小さいが、歳を重ねると大きく成長し人間の倍以上もの体格となることがある。基本的に温和でのんきだが、非力なため恐がりな性格の者が多い。それぞれ固有の名前として、お茶の種類のような名前が付けられている。

モグマ族

土竜亜人とも呼ばれる、オルディン地方を生活区域とする種族。土を掘ることに適するよう発達したツメを用いて、地中を自在に掘り進んで移動する。高い文化水準を誇るが、主に地下で暮らしているため、その生活様式などはいまだ謎に包まれている部分も多い。

総じてルピーや宝物に目がなく、一族の大半がトレジャーハンターを生業として地方中をめぐっている。欲望に忠実で、宝物のためならば危険な地域にも侵入するが、そのいっぽうで臆病な性格でもある。

それぞれ固有の名前として、鉱石の種類のような名前が付けられている。

パラゲ族

フロリア湖奥にある洞窟内に住む、クラゲやタツノオトシゴに似た姿をもつ水棲亜人。頭部には小さなサンゴが生えている。この地方を守る精霊である水龍フィローネを慕い、ともに暮らしている。フィローネの洞窟から出ることはほとんどなく、常に洞窟内で過ごしているが、森にも興味を示している。

人間との会話は可能だが、キュイ族やモグマ族と比べるとやや原始的。一般的に固有の名前も存在してない。一族の中でも比較的知能の高い者がリーダーとして他のパラゲ族を率いている。

RSシリーズ

かつて緑豊かだった時代のラネール地方で多く活躍していた機械亜人。ロボットとも呼ばれる。土偶のような曲線的な体と、大きな手のパーツが特徴。一族の多くが量産型の「RS-301シリーズ」で占められ、各個体ごとの名前はない。雷龍ラネール（P.018）の管理下で、時を操る特殊な力を持つ鉱石「時空石」の採掘やメンテナンスに従事していた。採掘の際には手のパーツをツメに付け替えたり、プロペラをもち運搬業務を得意とする機種（RS-301S、通称サルボ）の存在もある。

さらに上位の機種は、船長として船員ロボットたちを率い、女神の炎を守る役割を与えられていた。

砂漠はかつて海であり、造船場とともに町が築かれ集団で暮らしていた。時間を操る時空石により、部分的に当時の姿を見ることができる

そのほかの種族

　ハイラルには主要な種族以外にも、時代や土地により多種多様な少数種族が存在。それぞれの住環境に適応した身体的特徴をもち、独自の風習や文明を築き上げている。気質もさまざまであり、人間や他種族に友好的な種族もいれば、排他的で住居を隔離している種族もいるが、ほとんどの場合言語は人間と共通しており会話や意思疎通が可能である。

影の一族

トワイライトプリンセス
影の世界（P.026）に住む一族。強い魔力をもつ者が一族に認められると王になるしきたり。大昔、光の世界を追われた咎人の一族の末裔

ロコモ族

大地の汽笛
新しいハイラル王国（P.036）が築かれた光の神の大地の先住民族。一族の中でも神より授かりし力を持つ者は賢者と呼ばれ、神の塔と各大陸にて封印を見守る役割を担う

ズナ族

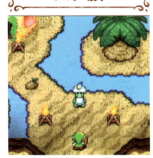

4つの剣＋
古の時代、闇の力「トライデント」を封じたピラミッドを建設した種族の末裔。ピラミッドの逸話を語り継いできたが、一族の者は総じて楽観的な性格

マイマイ族

神々のトライフォース2
さまざまな世界を旅する一族。マザーマイマイとジュニアたちが長旅を経てハイラルにたどり着き、洞窟に住み着いている

ユキワロシ族

夢幻の砂時計／大地の汽笛
寒冷地を住処とする、シカに似た角をもつ種族。性格は軽めで口も悪く気難しい。攻撃性はないが、他種族のことに関してはあまり興味を持たない

ユキザル族

夢幻の砂時計
氷の島に住む大きなサルの種族。一見強面であるが基本的には温厚な性格で、同じ島に住むユキワロシ族とも友好関係を築きたいと願っている

ウーラ族

ふしぎの木の実 大地の章
ホロドラム（P.030）の異世界、ウーラ世界に住む一族。全身をマントで包み、ぴょんぴょんと跳ねながら移動する。のんきな性格で、語尾に「ウラ」をつけて話す

トカゲ人

ふしぎの木の実 時空の章
ラブレンヌ（P.031）のミカヅキ島に住む。2足歩行のトカゲに似た姿で、語尾に「トカ」をつけて話す。肉食。原始的でずる賢く、島の外から来た者の所有物を奪う

種族の移り変わり

　神や精霊に守られ、自然環境の移り変わりが激しいハイラルにおいては、その地に住む種族たちも時代に合わせ変化している。一部の時代にのみ存在が確認されている種族も多いが、生き残りのために時代の移ろいに合わせ姿や特性を変えていった。

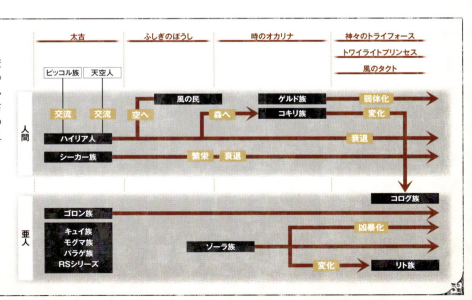

地理と自然

　山と森に囲まれたハイラル。地形変動は大きく、時代ごとにさまざまな姿を見せ、ダイナミックな景色が広がっている。それでも森や湖など、多くの時代で共通する地理や自然がある。
　ここではそのようなハイラルの地理、および各異世界も含めた生き物や自然などを、伝説の一端と結びながら見ていく。なお各マップの詳細はP.214（3章）を参照のこと。

『時のオカリナ』で垣間見える、世界の向こう。険しい地形が連なっている

森

　森は、ハイラルのなかでもとくに神秘的な場所である。妖精や精霊の住む森があったり、ピッコル族の住むチロリアの森、迷いの森を抜けると聖域があるなど。サルやデクナッツなどが暮らす場所でもある。

『トワイライトプリンセス』の森の一部。巨木がダイナミックな姿に

『神々のトライフォース』の迷いの森は、深い霧で人を退け、マスターソードまでの行く手を阻む

山

　危険な山であることを表す「デスマウンテン」は活火山で、『時のオカリナ』ではゴロン族が集落をつくり『トワイライトプリンセス』では温泉も楽しめた。太古のオルディン火山は、精霊が噴火を引き起こしているもの。『トワイライトプリンセス』ではスノーピークと呼ばれる雪山もある。

『時のオカリナ』のデスマウンテンは、山頂にある雲のような輪が特徴

『神々のトライフォース』のデスマウンテンは、闇の世界の山。光の世界にあるヘブラ山と対になる地形である

湖・泉

　水源からの清流は、湖に注がれる。大きな湖はとても目立つが、ハイラルの豊かな自然に欠かせないのはやはり水源の存在。ゾーラ族が守っていることが多い。神話の時代には、女神が泉で身を清めていた。

『時のオカリナ』ハイリア湖。上流のゾーラの里とつながっている

展望の泉。ハイラルの豊かな水源から泉が湧き、水脈は湖へとつながっている

砂漠

　昼には灼熱の風、夜には極寒の風が吹く不毛の地。古代遺跡が多く見られる。しかし太古の姿は、海だったとも言われる。

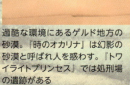

過酷な環境にあるゲルド地方の砂漠。『時のオカリナ』は幻影の砂漠と呼ばれ人を惑わす。『トワイライトプリンセス』では処刑場の遺跡がある

太古の海の様子をのぞかせる、『スカイウォードソード』のラネール砂海

地図と地形の変化

　右の図のとおり、時代によって冒険の舞台となる場所や地形が変化することは、地図を見れば明らかである。しかし、離れた時代の地図にも、共通する地名や建造物が存在することがある。

　次の頁からは、共通する事柄のある時代の地図を並べながら、どのように移り変わったかを示していく。2つ以上の地図を並べ、共通する部分を赤い線で結んでいく。必ずしもそこが別の時代の同じ場所とは限らないが、地形の変化からさまざまな推測ができる。

スカイウォードソード
このほか、天空に小さな島が浮かぶ

ふしぎのぼうし

4つの剣

時のオカリナ
平原を中心に、崖で囲まれた地形

神の封印によりハイラルは海の底に沈み、高い山が島として残された

ハイラル城を中心とした地形がしばらく続く

神々のトライフォース

トワイライトプリンセス

風のタクト

神々のトライフォース2

4つの剣+
大きな建造物が誇張して描かれた地図。世界を隔つものは山ではなく海になっている

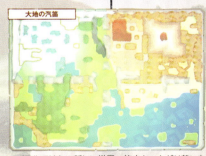
大地の汽笛
ハイラルではない新しい世界へ旅立ち、たどり着いた光の神の大地（P.036）

ゼルダの伝説

リンクの冒険

西大陸と東大陸に分かれた世界へと広がる

マップ売りチンクル

　地図といえばタルミナのマップ職人、チンクル。赤い風船で宙に浮かび、マップを描いて売っている。自分のことを森の妖精（コキリ族 P.046）の生まれ変わりだと信じ、35歳になっても妖精がやってこないと言いながら緑色の服に身を包んでいる。合言葉は「クルリンパ」。いつの時代にも、なぜかこのような大人が現れて後を絶たない。
　『トワイライトプリンセス』のスタアマンの姿は、まるでリアルチンクル

ムジュラの仮面

ふしぎの木の実

風のタクト

4つの剣+

ふしぎのぼうし

太古から黄昏の時代へ

人々は天空で暮らし、大地には人間がいない『スカイウォードソード』と、統一戦争によって種族をまとめて国家とした『時のオカリナ』。そして共通の地名が多くある『トワイライトプリンセス』。時代はかなり隔てるはずだが、これらの共通する部分をなるべく垂直になるように線で結んでいる。また、砂漠地方の先は遥か古代は海であったため、その地形もあわせて置いている。

大まかに砂漠、山、水源と森の位置が共通する、2つの地図。湖だけが大きく違う位置にあるが、『スカイウォードソード』は太古の時代のため未開拓の部分も多い。また、砂漠地方は地図の先にも太古の時代の海が広がっているため、どのように線を結ぶかで歴史的な印象も変わってくる。

すべてが同一の場所とは限らないが、より関連が深いと思われる下記の順で結んでいる。
・コキリの森（森の神殿）—コキリ族の紋章が残されたフィローネの森（森の神殿）
・ゲルドの砂漠 ・ゾーラの里
・カカリコ村 ・デスマウンテン
・マスターソードの台座がある聖地—マスターソードの台座
・邪神像—似た像のある砂漠の処刑場

上記を、できる限り垂直になるように線でつなぐと、『トワイライトプリンセス』の地図は大きく広がってしまう。実際『トワイライトプリンセス』の世界はより広大な土地であり、あらゆる場所で大地の亀裂が見られることから、地面が裂けるように広がっていったとも見てとれる。
また、『スカイウォードソード』と『トワイライトプリンセス』はフィローネ、オルディン、ラネール地方の名が一致するため、『スカイウォードソード』の南もラトアーヌに関する土地が広がっている可能性がある。

ハイラルの水没

神の封印でハイラルが海の底に沈んだ『風のタクト』では、小さな島が点在するだけでかつての広大な大地の面影はない。神は高い山に、選ばれた人間のみを避難させている。ここでは『時のオカリナ』で人が多く住んでいた場所と、残った島から推測する避難先を結んでいる。

コキリ族がコログ族になり、同じデクの樹があるということでコキリの森を森の島のあたりと結びつけるとすれば、ゾーラの里と竜の島、城下町やカカリコ村とタウラ島は近い位置関係で結ぶことができる。

ジャブーのいる魚の島は離れているが、ハイリア湖は水脈がゾーラの里からつながっている場所である。『風のタクト』でガノンドロフが拠点とした魔獣島が、ガノンドロフの故郷であるゲルドの谷があった北西方向にあるのも不思議なものである。

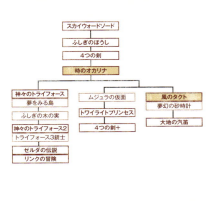

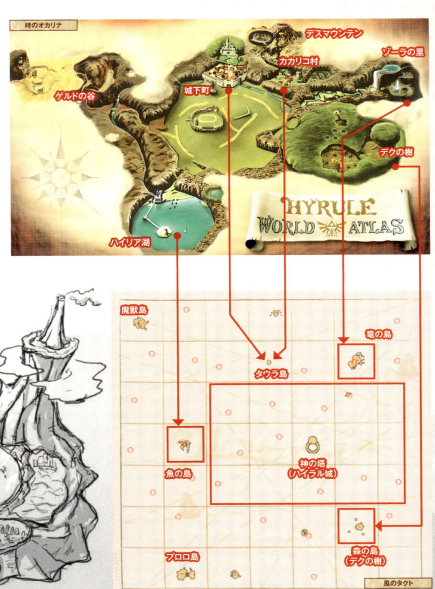

沈む前のハイラルは、湖の真ん中に城があり、周りを高い山が囲んだという

森の島、竜の島、魚の島は、それぞれ神の宝珠を守るため三角形に結ばれる

勇者の生まれたプロロ島

上の2つの地図を結びつけようとしてもうまくいかない部分がある。プロロ島だ。中心地とはかなり遠くの位置にある田舎の島。ここから勇者が生まれている。

南端の田舎で育った少年に勇者の素質があるというのは、左頁『トワイライトプリンセス』のトアル村と状況が似ている。『風のタクト』とは平行する歴史の物語だが、同時代としての共通点と考えることができる。

プロロ島

トアル村

衰退の時代へ

『時のオカリナ』で勇者が敗れ、ガノンを封印した後の時代。最終的にハイラル王国は、小王国にまで縮小してしまう。その移り変わりを結んでいくと、そのあいだの時代が浮かび上がっていく。

なるべく多くの位置を水平に結ぶと、斜めに角度をつける形になってしまう。それでも森の位置はだいぶ変わってしまうようだ

『神々のトライフォース』と『神々のトライフォース2』の地形はほぼ同一。水源や森はもちろん、城を中心に村や建造物の位置も一致している

2枚の地図を重ね合わせたもの。若干の変化があることがわかり、少しずつ移ろいゆく時代を感じることができる

大陸各地に残された賢者の名

『リンクの冒険』の町の名には、「ラウル」「サリア」など『時のオカリナ』の賢者の名がある。こうして時代順につないでみるとゆかりのあった地とは思えないが、コキリ族の「ミド」やまだ見ぬ賢者「カスト」の名も残されており、描かれていない時代に何があったのか、さまざまな憶測が飛び交っている。

『ゼルダの伝説』の地図はハイラルのほんの一部。『リンクの冒険』とは同一の時代。同一の場所を見てみると、広がりあるハイラルの世界を感じることができる

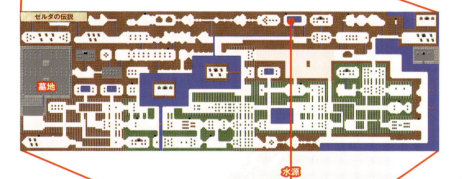

北に位置するドレース王国

『神々のトライフォース2』の時代、やや北にドレース王国（P.038）が位置する。『リンクの冒険』の地図を北に広がるハイラルだとすれば、ここにドレース王国があったかもしれないと推測することができる。ドレース王国には力をもつ魔女がおり、『リンクの冒険』の町には魔法を使える者が残されている。オシャレそうな女性の姿も目につく。

ドレース王国から行ける魔境は、ドレース王国との位置関係が不明であるものの、たくさんの遺跡が確認されている。『リンクの冒険』には数々の神殿や死の谷と呼ばれる場所があり、探してみれば共通点も多いのである。

『ゼルダの伝説』は一地方の小王国となっており、ほかの時代と比較してみればたしかに広くはない。『神々のトライフォース2』とは水の流れをなるべくあわせるように位置取りをしてみたものが上の図である。北に山があり、墓地が西方向にあることが共通する。『ゼルダの伝説』の地図は迷宮を探すためのものであり、ハイラル城や村については一切記されていないため、南に広がる世界に人の居住区があるのではないかと推測できる。また、多くの時代では水源から湖へと川が流れるが、『ゼルダの伝説』の時代に湖は海となり、川は海へと流れるようになった可能性もある

動物

各時代で見られる、人間や各種族、魔物以外の生き物たち。魔物が支配する世界では、自然に生きているというよりも、人との生活に密接に関係したり、独自の進化をしているような動物が多い（牧場についてはP.069）。また、サルなどのいくつかの動物とは会話をすることもできる。

ここでは太古、ハイラル王国、光の神の大地（新ハイラル王国）、異世界に分けて見ていく。

『神々のトライフォース』『神々のトライフォース2』には、動物の集まる広場がある。『時のオカリナ』では絶滅したと言われているウサギの姿も

いじめたりするようなことがあれば怒り、集団を呼び寄せて逆襲してくるコッコ。この世界でもっとも強靭な動物だとも言われている

太古

天空と地上で異なる様子

『スカイウォードソード』では、古代の変わった動物をたくさん見ることができる。そのなかでも、天空のスカイロフトと大地とでは、生息する動物にかなりの違いがある。たとえば天空は広い土地がないため、ウシにような大きな動物は存在しない。

ロフトバード
スカイロフトに住む人々のパートナーとなる、女神の遣わした鳥。若者が鳥乗りになる日に訪れる。赤いものは絶滅したと言われる紅族で、強靭な体をもつ特別なロフトバード

チュン
大地に生息する鳥。体が小さいため天空までは上がってこられず、スカイロフトではこのような小さい鳥を見ることはない

レムリー
スカイロフトの一部で飼われている動物。夜は、スカイロフトにいる悪魔の気の影響で凶暴化してしまう

リンガー
大空を飛ぶムササビ。群れをなし輪を描くように集まる

ヒドリー
大地の遺跡に巣食う鳥。尾の形が特徴的

ハイラル王国

人間と動物との暮らし

人間と動物の関係が密接になってくる時代。愛玩動物としてイヌやネコ、家畜としてウマ、ウシ、コッコなどが主に飼われる。昔は平原にたくさんの野ウサギがいたが、乱獲のため絶滅したと言われている。

ネコ
愛玩動物として多くの時代で飼われ、親しまれている

イヌ
愛玩動物として飼われているほか、ドッグレースなどさまざまなところで見かける。いっぽうで野良犬の問題もある

メダマガエル／カエル
川におり、春になると集まって合唱を行う。薬の原料にもなる

ウシ
牧場で飼育されるが、たまに平原の穴の中を住処として暮らしているものも見つかる

異世界

似て非なる動物

『夢をみる島』では動物の暮らす村があり、『ふしぎの木の実』ではカンガルーのリッキー、クマのムッシュ、恐竜のウィウィが仲間になる。まるで人間と同じようにさまざまな動物がしゃべり、友好的に協力してくれることも多い。もちろん、イヌやコッコなどなじみ深い動物も多くいる。

キツネ
「カキクケコーン」という変わった鳴き声をする

スネーク
ヘビつかいに飼われている、レッドスネークとブルースネーク

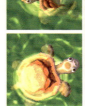

カメ
ロウラルにいる岩のような背中のカメ。親子で暮らしている

サル
森などに住む、イタズラ好きのサルたち

コッコ
多くの時代で飼われている。民家付近以外でもはぐれたコッコを見かけることがある。さまざまな色や特徴のコッコが開発されることも。つかんで持つと滑空できる

ブタ
プロロ島で飼われている

カモメ
海場を飛ぶ鳥。ヒョイの実で呼び寄せるとやってくる

新世界

珍しい動物との出会い

新ハイラル王国として大地を移し、これまでに見られなかった動物が姿を現す。見たことがあるようなないような、珍しい動物たちでにぎわっている。

ムチドリ
ぶらさげたヒモにつかまって空中遊泳を楽しませてくれる

イノ
イノシシのような動物。大地を突進してくるので危険

ポッポ
ふつうのハト。鳥使いの歌で集まってくる

フィンフィン
海にいる黄色いイルカ

ブヒウシ
ブタのような見た目のウシ

ウマ
多くの時代に、牧場で飼育されている。広い平原を移動するのに重宝された

リス
森でのどかに暮らす、小さな動物。数匹で行動する

タカ
脚にある鋭い爪で、物をつかんだり獲物を攻撃したりすることができる猛禽類。賢く、草笛で呼ぶと飛んでくる

ヤギ
トアル牧場で飼われているが、野性味が強くときどき脱走する

ウサギ
各大地に隠れ住むウサギ。海の大地や火の大地など、それぞれ特有の色のウサギが住んでいる

059

植物

ハイラルの豊かな自然が育む植物。どこでも見かけるような草、木、花のほか、地域や年代特有の珍しい植物もある。
　精霊が宿るデクの樹は、デクの樹の棒やデクの実、デクのタネ、デクの葉といった道具として使えるものも多く生み出す。このほかにもさまざまな使い方のできる植物、実などがある。

人間が天にのぼりいなくなった大地は、もっとも森の植物が繁栄した。菌類も栄え、とくにキノコは巨大である

グルグルツタ
古代の大木に絡みつくツタで、先が渦巻状に垂れ下がる

古代の花
砂漠がまだ海だった、はるか大昔に咲いていた花

ハート花
体力回復のハートが育つ植物。スカイロフトで育てられている

バクダン花
火山地帯によく生える高山植物。日陰で育ち、日光には弱い。爆弾の原料として使われる

ペララ
ピッコル族が育てている。食べると異種族の言葉がわかるペララの実をつける

さまざまな形の木

オクタ草
ハイラルでよく見られる草の一種。ちなみにロウラル（P.028）では、葉が逆さに立っている

トゲトゲ草
多く見られる草の一種。見た目はとがっているが、葉は柔らかいので触っても痛くはない

南国の花

海の花
各地から仕入れられ、町の景観として飾るために売買されている

町の花

タカ草
草笛になり、吹くとタカを呼ぶことができる

ウマ草
草笛になり、吹くと馬を呼ぶことができる

ペラプロの実
プロペラのような葉で空中を浮遊する。クローショットを引っ掛けることで移動手段に使われた

ハナバナ草
小さな花を咲かせる

ヒラヒラ草

フサフサ草

アイテム花
切ると中からアイテムが出てくる不思議な花

魚

高台の泉から川をへて湖へと流れる地形が多く、そこには淡水魚などが生息する。釣り堀（P.075）などが併設されて楽しまれていることもある。いっぽう『夢幻の砂時計』や『大地の汽笛』の舞台となる海は、広い温帯域であるため回遊魚などが多く生息している。なお『風のタクト』の大海原は封印による幻の海であるため、魔物や魚男をのぞいて生き物は生息していない。

ウギウナ
古代ウナギ。ふつうの魚よりも細い体へと進化していった過程が見られる

ワロアナ
大型に育つ古代の魚。水面に落ちた虫などを捕食するため眼球が上向きになっている

ハイラルバス
釣り堀の定番として古くから親しまれる魚

アマシイラ
外海に生息する魚。パプチア村では高級魚として扱われ、料理の名物になる

トト
海の大地に多く生息する。一般的に漁で親しまれてきた魚

ハイラルドジョウ
釣り師の憧れである伝説の魚。目撃するには、雨の日や夏など条件が必要

グリーンギル
あらゆる水場に生息する魚

ウオモッコリ
外海に生息する魚。腹部が吸盤になっており、大きな魚に付着して生活する

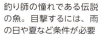

トアルナマズ
トアル村出身の淡水魚

ハンモンカジキ
外海に生息し、全長1.5mを超える巨大な魚。鋭く伸びた上あごが特徴

ハイリアパイク
ゾーラ川上流から湖にかけて生息する肉食魚。連続ジャンプが特徴的

ニオイマス
ハイラルではゾーラの里にのみ生息する臭いの強烈な魚。スープに合う

水源はゾーラ族に守られ、澄んだ水に多くの魚が生息する

海王の海域と海の大地には同じ種類の魚が生息。広大な海であり、かなり大きな魚も見られる。イルカのフィンフィン（中央）と比べても巨大

釣れる魚一覧

時のオカリナ	ムジュラの仮面 3D		トワイライトプリンセス	夢幻の砂時計
釣り堀（ハイリア湖）	沼のつりぼり	海のつりぼり	釣り堀ほか	海
バス	いかしたフナ	よくあるスズキ	グリーンギル	カツヲ
ハイラルどじょう	タルミナバス	たぶんハゼ	トアルナマズ	マ・グロ
	タルミナどじょう	たべごろのブリ	ハイラルバス	アマシイラ
	うしくいピラニア	シャイアングラー	ハイリアパイク	ウオモッコリ
	レターサーモン	スカルギョ	ハイラルドジョウ	ハンモンカジキ
	コダイギョ	おどりタイ	ゾーラの里	ポシードン
	マーチフィッシュ	シノビヒラメ	ニオイマス	
	まきばアユ	マリッジマグロ	湖底の神殿	
	ニオイマス	ヨウセイウオ	スカル魚	
	おおぐいピラルク	あばれザメ	爆弾魚	
	オオナマズ	グレートカジキ		
	チャプチャプさま	ダイヨウセイウオ		

よくあるスズキ

ヨウセイウオ
タルミナの魚は、ハイラルと共通するものから珍しい特徴のものまで種類が豊富。しかし呼称は独特のものが多い

虫

　生物を感覚的に分類したとき、哺乳類や鳥、魚などと並んで挙げられるのが「虫」である。ハイラルでは「昆虫」を厳密に分類しておらず、ここでは歴史的に「虫」と扱われてきた生物を含めて記載する。

　『スカイウォードソード』では、多くの種類を捕まえる虫とりを楽しむことができる。捕獲した虫は薬などの素材になる。ハイラルの歴史上は古代の虫にあたり、渦巻きなどの模様がはっきりと見えることが特徴である。

　『トワイライトプリンセス』では、金色の虫と呼ばれる光り輝く虫がハイラル中に出現している。虫好きの少女アゲハがそれを求めており、それぞれオスとメスの個体が見つかっている。

ハチ
多くの時代と地域でもっともよく見られる虫はハチである。巣から取れるハチノコやハチミツは人間にとって重要な栄養源でもある

ハイリアオオスズメ蜂
主に森などに生息し、樹高の高い大木に巨大な巣をつくる大型のハチ。毒を含んだ針をもつうえ気性も荒く、外敵を感知すると集団で襲いかかる。巣から取れるハチノコはウキ釣りのエサとして重宝される

アゲハの家には、さまざまな昆虫標本が飾られている

デクスズメバチ
フィローネの森の大木に巣をつくる、ハチの一種。大自然の中に生息しエサが豊富なため、体格も大きい。針に含まれる毒はかなり危険だが、熱を加えることでさまざまなものを回復できるくすりに加工できる

ホーリーアゲハ
さまざまな地域で見つかるチョウの一種。青い羽が美しい。たまに奇妙な場所で見つかる神秘性などから「ホーリー」の名がつけられた

ゲルドオニヤンマ
ラネール砂漠に多く生息するトンボの一種。複眼により動く敵を察知し、高速で飛び回るが、ゆっくりとした動きを捕らえるのは不得手。宝石のような瞳とガラスのように透き通った美しい羽をもつ

トンボ（金色の虫）
ゾーラの里およびゾーラ川上流付近で見つけられる、金色の虫の一種。トンボは繁殖の際に水中に産卵し、幼虫期（ヤゴ）も淡水中で過ごすため、美しい水が豊富なゾーラ川周辺に集まっている

チョウチョ（金色の虫）
ラネール地方で見つかった金色の虫。花の蜜をエサとして食すため、金色の羽は鱗粉で覆われている。ハイラル平原に咲く花の付近を好んで生息し、夜間に花の周りを舞う姿はとても美しい

まぼろしのチョウ
美しいレース状の羽を持つ、幻とも称される珍しい蝶。ドレース王国に生息し、武を極めた者の前にのみ姿を現すという逸話が残されている

カマキリ（金色の虫）
ハイリア湖上空にかかる、ハイリア大橋付近で見つけられる金色の虫の一種。長細い手足と、大きく発達してトゲが生えた鎌状の前足が特徴

バッタ（金色の虫）
ハイラル平原で発見できる、金色の虫の一種。障害物のない開けた平原に出現し、外敵に襲われると発達した後ろ足で素早く跳んで逃げ回る

スナスナボウシ
ラネール砂漠に生息するセミ。特徴的な鳴き声をもつ。幼虫期間が非常に長く10年以上を地中で過ごすが、成虫になってからの寿命はとても短い。地上に出ている期間が短いうえに、物音に敏感で警戒心が強くすぐに逃げ出してしまうため、もっとも捕獲が難しいとされる

フィロホッパー
フィローネの森に生息するバッタの一種。大きな後ろ足による瞬発力で高いジャンプ力を持ち、素早く跳ね回る。繁殖力が強く10年に一度程度大量発生する年があり、旺盛な食欲で周囲の植物を食べ尽くして森に被害をもたらす

ソラジマカマキリ
スカイロフト全域に生息するカマキリ。物陰に隠れてじっと獲物を待ち伏せ、近づいてきた虫などを両腕の鋭いカマで素早く捕食する。暗がりを好み、ツボの中などによく隠れている

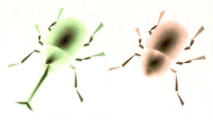

ロフトクワガタ
スカイロフトの樹木などで頻繁に目にできる、青い体のクワガタ。はさみのようなアゴをもつ。その見た目から子供たちに人気が高い。アゴの力はとても強く、挟まれれば大人でも耐えがたいほどである

フィラクレスカブト
大きな角を持つカブトムシの一種。フィローネの森に生息する。甲殻は硬く、磨かれることでさらに硬度を増す特徴をもつ。硬さゆえ動きは遅いが、力の強さは同時代に生息する虫の中でもトップクラス

カブトムシ（金色の虫）
ハイラル平原の林付近に生息する金色の虫の一種。カブトムシの特徴として、オスにのみ頭部に大きな角がある。木からしみ出した蜜を好んで食べるため、オス・メスともに木に止まっているところを捕まえることができる

クワガタ（金色の虫）
ハイラル平原・北で見つけられる金色の虫の一種。メスのアゴに比べオスのアゴは大きく発達しており、エサ場などの縄張り争いや繁殖期のメスの奪い合いに用いられる

テントウムシ（金色の虫）
ハイラル城城下町の南門近くの平原で見つかる、金色の虫の一種。テントウムシの仲間の特徴として背中の甲殻にある斑点などの模様があげられるが、この地域のテントウムシは逆さまのトライフォースのような模様を有する

マグテントウ
テントウムシの一種。火山地帯に数匹の群れで生息する。火山帯の赤い鉱石をエサとするため、成長するにつれ体色が鮮やかな赤色になる。おとなしい気性で、常にじっとしていてあまり動かない

黄金の虫
ドレース王国の砂漠に生息する、高価な虫。鎧の材料に使われ、そのまばゆい輝きは純金よりも高値がつくこともあるほど

ソラホタル
清流のある地域にのみ生息し、夜に発光しながら翔ぶホタルの仲間。スカイロフトの限定種であるソラホタルは、前羽の模様が特徴である

カゲロウ（金色の虫）
細長く弱々しい体に大きな羽をもつ、金色の虫の一種。カゲロウの仲間の多くは本来、川や湖などの水辺に生息するが、金色のカゲロウは水のないゲルド砂漠に生息している

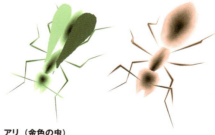

ラネールアント
常に群れで行動し、地中に巣穴を形成して集団で暮らす、アリの仲間。ラネール砂漠に生息するラネールアントは、地中深くに存在する水源を見つけ出して巨大な巣を形成し、熱さに適応している

アリ（金色の虫）
カカリコ村とその隣の墓地に生息している、金色の虫の一種。さまざまなものをエサとするため、食料の豊富な人里近くに生息している。オスは羽をもちメスは体が大きい

マルコロガシ
オルディン火山に生息するフンコロガシの一種。フンコロガシは動物のフンを食料とし球状にして運ぶが、マルコロガシが転がしているものが何であるかは不明。柔らかい土の中にいることが多く、地面を掘り返すと飛び出して球をコロコロと転がしながら逃げ回る

ナナフシ（金色の虫）
細長い体をもち、木の枝に擬態することが特徴的な虫。カカリコ峡付近で見つけることができる

ダンゴムシ（金色の虫）
オルディン地方のハイラル平原で見つけられる。体に多くの節をもち、刺激を受けると体を丸めて身を守る性質をもつ

カタツムリ（金色の虫）
森の聖域で見つかった、金色の虫の一種。カタツムリは陸に棲む巻貝の一種であり、貝類は雌雄同体であるため、本来オスとメスの区別もないはずである。そのため捕獲者からは疑問の声も聞かれ、色の赤いものも実はオスではないかともささやかれている

063

文化と暮らし

何千、何万年という長い歴史あるハイラルは、繁栄と衰退の繰り返しである。時代ごとに文化や暮らしの推移を見たり、多くの時代にも共通するものをまとめている。

さまざまな機械が電気によって作動。機械亜人が時空石の採掘や加工を行っている

スカイウォードソード（前史）
ハイリアの時代

ラネール地方で採れる鉱石「時空石」をさまざまな動力として、高度な文明を築いている。

スカイウォードソード
天空時代

スカイロフトを中心とした天空の島々で暮らし、ロフトバードを使って行き来する。天空は風が強いため衣類は厚みのある丈夫なものでつくられ、鳥乗りはケープを羽織る。広い土地がないため牧場は作れず、畑でとれるカボチャが主食である。服や建物の色彩は鮮やかで、あらゆるモチーフに鳥が用いられることが多い。騎士団が治安を守り、青年たちは騎士学校で学んでいる。

鳥乗りの女性 　騎士学校の制服

時のオカリナ
時の勇者の時代

統一戦争の後、ハイラル王国が各民族をまとめ、ハイラルの統治者となった時代。別種族との交流は基本的に王家のみしか持たず、一般市民にとってはほかの種族については噂に聞く程度のもの。王家の許可がなければ入れないような地域も多く、異種文化交流はほぼ行われていない。

城下町が栄えるが高度な文明はなく、カカリコ村を活性化させる動きがあるなど、発展の途上であった。人々の生活は必要以上に華やかにはならず、身の回りのものは自然素材を基調とした牧歌的なもの。ウシやコッコが飼育され、ミルクが好まれた。馬車や騎馬の需要により馬の価値も高い。

カカリコ村の民家

騎士学校と校章

牧場

大海原時代 _{風のタクト}

　大地が沈み、限られた島々で人々は生活する。服装は動きやすく軽装のものが好まれ、シンプルな模様が描かれる。プロロ島ではブタを飼い、頭にツボを乗せて物を運んだり、田舎らしい風習も残っている。

　タウラ島では、商売をする人が多く、別荘を持つなど経済的に豊か。子供たちは学校に通い、風とともに生活しながら明るい島の生活が営まれている。

プロロ島

タウラ島

商人の船。封印による幻想の海のため、漁などは行われていない。空を飛べるリト族（P.047）が郵便配達をし、島同士をつなぐ役割を担う

新ハイラル王国の時代 _{大地の汽笛}

　大地は線路が張り巡らされ、汽車を使っての長距離移動が可能になった。きこりの住むサクーヨ村から木材を運んだり、新鮮なうちに魚を運んだり、氷を運んだりと、4つの特色をもつ村のあいだで運搬が可能になった。しかし城下町が栄えるほかはそれぞれ自分たちの暮らし方を大事にしており、大きく発展することはない。温和な暮らしが続いた。

海の大地の住民（左）と森の大地の住民（右）

黄昏の時代 _{トワイライトプリンセス}

　きらびやかな栄華を誇る。城下町の人々は豪華な服装や装飾品を好み、布製品には多彩なステッチがあしらわれ、シルク、貴金属、毛皮、革製品などが広く使われる。城下町には日用品以外にも花や嗜好品が売られ、健康のため温泉水などが注目されていた。華やかないっぽう、もっとも貧富の差が激しい時代でもある。

　城下を離れると広大な平原が広がり、牧畜で生計を立てるトアル村が王城と良好な関係を築いているが、ほかは寂れている。

富裕層　　　村民　　　　　　　　　兵士
女性は髪をまとめるなどトップにボリュームをつくり、男性は履くものにボリュームを出すスタイルが流行した

城下町

城への入口

封印戦争後 _{神々のトライフォース／神々のトライフォース2}

　聖地をめぐる争いによって疲弊した後の時代。過去の争いの戒めとして教会が建てられ、図書館には歴史的文献も保存。城の周りに町は栄えず、人々は村で質素に暮らしている。酒場などの娯楽も少しずつ増えていくが、文化レベルは長く変化を見せていない。

衰退の時代へ _{ゼルダの伝説}

　トライフォースがうまく扱われず、ハイラル王国は一地方の小国へと凋落。魔物が現れると、町の外の洞窟などに身を潜める商人や老人の姿もあった。

065

気高く美しき宮殿 ハイラル城

　白い外壁、手入れされた庭、城内は金縁の赤い絨毯が敷かれ、ステンドグラスが美しく輝く……。王族が暮らし、政治的機能を有するハイラル城は、王国内でもっとも美しい宮殿である。ゼルダ姫と出会う場所でもある。

　しかしハイラル城が敵の手に落ちた場合には、ダンジョンとして侵入することになる。ただならぬ気配に包まれ、魔物と戦いながら青く冷たい床をさまよう……。縦横無尽に交差する迷宮ともなるのだ。

時のオカリナ

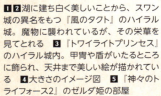

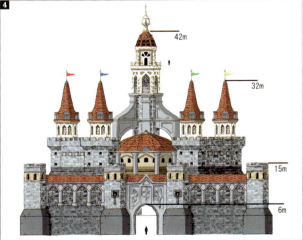

1 2 湖に建ち白く美しいことから、スワン城の異名をもつ『風のタクト』のハイラル城。魔物に襲われているが、その栄華を見てとれる　**3**『トワイライトプリンセス』のハイラル城内。甲冑や盾がいたるところに飾られ、天井まで美しい絵が描かれている　**4** 大きさのイメージ図　**5**『神々のトライフォース2』のゼルダ姫の部屋

時のオカリナ

神々のトライフォース2

CHAPTER 1 文化と暮らし｜ハイラル城

歴代タイトルのハイラル城

ハイラル王国が舞台であっても、ハイラル城を訪れるとは限らない。ダンジョンとしての様子についてはP.142（2章）。

神々のトライフォース
雨降る夜。ダンジョンとして潜入し、囚われたゼルダ姫と脱出する。玉座の後ろに教会への抜け道がある

時のオカリナ
水路から侵入。警備の目をかいくぐりながら庭を進み、中庭のゼルダ姫と出会う

ふしぎの木の実
オープニングで立ち寄るが冒険の舞台とはならない。『大地の章』『時空の章』をリンクさせると、エンディングでテラスにいるゼルダ姫を見ることができる

風のタクト
神の封印により、海の底に沈んでいる古のハイラル城。隠されたマスターソードを手に入れたり、テトラがゼルダ姫として覚醒する場所となる

4つの剣+
グフーを封印するフォーソードがある。魔物の手に落ち、ダンジョンと化している

ふしぎのぼうし
秘密の部屋に、ピッコルの伝説のステンドグラスがある。グフーによって最後は闇のハイラル城に変えられてしまう

トワイライトプリンセス
ダンジョンとして潜入する。影の一族に支配され、広い庭はブルブリンたちの根城になっている

大地の汽笛
機関士の任命式に呼ばれてゼルダ姫と出会う。その後ゼルダ姫に頼まれ、こっそり城外へ連れだす

神々のトライフォース2
ゼルダ姫と出会う。古の伝説の絵画が飾られている。兵士たちは壁の落書きに困っている

067

城下町と娯楽

　人の住む町、種族ごとの集落などさまざまな町があるなかでも、人間の集まる場所としてにぎわいを見せるのは城下町である。城と町を守るように壁が造られ、人々の平穏を保っている。人が集まることによって娯楽も発展。時代ごとに、趣向を凝らした娯楽施設がつくられている。

　娯楽、つまりミニゲームは町以外にも多く、釣り堀（P.075）をはじめとして地形や場所を生かした遊びを楽しむことができる。商売として運営されているだけではなく個人で楽しんで行っている場合もある。

トワイライトプリンセス
いたるところに装飾が施された華やかな町。市場には野菜や肉のほか花なども売られている。店を開くには国の許可が必要だが、来るものは広く受け入れられている

ふしぎのぼうし
色とりどりの花や屋根で彩りを見せる城下町。パン屋やカフェなど、さまざまな店がある。年に一度のピッコル祭りは盛大ににぎわう

時のオカリナ
城壁と堀で囲まれた城郭都市。城門は跳ね橋となっており、夜には魔物の侵入を防ぐために閉ざされる。町の中心地は広場を囲むようにして家や店が並び、昼は多くの人でにぎわう。夜はしずまりかえり、どこからともなく現れた犬がうろついている。ガノンドロフの支配後は、聖地からあふれた邪気や魔物で壊滅。住民はカカリコ村（P.074）へと避難した

さまざまな娯楽、ミニゲーム

的当て屋
『時のオカリナ』などで楽しめる。パチンコを当てるのは、流れる的となったルピー。ほかに弓矢を使うものも

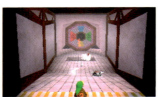
ボムチュウボウリング
『時のオカリナ』の城下町で遊べる。ボムチュウをタイミングよく置き障害物を避けてゴールを目指す

宝箱屋
『ふしぎのぼうし』や『時のオカリナ』で楽しめる運試しゲーム。箱の中に入っているものがもらえる

スタアゲーム
『トワイライトプリンセス』の城下町で遊べる。「スバヤく 時間内に、全ての タマタマチャンを アツめる」ゲーム

スモモちゃんゲーム
『トワイライトプリンセス』のハイリア湖で遊べる。空を飛ぶ風船をなるべく多く割りながらゴールを目指す

コッコチャレンジ
『神々のトライフォース2』でチャレンジできる。飛んでくるコッコを避け続け、タイムや難易度を更新していく

竹のスパスパ斬り
『スカイウォードソード』の竹斬り島で楽しめる。剣を素早く振り、竹を連続でスパスパ斬っていく

郵便仕分け
『風のタクト』のポストハウスのアルバイトとしてチャレンジできる。スタンプと同じマークの棚に素早く仕分ける

牧場

人々の生活を支える牧場。主に乳牛、コッコ、馬などが飼育される。ロンロン牧場は馬を飼育し、ミルクを町や王城に配達する役目を担っている。

城下町から離れたところにあるトアル牧場では、山羊を飼育し、村全体が牧場と密接な暮らしを送っている。

1 2 『時のオカリナ』のロンロン牧場。エポナとの出会いの場所であり、飼われる動物たちはマロンの歌う歌が好き　**3 4** 『ムジュラの仮面』のロマニー牧場。町へミルクを届ける牧場主のクリミアと、犬の競技を楽しめるドッグレース場　**5** 『トワイライトプリンセス』のトアル山羊。ミルクとその加工品、毛皮やツノがさまざまなものに使われる。山羊がトアル村のほうへ脱走することも

歴代タイトルの牧場

時代は違えど、経営者のタロンと娘のマロンが切り盛りするロンロン牧場が有名。とくに最初に登場した『時のオカリナ』では、愛馬エポナと出会い、ガノンドロフ支配後には従業員のインゴーに乗っ取られたりと、ドラマが繰り広げられる。

なお、牧場ほどの広さではないが、柵で囲ってコッコを飼う様子は多くのタイトルで見ることができる。

『神々のトライフォース2』のコッコ畑でコッコよけに挑戦すると、大きいサイズのデカコッコに会うこともできる

ロンロン牧場（時のオカリナ）
牧場主はタロン。馬を中心にウシ、コッコなどを多く飼育。ロンロン牛乳が愛飲され、城下町からもよく人が訪れるらしい

ロマニー牧場（ムジュラの仮面）
父親から継いだ姉妹が切り盛りしている。神の遺産と言われる高級乳牛ロマニー種を飼育している。娯楽施設も併設

ゴーマントラック（ムジュラの仮面）
ゴーマン兄弟が経営。馬の調教がメイン。ロマニー牧場の妨害をしたり、薄いミルクを売ったりと悪徳な行いも

ロンロン牧場（4つの剣+）
牧場主はタロン。ひとり娘のマロンとともに馬を飼育している。馬たちの大好物であるニンジンを多く備えている

ロンロン牧場（ふしぎのぼうし）
牧場主はタロン。ひとり娘のマロンが、町へロンロンミルクを売りに来る

トアル牧場（トワイライトプリンセス）
特徴的なツノをもつ、トアル山羊を飼育している。移動手段とするための馬も飼われている

食べ物・食事

ハイラルは時代により地形も大きく異なるため、食料となるものも時代によって変わってくる。共通していえるのは、複雑な調理はほとんどなく、素材そのものを味わうことである。

トワイライトプリンセス
田舎トアル村の台所

野菜

大昔からもっとも身近な野菜はカボチャである。スープにして食すことが好まれた。精霊ナリシャもカボチャスープが好物であり、人々は捧げものとして供えていた。

後の時代であるトアル村の名産品のひとつも、トアルカボチャである。

スカイウォードソード
パンプキン専門店があるほど親しまれている

トワイライトプリンセス
色とりどりの野菜や果実が市場で売られる

キノコ

森の恵みとも言われるキノコであるが、食料というよりは薬の材料として使用されることが多い。香りの強いものはとくに重宝された。

果実

食用としてもっともポピュラーな果実は、リンゴである。旅のあいだにも木になっている状態のものを見つけ、食料とすることができた。

『神々のトライフォース』で木になっているリンゴ。『神々のトライフォース2』では、珍しい青リンゴをとることもできる

『夢幻の砂時計』、『大地の汽笛』ではマロンを見つけることができるが、食用かどうかは不明

魚

多くの時代では海は遠く、とれるのは淡水魚。ハイラルが海に沈んだ『風のタクト』でも、海は封印そのものであり魚は生息できなかったため、魚介類を食すことはできなかった。新しい大地に移り住んでからは漁が活発に行われ、汽車に積んで各地域に運ぶ様子も見られる。

肉

肉を食す文化はハイラルではあまり多く見られていない。魔物の餌として与えるほどである。しかし城下町がもっとも繁栄した時代には何よりも肉が好まれ、市場で売られたり、酒場で提供されたりした。ハムにも加工されている。

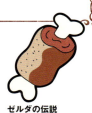
ゼルダの伝説
魔物に与える肉の餌

パン

城下町にパン屋があり、あたりに香ばしい香りを漂わせている。

『トワイライトプリンセス』城下町ではパンの露天販売が

『ふしぎのぼうし』の城下町ではさまざまな種類のパンを買うことができ、肉と相性のいいものもある

トワイライトプリンセス
テルマの酒場。大ぶりのサイズの肉が店内に置かれており、客に好まれた。メニューには「ミート」「ハム」の文字が見られる

乳製品、タマゴ

地上で暮らす人々の生活は、牧場（P.069）が支えていた。ウシから牛乳を、コッコからタマゴを。とくに牛乳は栄養満点で人々は日常的に愛飲した。カフェやバーでミルクが提供されることもある。

トワイライトプリンセス
トアル山羊のチーズ。トアル山羊のミルクから作られたもので、山羊を正面から見たときのツノのような形と模様になっている。優しい味わいだが、独特の風味がある

ムジュラの仮面
町には、大人の店ミルクバーがある。ロマー二種からとれる至高のミルク「シャトー・ロマーニ」を提供するこだわりの店

元気の源は温かいスープ

ハイラルでもっとも多く見られる調理方法は、鍋に水と具材をいっしょに入れ、煮込んでスープ状にするものである。ビンに入れて持ち運ぶこともできる携帯性の高さも魅力であった。料理といえば鍋をかき回している姿が比較的多く見られる。

トワイライトプリンセス
ニオイマスで出汁をとり、具材にトアルカボチャ、隠し味としてトアル山羊のチーズを入れた極上のスープ。作り上げたのは獣人だが、人間が食しても美味しく、栄養満点である

風のタクト
おばあちゃんのスープとして子供たちに喜ばれる、栄養満点のスープ。ブタ、トウモロコシなどが使われている

スカイウォードソード
カボチャのスープ。熱々が好まれる

神々のトライフォース2
食卓にはスープ皿とスプーン、そしてミルク。質素で一般的な光景

時のオカリナ
大工が集うテント。大鍋で煮込む料理は、屋外でも手頃であった

どこかの時代の民家の様子をイメージしたもの。暖炉には大きな鍋がかけられ、スープ状のものを煮込んでいる

文字

ハイリア人の使用した文字はハイリア文字と呼ばれ、時代ごとにさまざまな形状の文字が使われている。ここでは解読可能な文字を中心に、使われた時代と対応表の解説をしていく。

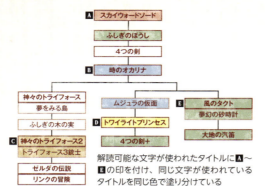

解読可能な文字が使われたタイトルに A〜E の印を付け、同じ文字が使われているタイトルを同じ色で塗り分けている

そのほかの文字

対応表にできない文字のひとつ。『神々のトライフォース』の石碑に残されている古いハイリアの民の言葉。「ムドラの書」があれば書かれた意味がわかる

『トワイライトプリンセス』では、天空人（P.049）が使う天空文字も各地に残されている

風のタクト

時系列 E の『風のタクト』の文字は、その後の時代だけではなく意外なところでも見つかる

4つの剣+

A スカイウォードソード

A	B	C	D	E	F	G	H
I	J	K	L	M	N	O	P
Q	R	S	T	U	V	W	X
Y	Z

女神ハイリアの時代にはすでにあったと思われる、解読可能な文字のひとつ。高度な文明を誇ったという古代の遺跡からも読み解くことができる。アルファベットに当てはめて読むことができるが、「D・W」「E・K」「G・Q」「O・Z」「P・T」は同じ文字なので、予測をしながらの解読が必要だ。

大きな文字で書かれた部分は、「G・Q」「A」「P・T」「E・K」「O・Z」…となり、状況から、「GATE O（PEN）」になると推測できる

B 時のオカリナ

あ	い	う	え	お	は	ひ	ふ	へ	ほ
か	き	く	け	こ	ま	み	む	め	も
さ	し	す	せ	そ	ら	り	る	れ	ろ
た	ち	つ	て	と	や	ゆ	よ
な	に	ぬ	ね	の	わ	を	ん

形状は歴史上もっともシンプル。左の対応表は楔を打ちつけたような強弱があるが、太く角ばった記号のような形で記されることも多い。なおこの時代には、砂漠の民のゲルド文字（P.041）もある。

日本語のアイウエオに対応して解読することが可能。ただし書かれたすべてが読めるものとは限らず、装飾として使われるようなことも多かった。

『時のオカリナ』のロンロン牧場

タルミナでも多く使われている

C 神々のトライフォース2

時代としては比較的新しいが、『スカイウォードソード』のものと似ている部分もある。同様にアルファベットに当てはめて読むことができるが、「D・W」「E・K」「F・R」「G・Q」「O・Z」「P・T」に加え「F・R」も同じ文字で書かれる。

同じ時代の『トライフォース3銃士』では、ドレース王国でも同じ文字が使われている

D トワイライトプリンセス

曲線と強弱が、華美な装飾にも似つかわしい。線とともに●や▲が含まれることも特徴。アルファベットに当てはめて読むことができる。古代遺跡にもこの文字が書かれているが、解読しようとしても意味が通らないことが多い。

1 城下町のスタアゲーム。赤に金色の文字が映える　2 忘れられた里の入口ゲートには、「WELCOME」の文字　3 マロマート城下町支店。こちらも「WELCOME」のほか「SALE」の張り紙が確認できる

E 風のタクト

精霊などが言葉を発するときなどに使い、限られた者にしか理解することできない古代ハイリア語として登場する。ただし文字そのものは町の看板などで日常的に使われており、新大陸に王国が移った『大地の汽笛』でも同じ文字が使用されている。

また、まったく別の時代でも同様の文字が確認できることがあり、最も広い時代で見つかる文字である。

日本語のアイウエオに当てはめることで解読が可能。ただし「ゃ」などの小さい文字は、大小を区別せずに書く。

手紙などで日常的に使われた文字。解読すると「415-000 ホコタテ チョウ オフクロへ」と書かれていることがわかる

精霊ヴァルーとの会話。ヴァルーが話すのは古代の言葉であるが、古のハイラル王が理解している

『トワイライトプリンセス』のカカリコ村にある墓石。「へいだん の たみ に くわえて」と読める

Eの文字が使用されている『時のオカリナ』でも、時の神殿の絨毯にはEの文字が見られる

シーカー族の開拓村 カカリコ村

カカリコの地に築かれた村。コッコの飼育などをしながら、人々がのどかに暮らしている。

『時のオカリナ』ではデスマウンテンのふもとにあり、風車小屋が印象的。もともとはシーカー族（P.040）の隠れ里であり、ハイラルの闇の歴史を隠しもっていたが、平和な時代となってからは長インパが貧しい者のために開放した。

『トワイライトプリンセス』でも同様にデスマウンテンへと続いている。『神々のトライフォース』ではハイラルの長老と呼ばれるサハスラーラが住み、王家の者もよく知った村である。

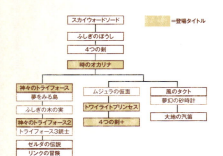

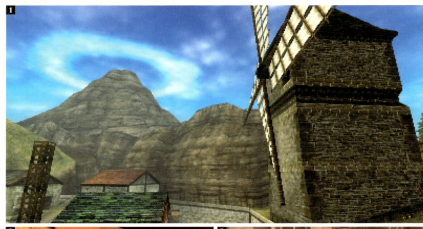

1 2 『時のオカリナ』のカカリコ村。ひときわ大きい家はインパのもので、部屋にはさまざまな資料がある
3 『トワイライトプリンセス』のカカリコ村。火山のあるオルディン地方にあり、「ホテル オルデ・イン」は温泉が名物。ゴロン族も訪れる。奥には墓地がある

歴代タイトルのカカリコ村

『時のオカリナ』で闇の歴史を隠しもつほかにも、『神々のトライフォース』の闇の世界、『神々のトライフォース2』のロウラルでカカリコ村の対となるのは、盗賊たちの村である。『4つの剣＋』でも、闇に支配され盗賊となる者が現れている。

『時のオカリナ』で、村の奥にある墓地。王家に忠誠を誓う者たちの墓で、闇の神殿の入口にもなっている

神々のトライフォース
ハイラル城のほど近くにあり、長老サハスラーラの住居がある。人々はのどかに暮らしている

時のオカリナ
風車小屋が印象的。もとはシーカー族の村。村を開放した長インパは、発展のため大工を雇い家を増やしていたが、魔物に襲われた城下町の住民がカカリコ村に避難。店舗なども移転してきている

4つの剣＋
心優しい人々が住んでいるのどかな村。しかし暗黒に飲み込まれ、人間らしい心を失いかけた人々が盗賊として暴れまわり、ぶっそうな村になってしまった

トワイライトプリンセス
カカリコ峡谷から入りデスマウンテンに続く村。住民は少なく、さびれている。奥の墓場にはゾーラ族の女王の墓もある

神々のトライフォース2
長老サハスラーラ（過去の時代とは別人）などが住む。質素ながらも、変わった趣味をもつ人物などが暮らしている

釣り

　主に釣り堀で楽しむことができる魚釣り。釣竿を振り、魚影に向かってルアーを落とし、魚が食いついたらリールを巻いて釣り上げる。食料とするための漁ではなく、娯楽としてのゲームフィッシングを楽しむものである。釣りの楽しさもさることながら、規定の種類やサイズを釣ったときの景品も用意されている。

　ただし『トワイライトプリンセス』では暮らしのなかの釣りという側面が大きく、釣竿は日常的な装備品である。釣り堀ではルアーを、それ以外では釣り餌としてハチの子やミミズを利用する。

珊瑚の耳飾り

釣竿　　沈むルアー

■1『トワイライトプリンセス』の釣り堀、春の様子　■2 釣った魚を入れる水槽　■3『ムジュラの仮面』魚との格闘

『ムジュラの仮面』の雑貨屋は釣り堀風の内装だが、ここで釣りができるわけではない

歴代タイトルの釣り

　各釣りスポット。どの時代も店主や釣り人は釣りに対して大きな情熱を注いでおり、店内のコレクションを見たりすることも釣り堀のひとつの楽しみとなっている。釣れる魚はP.061参照。

夢をみる島
メーベ村の北西にある釣り堀。釣りに情熱を捧げる男がいる。釣れた魚の大きさによってルピーをもらえる

時のオカリナ
ハイリア湖に隣接する釣り堀。ルアーによるバス釣りを楽しめる。釣った魚はリリース。大人時代に訪れると魚が成長している。水の濁っている日を狙い、ルール違反の沈むルアーを使うと、ハイラルどじょうが釣れることもある

トワイライトプリンセス
魚がいる水辺であれば、川でもどこでもウキ釣りをすることができる。ゾーラ川上流には釣り堀があり、さまざまなルアーで釣りができる。美しい景色は入るたびに季節が変化。オーナーのヘナをボートに乗せ、2人で釣りを楽しむこともできる

夢幻の砂時計
魚影を追い、船上で海釣りを楽しめる。ロマンを追い、伝説のポセイドンを狙っていく

ムジュラの仮面 3D
沼のつりぼり、海のつりぼりで釣りを楽しむことができる。魚の種類はとても多く、それぞれ特徴的。魚の種類によっては、お面を使っておびき寄せることが必要になってくる

075

武器・装備・道具類

魔物と戦うにはまず剣と盾を装備。ダンジョンで仕掛けを解き、地図やコンパスを手に入れ、新しいアイテムを手にしてボスに挑む……。そのような勇者の冒険にはさまざまな武器や道具が不可欠であり、数多くの謎に応じる多彩なアイテムが登場している。そのなかから、剣をはじめとした武器、服や盾などの装備、爆弾などの道具類の代表的なものを、数々の歴史を踏まえて見ていく。アイテムのデータはP.111（2章）を参照のこと。

剣（ソード）

冒険のはじめに欠かせない剣。退魔の剣「マスターソード」や4人に分身する「フォーソード」（P.079）は、勇者が用いる伝説の剣である。それに準じる聖剣として、ハイラルには「ホワイトソード」や「マジカルソード」（右）、異世界には「夢幻のつるぎ」や「ロコモの剣」がある。

剣はパワーアップする場合もあり、「女神の剣」から「女神の長剣」のように名称が変わる場合と、名称は同じまま強さのレベルが変わる場合とがある。

ホワイトソード

白い刃をもつ聖剣の総称。女神の白刃剣がマスターソードになるなど、最終的には伝説の剣へと鍛えあげられることも多い。

ゼルダの伝説
洞窟にいる賢者から授けられる。誰でも使えるわけではない

ふしぎの木の実
『大地の章』は森の台座に、『時空の章』は折れた剣を復元してもらうことで手に入る

ふしぎのぼうし

折れたピッコルの剣を鍛冶屋に鍛えてもらうと「ホワイトソード」に。最終的には「フォーソード」になる

マジカルソード

マスターソードの行方が知られぬ時代、最強を誇った剣。魔力を帯びており、ガノンに対抗する力をもつ。使いこなすにはそれなりの経験と実力が必要。

リンクの冒険
『ゼルダの伝説』で墓場にいる賢者から授けられる、威力の高い剣。そのまま『リンクの冒険』でも使用している

鍛冶屋では、「フェザーソード」と「砂金」を渡して「金剛の剣」に鍛えてもらえるような場合もある

刀鍛冶の名匠

剣は鍛冶屋によって鍛えられる。手持ちの剣の切れ味をパワーアップさせたり、新たな剣を手に入れたりすることができる。代表的な鍛冶職人を記載。このほか、ゴロン族にも剣を鍛える人物がおり、丈夫で強力な剣ダイゴロン刀を作るダイゴロンが有名。

ムジュラの仮面　山里の鍛冶屋
店主のズボラと助手のガボラで経営。ズボラは怠け者だが、丹念に鍛冶を行うガボラの腕は相当なもの

『風のタクト』のファントムガノンの持つ剣には、「ズボラガボラ」の銘がある

神々のトライフォース　鍛冶屋
ドワーフの鍛冶屋。マスターソードすら鍛える腕をもつ

ふしぎのぼうし　鍛冶職人
ハイラル王国の名匠スミスは王家御用達。ピッコル族のメルタは、剣に分身の力を入れ込み「ホワイトソード」に鍛え上げる

夢幻の砂時計　鍛冶屋サウズ
サウズの島でひとり暮らす。材料さえあれば『夢幻のつるぎ』に必要な「つるぎの刃」をつくれる腕前

神々のトライフォース2　鍛冶屋
ハイラルとロウラルにそれぞれいる、頑固だが腕利きの鍛冶職人たち

076

歴代の剣と威力

これまでにある名称が異なる、もしくは同じ剣について、最初に手に入れるものやいちばん威力の高いものを示し、関連を表にしている。

マスターソード系列
フォーソード系列

 = そのタイトルで一番最初に手に入る剣　 = そのタイトルで一番威力のある剣

アイテム名	ゼルダの伝説	リンクの冒険	神々のトライフォース	夢をみる島	時のオカリナ	ムジュラの仮面	ふしぎの木の実	風のタクト	4つの剣	4つの剣+	ふしぎのぼうし	トワイライトプリンセス	夢幻の砂時計	大地の汽笛	スカイウォードソード	神々のトライフォース2	トライフォース3銃士
ソード・剣																	
ホワイトソード																	
マジカルソード																	
マスターソード																	
コキリの剣																	
巨人のナイフ																	
折れた巨人のナイフ																	
ダイゴロン刀																	
大妖精の剣																	
フェザーソード																	
金剛の剣																	
ウッドソード																	
勇者の剣																	
スミスの剣																	
ホワイトソード（2人分身）																	
ホワイトソード（3人分身）																	
フォーソード																	
木刀																	
トアルの剣																	
シーワンの剣																	
夢幻のつるぎ																	
見習い兵士の剣																	
ロコモの剣																	
練習用の剣																	
女神の剣																	
女神の長剣																	
女神の白刃剣																	
真のマスターソード																	
忘れ物の剣																	

退魔の剣 マスターソード

　ハイラルが危機に陥ったとき、正しい心の持ち主だけが台座から抜くことができるといわれている伝説の剣。悪しき者には触れることもできず、魔を封じる力があるため、「退魔の剣」とも呼ばれている。その特性から、聖地へつながる鍵としても使われた（P.020）。

　真のマスターソードには、この世の生命力の源であるフォースの力が備わっており、天高く剣を掲げて光の力を集めると「スカイウォード」と呼ばれるフォースの光を放つことができる。

マスターソードの歴史

　もともとは、女神ハイリアが人間のために用意した「女神の剣」である。剣の精霊ファイが資格をもつ青年を「マスター」と呼んで導き、神の炎にて鍛え上げたものがすなわち「マスターソード」である。

　有事の際以外は台座（P.022）で眠りについており、神殿が朽ちるほど長いあいだ使われないようなこともある。そして退魔の力は永続的なものではなく、持続させるためには、精霊や大妖精、賢者などが神聖な力を込める必要がある。また、特殊な材料で鍛冶屋が鍛えることもあり、時代によって色や形状が微妙に異なっている。

マスターソードができるまでの変化。『スカイウォードソード』で、女神の剣から真のマスターソードへ、聖なる炎によって鍛えられた

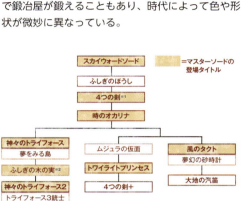

『風のタクト』では、賢者とともに祈りの歌を捧げることで退魔の力を取り戻していく。形状も変化

『神々のトライフォース』などでマスターソードを鍛えることができる。切れ味がよくなり、刃が帯びる光の色味が変化している

※1 『4つの剣』では、「神々のトライフォース」側と連動することで剣がマスターソードに変化。ビームが出せるようになる
※2 『ふしぎの木の実』では、「大地の章」「時空の章」を連動することでホワイトソードがパワーアップする

4人に分身する力をもつ剣　フォーソード

　体を4人に分ける力をもつ伝説の剣フォーソード。4人に分かれると剣も4本になる。マスターソードと同様、聖域の台座に安置され、グフーを封印してきた歴史をもつ。聖域は子供にしか見つけることができず、ゼルダ姫や6人の巫女が中心となって守っていた。また、フォーソードはすべての生命力の源であるフォースとも切り離せない関係にある。

グフー

持ち手にある緑色の宝石は、分身するとそれぞれ緑、赤、青、紫となる

フォーソードの歴史

　はじめにあったのはピッコル族（P.048）から授けられた伝説の剣。『ふしぎのぼうし』で、折れたピッコルの剣を修復してホワイトソードとし、4つのエレメント（各地に満ちた精霊の力が結晶化したもの）によってフォーソードへと完成させていった。幾度もグフーを封印している。『4つの剣+』ではついに魔神グフーを倒すことに成功。そして今度はガノン（P.016ガノンドロフの転生後）までも封印している。以後は、聖域で眠ったままである。

古の時代、ピッコル族から1本の剣と大きなフォースが授けられたことが、ハイラル城内の聖域に残されている。フォースはゼルダ姫に宿っていた

ピッコル族の剣が、4つのエレメントによって「フォーソード」となった瞬間。この剣でグフーを封印する

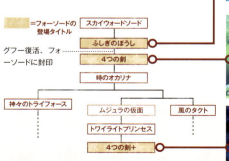

聖域は場所を移しており、代々ゼルダ姫がフォーソードを管理する。しかしグフーは復活。再びフォーソードを使い封印する

台座からフォーソードを抜いたためにグフーが蘇ってしまう。ゼルダ姫、巫女たちとともに、元凶であるガノンを封印する

盾（シールド）

身を守る手段として使う盾（シールド）。片手剣マスターソードを扱う勇者にとって、もうひとつのシンボルともなる装備品。魔物の攻撃を防御したり、盾を構えて突進したりするが、それぞれの盾の強度や特性にあわせてうまく使っていかなくてはならない。ハイラル王国の騎士などが使用する盾にはトライフォースの紋章があしらわれることが多く、機能性だけではなくその威厳を誇っている。

マジカルシールド
（ゼルダの伝説）

タテ
（夢をみる島）

盾を構える勇者
（神々のトライフォース）

ハイリアの盾

古くは女神ハイリアの時代からあり、勇者の力がみなぎる伝説の盾。トライフォースを守るように描かれた赤い鳥のような模様は、女神ハイリアの紋章であると同時に、勇者の乗る伝説の赤いロフトバードを象徴としている。『時のオカリナ』ではカカリコ村の墓場から発見されるが、ハイラルの騎士が使う盾でもあり、同様の造形のものを城下町で買うことができる。丸まった子供がすっぽり隠れるくらいの大きさで、鋼鉄ながら軽くて丈夫。片手剣を使う剣士に最適である。赤い鳥の模様はペイントで、経年により剥げてくる。

伝説を模したこの盾の製造は次第になくなるが、ハイラルの平行世界であるロウラル王国（P.028）でも同様のものがつくられており、高度な性能をもつ。

スカイウォードソード
雷龍ラネールの荒修行で成功すれば手に入れることができる、伝説の盾。耐久力に優れた最強の盾で、どんな攻撃でも壊れない

時のオカリナ
ハイラルの騎士が使う盾で、魔物ライクライクが好んで食べる城下町で買うことができる。カカリコ村の墓場からも見つかっている

勇者の盾
（ムジュラの仮面）
ハイリアの盾に似た、子供でも使いやすい大きさのもの

トワイライトプリンセス
鋼鉄の盾。カカリコ村で、特別な掘り出し物として1点だけ扱われている。おそらく昔の時代のもの

神々のトライフォース2
ロウラル王国のカメイワで手に入る。最高の技術で作られた最強の盾で、ライクライクに食べられることもない

木の盾

いつの時代にも、軽くて扱いやすい木製の盾は一般的に使用された。ただし壊れやすかったり、火がつけば燃えてしまったりするため、危険な長旅にはあまり向いていない。

デクの盾（時のオカリナ）
コキリ族の印が刻まれた盾。コキリの森の店で売られている

トアルの盾（トワイライトプリンセス）
トアル村の伝統的な模様である、トアル山羊のモチーフの焼印が施されている

木の盾（トワイライトプリンセス）
店で売られている木製の盾。枠組みは金属でつくられているが、性能はトアルの盾と変わりはない。模様はペイント

小さな盾（ふしぎのぼうし）
ゼルダ姫が景品として手に入れ、勇者に贈った盾。城下町に売られている。鋼鉄でできており、ゴロン族のあいだで素材（味）の気になる存在でもあった。「なめるだけ」と言われて貸すと、ミラーシールドになって返却されたとのことである

勇者の盾（風のタクト）
プロロ島で、かつての勇者をまつって家の中に飾っているもの。実際に盾として使うことができる
　この2つの盾はデザインが同じであり、『風のタクト』の時代に伝えられていたものは、『ふしぎのぼうし』の時代の勇者が使っていたものである可能性がある

木の盾（スカイウォードソード）
スカイロフトで使用された、軽くて扱いやすい盾。改造することで、より頑丈なつくりの「硬い木の盾（中央）」「頑丈な木の盾（右）」に強化することができる

いにしえの盾（大地の汽笛）
100年前の風の勇者が使ったとされる盾。テトラ海賊団のニコが大事にしていたもの。実際に風の勇者が『夢幻の砂時計』で携えていたのが下の盾で、確かに同一のものである

盾（夢幻の砂時計）

盾（大地の汽笛）
三角形のフォースの装飾が輝き、神の封印を表したデザイン

鏡の盾／ミラーシールド

表面が鏡でできた盾。魔法や光を跳ね返し、魔物との戦いやダンジョンの仕掛けを解く際などに必要となる。盾としての強度ももっており、最強の盾ともなり得る逸品。

ミラーシールド（風のタクト／ふしぎのぼうし）
大地の神殿に残された、由緒正しい盾。『ふしぎのぼうし』でも「小さな盾」を預けたゴロン族から同様のものを受け取ることができるが、同じものかどうかは不明である

ミラーシールド（時のオカリナ）
魂の神殿に納められた、ゲルド族の紋章が描かれた盾。神殿の仕掛けを解くために、太陽スイッチと対になって使用された。太陽の光を受けて輝く、月のような存在である。魔法攻撃を跳ね返すなどの特徴をもつ代わりに、投石の攻撃を跳ね返すことができない

盾（ふしぎの木の実）
鉄を用意し、木の盾を鍛えてもらうと鉄の盾となる

※（スカイウォードソードの配置）

鉄の盾（スカイウォードソード）
鉄製の盾。木製のものより耐久性が高いが、電気には注意が必要である。改造で「硬い鉄の盾（中央）」「頑丈な鉄の盾（右）」に強化可能

ミラーシールド（ムジュラの仮面）
異世界タルミナのミラーシールドは顔のような模様が描かれ、跳ね返した光も顔の模様となる。イカーナ地方の井戸に隠されており、イカーナ城内探索のためになくしてはならないもの。かつて戦いによって滅んだイカーナ王国であるが、死してなお真の光を求める、その叫びが乗り移ったかのようである

カガミの盾（神々のトライフォース）
闇の世界に存在し、魔物の呪文やレーザーを防ぐことのできる丈夫な盾

聖なる盾（スカイウォードソード）
耐久力は低いが、ダメージを自己修復する。呪いを防ぎ、一部の魔物には脅威となる。改造で「上質の聖なる盾（中央）」「最上の聖なる盾（右）」に強化可能

防具・装飾品

身につけることで効果を発揮する装備品。服や手袋、靴といった防具、お面やマントなどの道具、腕輪やピアスなどの装飾品がある。「入手した時点で装着し、常に効果を発揮するもの」と、「自由に付け替え・交換をして使用するもの」の2つに大きく分けられる。見た目や着用方法の違いはあっても、「耐熱効果がある」など同様の効果が得られるアイテムも少なくない。自由に装着できるものの一部には、能力を得られる代わりに受けるダメージが大きくなるなどのデメリットがある例もある。

服は、アイテムとして手に入るのではなく、魔法などによって着ている服の色が赤や青に変わる場合もある。

「いつもの服」や「いつものブーツ」。特別な効果はなくとも、勇者のための動きやすい装備には違いない

『風のタクト』など緑の服へと着替える物語も多いが、それらは見た目だけの変化である

[1]服の色が変化した例。『リンクの冒険』では、魔法で防御力が高くなった際に緑から赤へと変化する。ほかのタイトルでは同様の効果を「赤い服」として手に入れる場合もある [2]より大きいものを持ち上げるなど、下位互換のあるアイテムは効果の高いほうを常に着用しており、効果を発揮する [3]水中での呼吸が可能になる、耐熱効果があるなど、環境に適応するための防具も多い [4]必要に応じて着用し、特殊な能力が使えるもの [5]パラシュール。本来は身に着けるものながら普段は着用せず、高所からの着地の際に道具として使っている

青い色の服

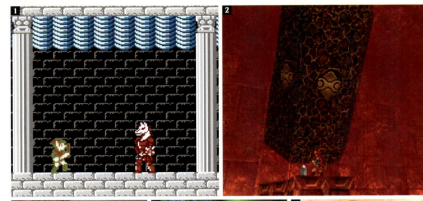

フォーソードを抜いた勇者はその体が4つに分かれ、それぞれ緑・赤・青・紫の衣を着用。ただし色による強さや身体能力などに違いは見られない。フォーソードに宿ったエレメント（P.079）に由来する色の違いである

青い服
（神々のトライフォース）
防御力がアップする魔法の服。さらに防御力の高い赤が闇の世界にある

ゾーラの服
（時のオカリナ）
ゾーラ族が作成し、水中で呼吸ができるようになる大人専用の服

ゾーラの服
（トワイライトプリンセス）
ゾーラの王族が勇者のため保管していた秘宝。長時間の潜水が可能

ゴロンの着ぐるみ
ゾーラの着ぐるみ
（トライフォース3銃士）
ドレス王国のマダムテーラーが作成した服のなかのひとつ。ゴロンは溶岩に入れる、ゾーラは水泳能力があがるなど、着用した者にその種族が持つ能力を与える

赤い色の服

あかいふく
（夢をみる島DX）
色の加護で攻撃が倍。青はダメージ半分。「服のダンジョン」で着替える

ゴロンの服
（時のオカリナ）
ゴロン族が製作する耐火服。熱に強くなり炎などでも燃えない。大人専用

赤い服
（神々のトライフォース2）
青い服の上位版で受けるダメージをさらに半減。ロウラルにある最強防具

マジックアーマー（トワイライトプリンセス）
ルピーの力を魔法力に還元することで、無限の防御力を発揮する魔法の鎧。城下町の高級店で販売している。着用中は常にルピーを消費し続ける代わりに、あらゆる攻撃や罠から着用者を守る

頭

ウサギずきん
ウサギのように長い耳が動くたびに揺れる可愛らしいずきん。頭にかぶるが、お面に分類されるもの。『ムジュラの仮面』ではかぶると野生の力がわいてきて速く走れるようになる

小人のぼうし
『ふしぎのぼうし』のエゼロの魔法のように、身に着けると着用者の体を小さくする不思議な帽子

顔

耐熱イヤリング
女神が世界を救う勇者に与えた神器のひとつ。神の加護を受けたイヤリングであり、身に着けると灼熱から守り、火山や溶岩地帯での長時間の活動を可能とする

お面／仮面
『時のオカリナ』では娯楽として愛好される。タルミナでは儀式の際にも用いられる身近な物で、種類が豊富。特に仮面は、着用した者の姿を変える魔力を秘める

肩

パラショール
スカイロフトの伝統行事で、女神役の巫女から鳥乗りの儀の優勝者に与えられるもの。古くは女神から選ばれし者に与えられる品で、高所から飛び降りて着地するのに使う

マジックマント
魔力が宿り、身に着けた者は姿が消え攻撃を受けなくなるマント。『神々のトライフォース』で光の世界の墓地に隠されていた

はねマント
身に着けると、任意のタイミングで大きくジャンプし、空を飛ぶ鳥のように滑空できるようになるマント。似た性能をもつアイテムに「ロック鳥の羽根」などがある

腕

パワーブレスレット／パワフルブレスレット
着用することで所有者の秘められた力を引き出し、魔法の力を宿すブレスレット。通常では持ち上げることのできなかった重い物を持ち上げられるようになる

パワーグラブ　パワフルグラブ　銀のグローブ　金のグローブ
どれも入手した時点で装備し、重たい物を簡単に持ち運びできるようになるグローブ。時代によってその名称は異なるが、銀色のグローブよりも金色のグローブのほうがより重いものも持ち上げられる

ゴロンのうでわ
ゴロンの族長が所有する秘宝のひとつで、鉱山植物であるバクダン花を引き抜けるようになる

ほりほりグローブ／モグマグローブ／モグラグローブ
柔らかい土に潜るために使用するグローブ。所有者であるモグマ族のツメがモチーフになっている

マグネグローブ
身に着けることで巨大な磁場を発生させ、さまざまな物や味方までもを吸い寄せられる能力を持つ

ラヴィオの腕輪
絵になり、壁の中を自在に行き来できるようになる腕輪。ロウラルのラヴィオがユガの魔法に対抗するために勇者に渡した

指

指輪
不思議な魔力の宿る木の実でできたもの。素材となる木の実によって効果は異なり、全部で64種類ある

指輪（赤／青）
まもりの力を高め、受けるダメージが軽減される。同時に、服の色が薄い青や赤に変化する魔法の指輪

足

ペガサスのくつ
直線的に素早く走れるようになる。あまりの速度ゆえ急停止はできないが、勢いを利用して体当たりができる

ヘビィブーツ
重い金属が付いており、水中で着用すると沈む。ゾーラの服などと合わせると海底を歩行できる

ホバーブーツ
靴底から空気を噴出することで、短時間のあいだ空中歩行を可能にする。ただし少し滑りやすい

水かき（ゾーラの水かき）
足に装着することで水泳の能力が向上し、足の付かないような深い水の中でも溺れなくなる。宝箱などに入れられ神殿に安置されているものや、水の民であるゾーラ族が保有しているものもある

弓矢

弓と矢をセットとして使う道具。しなやかな木などに弦を張り、その弾力で矢を遠くに飛ばす。主に遠距離用の武具として使われ、剣では届かない距離の敵を攻撃する手段としてはもっともポピュラーな武器となる。また、遠く離れたスイッチを起動するなど広い用途で使用される。

多くの場合、弓はダンジョンや神殿内に隠されており、単純に「弓」「弓矢」と呼ばれるもののほか、「勇者の弓」など何らかのいわれのあるものもある。

矢は消耗品のため、ツボなどから手に入れたり、お店で買うなどして補充する。持てる矢の最大本数を増やすには、矢筒などの入れ物を大きくする方法と、大妖精などの力で持てる数を増やす方法がある。

炎や光の力が宿る 特別な魔法の矢

遠くの敵や的を射抜く通常の矢のほかにも、聖なる力をもつ妖精や精霊などの力で作られた魔法の矢が存在する。炎や氷の力をまとい、神殿の謎を解いたり足場を作り出して進んだりと迷宮の探索にも不可欠な道具となる。使用するには魔力を消費する。

また、剣やマスターソードと同じく聖なる退魔の力を秘めた光の矢も存在し、魔王を打ち倒すまさに最後の一矢としても使用される。

(トワイライトプリンセス)

『ゼルダの伝説』の通常の弓矢と、銀の矢。銀の矢は聖なる力をもち、魔王を討ちとるとどめとして使用される

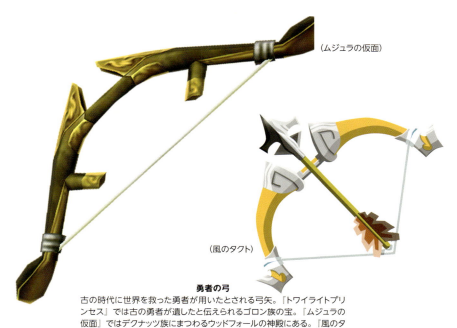
(ムジュラの仮面)
(風のタクト)

勇者の弓
古の時代に世界を救った勇者が用いたとされる弓矢。『トワイライトプリンセス』では古の勇者が遺したと伝えられるゴロン族の宝。『ムジュラの仮面』ではデクナッツ族にまつわるウッドフォールの神殿にある。『風のタクト』では神の塔にあり、伝説の勇者は時の勇者であるが、「勇者の盾」ともども時の勇者が使っていたものとは見た目が異なる

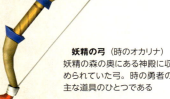

妖精の弓（時のオカリナ）
妖精の森の奥にある神殿に収められていた弓。時の勇者の主な道具のひとつである

木の弓（スカイウォードソード）　**鉄の弓**（スカイウォードソード）　**聖なる弓**（スカイウォードソード）　**弓矢**（ふしぎのぼうし）　**ユミ**（神々のトライフォース）　**弓矢**（夢幻の砂時計）　**弓矢**（大地の汽笛）

■1『トワイライトプリンセス』では、光の精霊とゼルダ姫によって光の矢が生み出された。光の弓を携えて、魔王ガノンドロフと戦う ■2『時のオカリナ』の光の矢。矢の見た目は通常と変わらないが、光の力をまとう。光は魔王ガノンドロフだけでなく、多くの魔物の弱点でもある ■3通常の弓矢。敵を射るほか目玉スイッチの起動などに使用する

炎の矢
炎の力を宿した矢。対象を燃やして攻撃するほか、氷を溶かしたり、離れた場所のトーチに火をつけたりすることができる

氷の矢
氷の力を宿した矢。強力な冷気で、命中したものを瞬時に氷漬けにする。攻撃手段のほか水に足場を作るような使い方もできる

光の矢
魔を討ち滅ぼす聖なる力を秘めた矢。魔法の矢の中でももっとも強い威力を誇り、『風のタクト』の時代では敵を一撃で倒すほどの強力な武器となった。また、選ばれし姫が光の矢を生み出したり、光の弓矢を用いて勇者とともに戦った歴史もある

矢筒、矢立ての種類と持てる個数

矢は矢筒（もしくは矢立て）に入れて持ち運ぶ。使うたびに消費するため、矢がなくなれば弓は使えない。矢は敵が落としたものを手に入れたり、ショップで購入したりなどで補充可能だが、持ち歩ける弓の最大数は所持している矢筒（矢立て）の大きさで大きく変化する。名称、デザイン、入る本数はタイトルによってさまざまだ。

店で売られている矢。束によって本数が異なり、まとめ買いもできる

時のオカリナ　ムジュラの仮面　風のタクト　ふしぎのぼうし

トワイライトプリンセス　夢幻の砂時計　大地の汽笛　スカイウォードソード

タイトル	1段階目	本数	2段階目	本数	3段階目	本数	4段階目	本数
神々のトライフォース	（初期値）※	30	（最大値）※	70				
夢をみる島	ー	30	ー	60				
時のオカリナ	小さな矢立て	30	大きな矢立て	40	最大の矢立て	50		
ムジュラの仮面	矢立て	30	大きな矢立て	40	最大の矢立て	50		
風のタクト	矢筒	30	矢筒	60	矢筒	99		
ふしぎのぼうし	矢筒	30	大きな矢筒	50	大きな矢筒	70	大きな矢筒	99
トワイライトプリンセス	矢立て	30	大きな矢立て	60	最大の矢立て	100		
夢幻の砂時計	ー	20	矢筒 LV2	30	矢筒 LV3	50		
大地の汽笛	ー	20	矢筒	30	矢筒 大	50		
スカイウォードソード	矢筒	20	矢筒 小※	+5	矢筒 中※	+10	矢筒 大※	+15

※『神々のトライフォース』では、幸せの女神に100ルピーにつき5本ずつ所持数を増やしてもらえる　※「ー」は名称なし
※『スカイウォードソード』は基本の矢筒＋冒険ポーチにセットした小中大の矢筒（最大3つ）の合計で、最大所持数は65本となる

爆弾

球状の本体からのびた導火線に火をつけて爆発を起こすことができる道具。専用の袋に入れて持ち運び、岩や壁、頑丈な扉などを破壊するために使用する。屈強な魔物に対抗する手段になることもある。

もともとは「バクダン花」という植物を利用していたが、手軽に持ち運べるようにつくられたもの。バクダン花の産地に集落を構えていたゴロン族を中心に、爆弾の開発、改良が重ねられていった。爆弾職人が開いた爆弾の専門店、研究所もあり、さまざまな特徴の爆弾が開発され続けている。

神々のトライフォース2

ムジュラの仮面

4つの剣

スカイウォードソード

トワイライトプリンセス

風のタクト

大バクダンの服
アイテムの「バクダン」やバクダン花をかかえると爆弾が巨大化し、威力や攻撃範囲などが強化される服

1 2 3 怪しい場所や壁、岩があれば、爆弾で破壊。そこに何かが隠されている **4** 矢に爆弾をセットすることで、遠くの物を爆破することができる場合もある。爆弾矢と呼ばれる特別な方法 **5** 『ムジュラの仮面』クロックタウンのバクダン屋。爆弾を仕入れて販売するほか、カーニバルの花火打ち上げも担当。爆発の推進力で月旅行をする計画も、未来に向けて考えられている **6** 『トワイライトプリンセス』カカリコ村の爆弾屋バーンズ。危険な爆弾を自ら開発、販売している。新型爆弾の開発と改良に余念がない。店内は材料となる火薬が積まれており火気厳禁

086

さまざまな爆弾

通常のもの以外にも、さまざまな機能を備えた爆弾が開発されている。たとえばリモコン式で爆破させられる爆弾は、たいへん使い勝手のいいものである。

威力を高めたり、持って投げる以外の方法をとったりと進化。なかには装備品として爆破性能をもっていたり、爆弾の性能に影響を与えるものもある。

超強力バクダン
普通の威力の爆発では壊せない大岩をも破壊できる、強力な爆弾。闇の世界で売られており、持ち主のうしろをついてきて任意の場所で爆発させることができる

大バクダン花
ロウラル王国の住民によって研究された、巨大に成長したバクダン花。持ち主のあとをついていき、普通の威力の爆発では壊せない大岩をも破壊できる

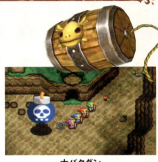

大バクダン
巨大な爆弾。取り扱いには注意が必要であり、ゴロン族や、特別な状況でしか扱うことのできないものとなっている

バクダン花
山岳地帯を中心にさまざまな地に自生する植物。地面から引き抜くとすぐに着火し、一定時間で爆発する。爆弾の原料となり、威力も通常の爆弾と同等。本来は高山植物で、日の当たらない場所を好み、洞窟内にまとまって生えている

ポケット爆弾虫
魔物の爆弾虫を模して開発された、バーンズ社の新型爆弾。前方に走り、衝突するか一定時間経つと爆発する

ボムチュウ
ネズミのように左右に揺れながら前方に走る爆弾。壁も走行可能で、歩いては行けない遠くの対象物を爆破することができる。爆発するネズミの魔物ボムチュウをヒントに開発された

水中爆弾
水中でも使えるように開発された爆弾。バーンズ社製品

バクレツのお面
顔に付けて、自由なタイミングで爆発させることができるお面。当然使用者は無傷とはいかず、たいへん危険なもの

爆弾を入れる袋の種類ともてる個数

爆弾は、怪獣と呼ばれる魔物の胃袋でできた丈夫な袋に入れて持ち運ぶ。たとえば『時のオカリナ』ではドドンゴの胃袋が使われている。

所持できる個数は、より大きい袋を入手したり、大妖精などの力によって増やすことができる。袋にはとくに名称がないものと、「ボム袋」「バクダン袋」と呼ばれるものがあり、袋に入る個数や種類はそれぞれ以下のようになっている。

『トワイライトプリンセス』では、袋に入れる爆弾の種類によって所持できる最大数が異なる

 時のオカリナ ムジュラの仮面 風のタクト ふしぎのぼうし

 トワイライトプリンセス 夢幻の砂時計 大地の汽笛 スカイウォードソード

タイトル	1段階目	個数	2段階目	個数	3段階目	個数	4段階目	個数
ゼルダの伝説	—	8	—	12	—	16		
神々のトライフォース	（初期値）※1	10	（最大値）※1	50				
夢をみる島	—	30	—	60				
時のオカリナ	ボム袋	20	大きなボム袋	30	最大のボム袋	40		
ムジュラの仮面	ボム袋	20	大きなボム袋	30	最大のボム袋	40		
ふしぎの木の実	—	10	—	30	—	50		
風のタクト	—	30	—	60	—	99		
ふしぎのぼうし	ボム袋	10	大きなボム袋	30	大きなボム袋	50	大きなボム袋	99
トワイライトプリンセス	ボム袋	30	最大のボム袋	60				
	ボム袋（水中爆弾）	15	最大のボム袋（水中爆弾）	30				
	ボム袋（ポケット爆弾虫）	10	最大のボム袋（ポケット爆弾虫）	20				
夢幻の砂時計	—（バクダン）	10	バクダン袋 LV2	20	バクダン袋 LV3	30		
	—（ボムチュウ）	10	ボムチュウ袋 LV2	20	ボムチュウ袋 LV3	30		
大地の汽笛	バクダン袋	10	バクダン袋 中	20	バクダン袋 大	30		
スカイウォードソード	バクダン袋	10	バクダン袋 小※2	+5	バクダン袋 中※2	+10	バクダン袋 大※2	+15

※「—」は特定の名称なし　※1『神々のトライフォース』では、幸せの女神に100ルピーにつき5個ずつ所持数を増やしてもらえる
※2『スカイウォードソード』は基本のバクダン袋+冒険ポーチにセットした小中大のバクダン袋（最大3つ）の合計で、最大所持数は55個となる

フックショット

鎖付きの矢じりを勢いよく放つ道具。離れた物に刺し、鎖が巻き戻る力を利用してその場にある物を引き寄せる。刺したものが固定された的や杭などであれば、鎖が戻る勢いに任せてその場まで移動することができる。フックの刺さる対象は限られるが、どちらかといえば後者のような移動手段として崖を渡すことなどに用いられる場合が多い。

放ったフックは、わずかながら敵にダメージを与えることも可能。

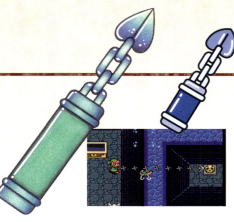

『神々のトライフォース2』で借りることのできるフックショット。「ナイスフックショット」にパワーアップすると、鎖のスピードが速くなる

離れた的を狙い、刺さればその場所まで移動することが可能。これは立体的な空間でも、平面上の移動でも同様であるが、立体的な空間ではとくに縦横無尽に移動が可能となる

『時のオカリナ』では鎖の長さが倍の「ロングフック」もある。さらに遠い場所にも刺さることで、空中を飛ぶように移動する

『風のタクト』のフックショットは、持ち手部分がすっぽりと覆われたデザイン

似た特徴をもつ道具

いれかえフック
当たった敵などの対象物と、自身の現在地点を入れ替えられるフック

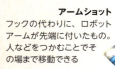

アームショット
フックの代わりに、ロボットアームが先端に付いたもの。人などをつかむことでその場まで移動できる

カギつめロープ
ムチと同様の用途だが、魔物に向かって使うと持っている宝などを奪い取ることもできる

ムチ
杭などに引っかけてぶら下がり足場を渡り歩いたり、引っかけた物を引っぱり装置などを作動させる道具

クローショット／ダブルクローショット
先端がツメ状になっているため、ツタやアミなどにも引っかけて移動できる。また、ダブルクローショットは左右の腕にそれぞれにクローショットを装備。複数の的に連続で刺すことで、地面に着地せずに移動できる

フックショットの最大到達距離

各タイトルのフックショットの長さを並べたもの。尺度の違い等により一様に比較することはできないが、おおよその距離感は右のようになる。なお『ムジュラの仮面』の「フックショット」は『時のオカリナ』の「ロングフック」と同等の性能をもつため、かなり遠くまで届く。

※編集部調べ：年齢と身長から歩幅を割り出した概算

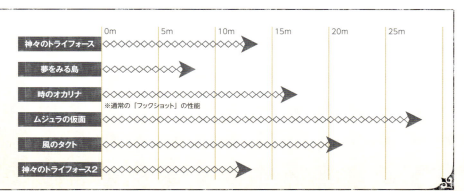

そのほかの道具

勇者の冒険を助ける数多くの武器や道具。代表的な武器や定番の道具、一風変わった特徴のあるものなどを選出して記載している。それぞれの登場タイトルのデータなどはP.111（2章）からを参照。

パチンコ

小さな木の実や種を弾として使用し、バネの力を利用して飛ばして少し離れた敵を攻撃できる。弓の代わりになるものとして使用されるケースが多い。「妖精のパチンコ」はコキリ族が使う子供用

ブーメラン

投げると手もとに戻ってくる道具で、魔物に当てると一定時間気絶させられる。ほかにも茎を切断したり遠くのアイテムを拾う、スイッチに当てるなど、幅広く活用できる。なお「疾風のブーメラン」には風の妖精が宿っており、風を起こすことができる

ハンマー

先端に付いた重しを振り上げ、叩きつけて攻撃できる。「ハンマー」「マジックハンマー（M、Cハンマー）」、ゴロン族の秘宝「メガトンハンマー」などがある。杭を潰したり、バネに対して使用して上段に飛びあがったりするために使う

魔法のツボ

勢いよく空気を吸い込んだり、吐き出したりなど、魔法の力を秘めたツボ。邪魔な砂やほこりなどを除去する際に使う

虫とりアミ

ハチや妖精、果てにはウサギまでも捕まえる。勢いよく振り魔法の弾を打ち返すことができるような事例も。『スカイウォードソード』では、種類豊富な虫ごとに繊細なアミさばきが必要となる

ロッド類

杖に秘められた魔力を用いて魔法を操れる杖。「ソマリアのつえ」「四季のロッド」「ファイアロッド」「アイスロッド」「サンドロッド」などがある。炎や氷を出す一般的なもの以外にも砂を隆起させたり、物をひっくり返したりなど、その効果はさまざま

ビートル
腕から射出して自由に飛ばし、糸を切ったりハサミで物をつかんで運んだりできる古代文明の機械

シャベル／スコップ
地面を掘り返し、隠されたアイテムや穴を発見できる

カンテラ／ロウソク
暗い洞窟や部屋などで周りを照らす。燭台などに火を灯したり、武器として使われることもある

ビン／空きビン
水や薬から虫などの生き物まで、さまざまな物を詰めて持ち運べる。アミと同様、魔法を跳ね返す力も

宝石のように輝く通貨 ルピー

　宝石のように青や緑に美しく輝き、ハイラル王国や周囲の国、異世界などで広く使われている通貨・貨幣である。色や大きさによってその価値が異なり、お店での買い物などに使われる。草を刈るなどして手に入れることができるほか、宝箱に入っていたり、人助けのお礼などで手に入れる。
　ルピーの大きさは登場シーンによって印象が異なり、2本指でつまめるくらいのもの、片手で握るほどのもの、両手で抱えるほど大きなものまで、さまざまな形で目の前に現れる。ちなみにハイラル王国では、過去に金貨を使用した形跡もある。ハイラル銀行が発行。時代は不明。

特殊なババルピーとシルバールピー

　ルピーは単なる貨幣としてだけではなく、ミニゲームなどにも使用される。「ババルピー」はその名のとおり、取るとマイナスになる厄介なルピーである。また、ダンジョンの仕掛けを解くギミックの役割として「シルバールピー」が使われていることもある。

『時のオカリナ』のダンジョンに登場するシルバールピーは、アイテムとして手に入れるのではなく、集めると部屋の仕掛けを解くことができる

高額の銀ルピー。透き通った質感ではなく、金属質に輝く

神々のトライフォース

時のオカリナ

ムジュラの仮面

風のタクト

4つの剣

トワイライトプリンセス

大地の汽笛

スカイウォードソード

ルピーの色と価値

タイトル＼ルピー	1	5	10	20	30	50	100	200	300	ギミック	マイナス
ゼルダの伝説	黄	青									
神々のトライフォース	緑	青		赤							
夢をみる島DX ※1	青	緑			赤						
時のオカリナ	緑	青		赤		紫		金		シルバー	
ムジュラの仮面	緑	青		赤		紫	銀	金			
ふしぎの木の実	緑	赤・青	赤	大青	大青	大赤	特大青				
風のタクト	緑	青	黄	赤		紫	オレンジ	シルバー			
4つの剣 ※2	緑	青		赤		大緑	大青	大赤			ババ
4つの剣＋ ※3	緑	青	黄	赤		紫	大緑				
ふしぎのぼうし	緑	青		赤		大緑	大青	大赤			
トワイライトプリンセス	緑	青	黄	赤		紫	オレンジ	シルバー			
夢幻の砂時計	緑	青		赤			大緑	大赤	大金		ババ
大地の汽笛	緑	青		赤			大緑	大赤	大金		
スカイウォードソード	緑	青		赤		シルバー		ゴールド			ババ
神々のトライフォース2	緑	青		赤		紫	銀		金		
トライフォース3銃士	緑	青		赤		紫	銀				

※1 色が判別できるのはDX版のみ　※2「ルピーのかけら」は4つで500ルピー　※3 ルピーが登場するのは『ナビトラッカーズ』

たとえば『夢幻の砂時計』のルピー。さまざまな色があり、同じ色でも大きさが異なるものもある

サイフと上限金額

手に入れたルピーはサイフに収めていくが、持てる金額には上限がある。たとえば『ゼルダの伝説』では255ルピー。タイトルによっては、より多くルピーを収めておけるサイフを手に入れることができる。また、サイフは通常1種類しか持てないが、「予備のサイフ」は通常のサイフに加えて持つことができ、ひとつにつき300ルピー収納することができる。

下の表では、さまざまな見た目のサイフと上限金額を並べてまとめた。持てる金額が次第に大きくなっていることがわかる。

『大地の汽笛』で見つかる宝、いにしえの金貨。発行はハイラル銀行、年代は不明

時のオカリナ ムジュラの仮面	-		
名称	サイフ	おとなのサイフ	巨人のサイフ
金額	99	200	500

風のタクト	-		
名称	サイフ	サイフ	サイフ
金額（GC版）	200	1000	5000
金額（HD版）	500	1000	5000

ふしぎのぼうし	-		-	-
名称	サイフ	大きなサイフ	大きなサイフ	大きなサイフ
金額	100	300	500	999

トワイライトプリンセス				
名称	サイフ	大きなサイフ	最大のサイフ	底なしのサイフ ※1
金額（GC版、Wii版）	300	600	1000	-
金額（HD版）	500	1000	2000	9999

スカイウォードソード						
名称	小さなサイフ	中くらいのサイフ	大きなサイフ	特大のサイフ	セレブのサイフ	予備のサイフ ※2
金額	300	500	1000	5000	9000	+300 ×3

※「−」は表示なしもしくは見た目の違いなし　※1「底なしのサイフ」は『トワイライトプリンセスHD』でのみ入手
※2 ポーチに3つまで加えることができ、最大値はセレブのサイフ＋予備のサイフ3つで9900ルピーとなる

袋に入った黄色いルピー（当時の1ルピー）

ルピーに目がくらんだ男

ジョバンニという男は、金銀ルピー欲しさに悪魔に魂を売った。彼は家いっぱいの財宝と、死ぬまで失うことのない富を手に入れた。しかしそれは、彼自身の体が金銀ルピーと化す呪いだったのである……。

楽器・旋律

さまざまな音の組み合わせにより楽曲や旋律（メロディー）を奏でる道具。その音色は、動物を呼んだり、ワープしたりなど、さまざまな効果を発揮する。ここに掲載されているもの以外でも、ベルなど、多くの楽器が勇者の助けとなっている。また、パイプオルガンなどの楽器も存在する。

各楽器は、使えば自動で効果を発揮する場合と、自分で特定の操作をすることによってメロディーを奏でる場合とがある。また、歌や旋律には曲名が付いていることがある。旋律とは神との対話でもあり、神器としての楽器も多く残されている。特定の旋律によって神の力が目覚め、数々の奇跡を起こしているのである。

ハープ

竪琴とも呼ばれ、弦を指ではじくことで繊細な音色を生み出す。また、ハープ自体の音色だけでなく特定の歌と併用することで、その真の力を発揮する。

女神のハープ
女神ハイリアが用いたとされる神器。天空スカイロフトの神官の家に、大地を示す歌詞とともに伝わった。女神のハープとともに奏でられる詩には女神の力が宿るとされる。なお『時のオカリナ』では、ゼルダ姫扮するシークが同様のハープをもち、時の勇者に歌を教えている

時のたてごと
時の巫女ネールがもつ神器。3つの旋律を奏でることで今と昔の時代を行き来できる

風のタクト
その昔、賢者を指揮して神を呼ぶ曲を演奏するときに使われていた指揮棒。ハイラル国王が使用していた

各種族の楽器

デクナッツ族の「デクラッパ」、ゴロン族の「ゴロンのタイコ」、ゾーラ族の「ゾーラのギター」。仮面で各種族に変身すると使用でき、同種族の心を揺さぶる。

歌／旋律

夢をみる島
「オカリナ」でさまざまな曲を、8つのセイレーンの楽器で最後に特別な曲を奏でる

♪**かぜのさかな**
眠っている者を起こすことができ、風のさかなを目覚めさせる

♪**マンボウのマンボ**
フィールドではマンボガ池に、ダンジョンでは入口にワープできる

♪**カエルのソウル**
命のないものに命を吹き込む

時のオカリナ
「妖精のオカリナ」「時のオカリナ」を実際に演奏することができる。各地で人から教わったメロディーを奏でると、身の証になるなど、さまざまな効果を得る。音階さえ合えば効果を発揮

♪**ゼルダの子守唄**
王家ゆかりのメロディー

♪**エポナの歌**
愛馬エポナを呼ぶ歌

♪**サリアの歌**
コキリ族の幼なじみサリアの友達の証

♪**太陽の歌**
昼夜を逆転させる歌

♪**嵐の歌**
嵐を起こす

♪**カカシの歌**
自分で作曲し、カカシに教える。特定の場所で吹くとカカシが出現し、フックショットの的にすることができる

♪**時の歌**
時の扉を開く

♪**光のプレリュード**
時の神殿の入口へワープ

♪**森のメヌエット**
森の神殿の入口へワープ

♪**炎のボレロ**
炎の神殿の入口へワープ

♪**水のセレナーデ**
水の神殿の入口へワープ

♪**闇のノクターン**
闇の神殿の入口へワープ

♪**魂のレクイエム**
魂の神殿の入口へワープ

ムジュラの仮面
基本は「時のオカリナ」だが、仮面での変身中は種族特有の楽器を演奏する

♪**時の歌**
時を巻き戻し、1日目の朝にする

♪**時の逆さ歌**
時の流れる速度をゆっくりにする

♪**時のかさね歌**
時間を半日（3DS版は1日）単位で進める

♪**いやしの歌**
時の扉を開く

♪**エポナの歌**
愛馬エポナを呼ぶ歌

♪**大翼の歌**
各地のフクロウの像にワープできる

♪**嵐の歌**
嵐を起こす

♪**目覚めのソナタ**
デクナッツ族にまつわる旋律。ウッドフォールの神殿の入口を開く

♪**ゴロンのララバイ**
ゴロン族の子守唄。スノーヘッドの神殿の入口を開く

♪**潮騒のボサノバ**
ゾーラ族の稚魚が示した旋律。グレートベイの神殿へ導くカメが出現

♪**ぬけがらのエレジー**
イカーナ王国にまつわる旋律。ロックビルの神殿の謎を解く、心持たぬ兵を出現させる

♪**誓いの号令**
巨人たちを呼べる

♪**録音カカシの歌**
自分で作曲しカカシに教える。特定の場所で吹くとカカシが出現し、フックショットの的になる

笛・オカリナ

口から息を吹き込み、空洞で響いた音が軽やかな音色を生み出す楽器。その音に誘われた動物を呼び出すなどの効果がある。神器も多く、豊富な種類と効果が存在する。

妖精のオカリナ
コキリ族の少女サリアの、小さなオカリナ

時のオカリナ
ハイラル王家に代々伝わる秘宝。3つの種族が守護する精霊石とともに、トライフォースの眠る聖域への鍵となっている。また、時を超える力を秘めている

オカリナ
陶器でできた笛の一種。鳥を呼んで移動する、眠っているものを起こすなどの効果を発揮する

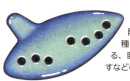

風のオカリナ
風の力を極めた風の民が勇者のために残したもの。吹くと各地にある風のしるしの場所まで飛んで行ける

笛
木などでできた筒状の笛。素朴な音を発し、動物を呼んだり、ワープしたりなどの効果を発揮する

リッキーのふえ　ムッシュのふえ　ウィウィのふえ
相棒として力を貸してくれる動物たちを呼び出すための笛

陶器の馬笛
馬を呼ぶことのできる草笛を、陶器で模してペンダントにしたもの。草笛と同様に馬を呼ぶことができる

大地の笛
複数の吹き口が特徴的で、民族的な趣のある笛。新ハイラル王国に譲られた、ロコモ族の神器（P.036）。特別な旋律で神の力を発揮する

セイレーンの楽器

満月のバイオリン

巻き貝のホルン

遠雷のドラム

コホリント島の主を目覚めさせる「かぜのさかなのうた」を奏でるための聖なる8つの楽器。各ダンジョンで魔物が死守している。

海ユリのベル

夕凪のオルガン

珊瑚のトライアングル

嵐のマリンバ

潮騒のハープ

ふしぎの木の実 時空の章
時の巫女の「時のたてごと」で、ふたつの時代を行き来するなどの調べを奏でる

♪**やまびこのしらべ**
時の穴に力を吹きこみ今と昔を移動できる

♪**ながれのしらべ**
時の穴以外の場所でも昔から今へ移動できる

♪**ときのしらべ**
今と昔を自由に行き来できる究極のしらべ

風のタクト
石碑に残されたとおりにタイミングをあわせ「風のタクト」を振る。風を起こすなどの唄に

♪**風の唄**
船上で風向きを変える

♪**疾風の唄**
特定の場所にワープできる

♪**操りの唄**
特定の人や物に乗り移って操る

♪**地神の唄**
リト族のメドリを大地の賢者として覚醒させる

♪**風神の唄**
コログ族のマコレを風の賢者として覚醒させる

♪**昼夜の唄**
昼夜を逆転させる

トワイライトプリンセス
ウィンドストーンの前で覚えた「遠吠え」をし、古の勇者を呼んで剣技を教わる

♪**遠吠え成功1**
「癒しの唄」のメロディー

♪**遠吠え成功2**
「魂のレクイエム」のメロディー

♪**遠吠え成功3**
「光のプレリュード」のメロディー

♪**遠吠え成功4**

♪**遠吠え成功5**

♪**遠吠え成功6**
実は、メインテーマのメロディーになっている

大地の汽笛
「大地の笛」を左右に動かして演奏。各地の賢者と奏で、線路を取り戻す

♪**目覚めの唄**
眠っているさまざまなものを起こすことができる

♪**いやしの唄**
使用制限はあるが、体力を回復することができる

♪**鳥使いの唄**
近くの鳥を呼びよせる

♪**光の唄**
クリスタルスイッチなどを起動することができる

♪**発掘の唄**
地中の宝箱を掘り出せる

♪**復活の唄**
ロコモ族の賢者たちと完成させる、聖なる力を秘めた唄

スカイウォードソード
女神が残した曲を「女神のハープ」で奏でる。パンプキンバーでパナンの歌とセッションも

♪**女神の詩**
詩島の浮かぶ方向を示す

♪**フロルの勇気**
フィローネの森にあるフロルのサイレンへの入口を開く

♪**ディンの力**
オルディン火山にあるディンのサイレンへの入口を開く

♪**ネールの叡智**
ラネール砂漠にあるネールのサイレンへの入口を開く

♪**勇者の詩**
スカイロフトにある女神のサイレンへの入口を開く

魔物・魔族

神に創られたこの世のあらゆるものに対し、魔の根源によって生み出されたものが魔族である。そして邪悪な闇の魔力に支配されたものを魔物と呼ぶ。

魔族は神に代わる世界の支配を望むため、ハイラルにとって大きな脅威である。自ら魔王となったガノンドロフをはじめ、魔王に服従して力を得たり、神をも超える力を欲する者が現れるなど、魔の力はいつの時代も人々を魅了する。

いっぽう魔物は、一口に魔物といってもそのあり方は多様で、動物や植物が闇の力で凶暴化したもの、無機物が闇の力で動き回るものなどさまざまである。また、「魔物」という呼び方が一般的ではない時代では「怪物」と呼ばれていることもある。魔物は人々の生活を脅かすだけではなく、防具や薬の素材になるなど、その強靭な体や変わった特性を利用されることもある。

強大な力をもつ魔族は、さまざまな呪いの力を使うことができる。とくに巨大な魔の召喚や復活にはそれなりの儀式を必要とするため、彼らは巫女の体や勇者の血などを求めハイラルを脅かす

勇者を模して生み出された、ダークリンク

魔族ながら人間になりたがった悪魔モルセゴ。人々の感謝の気持ちを集めて人間になった

さまざまな魔物の種類

獣、鳥、爬虫類など

もっとも多い魔物の種類。獣類のモリブリン、鳥類のクロウリー、トカゲ類のリザルフォスなど。単純に凶暴化した動物もいれば、怪獣と呼ばれるドドンゴや、リザルフォスのように兵士として訓練されたものもいる。

兵士、鎧など

魔に心を支配された兵士、もしくは魔族が鎧を身にまとったものや、鎧そのものに魔の魂が宿ったものなど。本来、神殿などの守護者を務める神の鎧に、魔が入り込んで魔物と化してしまうようなこともある。戦いのスペシャリストで、何らかの武器に特化した能力を持つことが多い。

植物、昆虫など

自然界に生息する植物や昆虫が、魔の力により凶暴化したもの。デクババ、スタルチュラなどがいる。あるいは魔に支配された地域に、その自然のものとあわさって生まれたものなど。

軟体、ゲル状など

クラゲのような魔物はもちろんのこと、動物や植物にも当てはまらない不気味な魔物。スライムや、ゼリー状の魔物チュチュ、触手のようなものなど。

骸骨、亡霊、屍など

未練を残して死んだ霊は、魂がポウとなってこの世をさまよう。ほかにも兵士の屍が蘇ったスタルフォス、動くミイラとなったギブドなど。強い呪いの力をもつこともある。

無機物、機械など

岩、土、氷、炎など、本来は意思を持たざるもの。精霊が宿るように、魔が宿れば魔物となる。強い力をもつ魔族によって生み出されることもある。石像やロボットなど、動かすために作られた魔物もいる。

邪悪の根源と輪廻

　古の時代、邪悪の根源が地より現れた。邪悪な力を持ち、神に敵対する存在である。世界の破滅とは神の創った世界を魔の力で支配することであり、女神ハイリアと争ったそれは、終焉の者と呼ばれた。
　終焉の者は神の力トライフォースによって消滅したが、女神の血と勇者の魂に対する憎悪と怨念は、悠久の時の果てまで輪廻を描く呪縛となった。

憎悪がもたらした輪廻

　終焉の者の魂はマスターソードに封印され消えていったが、呪縛はこの世に残され、血塗られた歴史を生み出した。ガノンドロフが魔王となり、賢者たち（P.020）に封印されたときの憎悪こそ輪廻の始まりで、その後の歴史で何度も復活を重ねている。『4つの剣＋』では、魂が転生し、再びガノンドロフが生まれている。

終焉の者
世界を滅ぼす魔の根源。その姿は、時代によっても見る者によっても違うと伝えられる

ギラヒム
終焉の者の剣に宿る精霊のような存在。魔族長を名乗り、魔物たちを呼び出す。終焉の者を復活させるべく、ゼルダをさらって儀式を始めた

『時のオカリナ』で賢者に封印されるガノンドロフ。賢者とゼルダ、勇者への強い憎悪を口にし、その強い意思と力のトライフォース、輪廻の呪いから何度も復活を果たす

魔の力を欲した人物

人間の悪い心に憧れ、願いのぼうしの力で魔人となった『ふしぎのぼうし』のグフー。もとはピッコル族だった

『大地の汽笛』のディーゴ。もとはロコモ族の賢者シャリンの弟子。神を超える力を求め、魔王マラドーの復活に加担した

ブリン類（モリブリン、ボコブリンなど）

召喚されたボコブリンたち

神話の時代から存在する魔族として長い歴史をもち、魔族の長に従って生きる一般魔族がブリン類である。強力な魔族長や魔王が存在する時代において多く生み出され、繁栄する。性格は凶暴でさまざまな生き物を襲って暮らす。小さなボコブリンを始めとし、体格の大きいものやボス格になっているものなど、ブリン類のなかで種類が分類される。

知性は高いとはいえないが、集団で活動し、強い者をボスと定めてその命令に従って行動する。魔族長ギラヒムの手下として多量に生み出されたり、魔王ガノンドロフの一般兵士として各地を制圧したりと、強力な魔族長がいる時代は非常に活発な動きを見せている。

やぐらを構え集団生活を送る

決められた地に派遣されたボコブリンたちは、囲い柵を設け、火を使い、見張りのやぐらを構えて生活を送る。使う武器は棍棒を始めとして槍、剣、弓などさまざま。肉食で、人や動物、下等な魔物を襲って食料を調達する。

時代によっては、森に住むモリブリン、イノシシの魔物ブルボーに騎乗するブルブリンなどに分けられる。

ハイラル城に攻め込んだモリブリンたち

ブルブリンの縄張り

ブルブリンの食料

ブルボーで駆けまわるブルブリン

ブリン類の歴史

終焉の者の復活をたくらむギラヒムが、無限にボコブリンを生み出した。体色の異なるもの、環境にあわせて変化したものなど種類も多彩。いっぽう、巨体のモリブリンも存在。

ボコブリン　モリブリン　テクノボコブリン　くされボコブリン

→ スカイウォードソード

迷いの森の奥にある森の神殿が、魔王ガノンドロフにより呪いをかけられた。モリブリン、ボスブリンが森の奥への侵入者を防いでいる。ボコブリンの姿は確認されていない。

モリブリン　ボスブリン

→ 時のオカリナ

魔王ガノンの手下として、闇の世界で延々と生み出される。破滅に向かうロウラルにも同様のものが存在している。

モリブリン　モリブリン

異世界ではブタブリンと呼ばれる種も。ラブレンヌ、ホロドラムではボスブリンが要塞を構えている。

ブタブリン　ボスブリン

→ 神々のトライフォース
→ 夢をみる島
→ ふしぎの木の実
→ 神々のトライフォース2
→ トライフォース3銃士

ハイラルが海に沈み、小さな島々に適応するかのように体の小さいプチブリンが大量発生。海上で活動するボコブリンも増えた。体の大きなモリブリンはガノンドロフの本拠地である魔獣島の警備を任されるなどし、それぞれ適所で任務をこなしている。

プチブリン　ボコブリン　モリブリン

→ 風のタクト

広大なハイラルの地に突如現れた、ガノンドロフの手先。強い者に従うブルブリン、キング・ブルブリンが、この時代の魔族の主流となる。ブルボーに乗り、広大な平原を駆けまわる。

ブルブリン　キング・ブルブリン

→ トワイライトプリンセス

海上を主な活動の場とするプチブリンはウミブリンと呼ばれ、器用に船を使い海賊さながらの行動をとって人々を苦しめた。

プチブリン　ウミブリン

→ 夢幻の砂時計

魔族の天下をもたらすため、常に魔王ガノンの復活をもくろんでいるのがモリブリンたち。人間が勇者を崇めるのと同様に、魔物も魔王への忠誠心をより強めていた。

モリブリン　モリブリン

→ ゼルダの伝説　→ リンクの冒険

魔王マラドーの復活が危ぶまれた世界。広大な大地にはブルボーで走り回るブルブリンが栄えた。オヤブリンともども盗賊行為を行う。

ブルブリン　オヤブリン

→ 大地の汽笛

スタル類（スタルフォスなど）

　スタルと名の付く魔物は、屍となった姿である。頭蓋骨のみの魔物を「スタル」と呼んでおり、頭蓋骨をもった魔物を「スタルフォス類」として分類する。

　迷宮にて襲ってくる骸骨兵士スタルフォスは、もともとは戦いで命を落とした兵士であることが多い。この世への未練から魂が魔物化するポウ類と異なる点である。

　兵士というだけあり、剣と盾、棍棒など、武器や鎧に身を固めている例も少なくはない。はっきりとした意識をもって死後もなお戦いに身を投じる者もいれば、朦朧とした意識のまま目の前の標的を攻撃しようとする者などさまざまである。骨はある程度バラバラになっても再生できることが多く、こなごなになるまで動き続ける。なおコキリの森（P.046）の奥、迷いの森に迷いこんだ人間は、子供であればスタルキッド、大人であればスタルフォスになってしまうと言われている。

　彼らにとっては果たして、骨と化してまで戦い続けることが望みであるのか。この世への呪縛のようなものから解き放つことができるのであれば、おそらくはそれが一番の対処法である。

戦術と武器

　スタルの状態でも、自ら動くことができる。そしてスタルフォスともなれば、剣をはじめとした多彩な武器を扱うこともできる。武器をもたない場合には、骨および自らの頭を投げるという攻撃方法をとることもある。

スタル

剣と盾　　二刀流　　骨投げ　　頭投げ

トゲ棍棒

ドクロの飾りがあしらわれたアックス。刃は鉄製、柄は木製

剣と盾を携え、魔王ガノンドロフの手先として戦うスタルフォス

さまざまなスタル類

骨のつくりがとくに頑丈である者はスタルフォンと呼ばれるなど、形状や特性によって呼び名に違いがある。たとえば「スタルベビー」は、小さいスタルフォスである。同様に「スタルナック」にも大小の差があるが、これらは生前の体の大きさというよりも、魔物化した際に兵士としての地位によって巨大化、縮小化したものと見るべきである。また、「スタル兵」と呼ばれるのは元ハイラル兵であり、凶暴化まではしていない。

なお、生前魔法使いだった者はウィズローブとなることが多いため、魔力を持つデスタルフォスのような例はまれである。

スタルフォン　バルタム　マスタースタルフォン　スタルベビー

スタル兵　スタルナック　デグスタルナック　デスタルフォス

バブルと呼ばれる骨の魔物。羽根が生えて飛び回り、多くは熱や冷気を帯びた呪いのオーラをまとっている

同じスタルフォスやスタルフォンでも、骨の色が異なる場合がある。兜を装備したバルタムは、戦闘力に長けた選りすぐりのスタルフォン

死後スタル兵と化した、有象無象の兵士。意識はほぼない

スタル類の個体

何らかの呪縛により蘇り、生前の意識をはっきりもった者や、白骨化してなお責務を果たそうとする人物たち。とくに異世界タルミナのイカーナ地方にいるのは、呪いで蘇ったイカーナ王国の王や兵士たちである。また、時の勇者は骸骨の剣士となり、秘技を伝授すべき勇者の出現を待ち望んでいた。

スタル・キータ　イカーナ王　スタルチャンピオン　骸骨剣士

スタル・キータは、イカーナ王国の兵士のひとり、キータ隊長。王や部下からの信頼も厚く、死してなお忠義を貫く。部下であるスタルベビーと比較し、非常に巨大である

伝説の勇者であっても、死んでしまえば骨である。ただし勇者の魂は美しいままで、光の狼の姿となって現れた（P.027）

人外のスタル類

骸骨の姿の魔物は、人型とは限らない。獣や太古の魔物が、魔力により骨となっても活動する例もある。なお、骨の姿といえばクモの魔物スタルチュラやスタルウォールも思い浮かべるが、それらは模様がスタルなだけであり、骨の魔物とはまた区別すべきものである。

バゴバゴ　スカルギョ　スタルハウンド

スカルロープ　スタルヘッド

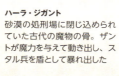
ハーラ・ジガント
砂漠の処刑場に閉じ込められていた古代の魔物の骨。ザントが魔力を与えて動き出し、スタル兵を盾として暴れ出した

オクタ類（オクタロックなど）

岩を吐くタコの形状の魔物。もっとも多くの種類が確認されている魔物である。地上を歩くものと水中に暮らすものがいる。大きなもの、タコというよりはイカに近いものなど形状は多種多様。

一般的なオクタロックは執拗に襲ってくるわけではなく、岩を吐くのは近づく者から身を守る行動。魔物として恐れられるというよりは、的当て屋の的になるなど、人の生活の中に見られることもある。

ロウラルでは、人間とオクタロックがともに娯楽施設「オクタ球場」を運営している

ダイオクタ
頭部が長くダイオウイカのような姿をしていることも

大オクタロック
自分が小さくなり、通常のオクタロックが大きく見えたもの

オクタイール
8本の触手が伸び、イール（ウナギやウツボ）のようである

オクタロックの変遷

同じオクタロック（もしくは「オクタロック（赤）」）と呼ばれるものでも、タイトルによって見た目が変化。しかし根本的に「タコのような口から岩を吐いてくる魔物」であることに変わりはない。

デクナッツのように地中に潜むオクタロック

ほかに紫もおり、同じ形状でも違う行動や印象に

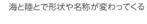
海と陸とで形状や名称が変わってくる

いかにもタコという姿をしたオクタロック。鋭い牙をもつ

陸のオクタロック

変わった性質をもつオクタロックとしてオクタバルーンやパタオクタ、砂に住む変わった砂オクタなどがいる。通常のオクタロックでも、その場にとどまり岩を吐いてくる攻撃性をもったものはとくにオクタ大砲と呼ばれる。

オクタ大砲　オクタバルーン　パタオクタ　砂オクタ

海のオクタロック

オクタロックのなかでも、生息する場所で形状が異なることがある。海にいるものは陸にいるものより触手が長くなり、海に特化したことでシーオクタ、スミオクタと呼ばれる種類もある。そしてマインオクタは、触れると爆発する変わったオクタである。

オクタロック　シーオクタ　スミオクタ　マインオクタ

チュチュ類

ゼリー状の体に目が付いた魔物。さまざまな色のものがいる。シンプルな形態ながら時代によって見た目の印象を大きく変えている。また、色や特性も時代によって変わってくる。

倒すと動かなくなり、ゼリー状のものがどろっとして残る。これがチュチュゼリーと呼ばれるもので、ビンですくって飲んだり、薬の材料に使われたりする。種類によっては滋養があり、体力や魔力の回復に使われる。とくに効能のないものは、害はなくとも美味なものではないため飲むことに意味はない。

トワイライトプリンセス
チュチュゼリーをビンですくったもの。レアチュチュと呼ばれる珍しいチュチュからとれた「レアチュチュゼリー」は貴重品。緑チュチュゼリーは青と黄が混ざることでとれる珍しいものだが、この場合はとくに効能はない

異なる性質のチュチュ

色以外に、特殊な性質をもったチュチュも存在。ゼリー状の体をした魔物であるにもかかわらず、氷や金属質に変化したまれなケースである。

トゲチュチュ

アイスチュチュ　　メタルチュチュ

見た目の変化

本体はふつうのチュチュにすぎないが、岩をかぶるなど、変わった行動をとったチュチュも生息している。ただし大チュチュと呼ばれるものは、単純に自分が小さくなったことで大きく見えたものをそう呼んでいるにすぎない。

大チュチュ

岩チュチュ　　兜チュチュ

登場タイトルの色と呼び名

チュチュの色は主に3～4色。それに加えて、黒がいたり、紫になる場合がある。また、輝くチュチュはレアチュチュと呼ばれる非常に珍しいもの。同じ色でもタイトルによって呼び方が違っており、見た目の印象もかなり異なる。

	ムジュラの仮面	風のタクト	ふしぎのぼうし	トワイライトプリンセス	夢幻の砂時計	大地の汽笛	スカイウォードソード
赤	レッドチュチュ	赤チュチュ	チュチュ（赤）	赤チュチュ	赤チュチュ	赤チュチュ	赤チュチュ
緑	グリーンチュチュ	緑チュチュ	チュチュ（緑）	緑チュチュ	緑チュチュ	ー	緑チュチュ
青	ブルーチュチュ	青チュチュ	チュチュ（青）	青チュチュ	青チュチュ	ー	青チュチュ
黄	イエローチュチュ	黄チュチュ	ー	黄チュチュ	黄チュチュ	黄チュチュ	黄チュチュ
紫	ー	ー	ー	紫チュチュ	ー	ー	ー
黒	ー	黒チュチュ	ー	ー	ー	ー	ー
レア	ー	ー	ー	レアチュチュ	ー	ー	ー

トワイライトプリンセス
色がだんだん混ざっていく。青と黄色が混ざると緑に、赤や緑が混ざると紫色になる

ムジュラの仮面
異世界タルミナのチュチュ。体内に取り込んだアイテムが透けて見え、色合いもそれに応じて変化。ハートを取り込んでいればレッドチュチュ、魔法のビンであればグリーンチュチュとなる

風のタクト
頭と足のような部分に分かれている。大きく見開いたような目は魔物そのものだが、どこか愛嬌がある

スカイウォードソード
もっとも古い時代のチュチュ。全体は丸く、体が裂けているかのように口を大きく開く

CHAPTER.2

DATABASE

『ゼルダの伝説』を構成する4つの要素を五十音順に並べたデータベース。名称については、ゲーム中及び取扱説明書に記載があったものは最優先で掲載。また表記のなかったものについては、これまで発売されてきた攻略本などの関連書籍（右記）を参考に記載している。また文献中での表記に異なるものがある場合は、複数の文献から表記の数が多いものを選び掲載している。開発当時ゲーム中の漢字表示が難しかったものについては、統一するために漢字に直しているものもある（固有名詞の場合などは例外とする）。これら以外の掲載の基準については各カテゴリーの頭頁を参照してほしい。

村・町	104
アイテム	111
ダンジョン	142
敵・魔物	160

【 2章 参考文献 一覧 タイトル発売順 】

- ゼルダの伝説 必勝攻略法(双葉社)
- ゼルダの伝説 必勝攻略ガイド(新星出版社)
- ゼルダの伝説 裏攻略付 裏ワザ大全集(二見書房)
- ファミリーコンピュータ ゲーム必勝法シリーズ33 リンクの冒険(ケイブンシャ)
- リンクの冒険 裏ワザ大全集(二見書房)
- ファミコン必勝攻略カード リンクの冒険(実業之日本社)
- リンクの冒険 完全必勝本(JICC出版局)
- 任天堂公式ガイドブック ゼルダの伝説 神々のトライフォース 上・下(小学館)
- ゼルダの伝説 神々のトライフォースのすべて・完全版(宝島社)
- ゼルダの伝説 神々のトライフォース 必勝攻略本(双葉社)
- ゼルダの伝説 夢をみる島 必勝攻略法(双葉社)
- 任天堂公式ガイドブック ゼルダの伝説 夢をみる島DX(小学館)
- ゼルダの伝説 時のオカリナ パーフェクトプログラム(高橋書店)
- 任天堂公式ガイドブック ゼルダの伝説 時のオカリナ(小学館)
- ゼルダの伝説 時のオカリナ GC裏 コンプリートガイド(ソフトバンクパブリッシング)
- 任天堂公式ガイドブック ゼルダの伝説 ムジュラの仮面(小学館)
- 任天堂公式ガイドブック ゼルダの伝説 ふしぎの木の実 大地の章(小学館)
- 任天堂ゲーム攻略本 ゼルダの伝説 ふしぎの木の実 大地の章・時空の章 (毎日コミュニケーションズ)
- ゼルダの伝説 ふしぎの木の実 〜大地の章〜 パーフェクトガイド(エンターブレイン)
- 任天堂公式ガイドブック ゼルダの伝説 風のタクト(小学館)
- 任天堂ゲーム攻略本 ゼルダの伝説 風のタクト(毎日コミュニケーションズ)
- ゼルダの伝説 風のタクト コンプリートガイド(エンターブレイン)
- 任天堂公式ガイドブック ゼルダの伝説 神々のトライフォース&4つの剣(小学館)
- 任天堂ゲーム攻略本 ゼルダの伝説 神々のトライフォース&4つの剣 (毎日コミュニケーションズ)
- ゼルダの伝説 神々のトライフォース&4つの剣 パーフェクトガイド(エンターブレイン)
- 任天堂公式ガイドブック ゼルダの伝説 4つの剣+(小学館)
- 任天堂ゲーム攻略本 ゼルダの伝説 4つの剣+(毎日コミュニケーションズ)
- ゼルダの伝説 4つの剣+ パーフェクトガイド(エンターブレイン)
- ゼルダの伝説 4つの剣+ 勇者のハイラル冒険ブック(メディアワークス)
- 任天堂公式ガイドブック ゼルダの伝説 ふしぎのぼうし(小学館)
- 任天堂ゲーム攻略本 ゼルダの伝説 ふしぎのぼうし(毎日コミュニケーションズ)
- ゼルダの伝説 ふしぎのぼうし パーフェクトガイド(エンターブレイン)
- 任天堂公式ガイドブック ゼルダの伝説 トワイライトプリンセス(小学館)
- 任天堂ゲーム攻略本 ゼルダの伝説 トワイライトプリンセス(毎日コミュニケーションズ)
- ゼルダの伝説 トワイライトプリンセス パーフェクトガイド(エンターブレイン)
- ゼルダの伝説 トワイライトプリンセス ザ・コンプリートガイド(メディアワークス)
- 任天堂公式ガイドブック ゼルダの伝説 夢幻の砂時計(小学館)
- 任天堂ゲーム攻略本 ゼルダの伝説 夢幻の砂時計(毎日コミュニケーションズ)
- ゼルダの伝説 夢幻の砂時計 ザ・コンプリートガイド(メディアワークス)
- 任天堂公式ガイドブック ゼルダの伝説 大地の汽笛(小学館)
- 任天堂ゲーム攻略本 ゼルダの伝説 大地の汽笛(毎日コミュニケーションズ)
- ゼルダの伝説 大地の汽笛 パーフェクトガイド(エンターブレイン)
- ゼルダの伝説 大地の汽笛 ザ・コンプリートガイド(メディアワークス)
- 任天堂公式ガイドブック ゼルダの伝説 時のオカリナ 3D(小学館)
- ゼルダの伝説 時のオカリナ 3D 完全攻略本(徳間書店)
- ゼルダの伝説 時のオカリナ 3D パーフェクトガイド(エンターブレイン)
- ゼルダの伝説 時のオカリナ 3D ザ・コンプリートガイド(アスキー・メディアワークス)
- 任天堂公式ガイドブック ゼルダの伝説 スカイウォードソード(小学館)
- ゼルダの伝説 スカイウォードソード 完全攻略本(徳間書店)
- ゼルダの伝説 スカイウォードソード パーフェクトガイド(エンターブレイン)
- ゼルダの伝説 スカイウォードソード ザ・コンプリートガイド(アスキー・メディアワークス)
- 任天堂公式ガイドブック ゼルダの伝説 風のタクト HD(小学館)
- 任天堂公式ガイドブック ゼルダの伝説 神々のトライフォース2(小学館)
- ゼルダの伝説 神々のトライフォース2 完全攻略本(徳間書店)
- 任天堂公式ガイドブック ゼルダの伝説 ムジュラの仮面 3D(小学館)
- ゼルダの伝説ムジュラの仮面 3D パーフェクトガイド(KADOKAWA/エンターブレイン)
- 任天堂公式ガイドブック ゼルダの伝説 トライフォース3銃士(小学館)
- ゼルダの伝説 トライフォース3銃士 完全攻略本(徳間書店)
- 任天堂公式ガイドブック ゼルダの伝説 トワイライトプリンセス HD(小学館)
- 任天堂公式ガイドブック ハイラル・ヒストリア ゼルダの伝説 大全(小学館)
- ゼルダの伝説 30周年記念書籍 第1集
- THE LEGEND OF ZELDA HYRULE GRAPHICS(徳間書店)
- ファミリーコンピュータMagazine 平成元年No.20付録 RPG攻略大全 上巻 (徳間書店インターメディア)
- ファミリーコンピュータMagazine 平成元年No.21付録 RPG攻略大全 下巻 (徳間書店インターメディア)
- ファミリーコンピュータMagazine 平成4年3月6日号付録 RPG攻略大全 91年9〜12月編上巻 (徳間書店インターメディア)
- ファミリーコンピュータMagazine 平成5年10月15日号付録 RPG攻略大全 93年1〜8月編上巻 (徳間書店インターメディア)
- ニンテンドードリーム 2004年5月6日号付録 ゼルダコレクション完全攻略ガイド (毎日コミュニケーションズ)
- ニンテンドードリーム 2016年7月号付録 ゼルダの伝説・リンクの冒険 復刻大全(徳間書店)
- ニンテンドークラシックミニ ファミリーコンピュータMagazine(徳間書店)
- 各取扱説明書+公式ホームページ

※出版社名は発売当時の社名を記載しています。

村・町

人が大勢集まる場所は、情報を集めたり、物資を調達したりと、重要な拠点となり得る。また、さまざまな種族が暮らすこのハイラルでは、町や村は土地ごとの特徴を印象づける場所のひとつとなっている。

ここでは町、村、集落といった、ある程度の規模の集団が居住し治めている土地を、タイトルごとに並べていく。居住区として認められ地図に記されるものを中心としているため、生物が気ままに暮らしているような場所は含めていない。ただし、寂れたり、滅びたりして現在は人が住んでいない場所も、物語上足を運ぶのであれば原則的にこの一覧に含めている。また、基本的に物語上で訪れる順番で掲載している。

1タイトル（サブタイトル）
リメイクのあるものは、『時のオカリナ／3D』のように表記する
2全体的な説明
3村・町の名称
4画面写真
タイトルにより写真の点数は異なり、リメイク版などがあるものはそちらを基準としている。ただし、『時のオカリナ／3D』『ムジュラの仮面／3D』『風のタクト／HD』『トワイライトプリンセス／HD』に関しては、中央にオリジナル版の画面写真も掲載している
5村・町の説明

ゼルダの伝説

小王国としてハイラル王国が存在するが、冒険の地に城は存在しない。魔物によって荒廃してしまっているため集落も見当たらず、老人などが洞窟でひっそりと暮らしている。

リンクの冒険

ハイラル小王国の外に広がる、広大な東西2つの大陸の各地に町が存在。それぞれの町のマジシャンから魔法を習得することができる。町の名前はカストの町を除き『時のオカリナ』の賢者たちの名前の一部と一致する。

▷ ラウルの町

森に囲まれた緑豊かな町。町に住むマジシャンからは初めての魔法「シールド」を習得できる。町の南に続く道は大きな岩で塞がれてしまっている

▷ ルトの町

山に囲まれた町。魔物ゴーリアに盗まれた「女神像」を取り返すと、マジシャンから「ジャンプ」の魔法を習得できる。村の先にある洞窟はジャンプの魔法なしでは進めない

▷ サリアの町

川によって南北が分かれている水の町。女性になくした鏡を渡すとマジシャンから「ライフ」の魔法を習得できる。人間に変身して潜む魔物もおり、町の中心には勇者が眠るといわれる墓がある

▷ ミドの町

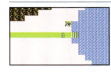 

西大陸の最東、海に面する港町。ひときわ目立つ高い教会が建っており、中では剣士から下突きを学べる。娘が病気で困っている人に聖なる水を渡せば、マジシャンから「フェアリー」の魔法を習得できる

▷ ナボールの町

東大陸で最初に訪れる、開けた場所にある町。噴水の水を汲んで女性に渡すと、マジシャンから「ファイアー」の魔法を習得できる

▷ ダルニアの町

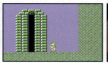

東大陸にある山岳の、細い道を抜けた先に位置する山の町。煙突から入った先の民家の剣士からは上突きを学べる。迷路島から子供を助けると、マジシャンから「リフレックス」の魔法を習得できる

▷ カストの町

魔物に襲われ旧カストの町から逃げた人々が新たに興した町。森の中に隠れた町のため、見つけるにはハンマーで木を切り倒す必要がある。暖炉の奥にいるマジシャンからは「スペル」の魔法を習得可能

▷ 旧カストの町

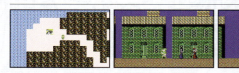

魔物に襲撃されて人々が逃げ出し、廃墟と化した町。通常では見ることのできない魔物が町をうろついている。ひとり町に残るマジシャンから「サンダー」の魔法を習得できる

神々のトライフォース

封印戦争によってハイラル王国が衰退した影響などもあり、人間の集落は光の世界と闇の世界にひとつずつしか存在しない。そのほかの人々は各地で個々に居を構えている。

▷ カカリコ村

ハイラル城の西、七賢者の子孫サハスラーラが住む村。風見鶏が揺れる穏やかな村だったが、司祭アグニム配下の兵士が徘徊し、ゼルダ姫をさらった人物を捜している。盗賊ブラインドのアジトといわれる家が残る

▷ はぐれ者の村

光の世界ではカカリコ村があった場所に存在する荒廃した村。ほとんどの建物は崩壊しており、村の中央には禍々しい像が建つ。ギャンブルが楽しめる宝箱屋はあるが、スリやならず者が通行人を狙っている

夢をみる島／DX

自然豊かなひとつの小さな島が舞台なこともあり、人間の集落はひとつのみ。村の外にも、薬屋のようなお店や電話ボックスなどが点在する。

▷ メーベのむら

コホリント島唯一の人間たちの集落。村の中心には風見鶏が立ち、道具屋や図書館、娯楽施設などがそろう。海が近く、村を出るとすぐに砂浜にたどり着く

▷ どうぶつむら

島の南東に位置する動物たちが暮らすのどかな村で、ゾーラ族までもが隠れ住んでいる。住民のほとんどが言葉を話し、メーベのむらとは活発な交流もあるらしい

時のオカリナ／3D

王国を統べるハイリア人たちの住む城下町のほかに、森、火山、水辺、砂漠などにさまざまな種族が集落を築き、環境に適応しつつ暮らしている。また、平和な子供時代と闇に覆われた大人時代とで、多くの集落が様変わりする。

▷ コキリの森

コキリ族や妖精の住む、神秘に満ちた森。長い時を生きる神樹デクの樹サマが、森とコキリ族たちを見守る。広大な森は迷いの森や聖域、森の神殿へとつながる。大人時代は魔物の巣と化してしまっている

▷ ハイラル城・城下町

多くの兵士に守護された美しく風格ある城の前に、多彩な人が暮らし店が立ち並ぶ活気にあふれた城下町。町はずれには時の神殿が建つ。大人時代は城はガノン城に、城下町は廃墟と化して、ほとんどの住人はカカリコ村に避難している

▷カカリコ村

ひときわ大きな風車小屋が象徴的な、シーカー族が興したという穏やかな村。村からはデスマウンテンの登山口や墓地への道が続く。大人時代はハイラル城下町から避難した人々で賑わう

▷ゴロンシティ

聖なる霊峰デスマウンテンにあるゴロン族の住む賑やかな町。通常のゴロン族よりも体の大きなチュウゴロン、ダイゴロンも居を構える。大人時代は山の邪竜のエサとして多くのゴロン族が捕えられてしまったため、閑散としている

▷ゾーラの里

王国の水源を守る水の民ゾーラ族が住む隠れ里。清浄な水と活気にあふれる。里から続くゾーラの泉に住むジャブジャブ様は、ゾーラ族から守り神と崇められている。大人時代は里も民もすべてが凍りついている

▷ゲルドの砦

ハイラル平原の西のはずれ、険しい山岳と砂漠に挟まれたゲルド族が暮らす砦。ゲルド族の女戦士が厳重に警備している。彼女らの許可を得た者のみ、砦から幻影の砂漠へと足を踏み入れることができる

ムジュラの仮面／3D

ハイラルとは異なる異世界タルミナが舞台。クロックタウンを中心に4つの地域に分かれており、それぞれに人間や種族たちの集落が存在する。地方の集落は世界滅亡の予兆の自然災害に苦しんでいる。

▷クロックタウン

タルミナ平原中心に位置する、時計台を擁する大きな町。住人は3日後の四界の神に豊穣を祈る祭典「刻のカーニバル」の準備に追われたり、地上に迫る月から逃れるために慌てふためいている

▷デクナッツの城

クロックタウン南のウッドフォール地方の沼地の一角を占める、木と植物でできたデクナッツ族の城。デクナッツ族以外の立ち入りは原則禁止。ウッドフォールの神殿からあふれだした毒による、沼の汚染に苦しんでいる

▷ゴロンの里

クロックタウン北の雪山スノーヘッドにある里。「ゴロンのほこら」と呼ばれる居住区がある。美しい池やレース場などがそろう。スノーヘッドの神殿からの猛烈な吹雪により、春になっているはずが山は冷え込み、ゴロンたちは凍死寸前の状態

▷ゾーラホール

クロックタウン西の海岸、グレートベイ地方の海上にあるゾーラ族の集落。ゾーラバンド「ダル・ブルー」が演奏する大きなコンサートホールがある。海岸沖に発生した謎の霧と海水温の上昇により問題が発生している

▷イカーナ渓谷

クロックタウンの東にある、かつてイカーナ王国の栄えた渓谷。ロックビルの扉が開かれ、呪いにより亡霊の徘徊する地と化した。イカーナの村の人々は引っ越し、現在は亡霊の研究を続ける学者親子のみが住む

ふしぎの木の実 大地の章

トライフォースの試練により、リンクが降り立った自然豊かなホロドラム地方。実り豊かな大地には四季折々の情緒あふれる風景が広がる。しかし闇の将軍ゴルゴンにより四季は乱れ、人々はころころと入れ替わる四季に翻弄されることとなる。しかしそんな状況においても、ねぼすけなマカの木のように、この地の人々はとても穏やか。

▷ホロン村

ホロドラムを守護するマカの木があったり、ショップやゆびわのかんていやなどの重要なお店が集中している中心地。四季の乱れによって村の風景も変化する

▷ 水びたしの村

水びたしになった村。すもぐり名人に認められて「水かき」を手に入れると水の深い場所にも行ける。魔女シロップから「まほうのクスリ」を買うこともできる

▷ ウーラ村

各地のワープゾーンから入るウーラ世界にある村。ウーラ族が住む。ゴルゴンに沈められた四季の神殿があり、「四季のロッド」の力を得るため何度も訪れる

ふしぎの木の実 時空の章

ラブレンヌは、人も動物も妖精も穏やかに暮らしている地方。しかし闇の司祭ベランにより「昔」が変化し、穏やかな「今」が乱されてしまう。村や町は過去に起きたできごとの影響を受け、すこしずつ形を変える。冒険を進めベランを倒すには、狂った時の流れを正してあるべき姿に戻さなければならない。

▷ レンヌのまち

最初に訪れる町。町の北にはマカの木がそびえ立ち、ラブレンヌの中心となる場所である。街の南の暗黒の塔は、村であったころに造られたという

▷ レンヌ村

レンヌの町の昔の姿。アンビ女王が統治しており、海に出た恋人の目印となるよう、村の南に巨大な塔を建設中。時の乱れにより昼間が続いている

▷ ゾーラのさと

「にんぎょスーツ」がないと入れないゾーラ族の里。代々キングゾーラが治め、里の奥には守り神ジャブジャブ様がおり、そのお腹の中がダンジョンになっている

▷ シメトリ村

左右対称の村。火山が噴火し、廃墟になっている。昔に行き、噴火の原因となった「ミノムの実」を直すことで火山を静め、今のシメトリ村が復活する

▷ アンビきゅうでん

レンヌ村にある、アンビ女王の宮殿。厳重に警備されていて入れないので、衛兵から隠れ、庭の仕掛けを解き潜入。奥にはベランに身体を憑られたネールがいる

風のタクト／HD

広大な大海原に40を超える島々が点在するが、人や他種族の住む集落は、比較的大きな島数か所に限られている。魔物や海賊が多いこともあり、島間の交流が少ない。そのため、空を飛行できるリト族が営む郵便屋の手紙が、貴重な連絡手段になっている。

▷ プロロ島

南西に位置する、美しい砂浜をたたえる島で、家は数軒。リンクの故郷でもあり、妹のアリルとおばあちゃんといっしょに暮らしていた。島の切り立った崖の上には大妖精が住むという森が広がり、浜辺には海を見通せる高台がある

▷ タウラ島

海域北側にある大きな島で、『風のタクト』の世界で最も多くの人で賑わう。クスリ屋や学校、露天商や酒場などもあり、島の中央にはシンボルでもある巨大な風車小屋が佇む。夜間はオークションなども開催され活気に満ちている

▷ 竜の島

翼を持つ種族であるリト族の集落がある、精霊ヴァルーが守護する北東の島。巨大な火山島でありヴァルーの住むほこらへの道には溶岩が流れる。山のふもとのリト族たちの拠点には世界中から郵便物が集まり、そこかしこに積まれている

4つの剣

ハイラル王国は存在し、各地域を象徴する4つのステージが存在するが、どれも敵の巣食うダンジョンになっているため、物語上では人の住む村・町などの集落は存在しない。

4つの剣+

「ハイラルアドベンチャー」に登場する村は全部で4つ。そのうち青の巫女の村とカカリコ村の2つはコース名にもなっている。どちらの村も魔物などはほぼ登場せず、村で起きている事件を解決すれば先に進める。

▷ 青の巫女の村

レベル2「ハイラルの東」に登場。村の子どもが消える事件が発生中。また、突然現れた魔導士たちを探偵団が調査中で、事務所前には長蛇の列が。村には闇世界があり、子どもたちはそこに迷い込んでいる。ムーンパールを使えば入口が開き、行き来できる

▷ カカリコ村

レベル5「暗黒の世界」に登場する。心優しい人々の住む小さな村。しかし、グフーの復活により暗黒にのまれ、人間らしい心を失いかけた者が現れて、物騒な場所になってしまった。10人の盗賊が村を荒らしており、地下のいたるところに隠れ家がある

▷ ゲルド族の村

レベル6「あやしの砂漠」に登場。砂漠の民ゲルド族が住む村。黒幕たるガノンドロフの故郷でもある。村には女性しかいないが、100年に一度特別な子が生まれるとされる。古の遺跡を守る役目を持ち、砂漠の奥にあるピラミッドを神聖なる場所とする

▷ ズナ族の村

レベル6「あやしの砂漠」に登場。砂嵐を越えた砂漠の中にあるオアシスの村。闇の力が眠るピラミッドを作った種族の生き残りのズナ族が住み、ピラミッドに伝わる逸話を語り継いでいる。しかし、忘れっぽい性格の村人が多い

ふしぎのぼうし

人間の集落はハイラル城下町が唯一あるのみで、周囲の地域には町などは登場しない。反対に、妖精のピッコルたちはさまざまな場所にひっそりと暮らしており、森にある里以外にも山岳部などで共同生活をしている者たちがいることも確認できる。

▷ ハイラルの町

ハイラル城前に広がる城下町であり、巨大な鐘が街のシンボル。図書館といった施設も充実している。道端には果物やアイテムを売る露天商たちが軒を連ね、カフェにはコーヒーカップ、マロ屋にはオバケと、特徴を表すモニュメントが屋根に取り付けられている。年に一度、「ピッコルまつり」が開催される

▷ 森のピッコル里

南東の端に広がるチロリアの森の奥深くにひっそりとある、森のピッコルたちが暮らす村。エゼロの力を使い、小さくなって通路を抜けるとたどり着ける。村全体が草花で覆われており、人間の靴や本・タルなどを利用して家にしている

トワイライトプリンセス／HD

ハイラル城と城下町を中心に広がる大地を4人の光の精霊が守護しており、それぞれの精霊の名が地方の名前の由来になっている。城下町は発展し賑わっているが、地方の村は自給自足の農村であったり過疎化しており格差が目立つ。雪山や砂漠には魔物や獣人が生活している様子も垣間見えるが、集落などは存在しない。

▷ トアル村

ラトアーヌ地方のトアルの森を抜けた、王国最南端に位置する。のんびりと時間が流れる小さな農村で、カボチャと山羊のミルクが名産品。村の中に畑が点在するほか、トアル山羊を飼育する牧場もある

▷ カカリコ村

ハイラル王国東側のオルディン地方にある村。デスマウンテンの麓に位置し、かつてはゴロン族とも友好的な関係にあったが、影の魔物の襲撃によって寂れてしまった。教会があるほか、屋上に露天風呂付きのホテルも

▷ デスマウンテン

各所で間欠泉が噴き出す、ゴロン族の集落。登山道の途中には大きな温泉が湧き出しており、小さな店も営業しているため、ゴロンたちの癒しの場になっている。彼らが管理する鉱山入口前には、伝統スポーツである相撲の土俵がある

▷ ゾーラの里

王族の治めるゾーラ族たちが住む。里全体が滝つぼのようになっており、高低差が大きい。トワイライト化していたときは、ゾーラ族を含む里全体が氷漬けにされていた。親子岩付近はこの地でしか釣れない「ニオイマス」の釣りスポット

▷ ハイラル城城下町

ハイラル城前に広がる、王国随一の巨大都市。常に人が行き来し活気がある。中央広場には高級雑貨店やカフェ、南側には賑やかな市も展開。反面、人通りの少ない路地裏ではネコの集会場があったりと、都市ならではの寂しさも垣間見える

▷ 忘れられた里

オルディン地方とラネール地方を結ぶ道の途中に、ひっそりと隠された廃村。魔物の拠点になっていた。家は多いが現在は天空への使者を待ち続けるインパルしか住んでおらず、野良猫とコッコ隊長の住処になっている

▷ 天空都市

高度な文明を持つという天空人たちが住む、天空に浮かぶ都市。しかし魔物に攻め入られダンジョンと化してしまっている。地上に隠された天空砲を使い、この地に踏み入れることになる。都市の入口の人工池付近に１軒だけ店がある

▷ 影の世界（宮殿周辺）

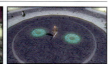

古の時代に聖域を脅かした罪で、光の世界から追いやられた影の一族の末裔たちが住む場所。ザントに魔物に変えられた影の者たちがたたずんでいるが、ソルの光を当てると元の姿に戻る

夢幻の砂時計

４つに分かれた海域のそれぞれに大きめの島が１～２個あり、人間や他種族が集落を形成している。ほかにも居を構え住み着いている小さな島が点在する。メルカ島にある海王の神殿には、イベントをこなすたびに訪れることになる。

▷ メルカ島

幽霊船を追い、海に落ちたリンクが流れ着いた島で冒険のスタート地点。バーやよろず屋などの店のほか、船の改造が可能な造船所もあり、北側には海を治める大精霊海王を祀った荘厳な雰囲気の海王の神殿がたたずむ

▷ 火の島

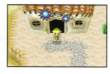

南西の海域にある火を噴く火山を中心とした島。高名な占い師フォーチュンが住むことで有名だったが、魔物の襲撃により壊滅してしまった。フォーチュンに仕えていたカシヅクは、彼女をかくまったが、魔物により命を落としてしまう

▷ モルデ島

南西の海域の西端にある島。南側には村が、北側には森が広がっている。村中に生えるヤシの木とワラの屋根の家が点在し南国の孤島の雰囲気を醸し出す。北西の海域の霧の抜け方を知るという男がいたらしく、その男の息子ロマーニが村の東側に住んでいる

▷ ゴロン島

南東の海域で最も大きな島で、ゴロン族たちが暮らす。赤みがかった硬い岩盤の段差を利用した横穴式住居が点在。その昔に海王が授けたとされ、ゴロン族の象徴という「緋色のハガネ」が祀られたゴロンの神殿が、北の洞窟を抜けた先にある

▷ 氷の島

南東の海域にある、雪と氷で覆われた極寒の島。ユキワロシ族とユキザル族の２つの種族間の争いが絶えなかったが、100年前に和平協定が締結された。西にユキワロシ、東にユキザルが住んでいるが、ユキザルがユキワロシに化けて村に紛れ込む事件が起きている

大地の汽笛

神の塔を中心に４つの環境の異なる大地に分かれており、それぞれに集落が存在（ただし森の大地には複数の村がある）。村には駅があり、汽車で乗り入れることになる。資材のやり取りや人の往来にも汽車が欠かせないことから、機関士は神聖な職業とされる。

▷ モヨリ村

森の大地の南端にある村で、ところどころにヤシの木が生え、南側は砂浜が広がる自然豊かな片田舎。人懐っこいハトのポッポたちも多く暮らしている。線路の終着点にもなっているシロクニの家は、汽車を収納する車庫も兼ねている

▷ ハイラル城城下町

世界の中心たる神の塔にほど近い大きな町。奥にはゼルダ姫の住むハイラル城がそびえ立つ。中央には噴水があり、タイル模様が美しく鮮やか。よろずやのほか、魔物退治のミニゲーム「エネミーアタック」が体験できる民家など多くの施設が集まる

▷ サクーヨの村

周囲を森に囲まれた、森人たちの村。木を植え育て、その木を切って売り生計を立てている。森を大切にしている住人は森自体にもとても詳しく、迷いの森の抜け方を教えてくれる。女子がおらず、独身男性しか住んでいないことが村の悩みの種

▷ ユキワロシの村

北西の雪の大地にある、ユキワロシ族たちが暮らす雪に覆われた村。住人たちはかまくらの家に住んでいる。べらんめえ口調でぶっきらぼうな気質が災いし、住人同士の人間関係が複雑。周囲の魔物に対しての、見回りのチーム分けをするのにも苦労している

▷ パプチアの村

南東の海の大地にある、海に浮かぶ村。南国情緒にあふれる観光地で、ゼルダ姫も子供のころにバカンスで来たことがある。予言者の大ババ様が村を取り仕切り、男は漁師、女は海女として暮らしていたが、海賊たちに男衆がさらわれ、現在は女性しか残っていない

▷ ゴロンの村

北東の火の大地にある、ゴロン族が暮らす火山近くの岩山の村。崖に洞窟を掘って住居にしている。マグマが噴き出し、村に入れなくなる事態が起きたことも。山の神の声を聞けるカギモリが貨車を守っているほか、長老にのみ聖なるホコラの場所が語り継がれている

スカイウォードソード

女神の力により人間たちは天空にいるため、大地には人間の集落や町は存在しないが、魔物や亜人たちが暮らしている様子は確認できる。天空での集落も、最も大きな浮島スカイロフトだけがあるのみだが、周囲には大小さまざまな浮島が点在。中にはバーのあるパンプキン島など、人が過ごしている小島もある。

▷ スカイロフト

大きな中央の浮島に、少し小さめの浮島が連なってできている。北側には、この地を天に浮かべたという女神をかたどった巨大な女神像がそびえ立つ。居住区以外に、住人を落下から守る騎士を育てる騎士学校や、冒険に役立つアイテム屋やクスリ屋、修理屋などが軒を連ねるショップモールがあり、活気にあふれる

神々のトライフォース2

『神々のトライフォース』と同じく、城下町は存在しない。人が住んでいる場所はカカリコ村のみ。『神々のトライフォース』時代に比べると、新たに理性を持つゾーラ族が集う里があるが、人間との間に交流はほぼない。ロウラルの世界においても、カカリコ村の位置にはぐれ者の村があるのみ。

▷ カカリコ村

ハイラル城の西に位置する、唯一の村。賢者サハスラーラが取り仕切っている。アイテムを売る露店商や憩いの場であるミルクバーなどの店が並ぶ。おしゃれ姉さんやハチおじさんといった、風変わりな人物も多い

▷ ゾーラの里

北東の端にある滝の裏に作られたゾーラたちの集落。川と崖に阻まれているため、人間は里に近寄らない。里は七賢者のひとりである女王オーレンが統治しており、ゾーラの中でも人間に比較的友好的な者たちが集まっている

▷ はぐれ者の村

ロウラルに存在する唯一の集落だが、外には人の姿は少ない。壊れたままの家が放置されるなど荒廃しており、物々しい雰囲気が漂う。恐ろし気な銅像の足もとには盗賊団の地下アジト（ダンジョン「はぐれ者のアジト」）が広がっている

トライフォース3銃士

ハイラル王国からほど近い、オシャレを愛するドレース王国が舞台。災いが起きた際に3人の青年が国を救うという「トーテム勇者伝説」が語り継がれている。冒険のための準備ができる拠点としての城下町と、トーテム勇者たちが冒険に出発するためのロビーがあるドレース城からなる。

▷ ドレース城下町

シンボルであるトーテム勇者の像を中心に、露店商や服が作れるマダムテーラー、写真館や宝箱屋などが建ち並ぶ。噂話好きの住人たちはさまざまな場所でおしゃべりを楽しむ。とくに、町に時折"黒い幽霊"が現れるとの噂でもちきり

アイテム

身に着ける装備や謎解きに使用する道具はもちろん、出会った人々とのイベントで手に入れたものや、先へ進むための重要な手掛かりとなるもの……。冒険に欠かせないそれらを総称し、「アイテム」と呼ぶ。

ここでは、さまざまなアイテムを五十音順に羅列する。種別はゲーム内の記述、公式資料および各種文献にて確認し、下記の条件で、できる限りを記している。

※同じ見た目や性質で大量に手に入るアイテム種については、すべての画像は掲載しない
※船のパーツ、汽車のパーツなどの設置物に関しては原則一括にて記載し、個々のパーツについては項目に含めない
※下記は含めないものとする
・ダンジョンの仕掛けとして、その場限りで使用するもの
・手に入れたことが表示されるが、画像のない預かりものなど
・助けた子供や賢者など、人間にあたるもの
※『神々のトライフォース+4つの剣』の特殊な条件で追加されるダンジョン「4つの剣の神殿」でのみ獲得するアイテムも、『神々のトライフォース』としてデータに含めている。『4つの剣+』は「ナビトラッカーズ」でのみ登場するアイテムも含めている

1名称 2種類 主にどのような用途のアイテムであるかを、下記の8種に分類したもの 【重要】移動手段や楽器の演奏、ダンジョンをクリアした証など、物語進行の鍵となるもの 【コレクト】サイフや袋など、普段は使わないがコレクト画面に表示されるもの 【装備】リンクが身に着けることで能力を得られる装備および剣 【道具】敵を攻撃したり、謎を解いたりするときに使用するもの、およびその他の道具 【イベント】キャラクターとの会話や情報の獲得、通行・侵入などに使用されるもの 【消費】メニューから使って消費するもの。および、フィールド上で拾うことで効果を発揮するもの 【ダンジョン】ダンジョン内で使用するもの 【生物】虫や魚などの生き物自体がアイテムとなっているもの 【その他】上記に該当しないもの

3別称 タイトルによって違う呼び方がある場合に記載。どのタイトルの呼び方かは、画像の上に同じマークを付けている
4画像とタイトル名 『夢をみる島』『時のオカリナ』『ムジュラの仮面』『風のタクト』『トワイライトプリンセス』については、原則はDX／3D／HD版のみを掲載。見た目が大きく異なる場合にのみ、オリジナル版と両方を掲載している。また、片方にしか登場しない場合には、タイトル名で区別している
5説明 基本的な解説に加え、各タイトルにて特筆すべき点がある場合には、別途解説している

ア行

▷アームショット 【道具】

トライフォース3銃士

先端にロボットアームの付いた鎖を発射する。杭や仲間にひっかけると対象に向けて移動できる。一部の敵の盾をはがすことも可 関連 フックショット

▷アームロイドの服 【装備】

トライフォース3銃士

ロマンが詰まった服。「アームショット」のロボットアームが大きくなり、攻撃力と貫通性能が加わる。射程距離と発射スピードもアップ

▷アイアンブーツ 【装備】

トワイライトプリンセス

履くと重しになる。体重だけでは押せないスイッチを押したり風の強い場所を歩ける。金属製のため、強い磁場の壁や天井に張りついての歩行も可能

▷アイスロッド 【道具】

神々のトライフォース　神々のトライフォース2

冷気や氷を放つ魔法の杖。モンスターを凍らせることができる

▷アイテムボール 【消費】

風のタクト

敵を倒した際に現れることがある。剣などで攻撃すると、たくさんのルピーやコレクトアイテムなどが飛び出してくる

▷青いクスリ 【消費】
●青い薬／▲いのちと魔法のクスリ

神々のトライフォース　時のオカリナ　ムジュラの仮面　風のタクト

ふしぎのぼうし　トワイライトプリンセス　神々のトライフォース2

飲むと体力と魔法力を回復することができる薬で、ビンに入れて持ち運べる。魔法力のステータスがないタイトルでは体力のみ回復

▷あおい鉄 【イベント】

ふしぎの木の実

『大地の章』で登場。ウーラ世界で入手できる。「あかい鉄」といっしょに溶鉱炉に持っていくと「カタイ鉄」が作れる

▷青い鳥の羽根 【その他】

スカイウォードソード

地上に生息する小鳥の中でも、非常に珍しい青い鳥から取れる羽根。時折小鳥に交じって現れる青い鳥に「虫取りアミ」を使うと入手できる

▷青い服 【装備】
●あおいふく

神々のトライフォース　夢をみる島（DX）　神々のトライフォース2

防御力が高まる服。『夢をみる島』ではDX版の「服のダンジョン」でのみ手に入る ➡P.082（1章）

▷青い炎 【その他】

時のオカリナ

ビンに入れるアイテム。爽やかな涼しさのある不思議な炎。氷の洞窟内の赤い氷を溶かす。採取するにはビンが必要

▷青チュチュゼリー 【消費／その他】

風のタクト　トワイライトプリンセス

青いチュチュから入手。『風のタクト』では「青いクスリ」の材料、『トワイライトプリンセス』ではビンに入れ飲むと体力全回復

▷青のブレスレット 【装備】

4つの剣+

入手すると守りの力が働き、防御力がアップ。そのコース内で敵などから受けるダメージを半分に軽減してくれる

▷青の宝玉 【重要】

4つの剣+

王家に仕えるハイラル騎士団の1人、青の騎士が守護していた宝玉。赤・緑・紫と4つ集めると、グフーのいる空へ続く風の塔への道が開かれる

▷青リンゴ 【消費】

神々のトライフォース2

すれちがいじいさんからもらったリンゴの木に、たまに生ることがある。ビンに入れられ、使うとハート3個分回復。甘みが少なく酸味は強め

▷赤いクスリ 【消費】
●赤い薬／▲いのちのクスリ

神々のトライフォース　時のオカリナ　ムジュラの仮面　風のタクト

ふしぎのぼうし　トワイライトプリンセス　夢幻の砂時計　大地の汽笛

神々のトライフォース2

飲むと体力を回復することができる薬。ビンに入れて持ち運ぶことができる 関連 ハートのクスリ

CHAPTER 2 アイテム

ア(赤いコウラ)〜イ(王宮の器)

▷赤いコウラ 【その他】

トライフォース3銃士

投げるとほぼ確実に相手に当たる不思議なコウラ。某レースゲームのアイテムを彷彿とさせる。服「ハンマーのコウラ」の材料になる

▷あかい鉄 【イベント】

ふしぎの木の実

『大地の章』で登場。ウーラ世界で入手できる。「あおい鉄」といっしょに溶鉱炉に持っていくと「カタイ鉄」が作れる

▷赤い服 【装備】
●あかい服／▲あかいふく

神々のトライフォース／夢をみる島（DX）／神々のトライフォース2

『神々のトライフォース』『神々のトライフォース2』では最も防御力が高く、『夢をみる島DX』では色の力により攻撃力が上がった服 ➡P.082（1章）

▷赤チュチュゼリー 【消費／その他】

風のタクト／トワイライトプリンセス

赤いチュチュから入手。『風のタクト』は「赤いクスリ」の材料、『トワイライトプリンセス』では飲むと体力8つ回復

▷赤の宝玉 【重要】

4つの剣+

王家に仕えるハイラル騎士団の1人、赤の騎士が守護していた宝玉。青・緑・紫と4つ集めると、グフーのいる空へ続く風の塔への道が開かれる

▷空きビン 【道具】
●あきビン／▲ビン

神々のトライフォース／時のオカリナ／ムジュラの仮面／風のタクト

ふしぎのぼうし／トワイライトプリンセス／スカイウォードソード／神々のトライフォース2

あんなものからこんなものまで、さまざまなものを中につめこんで持ち運べる便利な入れもの。集める程冒険を有利に進めることができる

▷アクマメダル 【装備】

スカイウォードソード

モルセゴからもらえる"メダル"。所有していると「ルピーメダル」と「トレジャーメダル」の両効果を得られるが、呪いでポーチが開けなくなる

▷あざやかな羽 【その他】

トライフォース3銃士

女性を虜にする美しい羽。時には魔物をも魅了する。「アームロイドの服」と「派手なタキシード」の材料になる。天空エリアで入手可能

▷アチチの実 【道具】

ふしぎの木の実

触れると炎が出る木の実。『大地の章』では動物学者の家の燭台を灯してあげるとわらしべアイテム「コッコずかん」がもらえる

▷あまいキノコ 【その他】

トライフォース3銃士

甘く安らぎを与える香りを発するキノコ。ただし食べると3日3晩もだえ苦しむ。「ハートフルドレス」や「ラッキーパジャマ」の材料になる

▷アマシイラ 【生物】

夢幻の砂時計

海で釣れる魚。体長は1m50cm〜1m80cm。ボヌン島のMr.ロマンティックに見せると、「大物狙いのルアー」をもらえる

▷あめの恵み 【重要】

ふしぎの木の実

『大地の章』のLEVEL4「龍の舞うダンジョン」で手に入る、8つのことわりのひとつ

▷アモスのたましい 【その他】

トライフォース3銃士

石像の魔物アモスに宿っていた魂。アモスは死後は魂だけの姿となり3日間この世をさまよう。「コキリ族の衣装」「大バクダンの服」の材料になる

▷あやしいキノコ 【イベント】

時のオカリナ

わらしべアイテム。カカリコ村のクスリ屋のオババに渡すと「あやしいクスリ」を作ってくれる

▷あやしいクスリ 【イベント】

時のオカリナ

わらしべアイテム。迷いの森にいるコキリ族の女の子に渡すと「密漁者のノコギリ」をくれる

▷あやしいミルク 【装備】

ムジュラの仮面（3D）

『ムジュラの仮面 3D』にのみ登場。ゴーマンの長男が作る特別なミルク。兄弟たちに昔から愛されている。団員手帳"アンチャンの味"で入手

▷あらしのマリンバ 【重要】

夢をみる島

レベル5ダンジョン「ナマズのおおぐち」をクリアすると手に入る。「かぜのさかなのうた」を奏でるのに必要な楽器のひとつ

▷ありがたい像 【ダンジョン】

スカイウォードソード

「古の大石窟」で入手する。石窟の中央に鎮座する石像に似た形の、ありがたい気持ちになる木彫り像。正体は古の大石窟の「ボス部屋のカギ」

▷アレな服 【装備】

トライフォース3銃士

ドレース王国に到着した際に着ていたアレな私服。受けるダメージが2倍、ハート上限が－1だが、勇者ポイントを貯めると高確率で攻撃を回避する

▷アングラーのかぎ 【イベント】

夢をみる島

レベル4ダンジョン「アングラーのたきつぼ」の入口にかかっている封印を解くカギ

▷アングラーのみずかき 【装備】
➡ 水かき

▷イガイガの実 【その他】
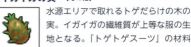
トライフォース3銃士

水源エリアで取れるトゲだらけの木の実。イガイガの繊維質が上等な服の生地となる。「トゲトゲスーツ」の材料になる

▷イカした像 【ダンジョン】

スカイウォードソード

「砂上船」の機関室の鍵で、「ボス部屋のカギ」に相当。イカの足のようなデザインで吸盤までたくさん付いている、イカした形の像

▷イカダ 【重要】

ゼルダの伝説／リンクの冒険

はしけに行くと、海や湖に浮かべて乗り、渡れる船。『リンクの冒険』では大陸間を移動できる

▷イカマップ 【その他】

風のタクト

巨大なイカの魔物ダイオクタがどの海域に生息しているかを示すマップ。ダイオクタを倒すと大妖精に会えたり、貴重なお宝を引き上げたりできる

▷石コロのお面 【装備】

ムジュラの仮面

かぶると人や敵に気づかれなくなる。このお面を持っているシロウくんは64版と3D版で居場所が異なる

▷泉の水 【その他】
➡ 水

▷いつものブーツ 【装備】

時のオカリナ

最初から履いているブーツ。特別な効果はない
➡P.082（1章）

▷いつもの服 【装備】

時のオカリナ

最初から着ている緑の服。特別な効果はない
➡P.082（1章）

▷イテテのなえ木 【イベント】

ふしぎの木の実

『時空の章』で登場。イテテの木の苗木。成長すると「イテテの実」がなる

▷イテテの実 【道具】

ふしぎの木の実

割れるとふしぎな匂いがたちこめる木の実。匂いに近寄ってくる敵と、逆に寄り付かなくなる敵がいる

▷いにしえの金貨 【その他】

大地の汽笛／トライフォース3銃士

『大地の汽笛』では汽車のパーツなどに使用する高級お宝。『トライフォース3銃士』では服の材料

▷古の盾 【装備】

大地の汽笛

ニコが大事にしている、100年前の風の勇者が使っていたという盾。世界中にあるスタンプを10個集めるともらえる。ライクライクに食べられない

▷イノチノウツワ 【コレクト】
➡ ハートの器

イ

▶生命の木の苗 【イベント】

スカイウォードソード

聖なる土地でしか育たない、「生命の木の実」を付ける木の苗。実がなるほどの成木に育つには長い年月を要する。ラネール渓谷で入手する

▶生命の木の実 【イベント】

スカイウォードソード

「生命の木」になる伝説の実。一口かじればあらゆる病がたちどころに治ると言われており、女神のしもべである雷龍の病をも完治させる力を秘める

▶イノチノミズ アオ 【消費】

ゼルダの伝説

ライフを全回復する。1度だけ使用可能。洞窟に住むおばあさんが売ってくれる

▶イノチノミズ アカ 【消費】

ゼルダの伝説

ライフを全回復する。1度使うと「イノチノミズ アオ」になる。洞窟に住むおばあさんが売ってくれる

▶命のメダル 【装備】

スカイウォードソード

持っているだけで効果を発揮する不思議なおまもりの"メダル"のひとつ。所有時、体力の上限が1つ増える。テリーの店などで購入可能

▶イベントカード 【消費】

4つの剣+

「ナビトラッカーズ」で登場。ビンゴゲームやクイズなどのタイムイベントに参加するために必要なカード

▶イリアの首飾り 【イベント】

トワイライトプリンセス

忘れられた里のインパルから受け取った、イリアの手作りの首飾り。記憶喪失のイリアに見せると記憶を取り戻す。のちの「陶器の馬笛」

▶いれかえフック 【道具】

ふしぎの木の実

『時空の章』に登場。敵やツボなどに向かって発射すると、当たったものと自分の位置を入れ替えられる
関連 ロングいれかえフック

▶隠呪 【重要】

トワイライトプリンセス

ザントに埋め込まれた呪いのアイテムで、獣から戻れなくなる。取り出した以降は、自由に人と獣の姿を変えるためのアイテムとして活用される

ウ

▶ウィウィのふえ 【重要】

ふしぎの木の実

水上を自在に泳げる仲間の赤い恐竜・ウィウィを呼び出すことができる笛
関連 ヘンなふえ

▶ウォーターロッド 【道具】

トライフォース3銃士

一定時間持続する水柱を発生させる。水柱は上に乗ることができ、連続して出せば足場にして水の上を進んでいける。水のない場所でも使える

▶ウオモッコリ 【生物】

夢幻の砂時計

海で釣れる「アマシイラ」か「ハンモンカジキ」を釣り上げたときに、5%ほどの確率でくっついている魚

▶ウキ釣り日誌 【コレクト】

トワイライトプリンセス

ウキ釣り専用の釣り日誌。今まで各地で釣ったことのある魚の種類やサイズ、数などを確認することができる

▶ウサギあみ 【道具】

大地の汽笛

ウサギランドにいるバニオからもらえる網。汽車フィールドにいるウサギたちを捕獲することができるようになる

▶ウサギずきん 【装備】

時のオカリナ／ムジュラの仮面

揺れるウサギの耳が付いたずきん。『ムジュラの仮面』ではかぶると移動が速くなる

▶うち損じの矢 【道具】

スカイウォードソード

自分や敵の放った矢が標的に当たらず、盾や地面に刺さったもの。消える前に触れて回収すれば自分の矢のストックとして使用できる

▶写し絵の箱 【道具】

ムジュラの仮面／風のタクト

写真撮影できる。『ムジュラの仮面』は1枚、『風のタクト』は3枚、『風のタクトHD』は12枚まで

▶写し絵の箱DX 【道具】

風のタクト

風景などを絵として記録できる機械。カラーの写し絵が撮れる。カラーの写し絵はニテン堂でフィギュアを作ってもらうのにも使用する

▶ウッドソード 【装備】

ふしぎの木の実

リンクが最初に手に入れる剣。勇者のあかしでもある

▶海のウクレレ 【イベント】

ふしぎの木の実

『時空の章』のわらしべアイテムでラフトンからもらう。帰らずの海がんにいる海を恋しがっているゾーラにあげると、「おれた剣」をくれる

▶海のきおく 【重要】

ふしぎの木の実

『時空の章』のLEVEL7ダンジョン「ジャブジャブ様のお腹」で手に入る、8つのことわりのひとつ

▶海のけっかい 【重要】

大地の汽笛

「海の神殿」をクリアし、海の大地に結界を張り直した証

▶海の権利書 【イベント】

ムジュラの仮面

わらしべアイテム5/5個目。ゾーラホールにいるアキンドナッツに「山の権利書」を渡すと手に入る。イカーナ渓谷のアキンドナッツに渡す

▶海の大地の石版 【重要】

大地の汽笛

ダンジョン「神の塔」の12階にある石版。手に入れると、路線図に海の大地が出現する

▶海のハートマップ 【その他】

風のタクト

海底に沈んでいてサルベージできる「ハートのかけら」の在り処を示す「宝のマップ」が、各島の海域で何枚入手できるかが記されているマップ

▶海の花 【イベント】

風のタクト

物々交換アイテム。海の香りがただよってくる、異国の花。露天商が扱う品物であり、「町の花」「南風の花」と交換できる

▶うみゆりのベル 【重要】

夢をみる島

レベル3ダンジョン「カギのあなぐら」をクリアすると手に入る。「かぜのさかなのうた」を奏でるのに必要な楽器のひとつ

エ

▶8bit Boy 【装備】

トライフォース3銃士

見た目が懐かしいドット絵風のカクカクスタイルに。さらにBGMが古き良き時代を思い出させるものになる。平面にはならない

▶エーテル 【装備】

神々のトライフォース

いかずちの魔法のメダルで、使うとまばゆい光を放って周囲のモンスターを凍らせるほか、見えない床を映し出すこともできる

▶エサ 【消費】

ゼルダの伝説

特定の敵が好むエサ。取り出すと敵をおびきよせ、油断した隙に倒せる。通行料代わりに要求されることもある

▶エサ袋 【コレクト】

風のタクト

「万能エサ」「ヒョイの実」など、主に動物に与えるエサ類が8セットまで入る便利な袋。テリーショップで購入できる

▶M、Cハンマー 【道具】

→ マジックハンマー

▶エモノ袋 【コレクト】

風のタクト

「チュチュゼリー」各種や、「幸せのペンダント」「剣士の紋章」など、主に敵から手に入れたアイテムが入る便利な袋

▶えんらいのドラム 【重要】

夢をみる島

レベル8ダンジョン「カメイワ」をクリアすると手に入る。「かぜのさかなのうた」を奏でるのに必要な楽器のひとつ

オ

▶王かんのカギ 【イベント】

ふしぎの木の実

『時空の章』で登場。LEVEL5「王冠のダンジョン」の入口を開くためのカギ

▶王宮の器 【その他】

大地の汽笛

『大地の汽笛』で汽車のパーツとの交換などに使用する高級お宝

オ

▷王家のカギ 【イベント】

過去に繁栄を極めたダイク王国のカギ。水に沈んだ遺跡島で騎士ヘースから受け取りとメスの神殿で使う。水がひき、ダイク王国が姿を現す
夢幻の砂時計

▷王家の首飾り 【イベント】

遺跡島への侵入を拒む、入口の竜巻を消すために必要なアイテム。死者の島にいるガリスに認められた者だけが手に入れることができる
夢幻の砂時計

▷王家の指輪 【その他】
●王家のゆびわ

ルピーに換金できるお宝のひとつ。『大地の汽笛』では汽車パーツとの交換にも使う
夢幻の砂時計　大地の汽笛

▷王家のリング 【その他】

由緒正しそうな風格を持つ立派なリング。由緒正しき者しか手にできない。由緒正しそうな「お金持ちの服」と「剣士の服」の材料になる
トライフォース3銃士

▷黄金石 【その他】

『大地の汽笛』で汽車のパーツなどに使用する激レアお宝。イベント入手、ミニゲームと「懸賞ハガキ」以外では、「王家の指輪」と合わせて宝箱の中に5つしか世界に存在しない
大地の汽笛

▷黄金のハチ 【生物】
●おうごんのハチ

貴重で珍しいハチ。攻撃力が高いだけでなく、持っていくと高値で買い取ってくれる人もいる
神々のトライフォース　神々のトライフォース2

▷おうごんのはっぱ 【イベント】

カナレットじょうに5枚隠されている。城を追われたリチャード王子が集めてきてほしいと協力を求めてくる
夢をみる島

▷黄金の虫 【その他】

砂漠エリアで手に入る黄金色に輝く虫。本物の黄金よりも高値で取引されることもある。「剣聖のよろい」の材料になる
トライフォース3銃士

▷黄宝珠の石版 【重要】

「大地の神殿」で手に入る古代の石版のひとつ。女神が封じた大地への道を開く力があり、女神像内部の台座にはめるとラネール砂漠へ行けるようになる
スカイウォードソード

▷大ウケするネタ 【イベント】

『時空の章』のわらしべアイテムでスーベルからもらう。すべてを忘れて笑いたいデカダンに見せると、笑いはしないが「おセンチえほん」をくれる
ふしぎの木の実

▷大売出しの旗 【イベント】

物々交換アイテム。なんとなく景気が良くなりそうな旗。露天商が扱う商品であり、「大漁祈願の旗」「勇者の旗」と交換できる
風のタクト

▷大きなカギ 【ダンジョン】
➡ ボス部屋のカギ

▷大きなサイフ 【コレクト】

ふしぎのぼうし　トワイライトプリンセス　スカイウォードソード
より多くのルピーが持てるようになるサイフ。『ふしぎのぼうし』では3つ存在し、手に入れるたびに所持ルピーの上限が増える ➡P.091（1章）

▷大きな盾 【装備】

「小さい盾」では防げなかった火の玉まで防ぐことができる、高級な盾
神々のトライフォース

▷大きなタネブクロ 【コレクト】

パチンコの弾になる、「デクのタネ」を持ち歩ける数が増える
時のオカリナ

▷大きな扉の鍵 【ダンジョン】
➡ ボス部屋のカギ

▷大きなボム袋 【コレクト】
●大きなボムぶくろ

時のオカリナ　ムジュラの仮面　ふしぎのぼうし
丈夫な布でできた大きな袋。初期に比べ「バクダン」の持ち数が増える ➡P.087（1章）

▷大きなマカの実 【重要】

ふしぎの木の実①　ふしぎの木の実②
①『大地の章』②『時空の章』のマカの木からもらえる。邪悪を払い、ラストダンジョンへの道を開く

▷大きな虫取りアミ 【道具】

ジャンク屋のドルコに改造してもらった、強化版「虫取りアミ」。アミや口の大きさが以前の倍程度になり、素早い虫も捕まえやすくなる
スカイウォードソード

▷大きな矢立て 【コレクト】

時のオカリナ　ムジュラの仮面　トワイライトプリンセス
最初のものより大きな矢立て。初期に比べ矢の持ち本数が増える ➡P.085（1章）

▷大きな矢づつ 【コレクト】

より多くの矢が持てるようになる。世界中に3つ存在し、手に入れるたびに矢の上限が増える ➡P.085（1章）
ふしぎのぼうし

▷大物狙いのルアー 【その他】

Mr.ロマンティックに「アマシイラ」を釣って見せるともらえるルアー。「ハンモンカジキ」が釣れるようになる
夢幻の砂時計

▷オーロラストーン 【その他】

天空エリアで入手できる。オーロラのオーラが多く含まれた大きく美しい石。「派手なタキシード」の材料になる
トライフォース3銃士

▷お金持ちの服 【装備】

セレブ御用達の高級服。敵を倒したときに高額のルピーが出やすくなる。またツボなどを壊したときに出るルピーも倍になる
トライフォース3銃士

▷オカリナ 【重要】

神々のトライフォース　夢をみる島
『神々のトライフォース』では鳥を呼び出してワープができ、『夢をみる島』では歌を奏でられる

▷オクタきゅうばん 【その他】

水源エリアで手に入る、オクタロックの吸盤。煮ても焼いても生でも美味しくいただける、魔境No.1の珍味。「ワンハートナイト」の材料になる
トライフォース3銃士

▷おセンチえほん 【イベント】

『時空の章』のわらしべアイテムでデカダンからもらう。持っている状態でメイプルちゃんに会うと、「まほうのオール」と交換させられる
ふしぎの木の実

▷おそろいルック 【装備】

3人で着ることで効果を発揮。ハート、ルピーが出やすくなり、がんばりゲージ1.5倍、攻撃を4分の1で避ける。そろってポーズを決めたくなる服
トライフォース3銃士

▷おとなのサイフ 【コレクト】

時のオカリナ　ムジュラの仮面
初期にくらべ、お金をより多く持つことができるサイフ ➡P.091（1章）

▷オドルワの亡骸 【重要】

「ウッドフォールの神殿」のボスであるオドルワを倒すと手に入る。オドルワの魂が解放された後に残ったマスク
ムジュラの仮面

▷おばちゃん 【ダンジョン】

各ダンジョンで出会える。呼び出すとダンジョンの途中でも外に出してくれる。正体は天空都市に住む天空人
トワイライトプリンセス
関連 おばちゃんの息子

▷おばちゃんの息子 【ダンジョン】

「おばちゃん」といつもいっしょにいる子ども。呼び出すとダンジョンで待たせているおばちゃんの元に連れて帰ってくれる
トワイライトプリンセス

▷お袋への手紙 【イベント】

竜の島にいるバイト君が母親に宛てて書いた手紙。ポストに投函すると、後にお礼といっしょに「ハートのかけら」が送られてくる
風のタクト

▷オホメ券 【消費】

テリーショップで買い物をするともらえる特典の券。使うとテリーにほめてもらえる
風のタクト　夢幻の砂時計

▷オホメラレ券 【消費】

海上を周遊するよろず屋、テリー船ショップでもらえるサービス券のひとつ。プラチナ会員になったときに入手できる。テリーをほめることができる
夢幻の砂時計

オ

▷ **おまもり** 【重要】
→ 勇気の紋章

▷ **お面のすべて** 【イベント】

ふしぎのぼうし
図書館の本のうちの一冊。お面集めが趣味のハイラルの町の町長ハガーが借りていった

▷ **思い出のペンダント** 【イベント】

ムジュラの仮面
姿を消したと思われていたカーフェイから受け取ったもの。婚約者のアンジュに届けるよう頼まれる

▷ **オルディン鉱石** 【その他】

スカイウォードソード
オルディン地方で採掘される、非常に高い硬度を持つ鉱石。その硬さを生かし、武器や盾の強化に広く使用される。地面の穴の中からなども出土する

▷ **折れた巨人のナイフ** 【装備】

時のオカリナ
使っているうちに折れて威力が激減している「巨人のナイフ」。デスマウンテンのダイゴロンにルピーを払えば直してもらえる

▷ **おれた剣** 【イベント】

ふしぎの木の実
『時空の章』のわらしべアイテムでゾーラからもらう。仙人リペアに渡すとレベルアップした剣に直してもらえる

▷ **折れたゴロン刀** 【イベント】

時のオカリナ
わらしべアイテム。デスマウンテン山頂にいるダイゴロンに渡すと「処方せん」をくれる

▷ **折れたピッコロの剣** 【イベント】

ふしぎのぼうし
古の時代から魔物を封じていた聖なる剣。グフーに折られてしまった。鉱山のメルタ親方に打ち直してもらうと「ホワイトソード」になる

▷ **温泉水** 【その他】
→ 温泉のお湯

▷ **温泉のお湯** 【その他】
● 温泉水

ムジュラの仮面　トワイライトプリンセス
地方に湧く温泉の湯。時間経過で冷めて「水」になる。『トワイライトプリンセス』では飲むと体力全回復

カ　　カ行

▷ **カーフェイのお面** 【装備】

ムジュラの仮面
アロマ夫人から、姿を消したカーフェイを捜してほしいと渡されるお面。かぶると町の人からカーフェイの行方を聞き込めるようになる

▷ **カーフェイへの手紙** 【イベント】

ムジュラの仮面
姿を消したカーフェイから届いた手紙を受け、婚約者のアンジュがカーフェイに返信した手紙

▷ **怪傑ロールナイト** 【装備】

トライフォース3銃士
ダンディで紳士な怪盗の服。通常の回転斬りとは別に、剣攻撃連打で3発目に簡易版の回転斬りが出せる

▷ **海図** 【その他】

夢幻の砂時計
「海王の神殿」で入手。「どこかの」「南東」「北西」「北東」の4種あり、こすったり、DS本体を閉じるなどの仕掛けを解けば次の手がかりが現れる

▷ **海賊のお守り** 【重要/消費】

風のタクト　4つの剣+
遠くにいる人物たちと会話し、ヒントがもらえる。『4つの剣+』では「ナビトラッカーズ」で登場

▷ **海賊の首かざり** 【その他】

大地の汽笛
『大地の汽笛』で汽車のパーツなどに使用する中級お宝。海賊たちの親分、オヤブリンもしているアクセサリー

▷ **海ぞくのドラ** 【イベント】

ふしぎの木の実
『大地の章』で登場。骸骨船長の想い出の一品。「さびたドラ」から鍛えなおし、船長に渡すと海賊船が出航する

▷ **快速の帆** 【その他】

風のタクト（HD）
『風のタクトHD』で追加されたアイテム。海上を通常の2倍の速度で走れるようになり、常に追い風の状態になる　関連 船の帆

▷ **海賊のメダル** 【その他】

4つの剣+
「ナビトラッカーズ」で集めるアイテム。コースの各所にいる人物とルピーと交換して入手。メダルをたくさん集め、最終得点が多かった人が勝利

▷ **開封の古文書** 【イベント】

トワイライトプリンセス
「天空の古文書」に、ハイラル各地に散らばる天空文字を集め記したもの。シャッドに見せると「コピーロッド」に魔力が宿り、現代でも使えるようになる

▷ **回復のハート** 【消費】
→ ハート

▷ **カエルのラシン盤** 【重要】

夢幻の砂時計
名も無き島にいるカエルの親分ラシンからもらえる。タッチ画面に決められた図形を描くと、特定の場所まで海上をワープできるようになる

▷ **カガミの盾** 【装備】
● かがみのたて

神々のトライフォース　夢をみる島　ふしぎの木の実
ビムのビームといったこれまで防げなかった攻撃も防げるようになるなど、登場する各タイトル内における最強の盾となる

▷ **カギ** 【その他】

4つの剣+
「ナビトラッカーズ」で登場。コース中に手に入るボーナスアイテムで、最終結果で1つにつき50点プラス。さらに3つすべて集めると250点追加

▷ **カギ爪ロープ** 【道具】
● カギつめロープ

風のタクト　夢幻の砂時計
縄の先に付いたカギ爪を杭などに引っかけ、途切れた足場などを渡れる。サルベージにも必要

▷ **カギのかけら** 【ダンジョン／イベント】
● カギのカケラ

トワイライトプリンセス　スカイウォードソード
合わせることで『トワイライトプリンセス』では「ゴロン鉱山」の「ボス部屋のカギ」、『スカイウォードソード』では「大地の神殿」の入口の鍵になる

▷ **拡散パチンコ** 【道具】

スカイウォードソード
ジャンク屋のドルコの改造によって強化された「パチンコ」。攻撃力がないのは変わらないが、力をためると前方に拡散する弾が撃てるようになる

▷ **影の結晶石** 【重要】

トワイライトプリンセス
聖地を脅かした者たちの魔力を、光の精霊たちが封じたもの。触れた者は暗き力で強化・暴走する。「森の神殿」「ゴロン鉱山」「湖底の神殿」にある

▷ **カケラぶくろ** 【コレクト】

ふしぎのぼうし
カケラあわせをするための「しあわせのカケラ」を入れておける袋。ハイラルの町にいるカケラぶくろさんからもらえる

▷ **陰りの鏡のかけら** 【重要】

トワイライトプリンセス
影の世界への入口である陰りの鏡の欠片。ザントが破壊して4つに分かれ、各地に隠された。所有者を黒き力で覆い、心や体を狂わせる力を持つ

▷ **過去の海図** 【その他】

スカイウォードソード
かつて海であったラネール砂海の、過去の様子が記された古い海図。「砂上船」の船長が家で保管していたが、年月が経って砂に埋もれている

▷ **風車** 【イベント】

風のタクト
物々交換アイテム。風でくるくる回る、ちょっと楽しいかざり車。露天商が扱う品物であり、「南風の花」「三日月の旗」と交換できる

▷ **化石頭部像** 【イベント】

風のタクト
物々交換アイテム。不思議な生き物の頭部の化石。露天商が扱う品物であり、「大売出しの旗」「ツボの噴水像」と交換できる

▷ **風使いの衣** 【装備】

トライフォース3銃士
風を操る魔法使いの服。「空気ツボ」で空気の塊を撃ち出すまでの時間が短縮され、射程距離が1.5倍、空気の塊の大きさが約2倍にアップする

カ

▷ **風のエレメント**【重要】

ふしぎのぼうし

「風の宮殿」で手に入る、草花を運び実りをもたらす風の力の結晶。「ホワイトソード」に力を宿すために必要

▷ **風のオカリナ**【重要】

ふしぎのぼうし

「風のとりで」で手に入る、風の力を極めた風の一族が残した魔法の楽器。吹けば各地にある風のしるしがあるところまで飛んで行ける

▷ **風のタクト**【重要】

風のタクト

神の力が借りられる、いわくつきの指揮棒。かつてはハイラル王が賢者たちを指揮し、神へ捧げる音楽を奏でるときに使用したとされる

▷ **風のチンクル像**【その他】
→ チンクル像

▷ **かぜの恵み**【重要】

ふしぎの木の実

『大地の章』のLEVEL6ダンジョン「古代の遺跡」で手に入る、8つのことわりのひとつ

▷ **硬い木の盾**【装備】

スカイウォードソード

ジャンク屋のドルコに依頼し、改造・強化された「木の盾」。耐久力が強化されているが火の攻撃には弱く、一撃で燃えてなくなってしまう

▷ **カタイ鉄**【イベント】

ふしぎの木の実

『大地の章』で登場。「あおい鉄」と「あかい鉄」からできた鉄。ウーラ国宝の鍛冶屋に持ち込むと「木の盾」を「鉄の盾」に強化できる

▷ **硬い鉄の盾**【装備】

スカイウォードソード

「鉄の盾」をジャンク屋のドルコに強化してもらったもの。硬く丈夫な「鉄の盾」からさらに耐久度が増しているが、電気の攻撃は防げずにしびれる

▷ **カタわたげ**【その他】

トライフォース3銃士

柔らかそうに見えるが、実は触るとカチンコチンに硬い不思議な綿毛。「剣士の服」の材料になる

▷ **カチコチのトーガ**【装備】

トライフォース3銃士

動かないでいると短時間で体が石化し、いかなる攻撃も受け付けなくなる服。人を石に変える悪魔がモチーフだが、石化するのは自分自身

▷ **ガチャのタネ**【消費】

ふしぎの木の実

やわらかい土に植えると、やがて成長しアイテム入りの実がなる。「指輪」「ルピー」「魔法の薬」などがランダムでもらえる

▷ **カッコイイ角**【その他】

トライフォース3銃士

大きく立派な魔物の角。アクセサリーにしても玄関に飾ってもカッコイイ一品。「ブーメラン酋長」の材料になる

▷ **カッチの実**【消費】

4つの剣

守りの力を高めて、敵から受けるダメージを減らしてくれる木の実。2個拾うと2段階まで強化でき、ステージクリアか力尽きるまで持続する

▷ **カツオ**【生物】

夢幻の砂時計

海でよく釣れる魚。体長は50cm～80cm。釣っても特別なごほうびはもらえない

▷ **ガツンの実**【消費】

4つの剣

剣での攻撃力をガツンと高めてくれる木の実。最大2段階までアップし、ステージクリアか力尽きるまで持続する

▷ **かぼちゃスープ温**【消費】

スカイウォードソード

パンプキンバーのマスターのお手製スープ。剣道場の騎士長や空の精霊ナリシャの大好物。ビンに入れて持ち運べるが、5分で冷めてしまう

▷ **かぼちゃスープ冷**【消費】

スカイウォードソード

ビンに入れてから5分経ち、冷めてしまったかぼちゃスープ。味は最高級だが冷めているため、回復するハートも半分の4つになってしまう

▷ **かぼちゃ人参**【その他】

トライフォース3銃士

ハロウィンに憧れすぎて見た目がかぼちゃそっくりになった人参。「カチコチのドーガ」や「カンテラスーツ」の材料になる

▷ **カマロのお面**【装備】

ムジュラの仮面

夜中、タルミナ平原にいる踊りのマスター、カマロの魂を癒すともらえるお面。かぶると奇妙な踊りが踊れる

▷ **神のチンクル像**【その他】
→ チンクル像

▷ **ガラガラ**【イベント】

スカイウォードソード

クスリ屋アリンが背負っている赤ん坊が愛用していたおもちゃ。鳥にくわえられて、風車の上に作られた巣に持ち帰られてしまっていた

▷ **カラフルブローチ**【その他】

トライフォース3銃士

色とりどりの光を放ち、見るものすべての目を奪う美しい工芸品。見た目の鮮やかさどおり、「派手なタキシード」の材料になる

▷ **ガロのお面**【装備】

ムジュラの仮面(64) ムジュラの仮面(3D)

ゴーマン兄弟との乗馬レース勝利で入手。かぶると、イカーナ地方に潜む忍者のガロがボスと間違えて姿を現す

▷ **感謝の気持ち**【その他】

スカイウォードソード

スカイロフトで困っている人を手助けすると、生み出される、人々の感謝の気持ちの結晶。フィールドにも落ちているが、夜しか拾えない

▷ **頑丈な木の盾**【装備】

スカイウォードソード

「硬い木の盾」からさらに改造を重ね強化した、「木の盾」の最強強化型。耐久力もさらに増しているが、やはり火の攻撃には弱い

▷ **頑丈な鉄の盾**【装備】

スカイウォードソード

「硬い鉄の盾」からさらに改造を重ね強化した、最強強化型の「鉄の盾」。盾の中でもトップクラスの耐久力をほこるが、電気だけは通してしまう

▷ **カンテラ**【道具】

● 炎のカンテラ

神々のトライフォース 4つの剣+ ふしぎのぼうし トワイライトプリンセス

暗闇を照らし、燭台などに火を灯せる。『ふしぎのぼうし』では、氷を溶かすのにも使う。『トワイライトプリンセス』では、使うのに「カンテラの油」が必要

▷ **カンテラスーツ**【装備】

トライフォース3銃士

その名のとおり、体の部分がほんのりと光を放つ素材で作られていて、「カンテラ」になった気分を味わえるスーツ。暗闇で見渡せる範囲が広くなる

▷ **カンテラの油**【消費】

トワイライトプリンセス

「カンテラ」に火を灯すために必要な油。ビンに入れて持ち運び、切れたら補充する。各地の店やトアルの森にいるキコルが売っている

▷ **ガンバオール**【消費】

スカイウォードソード

飲むと3分間、走る際などに消費するがんばりゲージの減りが緩やかになるクスリ。ビンがあればクスリ屋で購入して持ち歩ける

▷ **ガンバオールV**【消費】

スカイウォードソード

クスリ屋のアリンが素材といっしょに調合し、強化した「ガンバオール」。飲むと3分間、がんばりゲージがまったく減らなくなる

▷ **ガンバリ隊の服**【装備】

トライフォース3銃士

がんばりゲージの最大量が通常の1.5倍になる、ワイルドな服。普段よりもアイテムを連発できるようになる

▷ **がんばりツボ**【消費】

神々のトライフォース2

取るとがんばりゲージを回復できるツボ。「ハート」と同じように道中で拾える

▷ **頑張りの秘訣**【イベント】

神々のトライフォース2

「氷の遺跡」にある宝箱から入手。頑張るための秘訣が記されている巻物で、がんばりゲージの長さが1.5倍になり、もっと頑張れるようになる

▷ **がんばりの実**【消費】

スカイウォードソード

フィールドやダンジョン内などに頑張って自生している不思議な木の実。取るとがんばりゲージが全回復。坂の途中などにも生えている

キ

▷**キー**【ダンジョン】
→ 小さなカギ

▷**キースのつばさ**【その他】

トライフォース3銃士
コウモリの魔物キースのつばさ。煎じて飲むと精神力が高まるほか、紫色の染料として使われることも。紫色の「ガンバリ隊の服」の材料になる

▷**キータンのお面**【装備】

時のオカリナ　ムジュラの仮面
流行りのキツネのキータンのお面。『ムジュラの仮面』では草むらに隠れるキータンを探し出せる

▷**黄色い薬**【消費】

夢幻の砂時計　大地の汽笛　神々のトライフォース2
飲むと体力が全回復する薬。『神々のトライフォース2』ではしばらくの間無敵になる薬

▷**キカイあぶら**【イベント】

ふしぎの木の実
『大地の章』で登場するわらしべアイテムで、チクタクからもらう。風車小屋で風車を早く回したいグル・グルさんにあげると「ちくおんき」をくれる

▷**機関士の服**【装備】

大地の汽笛
ハイラル各地にあるスタンプを15個集めるともらえる。手に入れると、ニコに話しかけることで好きなときに「見習い兵士の服」から着替えられる

▷**汽車のパーツ**【コレクト】

大地の汽笛
汽車の見た目や耐久力などをカスタマイズできるパーツ。お宝と交換して入手できる。全8シリーズ32種類が存在

▷**汽車のハート**【消費】

大地の汽笛
汽車の耐久力を回復する。汽車はパーツの組み合わせにより、シリーズごとに最大耐久力が変わる

▷**鬼神の仮面**【装備】

ムジュラの仮面
すべてのお面入手、かつ月の中で4つのステージをクリアすると手に入る。ボスと戦闘するとき、鬼神の姿に変わる

▷**鬼神のよろい**【装備】

トライフォース3銃士
『ムジュラの仮面』で変身できた鬼神のような力を秘めた鎧。攻撃力がアップし、前後左右にビームが放てるようになる

▷**黄チュチュゼリー**【消費】

トワイライトプリンセス
黄色いチュチュを倒したときに残るゼリーで、ビンにすくって入手できる。油分が多く、「カンテラの油」として代用できる

▷**キノコ**【イベント】

神々のトライフォース　ふしぎの木の実
『神々のトライフォース』では迷いの森で採れる。『ふしぎの木の実 大地の章』はわらしべアイテム

▷**きのこの胞子**【イベント】

スカイウォードソード
巨大なきのこから採取された粉。傷ついたロフトバードの怪我を治せる効果があり、鳥用の傷薬としてスカイロフトで重宝されている

▷**木の盾**【装備】
●木のたて

ふしぎの木の実　トワイライトプリンセス　スカイウォードソード
木製の盾。『トワイライトプリンセス』『スカイウォードソード』では炎属性の攻撃に弱く、火がつくと燃えてなくなってしまう

▷**木の実ぶくろ**【コレクト】

ふしぎの木の実
ふしぎの木になる、「アチチの実」「ハテナの実」「イテテの実」「サッサの実」「ピューの実」の5種の木の実を入れておける

▷**木の弓**【道具】

スカイウォードソード
「砂上船」で入手できるアイテムで、矢で遠くの標的を射抜くことができる遠距離武器。構えて力をためると、矢の威力が増加する　関連 弓矢

▷**ギブドのお面**【装備】

ムジュラの仮面
オルゴールハウスに住んでいるパメラの父を癒すと手に入る。これをかぶるとギブドと会話ができる。また、リーデッドが踊り出す

▷**ギブドの包帯**【その他】

トライフォース3銃士
ミイラの魔物ギブドが付けている包帯。実はギブドはきれい好きで、毎日包帯を巻きなおしている。「風使いの衣」と「疾風斬りの黒衣」の材料

▷**木ぼりの像**【コレクト】
●木彫りの像

神々のトライフォース①　神々のトライフォース②　神々のトライフォース③　トワイライトプリンセス
『トワイライトプリンセス』ではわらしべアイテム、『神々のトライフォース』ではゲームボーイアドバンス版のみに登場。①にわとり、②リンク、③ゼルダ姫の形の像　関連 イリアの首飾り

▷**木ぼりのハト**【イベント】

ふしぎの木の実
『大地の章』で登場するわらしべアイテムでシロップからもらう。時計屋のチクタクにあげると、代わりに「キカイあぶら」をくれる

▷**キョーダイのあかし**【イベント】

ふしぎの木の実
『時空の章』で登場。ゴロン族の仲間になった証。ダンスゲームで手に入り、見張りに見せるとゴロゴロ山の山頂へ向かえるようになる

▷**巨人の仮面**【装備】

ムジュラの仮面
「ロックビルの神殿(裏)」で手に入る。ロックビルの神殿ボス、「ツインモルド」と戦うときにかぶると体が巨大化する

▷**巨人のサイフ**【コレクト】

時のオカリナ　ムジュラの仮面
とても大きなサイフ。「おとなのサイフ」よりもさらに多くルピーを持てる
→P.091（1章）

▷**巨人のナイフ**【装備】

時のオカリナ
「マスターソード」の2倍の威力を秘めた巨大な剣だが、もろくて折れることがある。両手持ちの剣のため、盾といっしょには使えない

▷**キラキラした胞子**【消費】

スカイウォードソード
フィローネの森の光るキノコから採取できる粉。魔物を気絶させたり、ルピーの色を変化させたりなど、かけたモノによってさまざまな効果が現れる

▷**金色の虫**【コレクト】

トワイライトプリンセス
各地にいる輝く虫。全12種で、それぞれオス・メスが存在。アゲハに渡すと数に応じてルピーや各種サイフがもらえる

▷**禁断のチンクル像**【その他】
→ チンクル像

▷**銀の糸**【その他】

トライフォース3銃士
銀色に輝くクモの巣を紡いで作った糸。除菌・消臭の効果がある。運動量が多く汗をかきそうな「剣士の服」の材料になる

▷**金のウロコ**【装備】

時のオカリナ
金に輝くゾーラ族のウロコ。入手すると「銀のウロコ」のときよりもさらに水中で深く潜れるようになる。釣り堀で大きな魚を釣ると入手できる

▷**銀のウロコ**【装備】

時のオカリナ
銀に輝くゾーラ族のウロコ。入手すると水中で深く潜れるようになる。潜水ゲームに成功するとゾーラ族からもらえる

▷**金のグローブ**【装備】

時のオカリナ
「銀のグローブ」では持てなかった巨大な石柱をも軽々と持ち上げられるほどの力を発揮できるグローブ

▷**銀のグローブ**【装備】

時のオカリナ
大きなブロックや岩などを持ち上げることができるグローブ

▷**金の彫刻**【ダンジョン】

スカイウォードソード
「天望の神殿」で入手する、「ボス部屋のカギ」。角度を調整して鍵穴に差し込む。黄金で作られた奇妙な形の彫刻で、表面には謎の文様が刻まれている

▷**金の羽根**【その他】

風のタクト
竜の島にいるリト族のホストの彼女が欲しがっている。20枚集めると後に「ハートのかけら」が同封されたお礼の手紙が送られてくる

キ

▷ **ギンノヤ** 【道具】

ゼルダの伝説

「弓」とともに使用する神聖な矢。デスマウンテンに隠されており、対ガノンの切り札となる

▷ **銀の弓矢** 【道具】

神々のトライフォース

ある泉にいる巨大妖精に強化してもらった弓矢。ガノンにダメージを与えるためには必要不可欠な武器

ク

▷ **空気ツボ** 【道具】

トライフォース3銃士

空気の弾を発射できる不思議なツボで、弾に当たった物や人を大きくふっとばす。仲間を飛ばして足場の隙間を渡らせられる 関連 魔法のツボ

▷ **空気のクスリ** 【消費】

スカイウォードソード

飲むと3分間、水中で潜水できる時間を表す酸素ゲージの減りが緩やかになる。ビンがあればクスリ屋で直接購入して持ち運びできる

▷ **空気のクスリV** 【消費】

スカイウォードソード

クスリ屋のアリンに材料を渡し、調合して強化した「空気のクスリ」。飲むと3分間、酸素ゲージがまったく減らなくなる

▷ **クズ鉄** 【イベント】

ふしぎの木の実

『大地の章』に登場。ウーラ世界の変な兄弟に「ロック鳥の羽根」を強引に取り換えられてしまった際に入手する、イベント強制アイテム

▷ **グヨーグの亡骸** 【重要】

ムジュラの仮面

「グレートベイの神殿」ボス、グヨーグを倒すと手に入る。グヨーグの魂が解放された後に残ったマスク

▷ **クリスタル** 【重要】

リンクの冒険／神々のトライフォース

『リンクの冒険』では神殿奥の像にはめる。『神々のトライフォース』は賢者の子孫が封じられている

▷ **グリップリング** 【装備】

ふしぎのぼうし

ゴングル山にいるアキンドナッツから購入できる。手に入れると、山に点在するデコボコした壁を登れるようになる

▷ **クローショット** 【道具】

トワイライトプリンセス／スカイウォードソード

的やツタに打ち込むと、打った先に飛べる。軽い敵なら引き寄せられる 関連 フックショット、ダブルクローショット

▷ **黒パールのネックレス** 【その他】

夢幻の砂時計／大地の汽笛

ルピーに換金できるお宝のひとつ。『大地の汽笛』では汽車パーツとの交換に使う

ケ

▷ **警備員の手帳** 【イベント】

夢幻の砂時計

ホーホー隊が拾っていた、海上警備員？のナイーブがなくした手帳。わらしべイベントのアイテムのひとつで、「望遠鏡」と交換してくれる

▷ **ゲーロのお面** 【装備】

ムジュラの仮面

凍えているゴロンに特上ロース岩を渡すと手に入る。各地にいるカエルをこのお面で集め、5匹で合唱させるとお礼がもらえる

▷ **げひんヒゲ** 【イベント】

ふしぎの木の実

『時空の章』のわらしべアイテムで、トーマスから入手。小道具をさがしているレンヌのまちのスーベルに渡すと「大ウケするネタ」を教えてくれる

▷ **けもののきおく** 【重要】

ふしぎの木の実

『時空の章』のLEVEL3ダンジョン「月影のほこら」で手に入る、8つのことわりのひとつ

▷ **ゲルドオニヤンマ** 【生物】

スカイウォードソード

ラネール砂漠地帯に多く生息するトンボ。飛行速度がかなり速いため捕まえにくいが、そっと近づけば気付かれる前に捕まえられる

▷ **ゲルドのお面** 【装備】

時のオカリナ

ゲルド族の顔をしたお面で、女装に最適。相手の反応を見て楽しめる

▷ **ゲルドの会員証** 【イベント】

時のオカリナ

ゲルド族の仲間の証。砦内を自由に歩きまわれ、幻影の砂漠や修練場への出入りが可能になる

▷ **剣** 【装備】

●けん／▲ソード

ゼルダの伝説／神々のトライフォース／夢をみる島／トライフォース3銃士

魔物と戦ったり草などを刈ったりできる、最も基本の武器。ライフ満タンでビームを放てるタイトルも

▷ **けん(Lv.2)** 【剣】

夢をみる島

「ヒミツのかいがら」を20個集め、かいがらのやかたに行くと手に入る。攻撃力が2倍になり、体力満タン時にビームが撃てる

▷ **剣技のトラのまき** 【イベント】

ふしぎのぼうし

ハイラル各地にいるテッシン流の剣術師範の修行を受けるともらえる。教わった剣技が使えるようになり、回転斬りや下突きなどさまざまな種類がある

▷ **剣士の服** 【装備】

トライフォース3銃士

剣の達人愛用の服。剣による攻撃力が2倍になり、ハートが満タンのときに剣を振るとビームが出て、遠くの敵も攻撃できるようになる

▷ **剣士の巻物** 【イベント】

夢幻の砂時計

わらしべイベントの最後に手に入れられる巻物。回転斬りのパワーアップ版にして最終奥義「大回転斬り」を習得できるようになる

▷ **剣士の巻物1** 【イベント】

大地の汽笛

ウサギを50匹捕まえると入手できる。体力が満タンのときに、剣の先から光の衝撃波を放てるようになる

▷ **剣士の巻物2** 【イベント】

大地の汽笛

ハイラル各地にあるスタンプを、20個すべて手に入れてニコに報告するともらえる。必殺技の大回転斬りを習得でき、放てるようになる

▷ **剣士の紋章** 【その他】

風のタクト

剣を極めた強者のみが集められるという紋章。10個集めてプロロ島にいる赤シャチに渡すと、大回転斬りを伝授してもらえる

▷ **懸賞ハガキ** 【消費】

夢幻の砂時計／大地の汽笛

ポストに投函できる。『夢幻の砂時計』ではえがおのおとなから入手、『大地の汽笛』ではよろず屋などで購入

▷ **剣聖のよろい** 【装備】

トライフォース3銃士

剣技を極めた者が着る服。剣攻撃は通常の2倍、さらに剣のリーチが長くなり、放てる剣ビームも「剣士の服」よりワイドになっている

コ

▷ **ごうかくのあかし** 【イベント】

ふしぎの木の実

『大地の章』で登場。すもぐり名人が出す試練に合格すると入手でき、「水かき」と交換が可能

▷ **高級ツボ** 【イベント】

大地の汽笛

雪のホコラのスチムから頼まれる運搬用の資材のひとつ。パプチアの村のメルーサから購入できる

▷ **ゴーストのカンテラ** 【道具】

トワイライトプリンセス(HD)

『トワイライトプリンセスHD』のみに登場。夜にしか出現しない亡霊ポゥフィーの居場所が、昼間でもわかるカンテラ。ポゥフィーの気配を感じると光り出す

▷ **ゴーストの魂** 【その他】

トワイライトプリンセス

ジョバンニを呪った、ポゥフィーが持つ魂。ハイラル全土に60匹いるポゥフィーをすべて倒して集めると、ジョバンニが元の姿に戻る

▷ **ゴートの亡骸** 【重要】

ムジュラの仮面

「スノーヘッドの神殿」のボス、ゴートを倒すと手に入る。ゴートの魂が解放された後に残ったマスク

コ

▷ ゴーマの目玉　【その他】

トライフォース3銃士

ゴーマの目玉を模して作られた工芸品。まぶたは黄金、目玉はエメラルド製で実はかなりの高級品。「ラッキーパジャマ」の材料になる

▷ 氷のバラ　【その他】

トライフォース3銃士

極寒の地でしか花を咲かせない、希少なバラ。氷のカチコチつながりで「カチコチのトーガ」の材料になる

▷ 氷の矢　【道具】

時のオカリナ　ムジュラの仮面　風のタクト

矢に氷の力を与え、撃った相手を凍らせられる。『時のオカリナ』『ムジュラの仮面』では水面に、『風のタクト』ではマグマに放てば足場を作れる

▷ 黄金色ドクロ飾り　【その他】

スカイウォードソード

ドクロ飾りの中でも一級品のレアものでボコブリンがまれに落とすことがある。見た目は美しい黄金だが、金でできているわけではないという噂も

▷ コキリ族の衣装　【装備】

トライフォース3銃士

弓矢を装備すると、一度に3本の矢が放てるようになる森の種族の衣装。矢は放射状に広がりながら飛んでいく

▷ コキリの剣　【装備】

時のオカリナ　ムジュラの仮面

コキリの森に伝わる、小さな剣。『時のオカリナ』では、デクの樹サマに会いに行くのに必要

▷ コキリのヒスイ　【重要】

時のオカリナ

時の扉を開くのに必要な宝珠のひとつ。デクの樹サマから託された「森の精霊石」

▷ 極上のスープ　【消費】

トワイライトプリンセス

「ふつうのスープ」に「トアル山羊のチーズ」を隠し味に入れ、まろやかになったおいしいスープ。ビンに入れて飲むとハートが8つ回復する

▷ コジロー　【イベント】

時のオカリナ

わらしべアイテム。めったに鳴かない珍しい青いコッコ。迷いの森で寝ている大工のせがれをコジローで起こすと「あやしいキノコ」をもらえる

▷ 古代魚のヒレ　【その他】

トライフォース3銃士

砂漠エリアで手に入る。焼くと香ばしい香りがただようが、焼き過ぎると硬くなってしまう。「スナーメンの衣」と「疾風斬りの黒衣」の材料になる

▷ 古代の回路　【ダンジョン】

スカイウォードソード

「ラネール錬石場」の「ボス部屋のカギ」。黄金でできた複雑な部品のようであるが、なんの形かは謎。表面に無数の回路がはりめぐらされている

▷ 古代の花　【その他】

スカイウォードソード

大昔、自然豊かだったころのラネール砂漠で多く咲いていたとされる、美しい花。現在は絶滅しており、時空石で周囲を古代にすると入手できる

▷ コッコ　【生物】

大地の汽笛

ハイラル城下町にいるジョルジョが飼育している。モヨリ村のハージから頼まれる運搬用の資材のひとつ。5羽で50ルピー

▷ コッコずかん　【イベント】

ふしぎの木の実

『大地の章』で登場するわらしべアイテムで、レフトきょうじゅからもらう。自宅にいるマロンに渡すとお礼に「ロンロンたまご」がもらえる

▷ コッコの羽毛　【その他】

トライフォース3銃士

おなじみコッコの羽。コッコは1年に一度羽が生え変わり、その間だけは羽なしの丸裸になってしまう。「アームロイドの服」の材料になる

▷ 小鳥の羽根　【その他】

スカイウォードソード

地上に生息している、小さな鳥が落とす羽根。地面に降りてきている鳥を「虫取りアミ」で捕まえると入手できる、珍しい入手法の素材

▷ コドンゴの尻尾　【その他】

トライフォース3銃士

炎を吐いてくる魔物コドンゴが、成長期になって生え変わり切り捨てた尻尾。「ガンバリ隊の服」の材料になる

▷ コハクの勾玉　【その他】

スカイウォードソード

琥珀色が美しい石の装飾品だが、どの地域でも簡単に手に入る代物。しかし、入手が容易ゆえに汎用性も高く、さまざまな道具の改造に用いられる

▷ コピーロッド　【道具】

トワイライトプリンセス

「神の神殿」で入手する。石像に命を吹き込み、所有者と同じ動きを取らせることができる杖。古代に天空人が作ったもの　関連 開封の古文書

▷ 小人のぼうし　【道具】

4つの剣

頭にすっぽりかぶると、豆粒のように小さくなれる魔法の帽子。普通では通れないような小さな穴や通路、極小サイズの足場などが使える

▷ ゴロン鉱石　【その他】

トライフォース3銃士

火や熱に強く頑丈な鉱石。その硬さゆえにゴロン族の名が付いた。もちろん「ゴロンの着ぐるみ」、それから「ブーメラン苔」の材料にもなる

▷ ゴロンつぼ　【イベント】

ふしぎの木の実

『大地の章』ではわらしべアイテムでインゴーにあげると「サカナ」が、『時空の章』では家宝が欲しいゴロンにあげると「タフゴロン2001」がもらえる

▷ ゴロン鉄　【その他】

大地の汽笛

ゴロンの村で20個100ルピーで購入できる。サクーヨの村のマッシュから頼まれる、運搬用の資材のひとつ

▷ ゴロン刀ひきかえ券　【イベント】

時のオカリナ

わらしべアイテム。剛剣「ダイゴロン刀」のひきかえ券。デスマウンテン頂上にいる、目をかゆがっているダイゴロンに「特製本生目薬」を渡すと手に入る

▷ ゴロンのうでわ　【装備】

時のオカリナ

ゴロンの紋章入りの腕輪。「バクダン花」や草を引き抜けるようになる。ゴロン族長のダルニアからもらうことができる

▷ ゴロンのお面　【装備】

時のオカリナ

まんまる顔の幸せそうなゴロン族のお面。相手の反応を見て楽しめる

▷ ゴロンの仮面　【装備】

ムジュラの仮面

スノーヘッド地方でゴロン族の英雄、ダルマー二三世の魂を解放すると手に入る。かぶるとゴロン族に姿を変えることができる

▷ ゴロンの着ぐるみ　【装備】

トライフォース3銃士

火山帯に住むゴロン族の気分になれる着ぐるみ。溶岩の中もダメージなく動けるようになり、炎によるダメージを受けなくなる

▷ ゴロンの鉱物　【その他】

夢幻の砂時計　大地の汽笛

ルピーに換金できるお宝のひとつ。『大地の汽笛』では汽車パーツとの交換にも使う

▷ ゴロンのタイコ　【重要】

ムジュラの仮面

ゴロンに変身しているときは、「時のオカリナ」の代わりにこのタイコを使ってオカリナメロディを奏でる。使い方や効用はオカリナと変わらない

▷ ゴロンの服　【装備】

時のオカリナ

熱い場所に強い、大人専用の服。溶岩床などのダメージを無効化できる

▷ ゴロンのルビー　【重要】

時のオカリナ

ゴロン族に代々受け継がれてきた秘宝。時の扉を開くのに必要な宝珠のひとつで、別名「炎の精霊石」。舐めると甘いという噂もある

▷ こわそうなお面　【装備】

時のオカリナ

木でできた悲しそうな顔のお面。墓場にいる子供が欲しがる

▷ ゴングル山の水　【消費】

ふしぎのぼうし

ゴングル山にだけ湧いている、緑色の不思議な水。ビンに入れて持ち歩き、緑のマメにかけると急成長してツタを伸ばす

▷ 金剛の剣　【装備】

ムジュラの仮面

「フェザーソード」を、さらに「砂金」を使って鍛えた剣。刃こぼれすることなく、時を超えてもずっと使える。攻撃力、攻撃範囲ともにアップ

119

コ ▷コンパス 【ダンジョン】

 ゼルダの伝説
 神々のトライフォース
 夢をみる島
 時のオカリナ

 ふしぎの木の実
 風のタクト
 ふしぎのぼうし
 トワイライトプリンセス

夢幻の砂時計 / 神々のトライフォース2

ダンジョンマップ上で、宝箱やボスの位置がわかる。『ゼルダの伝説』ではトライフォースの位置を示す

▷紺碧のハガネ 【重要】

夢幻の砂時計

「夢幻のつるぎ」をつくるために必要な、3つのハガネのうちのひとつ。氷の島に住む種族の宝

サ サ行

▷最上の聖なる盾 【装備】

スカイウォードソード

「上質の聖なる盾」を改造し、最上の耐久力となった「聖なる盾」。ただしほかの盾に比べると壊れやすい。最上にするには「青い鳥の羽根」が必要

▷最大のサイフ 【コレクト】

トワイライトプリンセス

ルピーを入れておく袋。サイフが大きくなったことで、お金をたくさん持つことができる ➡P.091（1章）

▷最大のタネブクロ 【コレクト】

時のオカリナ

「大きなタネブクロ」よりさらに多く「デクのタネ」を持ち運べる

▷最大のボム袋 【コレクト】
 時のオカリナ
 ムジュラの仮面
 トワイライトプリンセス

丈夫な布でできた、とても大きな爆弾用袋。「大きなボム袋」よりさらに多くの爆弾を持つようになる ➡P.087（1章）

▷最大の矢立て 【コレクト】
 時のオカリナ
 ムジュラの仮面
 トワイライトプリンセス

とても大きな矢立て。「大きな矢立て」よりさらに矢を多く持てるようになる ➡P.085（1章）

▷サイフ 【コレクト】
 風のタクト
 トワイライトプリンセス

ルピーを入れておく袋。サイフを大きくすることで、お金をたくさん持つことができる ➡P.091（1章）

▷サカナ 【生物】
●魚

 時のオカリナ
 ムジュラの仮面
 ふしぎの木の実
 大地の汽笛

『時のオカリナ』『ムジュラの仮面』ではビンに入れる。『ふしぎの木の実 大地の章』ではわらしべで「メガホン」と交換。『大地の汽笛』では積荷として運ぶ

▷砂金 【その他】

ムジュラの仮面

「スノーヘッドの神殿」をクリアして雪が溶けると開かれるゴロンレースの優勝賞品。「フェザーソード」を「金剛の剣」へ強化するのに必要

▷座長のお面 【装備】

ムジュラの仮面

ミルクバーでゴーマン座長から入手。クリミアの馬車護衛が楽になるほか、3DS版の団員手帳"アンちゃんの味"で使用

▷サッサの実 【道具】
 ふしぎの木の実
 4つの剣

使うと素早く動けるようになる、魔法の木の実

▷さびたドラ 【イベント】

ふしぎの木の実

流砂の中にあった、すっかりさびた海賊の船長のドラ。鍛えなおしてもらうと、「海ぞくのドラ」になる

▷サラサラ砂金 【その他】

トライフォース3銃士

金の小さな粒を集めたもの。ちりも積もれば山となり大金になりそうだが、山にするには忍耐が必要。金色の「剣聖のよろい」の材料になる

▷さんかくのほうせき 【イベント】
➡ ほうせき

▷さんかくパイ 【消費】

ふしぎのぼうし

ハイラルの町のパン屋で買える、サクサクで噛んだら口の中から幸せになるパイ。食べるとハートを1つ回復。時々「しあわせのカケラ」が入っている

▷さんごのトライアングル 【重要】

夢をみる島

レベル6ダンジョン「かおのしんでん」をクリアすると手に入る。「かぜのさかなのうた」を奏でるのに必要な楽器のひとつ

▷珊瑚の耳飾り 【その他】

トワイライトプリンセス

ゾーラの里の貴重な珊瑚でできた耳飾り。釣り針として釣竿に付けられ、ゾーラの里にのみ生息する魚ニオイマスが釣ることができるようになる

▷サンドロッド 【道具】
 大地の汽笛
 神々のトライフォース2

砂を隆起させる杖。『大地の汽笛』では「砂の神殿」で入手。『神々のトライフォース2』では「はぐれ者のアジト」クリア後にレンタル可

シ ▷しあわせのカケラ 【その他】

ふしぎのぼうし

ハイラル各地で見つかる謎のカケラ。町にいる人たちとカケラあわせをすると、特定の場所に宝箱や入口が現れたり、新しいことが起こったりする

▷幸せのペンダント 【その他】

風のタクト

身に付けた人に幸せを運ぶペンダント。タウラ島にいるミセス・マリーに20個渡すと「別荘の権利書」、40個渡すと「勇者のお守り」がもらえる

▷ジークロックの羽 【その他】

夢幻の砂時計

宝箱やミニゲームの報酬。ルピーに換金できるお宝のひとつ。怪鳥ジークロックが落としていった羽と言われている

▷シールド 【装備】
➡ 盾

▷シーワンの剣 【装備】

夢幻の砂時計

シーワンの家の横にある倉庫から持ち出した剣。「夢幻のつるぎ」が手に入るまで、ずっと使い続けることになる

▷シェイク 【装備】

神々のトライフォース

ナマズからもらえる魔法のメダルで、使うと大地震を起こして周囲のモンスターをすべて非力な魔物スライムに変えてしまうことができる

▷シェイクメダル 【装備】

4つの剣+

投げるとその場にいるすべての敵を青いスライムに変え、弱体化させる「シェイク」の魔法が使える不思議なメダル

▷しおさいのハープ 【重要】

夢をみる島

レベル4ダンジョン「アングラーのたきつぼ」をクリアすると手に入る。「かぜのさかなのうた」を奏でるのに必要な楽器のひとつ

▷しかくいほうせき 【イベント】
➡ ほうせき

▷四季の恵み 【重要】

ふしぎの木の実

『大地の章』のLEVEL8「剣と盾のダンジョン」で手に入る、8つのことわりのひとつ

▷四季のロッド 【重要】

ふしぎの木の実

切り株の上で使うと、ホロドラムの季節を変えられる神秘の杖。『大地の章』で登場。季節を変えると、地形なども変化する

▷しずくのエレメント 【重要】

ふしぎのぼうし

「しずくの神殿」で手に入る、渇きを潤し癒すしずくの力の結晶。「ホワイトソード」に力を宿すために必要

▷しずむルアー 【その他】

時のオカリナ

釣り堀に落ちている特別なルアー。深い場所の魚を釣れ、魚の食いつきが良くなる

シ

▷疾風斬りの黒衣 【装備】

素早い動きで駆け抜ける忍者をイメージした服。ダッシュの発動がとても早くなり、ダッシュによる突進攻撃の攻撃力は3倍になる
トライフォース3銃士

▷疾風のブーメラン 【道具】

風の妖精が宿る「ブーメラン」。投げると猛烈な竜巻を起こすことができ、プロペラを回したり爆弾などのアイテムも風に乗せて引き寄せられる
トワイライトプリンセス

▷疾風のプロペラ 【道具】

「森の神殿」で入手できる武器。使用すると竜巻が発生し、毒ガスや落ち葉を吹き飛ばしたり、風車を回すことができる。マイクに息を吹きかけて使う
大地の汽笛

▷シバールロープ 【イベント】

『時空の章』で登場。イカダをつくるのに適した、水に強いロープ。ラプトンに渡すとイカダを作ってくれる
ふしぎの木の実

▷島のハートマップ 【その他】

各島にある「ハートのかけら」の宝箱の位置や、「ハートのかけら」が入手できるイベントが発生する場所が記されたマップ
風のタクト

▷シャトー・ロマーニ 【消費】

ロマニー牧場でとれたスペシャルミルク。飲むと体力と魔力が全回復＋時間を戻すまで魔力が減らなくなる。ミルクバーで購入可能　関連 ミルク
ムジュラの仮面

▷邪の結晶 【その他】

魔物の持つ悪しき心が結晶化したもの。呪いをかける力を持つ魔物が落とすことがあるが、入手し所有していても呪われることはない
スカイウォードソード

▷シャベル 【道具】
●スコップ

神々のトライフォース　夢をみる島　ふしぎの木の実　4つの剣+
足もとを掘って地面に隠されたものを見つけ出すことができるアイテム
夢幻の砂時計

▷シャラシャラ 【その他】

露天商でしか買えない限定の品。露店商の主のお手製という噂もある。「チアリーダーの服」の材料になる
トライフォース3銃士

▷十字架 【道具】

神聖な十字架。旧カストの町などにいる、見えない敵が見えるようになる
リンクの冒険

▷獣人のスケッチ 【イベント】

アッシュが雪山に出現するという、赤い魚を抱えた獣人の姿を描いた絵。ゾーラ族たちに見せると、獣人に関する情報を聞き出せる
トワイライトプリンセス

▷しょうかいじょう 【イベント】

『時空の章』で登場。ダンスが得意なカリスマゴロン宛ての紹介状
ふしぎの木の実

▷正直者にしか見えない服 【イベント/その他】

見えない服。『風のタクト』では2周目専用。『夢幻の砂時計』ではえがおのおとなからもらう
風のタクト　夢幻の砂時計

▷上質の聖なる盾 【装備】

ジャンク屋のドルコに依頼し、改造・強化された「聖なる盾」。耐久力は低め。一部の魔物は構えるだけで逃げ出す　関連 最上の聖なる盾
スカイウォードソード

▷上品なレース 【その他】

要塞エリアで手に入る、繊細で上品に作られたレース。しかしどこか古くささも感じさせる。「スリー♥クイーン」の材料になる
トライフォース3銃士

▷処方せん 【イベント】

わらしべアイテム。ゾーラの里のキングゾーラに見せると「メダマガエル」をくれる
時のオカリナ

▷ジョリーンの手紙 【イベント】

ポストマンが間違えて渡してきた手紙。自称女海賊のジョリーンが人魚のコスプレをしている妹のジョアンに宛てた手紙
夢幻の砂時計

▷しるし 【その他】

各地に生息している黄金のスタルチュラを倒した証
時のオカリナ　ムジュラの仮面

▷試練の刻印 【イベント】

最後の試練をクリアし、すべての試練を乗り越えた証として手に入る。スカイロフトにたたずむ鳥像の目にはめることで、「空の塔」への道が開かれる
スカイウォードソード

▷真紅のパール 【その他】

天空でしか取れないという真っ赤な真珠。別名、太陽のほくろと呼ばれる。「アームロイドの服」と「ラインバックの服」の材料になる
トライフォース3銃士

▷寝室のカギ 【ダンジョン】

ドサンコフとマトーニャの獣人夫婦たちの、寝室の扉を開けるための鍵。「雪山の廃墟」の「ボス部屋の鍵」にあたる
トワイライトプリンセス

▷神獣のヒゲ 【その他】

千年に一度生え変わるとされる、謎の神獣から取れたヒゲ。ひげマニアの間で高値で取引される。ケモノつながりで「チータースーツ」の材料になる
トライフォース3銃士

▷真のマスターソード 【装備】

ハイリアの地でゼルダの力により真の力を解放した「マスターソード」。スカイウォードを放つため時間や威力・飛距離などが強化された最強の剣
スカイウォードソード

ス

▷神秘のヒスイ 【その他】

ヒスイでできたお宝。『大地の汽笛』では汽車のパーツとの交換に、『トライフォース3銃士』では服の材料になる
大地の汽笛　トライフォース3銃士

▷深緑のハガネ 【重要】

「夢幻のつるぎ」をつくるために必要な、3つのハガネのうちのひとつ。遺跡島にあったダイク王国の秘宝で、治めていたムトー王が眠る神殿にある
夢幻の砂時計

▷水晶玉 【消費】

投げて割ると「ボムチュウ」や「ニンジン」「コッコ」「ハートの器」などが出てくる。中身がランダムで変わる水晶玉もある
4つの剣+

▷水中爆弾 【道具】

水中でも爆発できる新開発の爆弾。バーンズのボム工房で購入できるほか、釣竿で爆弾魚を釣り上げると、水中爆弾としてストックできる
トワイライトプリンセス

▷水門のカギ 【イベント】

『大地の章』で登場。LEVEL3のダンジョン「どくがの巣穴」への入口を出現させるためのカギ
ふしぎの木の実

▷水龍のウロコ 【装備】

勇者のために女神が残した神器のひとつ。フロルのサイレンを突破すると手に入る。所有者は水中を自在に泳ぎ、スピンでの加速・攻撃ができるように
スカイウォードソード

▷スーパーカンテラ 【道具】

デスマウンテンの勝ち抜きゲームで最高難易度コースをクリアすると、「カンテラ」を強化して入手できるパワーアップ版。炎による攻撃力が上昇
神々のトライフォース2

▷スーパーハンマー 【道具】

「ナビトラッカーズ」で登場。1度だけ「マジックハンマー」を強化し、Bボタンで地震を起こすことができる
4つの剣+

▷スーパー風船 【消費】

「ナビトラッカーズ」で登場。次にメダルをくれる人物の目の前までワープできる。持てるのは一度にひとつ
4つの剣+

▷スーパームシ獲りアミ 【道具】

勝ち抜きゲームの最高難度コースクリアで強化できる「虫取りアミ」。効果範囲と振る速度は通常と変わらないが、敵に当てたときの攻撃力が8倍に
神々のトライフォース2

▷スコップ 【道具】
→ シャベル

▷スタミナビートル 【道具】

ジャンク屋ドルコの手によって「スピードビートル」をさらに強化した、最終強化型。飛行可能な時間が極限にまで延長されている
スカイウォードソード

ス

▷ **スタルスカル** 【その他】
スタルフォスのガイコツ。不純物が少ないスタルの骨は、白い染料としても使われる。「スナーメンの衣」、「疾風斬りの黒衣」などの材料になる
トライフォース3銃士

▷ **スタルのホネ** 【その他】
『大地の汽笛』で汽車のパーツなどに使用する低級お宝。元はスタルフォスの頭部だったとの噂がある。売値は50ルピー
大地の汽笛

▷ **スタンプ帳** 【コレクト】
ニコからもらえる20ページのスタンプ帳。ハイラル各地に設置されているスタンプを押してニコに見せると、数に応じて3種類のアイテムをくれる
大地の汽笛

▷ **スナーメンの衣** 【装備】
砂漠の王を模した服。足もとに不思議な力場が発生し、流砂の上で停止しても体が沈まなくなり、飲まれることなく行動できるようになる
トライフォース3銃士

▷ **砂嵐のリボン** 【その他】
一振りすると砂嵐を引き起こす、不思議な魔法のリボン。風の力を利用する「風使いの衣」の材料になる
トライフォース3銃士

▷ **スナスナボウシ** 【生物】
非常に物音に敏感であり、警戒心が強いため最も捕獲が難しいとされる虫。虫マニアの間でもその珍しさは語り継がれ、高値で取引きされる
スカイウォードソード

▷ **砂のけっかい** 【重要】
「砂の神殿」から「光の弓矢」を持ち帰った証
大地の汽笛

▷ **スノークリスタル** 【その他】
マイナス25度の極寒のときにだけ発生する、幻の雪の結晶。「バルーンタイツ」および「ハンマーのコウラ」の材料になる
トライフォース3銃士

▷ **スパイダーレース** 【その他】
狙った獲物はけっして逃さない、絶対に切れないとても頑丈なクモの巣の糸。廃墟エリアで手に入り、「カンテラスーツ」の材料になる
トライフォース3銃士

▷ **スピードビートル** 【道具】
ジャンク屋のドルコが「フックビートル」を改造・強化したもの。飛行中にAボタンを押し続けると、飛行スピードが増す　関連 スタミナビートル
スカイウォードソード

▷ **スピナー** 【道具】
太古に作られた乗り物で、少しの時間地面から浮いて移動できる。レールにはめて渡ったり、ネジのようにはめ込んで仕掛けを動かしたりもできる
トワイライトプリンセス

▷ **スベスベ石** 【イベント】
ゾーラ族の女王オーレンの美しさの秘訣の石。一度触ったら手放せないほどのスベスベな手触り。盗人に盗まれ、カカリコ村の露天商で売られる
神々のトライフォース2

▷ **すべらない服** 【装備】
有名な雪山登山者を彷彿とさせる服。氷の上での移動でも滑らずに普通に動けるようになり、冷気に触れても体が凍結しなくなる
トライフォース3銃士

▷ **スミスの剣** 【イベント/装備】
鍛冶屋のスミスが打った剣。序盤ではお届けものの剣として預かり王城に届けに行くが、のちに自身の武器として使うことになる
ふしぎのぼうし

▷ **スライムのかぎ** 【イベント】
レベル3ダンジョン「カギのあなぐら」の入口にかかっている封印を解くカギ
夢をみる島

▷ **スリー♥クイーン** 【装備】
ハートの女王をモチーフにしたドレス。体力のハート上限が3つ増える。着ている人数増えるので、3人全員で着れば9つも増える
トライフォース3銃士

▷ **すんごいマップ** 【その他】
「トライフォースのかけら」が隠されている場所がわかる。海底のハイラル城から戻ってきた際にチンクルから送りつけられてくる
風のタクト

セ

▷ **請求書** 【イベント】
「レナードの手紙」を受け取ったテルマが、町医者に宛てて書いた請求書。町医者が酒場でツケで飲んだ金額が記されている　関連 木ぼりの像
トワイライトプリンセス

▷ **精神の器** 【コレクト】
サイレンの場において、勇者の心を表すとされる植物。すべてのしずくを集めることで満たされて完成し、心が成長を遂げられる
スカイウォードソード

▷ **聖なる水** 【イベント】
サリアの町近くの洞窟にある命の水。病の娘のために欲しがるミドの町人に渡すと、お礼にフェアリーの魔法が習得できる
リンクの冒険

▷ **聖なるグローブ** 【装備】
力がみなぎる神聖なグローブ。神殿のブロックを剣で壊せるようになる
リンクの冒険

▷ **聖なるしずく** 【イベント】
スカイロフトで行われる最後の精神試練、女神のサイレンで集める。スカイロフト中に散らばった15個すべてを集めると、「精神の器」が完成する
スカイウォードソード

▷ **聖なる盾** 【装備】
聖なる加護が宿る盾で、傷を自動的に修復する力を持つ。炎・電気・呪いなどすべての属性攻撃を防げるが、耐久力が低く壊れやすい
スカイウォードソード

▷ **聖なるブーツ** 【装備】
羽の生えた不思議なブーツ。川や海の浅瀬を歩くことができるようになる
リンクの冒険

▷ **聖なる水** 【その他】
精霊の傷をも癒すことが可能な、癒しの力に満ちた水。「天望の神殿」奥の天望の泉の、妖精が集まる場所でビンにすくって入手する
スカイウォードソード

▷ **聖なる弓** 【道具】
「女神の落とし物」を使用して改造したことにより、聖なる力を宿した最強の弓矢。攻撃力は「鉄の弓」からさらに強化され、最大威力も驚異的
スカイウォードソード

▷ **せきぞうのくちばし** 【ダンジョン】
DX版のダンジョンで手に入る。入手後、同ダンジョン内にある「くちばしのない像」を調べるとヒントをくれる。オリジナル版の「せきばんのカケラ」に相当
夢をみる島（DX）

▷ **せきばん** 【イベント】
『時空の章』で登場。LEVEL8ダンジョン「いにしえの墓」でダンジョン内の仕掛けを解くためのアイテム
ふしぎの木の実

▷ **せきばんのカケラ** 【ダンジョン】
→　せきぞうのくちばし

▷ **ゼルダの手紙** 【イベント】
ハイラル王家の使者と認めてもらえる、ゼルダ姫の直筆サイン入りの手紙。デスマウンテン登山口の兵士に見せる
時のオカリナ

▷ **セレブのサイフ** 【コレクト】
モルセゴからの依頼を完遂するともらえる、セレブ御用達の最高級仕様のサイフ。9000ルピーまでためられる
スカイウォードソード
→P.091（1章）

▷ **センスイ艦マップ** 【その他】
どの海域に潜水艦が出現するかを記してあるマップ。潜水艦に潜入し敵を倒したりすると、貴重なアイテムが入手できる
風のタクト

ソ

▷ **ソード** 【装備】
→　剣（けん）

▷ **ゾーラのうろこ** 【イベント/その他】
ふしぎの木の実　　夢幻の砂時計　　トライフォース3銃士
ゾーラ族の持つウロコ。『ふしぎの木の実』では『時空の章』で登場。『夢幻の砂時計』ではお宝の一種。『トライフォース3銃士』では服の素材

▷ **ゾーラのお面** 【装備】
クールな眼差しのゾーラ族のお面。相手の反応を見て楽しめる
時のオカリナ

▷ **ゾーラの仮面** 【装備】
グレートベイの海岸でゾーラ族のミカウに力を貸し、最期を見届けて癒すと手に入る。ゾーラ族に姿を変えることができる
ムジュラの仮面

ソ

▷ゾーラの着ぐるみ 【装備】

泳ぎが得意になる、ゾーラ族の着ぐるみ。水流に流されなくなるほか、水中Aボタンのダッシュが速くなり体当たりで敵に攻撃できるようになる

▷ゾーラのギター 【重要】

ゾーラに変身しているときは、「時のオカリナ」の代わりにこのギターを使ってオカリナメロディを奏でる。使い方や効用はオカリナと変わらない

▷ゾーラのサファイア 【重要】

ゾーラ族王家の秘宝。王家の女性のエンゲージリングとしても使用される。時の扉を開くのに必要な宝珠のひとつ「水の精霊石」

▷ゾーラのタマゴ 【イベント】

ゾーラ族のルルが産んだ7つのタマゴ。海賊たちが盗んだ。集めて海洋研究所へ持っていくと潮騒のボサノバを覚えられる

▷ゾーラの服 【装備】

水中でも呼吸ができ遊泳能力がある、ゾーラ族に伝わる服。『時のオカリナ』では大人専用

▷ゾーラの水かき 【道具】
→ 水かき

▷底なしのサイフ 【コレクト】

HD版で追加された、9999ルピー入るサイフ。このサイフにするには「獣の試練」をクリアする必要がある
→P.091（1章）

▷粗品 【その他】

毎日たからばこ屋でハズレを引くともらえる。いつか役に立つ日がくると信じ大切にとっておこう。服「怪傑ロールナイト」の材料になる

▷粗品の腕輪 【装備】

神々しさを感じる不思議な腕輪。ラヴィオが自宅で店を開いた際に、粗品としてくれた。腕にぴったりとなじんでいる　関連 ラヴィオの腕輪

▷ソマリアのつえ 【道具】

スイッチを押したり、足場にしたりできるブロックを生み出せる杖。『ふしぎの木の実』では『大地の章』に登場

▷ソラジマカマキリ 【生物】

するどいカマを持つ虫。スカイロフト全域に生息し、物陰に隠れじっとしている。意外な場所で発見できることもある

▷ソラホタル 【生物】

夜になると現れ、淡く美しい光を放ちながら飛行するスカイロフトの虫。水辺を好み、その光は見る者の心を癒す

タ行

▷大回転斬りの甲冑 【装備】

回転斬りを極めた武者の服。回転斬りが自動で大回転斬りに変化し、攻撃力と攻撃範囲が2倍に強化される

▷ダイゴロン刀 【装備】
●ダイゴロンとう

巨大な両手剣。『時のオカリナ』ではわらしべ最後のアイテム。『ふしぎの木の実』ではリンクシステムで入手

▷大蛇のキバ 【その他】

巨大なヘビの魔物から取れた牙。非常にするどく、どんなものでも切り裂く。スパイク替わりとして「すべらない服」の材料になる

▷大地のエレメント 【重要】

「森のほこら」で手に入る。大地から湧き出る、すべての源たる力の結晶。「ホワイトソード」に力を宿すために必要

▷大地のチンクル像 【その他】
→ チンクル像

▷大地の笛 【重要】

ゼルダ姫からもらう、王家に昔から伝わる楽器。奏でる唄によって、ゴシップストーンを目覚めさせるといった5種類の効果がある

▷隊長のボウシ 【装備】

スタル・キータを倒すともらえる。これをかぶると、スタルベビーが隊長と勘違いし、会話や指示を出すことができる

▷耐熱イヤリング 【装備】

勇者のために女神が残した神器の1つ。ディンのサイレンを突破すると手に入る。所有者は身を焦がすほどの高温にも耐えられるようになる

▷大バクダン 【道具】

資格を持つゴロン族だけ所持できる巨大な「バクダン」。ロマニー牧場への道を塞ぐ大岩などを破壊するときに使用する

▷大バクダンの服 【装備】

「バクダン」が強化されて大きくなり、爆風の範囲も広くなる。アイテムのバクダンにもバクダン花にも有効
→P.086（1章）

▷大バクダン花 【道具】

バクダン花屋で販売している、巨大な「バクダン花」。引っ張って運ぶ。5分経つか、または何かに触れると爆発し、大きなヒビ岩も壊せる

タ行（続き）

▷大妖精のお面 【装備】

クロックタウンにいる大妖精を助けるともらえる。かぶると、はぐれ妖精が自然にこちらへ寄ってくる

▷大妖精の剣 【装備】

「ロックビルの神殿」ではぐれ妖精をすべて集め、大妖精の泉へ連れていくとそのお礼に手に入る。両手持ちの巨大な剣で、攻撃力は最強

▷大妖精の雫 【消費】

ジョバン二からもらったり、試練の洞窟の最深部まで到達すると入手できる。ビンに入れて飲むと、ハートが全回復し攻撃力が一定時間アップ

▷大妖精マップ 【その他】

ルピーや爆弾などの最大所持数や、魔法力ゲージを増やしてくれる大妖精がいる場所を示してくれるマップ

▷太陽のカギ 【イベント】

モルデ島の地下から、「勇気の神殿」に向かう扉を開けるカギ。手に入れるには、「勇気の紋章」が示す場所でサルベージを行う必要がある

▷たいようの恵み 【重要】

『大地の章』のLEVEL3「どくがの巣穴」で手に入る、8つのことわりのひとつ

▷大漁祈願の旗 【イベント】

物々交換アイテム。異国の漁師が作った旗。露天商が扱う品物であり、「三日月の旗」「ツボの噴水像」と交換できる

▷宝の地図 【イベント／その他】
●タカラの地図

「ふしぎの木の実 大地の章」では4つの「ほうせき」、「夢幻の砂時計」は海底の宝のありかを示す

▷宝のマップ 【その他】

海底にある宝箱の位置を記したマップ。たくさんのマップが存在する。記された場所でサルベージすると高額ルピーや「ハートのかけら」が手に入る

▷宝袋 【その他】

経験値の詰まった袋。経験値を大きくアップする。倒した敵が落としたり、神殿に落ちていることもある

▷匠の織物 【その他】

とあるひとりの機織りの匠が、人生をかけて織りあげた最高級の逸品。セレブ御用達の「お金持ちの服」の材料になる

タ

▷ダサいタイツ 【装備】

ダメージ2倍の代わりに高確率で攻撃を回避する。フリル姫の呪いを解いた勇者に報酬で与えられる。要するに姫が着ていたもののおさがり

▷タダの券 【消費】
●テリータダの券

テリーの店で商品が無料で買える券。『夢幻の砂時計』『大地の汽笛』ともにシルバー会員特典

▷ただの水 【その他】
➡ 水

▷タツノオトシゴ 【生物】

グレートベイの漁師から海賊の写真と交換で入手。トンガリ岩の海溝へ通じる道順を案内してくれる

▷盾 【装備】
●シールド／▲タテ

敵の攻撃を防御し、身を守るための装備品。最初から所有している場合が多く、またビームや魔法など、攻撃によっては盾が通用しない

▷タネ 【道具】
➡ デクのタネ

▷タネ袋 小 【コレクト】

パチンコの弾になる、デクのタネを余分に所有できる上限値が10増える装備品

▷タネ袋 大 【コレクト】

パチンコの弾になる「デクのタネ」を、余分に所有できる上限値が30増える装備品

▷タネ袋 中 【コレクト】

パチンコの弾になる「デクのタネ」を、余分に所有できる上限値が20増える装備品

▷タフゴロン2001 【イベント】

『時空の章』で登場。栄養ドリンクで、疲れているバクダンゲーム屋のゴロンにあげる。ミニゲームクリアで「ふるいにんぎょのカギ」が手に入る

▷ダブルクローショット 【道具】

天空都市で2つ目の「クローショット」を手に入れたことで対になった。両腕に装着し、地面に付くことなく連続で的を飛び移れるようになる

▷たましいのきおく 【重要】

『時空の章』のLEVEL1ダンジョン「魂の墓」で手に入る、8つのことわりのひとつ

▷魂のメダル 【重要】

勇者に力を与える"賢者のメダル"のひとつ。「魂の神殿」クリア後に、魂の賢者として覚醒したナボールからもらえる

▷ダンジョンの地図 【ダンジョン】
➡ ダンジョンマップ

▷ダンジョンマップ 【ダンジョン】
●ダンジョンの地図／▲チズ／■マップ／◆MAP

ダンジョンの宝箱から入手できる地図。ダンジョン全景や階数などがわかる。『神々のトライフォース』以降はすでに行った場所が色分けされる

▷淡水わかめ 【その他】

川や池などで獲れるわかめ。淡水で育つため、ミネラル成分は薄く。水に関連の深い「ゾーラの着ぐるみ」と「水使いのローブ」の材料になる

▷タンブル・ウィード 【その他】

根が枯れ、強風にあおられて地面から離れ、砂漠を風に乗って転がっていく回転草。アミで採取できるが、ぶつかるとすぐに崩れるほどもろい

チ

▷チアリーダーな服 【装備】

声援でまわりの皆をサポートする応援団員の服。自分以外の仲間のがんばりゲージが1.5倍になる効果がある

▷小さい盾 【装備】
●小さな盾

最初の盾。『神々のトライフォース』ではおじさんから託され、『ふしぎのぼうし』ではゼルダ姫からもらう

▷小さなカギ 【ダンジョン】
●キー／▲ちいさなカギ／■小さな鍵

ダンジョンの鍵のかかった扉を開ける。『ゼルダの伝説』以外は入手したダンジョン内でのみ使用可能。『ゼルダの伝説』では商人も売っている

▷小さなサイフ 【コレクト】

最初から所有している愛用のサイフ。必要最低限のルピーのみ入る大きさのため、最高額は300ルピーまで
➡P.091（1章）

▷小さな盾 【装備】
➡ 小さい盾

▷小さな矢立て 【コレクト】

最初から持っている矢立て
➡P.085（1章）

▷チータースーツ 【装備】

移動スピードがアップするチーター柄フェイクファーの服。着ていれば普段より高速で移動できる。また、ネコの言葉がわかるようになる効果も

▷チェーンハンマー 【道具】

重たい金属でできた、鎖付きの鉄球。あまりの重さに持つと走れなくなるが、投げて硬い敵や氷の壁を破壊できるようになる

▷知恵の精霊 【重要】

海王に仕え、力になってくれる精霊ネーリ。「風の神殿」で助け出すことになる。その後は防御力がアップする

▷知恵のトライフォース 【重要】

神の力「トライフォース」のひとつ。『ゼルダの伝説』ではこのかけらを集めて冒険する。『スカイウォードソード』では、試練をこなすことで手に入る
➡P.009（1章）

▷知恵のみなもと 【その他】

各地に20個存在。集めてほこらの島でかかげると知恵の精霊の力が解放され、受けるダメージ量が減る。また敵の特殊攻撃も防御できるようになる

チ

▷ 知恵の紋章　【重要】

神々のトライフォース

神々のトライフォース2

「マスターソード」を手に入れるために必要な証のひとつ

▷ ちからのかけら　【消費】

夢をみる島

敵を倒すたまに出現。自分の攻撃力が2倍、歩くスピードが少しアップ。ダメージを3回受けるか、違う場所に移動すると効果は消える

▷ 力の精霊　【重要】

夢幻の砂時計

海王に仕え、勇者の力になってくれる精霊リーフ。「炎の神殿」で助け出すことになる。その後は攻撃力がアップする

▷ 力のトライフォース　【イベント/重要】

スカイウォードソード

神々のトライフォース2

力を司るトライフォースの一柱
➡ P.009（1章）

▷ 力のみなもと　【その他】

夢幻の砂時計

各地に20個存在。集めてほこらの島でかかげると力の精霊の力が解放され、攻撃力が上がる。ファントムも後ろから攻撃すれば気絶させられる

▷ 力の紋章　【重要】

神々のトライフォース

神々のトライフォース2

「マスターソード」を手に入れるために必要な証のひとつ

▷ ちくおんき　【イベント】

ふしぎの木の実

『大地の章』のわらしべアイテムでグル・グルさんから入手。迷いの森のデクナッツのそばで鳴らすと「ホワイトソード」がある場所へのヒントをくれる

▷ チズ　【ダンジョン】
➡ ダンジョンマップ

▷ 父の手紙　【イベント】

風のタクト

竜の島の親方様が、息子コモリに宛ててしたためた手紙。メドリから託され、コモリに渡すと話ができるようになる

▷ 中くらいのサイフ　【コレクト】

スカイウォードソード

モルセゴに感謝の気持ちを5個見せるともらえる。ちょっとだけ容量が大きくなって、500ルピーまで入る
➡ P.091（1章）

▷ 超強力バクダン　【道具】

神々のトライフォース

闇の世界で売られている大きな爆弾。袋の中にしまえないので途中で、爆発しないように、気を付けて目的地まで運ばなければならない

▷ チロップ（青）　【消費】

ふしぎのぼうし

飲むと草などを刈ったときに短時間の間「妖精」がよく見つかるようになる薬。ハイラルの町のテリーの店で、空きビンがあると買える

▷ チロップ（赤）　【消費】

ふしぎのぼうし

飲むと草などを刈ったときに短時間の間「ハート」がよく見つかるようになる薬。ハイラルの町のテリーの店で、空きビンがあると買える

▷ チロップ（オレンジ）　【消費】

ふしぎのぼうし

飲むと草などを刈ったときに短時間の間「バクダン」と「矢」が見つかりやすくなる薬。ハイラルの町のテリーの店で、空きビンがあると買える

▷ チロップ（黄）　【消費】

ふしぎのぼうし

飲むと草などを刈ったときに短時間の間「ルピー」がよく見つかるようになる薬。ハイラルの町のテリーの店で、空きビンがあると買える

▷ チロップ（白）　【消費】

ふしぎのぼうし

飲むと草などを刈ったときに短時間の間「しあわせのカケラ」が見つかりやすくなる薬。ハイラルの町のテリーの店で、空きビンがあると買える

▷ チロップ（緑）　【消費】

ふしぎのぼうし

飲むと草などを刈ったときに短時間の間「ヒミツのかいがら」が見つかりやすくなる薬。ハイラルの町のテリーの店で、空きビンがあると買える

▷ チンクルシーバー　【道具】

風のタクト（GC）

ゲームキューブ版にのみ登場。ゲームボーイアドバンスをつなぐと、さまざまな専用アイテムが使用でき、「風のチンクル像」「神のチンクル像」など5種類のチンクル像がもらえる

▷ チンクル像　【その他】

風のタクト　風のタクト　風のタクト　風のタクト

①風の神殿、②神の塔、③禁断の森、④大地の神殿、⑤竜の山のほこらで手に入る。ゲームキューブ版では「チンクルシーバー」を使って探す

▷ チンクルトロフィー　【その他】

ふしぎのぼうし

カケラあわせを100回行い、チンクル兄弟たちに話しかけるともらえるトロフィー。しあわせをコンプリートした証

▷ チンクルのマップ　【その他】

風のタクト

タウラ島およびチンクルがいるチンクル島を記したマップ。ただし絵柄はチンクルの落書きのように汚い

▷ チンクルボトル　【その他】

風のタクト（HD）

HD版にのみ登場。Miiverseの投稿文や画像をボトルに入れ、いつの間にか通信でみしらぬ誰かと交換することが可能。海岸や海の上をただよっている

ツ

▷ ツインモルドの亡骸　【重要】

ムジュラの仮面

「ロックビルの神殿」のボスであるツインモルドを倒すと手に入る、コレクトアイテムのひとつ。ツインモルドの魂が解放された後に残ったマスク

▷ 月の涙　【イベント】

ムジュラの仮面

わらしべアイテム1/5個目。天文観測所で時計台を調べると、月から地面に落ちてくる　関連 土地の権利書

▷ 作りかけのスープ　【消費】

トワイライトプリンセス

獣人のドサンコフが奥さんのために作っている作りかけのスープ。ビンに入れて飲むとハート2つ分回復できる　関連 ふつうのスープ

▷ つちのきおく　【重要】

ふしぎの木の実

『時空の章』のLEVEL5「王冠のダンジョン」で手に入る、8つのことわりのひとつ

▷ つちの恵み　【重要】

ふしぎの木の実

『大地の章』のLEVEL1「ねっこのダンジョン」で手に入る、8つのことわりのひとつ

▷ ツボの噴水像　【イベント】

風のタクト

物々交換アイテム。水をモチーフにした不思議な陶器の像。露天商が扱う品物であり、「三日月の旗」「化石頭部像」と交換できる

▷ つりざお　【道具】
● 釣竿

時のオカリナ　ムジュラの仮面　トワイライトプリンセス　夢幻の砂時計

『時のオカリナ』『ムジュラの仮面』では釣り堀で借り、持ち出しできない。『夢幻の砂時計』『トワイライトプリンセス』では魚がいる場所で釣りができる

▷ つりばり　【イベント】

夢をみる島

わらしべアイテム11個目。メーベの村にいるヤッホーばあさんへ「ホウキ」を渡すと、そのお礼に手に入る
関連 ピンクのブラジャー

▷ つりぼり券　【その他】

ムジュラの仮面（3D）

3DS版で追加された、釣堀を無料で遊べるチケット。各種ミニゲームをクリアした景品としてもらえる

▷ つるぎの刃　【イベント】

夢幻の砂時計

サウズの島に住む鍛冶サウズが、「緋色」、「紺碧」、「新緑」の3種のハガネを鍛えて作った聖剣の刃。「夢幻のつるぎ」を手に入れるために必要

テ

▷ ディンのお守り　【装備】

ふしぎのぼうし

ハイラルの町で家を探しているディンに住まいを紹介すると、空きビンに入れてもらえる。使うと服が赤くなり、一定時間攻撃力がアップする

▷ ディンのしずく　【イベント】

スカイウォードソード

オルディン火山の精神の試練サイレンで集めることになるしずく。全部で15個入手すると試練達成となり、「耐熱イヤリング」を入手できる

テ

▷ **ディンの神珠** 【重要】

風のタクト

空の精霊ヴァルーがコモリの祖母に授けた宝珠。「神の塔」を出現させるために使用する、3つの神珠のひとつ

▷ **ディンの炎** 【装備】

時のオカリナ

ドーム状に炎が広がる炎の魔法。燭台に火を灯すこともできる。「ディン」は世界を創造した力の女神の名。大妖精から入手する

▷ **テールのカギ** 【イベント】

夢をみる島

レベル1ダンジョン「テールのほらあな」の入口にかかっている封印を解くカギ

▷ **手紙** 【イベント】
● テガミ

ゼルダの伝説　時のオカリナ　4つの剣+

町の人などが誰かに宛てて書いたもの。主に拾ったり託されたりして、送り先の人物に届ける

▷ **手紙入りボトル** 【イベント】

神々のトライフォース2

わらしべアイテム。誰かの思いが込められたメッセージの入ったビン。ミルクバーのマスターに見せると「プレミアムミルク」がもらえる

▷ **デクスズメバチ** 【生物】

スカイウォードソード

非常に警戒心が強く、巣に近づく者を集団で襲う虫。毒針で刺されるとダメージを受けるうえ、しばらく張りつかれるため、巣の近くは要注意

▷ **テクタイトシェル** 【その他】

トライフォース3銃士

魔物「テクタイト」が持つ殻。お財布に入れておくと、幸せが訪れるとされる開運グッズ。「大バクダンの服」と、「ハートフルドレス」の材料になる

▷ **デクナッツの仮面** 【装備】

ムジュラの仮面

デクナッツの姿に変えられた際に、いやしの歌を聞いて元の姿に戻った後残された仮面。かぶるとデクナッツに姿を変えることができる

▷ **デクナッツのラッパ** 【重要】

ムジュラの仮面

デクナッツに変身しているときは、「時のオカリナ」の代わりにこのラッパを使ってオカリナメロディを奏でる。使い方や効用はオカリナと変わらない

▷ **デクの盾** 【装備】

時のオカリナ

子供専用の盾。大抵の攻撃を防ぐがデクナッツの種をはじき返すが、木製なので火がつくと燃えつきてしまう

▷ **デクのタネ** 【道具】
● タネ

時のオカリナ　トワイライトプリンセス　スカイウォードソード

「パチンコ」の弾として使う、硬くて小さなタネ。デクババなどの植物系の魔物が落とすことが多い

▷ **デクのタネブクロ** 【コレクト】

時のオカリナ

「パチンコ」（妖精のパチンコ）とセット。パチンコの弾として使う「デクのタネ」が入っている

▷ **デクの葉** 【道具】

風のタクト

森の島のデクの樹サマからもらった葉っぱ。魔法力を使い、風に乗って空を飛べるほか、あおいで強風を巻き起こしさまざまなものを吹っ飛ばせる

▷ **デクの棒** 【道具】

時のオカリナ　ムジュラの仮面

デクババなどから取れた長い枝。先端に火をつけられる。武器にもなるが簡単に折れてしまう

▷ **デクの実** 【道具】

時のオカリナ　ムジュラの仮面

投げると閃光を放ち目潰しに。『ムジュラの仮面』ではデクナッツで飛行中、空中バクダンになる

▷ **デク姫** 【イベント】

ムジュラの仮面

「ウッドフォールの神殿」に捕らわれている。神殿をクリアすると救出できる。デクナッツ城へ連れていくため、ビンに詰める

▷ **鉄アレイ** 【イベント】

ふしぎの木の実

『時空の章』のわらしべアイテムで、ママム・ヤンからもらう。シメトリ村のトーマスに渡すと「げひんヒゲ」がもらえる

▷ **鉄の盾** 【装備】
● 鉄のたて

ふしぎの木の実　スカイウォードソード

「木の盾」よりも多くの攻撃が防げる硬い盾。『スカイウォードソード』では電気攻撃に弱い

▷ **鉄のナベ** 【イベント】

ふしぎの木の実

『大地の章』で登場するわらしべアイテムでザーマス夫人からもらう。料理人ウーラに渡すと、これを材料にして「ヨーガンスープ」を作ってくれる

▷ **鉄の弓** 【道具】

スカイウォードソード

「木の弓」をジャンク屋で改造して入手できる強化版。金属を使って硬度が増し、限界までためれば爆発的な威力を発揮する　関連 聖なる弓

▷ **てのりコッコ** 【イベント】

時のオカリナ

わらしべアイテム。カカリコ村で寝ている牧場主のタロンをてのりコッコで起こすと、コッコ姉さんに「コジロー」を渡される

▷ **デラゴオリ** 【その他】

大地の汽笛

ゴロンの村のゴロンから頼まれる運搬用の資材のひとつ。テツオの家がある泉のほとりの駅で、ツノナシから買えるようになる

▷ **テリークラブカード** 【イベント】

大地の汽笛

テリークラブの会員証。テリーの気球で初めて買い物をし、100ルピーを払うと入会できる。入会すると買い物金額の10分の1がポイントとして貯まる

▷ **テリーゴールドカード** 【イベント】

大地の汽笛

テリークラブのポイント500点でもらえるゴールド会員の証。商品が2割引きとなり、特典として「ハートの器」ももらえる

▷ **テリーシルバーカード** 【イベント】

大地の汽笛

テリークラブのポイント200点でもらえるシルバー会員の証。商品が1割引きとなり、特典として「テリータダの券」ももらえる

▷ **テリーダイヤモンドカード** 【イベント】

大地の汽笛

テリークラブのポイント2000点でもらえるダイヤモンド会員の証。商品がすべて半額になる

▷ **テリータダの券** 【消費】

→ タダの券

▷ **テリーの虫かご** 【イベント】

スカイウォードソード

テリーが大事にしている珍しい虫、オニダイオウカブトが入っている虫かご。マニアもうなるレアな虫で、偶然オストが手に入れている

▷ **テリープラチナカード** 【イベント】

大地の汽笛

テリークラブのポイント1000点でもらえるプラチナ会員の証。商品が3割引きとなり、特典として「テリーポイント5倍券」ももらえる

▷ **テリーポイント5倍券** 【消費】

大地の汽笛

買い物で使うと、テリーのお店のポイントが5倍もらえる券

▷ **テリーマップ** 【その他】

風のタクト

テリーの店の船がいる海域が記されたマップ。どこでも買い物が可能だが、店を構えている海によって若干品ぞろえが異なる

▷ **デリシャスおにく** 【イベント】

ふしぎの木の実

『時空の章』のわらしべアイテムで、トカゲ人からもらう。お面屋さんにごちそうしてあげるとお礼に「わんこのおめん」がもらえる

▷ **天空の古文書** 【イベント】

トワイライトプリンセス

インパルが保管していた、古代の天空語で記された書物。ところどころ文字が欠けており、各地にある天空文字を集めると「開封の古文書」になる

▷ **伝説の写し絵** 【イベント】

風のタクト

ゲンゾーが50ルピーで売ってくれる、貴重なものが写った写し絵。曜日によって買える絵が異なる

テ

▷**天竜の尻尾** 【その他】

トライフォース3銃士
天空エリアに生息するリザルナーグの尻尾。適度なしなりと金属のごとき硬度を持つ、一級品の素材。「アームロイドの服」の材料になる

ト

▷**トアルカボチャ** 【イベント】

トワイライトプリンセス
故郷のトアル村の名産品である、甘くておいしいカボチャ。「作りかけのスープ」に入れると「ふつうのスープ」になる

▷**トアルの剣** 【装備】

トワイライトプリンセス
モイが用意していた、ハイラル王家への献上品。ミドナに命令されてモイの家から盗み出した。「マスターソード」入手まで使うことになる

▷**トアルの盾** 【装備】

トワイライトプリンセス
ジャガー一家の家に保管されていた、トアル山羊の紋章の入った盾。獣の姿になった際、ミドナに命令され家から盗み出した

▷**トアル山羊のチーズ** 【イベント】

トワイライトプリンセス
故郷のトアル村の山羊たちからとれたミルクで作ったチーズ。「ふつうのスープ」に入れると「極上のスープ」になる

▷**陶器の馬笛** 【重要】

トワイライトプリンセス
イリアがリンクのために作った馬笛。フィールドなどで使うと草場のない場所でもエポナを呼び出すことができる
関連 イリアの首飾り

▷**動物ずかん** 【イベント】

ふしぎのぼうし
図書館の本のうちの一冊。家でネコを飼っている女の子がネコのことを勉強するために借りていった

▷**トカゲのシッポ** 【その他】

スカイウォードソード
リザルフォスなどのトカゲ系の魔物を倒すと落としていく尻尾。尻尾の先の鉄球までそのまま付いている

▷**トカゲのめだま** 【イベント】

ふしぎの木の実
『時空の章』で登場。ミカヅキじまにあるトカゲ像にはめると洞窟の入口が開く

▷**時のオカリナ** 【重要】

時のオカリナ／ムジュラの仮面
ゼルダ姫から託された、時を操る力を持つ秘宝。特定の旋律を奏でると、さまざまな効果を発揮

▷**時の砂** 【その他】

夢幻の砂時計
『夢幻の砂時計』の砂で海王のフォースの結晶。砂時計の時間が増え、「海王の神殿」に長くいられるようになる。サルベージで手に入ることがある

▷**時のたてごと** 【重要】

ふしぎの木の実
今と昔を、時空を越えて行き来できる。『時空の章』で登場。効果の違う「やまびこのしらべ」「ながれのしらべ」「ときのしらべ」の3種類を覚えられる

▷**ときの恵み** 【重要】

ふしぎの木の実
『大地の章』のLEVEL2ダンジョン「蛇のなきがら」で手に入る、8つのことわりのひとつ

▷**トク上カルビいわ** 【イベント】

風のタクト
『時空の章』で登場。トロッコ射的場の賞品。お腹を空かせた見張りのゴロンに渡すと「ゴロンつぼ」がもらえる

▷**特製スープ** 【消費】

風のタクト
おばあちゃんが空きビンに入れてくれる手作りスープ。飲むと体力・魔法ゲージが全回復し、ダメージを受けるまでは攻撃力が倍になる

▷**特製本生目薬** 【イベント】

時のオカリナ
わらしべアイテム。ダイゴロンの目を治す目薬。ダイゴロンに渡すと「ゴロン刀ひきかえ券」をくれる

▷**特大のサイフ** 【コレクト】

スカイウォードソード
モルセゴに感謝の気持ちを50個見せるともらえる。名前に違わぬビッグさで、最大5000ルピーまでためられるように ➡P.091（1章）

▷**ドクロのお面** 【装備】

時のオカリナ
角の生えたドクロのお面。迷いの森にいるスタルキッドが欲しがっている

▷**ドクロの飾り** 【その他】

スカイウォードソード
ボコブリンたちがこぞって身に着けている装飾品。本物のドクロではなく作られた装飾のようだが、なぜこの形なのかは謎に包まれている

▷**ドクロの首飾り** 【その他】

風のタクト
モリブリンたちが身に着けている首飾り。マギーを救出した後にマギーの父に20個集めて渡すと、「宝のマップ」がもらえる

▷**ドクロの水晶** 【その他】

トライフォース3銃士
美しい水晶でできた輝くドクロ。どうやって作られたのか、謎に包まれたオーパーツ。「大回転斬りの甲冑」の材料になる

▷**トケイ** 【消費】

ゼルダの伝説
魔法の時計。取ると画面内の敵の動きがすべて止まり、ダメージを受けない。倒した敵がまれに落とす

▷**トゲトゲスーツ** 【装備】

トライフォース3銃士
砂漠に生えるサボテン風のスーツ。敵と接触すると、するどいトゲで相手にもダメージを与える。仲間とは接触しても大丈夫

▷**としょかんのカギ** 【イベント】

ふしぎの木の実
『時空の章』で登場。キングゾーラからもらえる、メガネじまとしょかんに入るためのカギ

▷**土地の権利書** 【イベント】

ムジュラの仮面
わらしべアイテム2/5個目。クロックタウンにいるアキンドナッツに「月の涙」を渡すと手に入る
関連 沼の権利書

▷**ドッグフード** 【イベント】

夢をみる島／ふしぎのぼうし
『夢をみる島』ではセールに渡し「バナナ」をもらう。『ふしぎのぼうし』では犬のモーケンにあげる

▷**トモダチの証** 【その他】

トライフォース3銃士
通信で今までいっしょに遊んだことがない人と遊んだ際、勇者もどきの少年からもらえる。「おそろいルック」や「8bit Boy」の材料になる

▷**トライフォース** 【その他】

4つの剣＋
願いを叶える神の力。知恵、力、勇気を司る3つの黄金の三角。『4つの剣＋』では「ナビトラッカーズ」のアイテムとして登場 ➡P.009（1章）

▷**トライフォースのかけら** 【重要】

ゼルダの伝説／風のタクト
『ゼルダの伝説』は知恵、『風のタクト』は勇気のトライフォースの破片で集めて完成させる

▷**トライフォースのマップ** 【その他】

風のタクト
海底にある「トライフォースのかけら」ありかが記されたマップ。チンクルに有料で解読してもらわないと、読むことができない

▷**鳥の彫像** 【イベント】

スカイウォードソード
騎士学校の伝統である鳥乗りの儀で用いられる彫像。ロフトバードを操って、鳥の足に付けたこの像を最初に手にした者が優勝となる

▷**トルネードロッド** 【道具】

神々のトライフォース2
風の力を宿した魔法のロッド。竜巻を起こして上空に垂直に舞い上がる。上空で風に乗ると流されて別の場所に行くことも。火消しにも役立つ

▷**ドレース生糸** 【その他】

トライフォース3銃士
ドレース王国の兵士たちが身に着けている「兵士の服」などの材料になる、ドレース産のポピュラーな生糸。特別なカイコから生み出されたという

▷**トレジャーメダル** 【装備】

スカイウォードソード
持っているだけで効果を発揮する不思議なおまもり"メダル"のひとつ。所有時、倒した魔物がお宝を落とす確率が倍になる効果を持つ

▷**ドロンの実** 【道具】

神々のトライフォース2
ハイラルにあるお店で売られている不思議な木の実。使うと、ダンジョンの途中でも入口まで脱出できる

ナ行

ナイスアイスロッド 【道具】

神々のトライフォース2
買い取った「アイスロッド」をマザーマイマイに強化してもらったもの。使うと発生する氷の塊が4つになる。射程が伸び、空中の敵にも当てられる

ナイスサンドロッド 【道具】

神々のトライフォース2
買い取った「サンドロッド」をマザーマイマイに強化してもらったもの。出した砂の柱が次の砂柱を出すまでの間、消えず残るように

ナイストルネードロッド 【道具】

神々のトライフォース2
買い取った「トルネードロッド」をマザーマイマイに強化してもらったもの。周囲に発生する竜巻の範囲が広くなり、攻撃力もプラスされている

ナイスバクダン 【道具】

神々のトライフォース2
購入した「バクダン」をマザーマイマイに強化してもらったパワーアップ版。攻撃力、爆風の範囲ともに2倍になり、大概のザコ敵は一撃で倒せる

ナイスハンマー 【道具】

神々のトライフォース2
買い取った「ハンマー」をマザーマイマイに強化してもらったもの。ハンマー自体が少し大きくなり、攻撃力と衝撃波の大きさが通常の2倍に

ナイスファイアロッド 【道具】

神々のトライフォース2
購入した「ファイアロッド」をマザーマイマイに強化してもらったもの。攻撃力が高くなったほか、火柱が大きく、長く進むようになっている

ナイスブーメラン 【道具】

神々のトライフォース2
ラヴィオから買い取った「ブーメラン」をマザーマイマイが強化したもの。3つまで連続で投げられるようになる。その分がんばりゲージの消費量は増加

ナイスフックショット 【道具】

神々のトライフォース2
購入した「フックショット」をマザーマイマイに強化してもらったもの。発射スピードが速くなり攻撃力も付加され、攻撃しつつ気絶も狙える

ナイス弓矢 【道具】

神々のトライフォース2
ラヴィオから買い取った「弓矢」をマザーマイマイに強化してもらったもの。一度に3本の矢が放射状に飛ぶようになるため、的に当てやすくなる

長持ちメダル 【装備】

スカイウォードソード
持っているだけで効果を発揮する不思議なおまもり"メダル"のひとつ。所有時、持続性のある薬の効果を3倍長持ちさせる

謎の結晶 【ダンジョン】

スカイウォードソード
「古の大祭殿」でボスの待つ部屋の扉を開ける鍵で、「ボス部屋のカギ」に相当。大小の立方体の結晶の集合体で、ところどころ欠けている

七色サンゴ 【その他】

トライフォース3銃士
その美しさゆえ、隣国からの密漁が絶えないという、七色に輝くサンゴ。「疾風斬りの黒衣」の材料になる

なにかのエキス 【その他】

トライフォース3銃士
廃墟エリアで手に入る、謎のエキス。何のエキスかは誰も知らない。「カチコチのトーガ」と「ファイア仮面」の材料になる

ニ

ニオイぶくろ 【イベント】

ふしぎの木の実
『時空の章』のわらしべアイテムで、トイレの手からもらう。トカゲ人に渡して鼻詰まりを治してあげるとお礼に「デリシャスおにく」がもらえる

肉厚なはっぱ 【その他】

トライフォース3銃士
森林エリアで採取できる素材。葉っぱの部分はコラーゲンが占めているため、とてもプルプル。植物風の「トゲトゲスーツ」の材料になる

ニテンどうゴールドメダル 【コレクト】

ふしぎのぼうし
ニテン堂でクジ引きでもらえるフィギュアをすべてコンプリートすると、主人のツクル・ハジメからもらえる。入手には一度はクリアする必要がある

ニテン堂のフィギュア 【コレクト】

風のタクト / ふしぎのぼうし
ニテン堂でもらえるいろんなものを模した像。『風のタクト』は全134種、『ふしぎのぼうし』は全136種

人形 【消費】

リンクの冒険
1UPできる人形。ハイラル各地に少数隠されている

にんぎょスーツ 【装備】

ふしぎの木の実
『時空の章』で登場。人魚の姿に変身できるスーツ。「水かき」のように水が深い場所でも移動できるようになる

にんぎょのウロコ 【イベント】

夢をみる島
わらしべアイテム13個目。マーサのいりえにいる人魚へ「ピンクのブラジャー」を渡すと、お礼に手に入る
関連 みとおしレンズ

にんぎょのカギ 【イベント】

ふしぎの木の実
『時空の章』で登場。カリスマゴロンからもらう。今の時代のLEVEL6ダンジョン「人魚の洞くつ」に入るためのカギ

ニンジン 【消費】

4つの剣+
水晶玉から出てくるアイテムのひとつ。取ると馬に乗ることができる。無敵になって移動スピードが上がるほか、ジャンプで柵を越えることも可能

任命書 【イベント】

大地の汽笛
ゼルダ姫に任命された、王家の機関士であることを示す文書

ヌ

ぬくもりの恵み 【重要】

ふしぎの木の実
『大地の章』のLEVEL5ダンジョン「一角獣の洞くつ」で手に入る、8つのことわりのひとつ

沼の権利書 【イベント】

ムジュラの仮面
わらしべアイテム3/5個目。沼地にいるアキンドナッツに「土地の権利書」を渡すと手に入る
関連 山の権利書

ネ

ネールの愛 【道具】

時のオカリナ
使うと周囲に障壁を張り、一定時間敵の攻撃を受けなくなる魔法。ネールは世界を創造した知恵の女神の名。大妖精から入手する

ネールのお守り 【装備】

ふしぎのぼうし
ハイラルの町で家を探しているネールに住まいを紹介すると、空きビンに入れてもらえる。使うと服が青くなり、一定時間防御力がアップする

ネールのしずく 【イベント】

スカイウォードソード
ラネール砂漠での精神の試練サイレンで集めることになるしずく。全部で15個入手すると試練達成となり、「クローショット」を入手できる

ネールの神珠 【重要】

風のタクト
「神の塔」を出現させるために使用する神珠のひとつ。水の精霊ジャブーから授かる

ねじねじパン 【消費】

ふしぎのぼうし
ハイラルの町のパン屋で買える、ねじり具合がおいしそうな見た目のパン。食べるとハートをひとつ回復。時々「しあわせのカケラ」が入っている

ねじれた小枝 【その他】

トライフォース3銃士
ぐるりとねじれた形に成長した木の枝。その形から、夫婦円満のお守りとして人気が高い。「カチコチのトーガ」と「ファイア仮面」の材料になる

ねっこのカギ 【イベント】

ふしぎの木の実
『大地の章』で登場。LEVEL1「ねっこのダンジョン」への入口を出現させるためのカギ

ネボケタケ 【イベント】

夢をみる島
ふしぎの森に生えている。これをおばあさんの元へ持っていくと、「魔法の粉」を作ってくれる

ハ行

▷ ハート 【消費】
● 回復のハート／▲ ハート(赤)

ゼルダの伝説　神々のトライフォース　夢をみる島　時のオカリナ

ムジュラの仮面　ふしぎの木の実　風のタクト　4つの剣

4つの剣+　ふしぎのぼうし　トワイライトプリンセス　夢幻の砂時計

大地の汽笛　スカイウォードソード　神々のトライフォース2　トライフォース3銃士

ライフを1個分回復するハート。敵を倒したり、草やツボから出現する。タイトルによっては商人が売っていることもある

▷ ハート(赤) 【消費】
➡ ハート

▷ ハートの器 【コレクト】
● イノチノウツワ／▲ ハートのうつわ

ゼルダの伝説　リンクの冒険　神々のトライフォース　夢をみる島

時のオカリナ　ムジュラの仮面　ふしぎの木の実　風のタクト

4つの剣　4つの剣+　ふしぎのぼうし　トワイライトプリンセス

夢幻の砂時計　大地の汽笛　スカイウォードソード　神々のトライフォース2

ライフの最大値を増やし、同時にライフを全回復する。主に各ダンジョンのボスを倒して入手する。『ゼルダの伝説』では「ハートの水筒」とも呼ばれる

▷ バードのカギ 【イベント】

夢をみる島

レベル7ダンジョン「オオワシのとう」の入口にかかっている封印を解くカギ

▷ ハートのかけら 【コレクト】

神々のトライフォース　夢をみる島　時のオカリナ　ムジュラの仮面

ふしぎの木の実　風のタクト　ふしぎのぼうし　トワイライトプリンセス

スカイウォードソード　神々のトライフォース2

4つまたは5つ集めると体力の最大値を一つ増やすことができる。ミニゲームの景品だったり、思わぬところに隠されていたりする

▷ ハートのクスリ 【消費】

スカイウォードソード

飲むと体力がハート8個分回復する薬。空きビンがあれば、スカイロフトのクスリ屋で購入して持ち歩ける
関連 赤いクスリ

▷ ハートのクスリSV 【消費】

スカイウォードソード

「ハートのクスリV」をさらに強化したもの。飲むと体力が全回復し、さらに少ない量で効果が得られるようになり、2回まで使用できるようになった

▷ ハートのクスリV 【消費】

スカイウォードソード

クスリ屋のアリンに材料となる虫を渡し、調合することで強化された「ハートのクスリ」。飲むと体力が全回復する

▷ ハートフルドレス 【装備】

トライフォース3銃士

トライフォースの紋章があしらわれた、ゼルダ姫リスペクトの服。敵を倒したり、ツボなどを破壊したときにハートが出現する確率がアップする

▷ ハート(緑) 【消費】

夢幻の砂時計

海上で手に入る。船の耐久度を回復する

▷ ハートメダル 【装備】

スカイウォードソード

持っているだけで効果を発揮するおまもり"メダル"のひとつ。所有時、フィールドなどでハートが出現しやすくなる。2つ所有すると効果も倍に

▷ パールのネックレス 【その他】

夢幻の砂時計　大地の汽笛

ルピーに換金できるお宝のひとつ。『大地の汽笛』では汽車パーツとの交換にも使う

▷ 配達袋 【コレクト】

風のタクト

竜の島にいるオドリーからもらえる、リト族愛用の袋。人からあずかった手紙やアイテムを入れておくことができる

▷ パイナップル 【イベント】

夢をみる島

わらしべアイテム7個目。どうぶつ村にいるクマへ「ハチのす」を渡すと、そのお礼に手に入る
関連 ハイビスカス

▷ ハイパーパチンコ 【道具】

ふしぎの木の実

『大地の章』に登場。木の実を3方向に飛ばすことができる。一度に消費する木の実はひとつだけ

▷ ハイパピルス 【その他】

トライフォース3銃士

紙として文字などを書き込める材質。ハイパピルスに書いた恋文は必ず相手の心を射止めるらしい。「チータースーツ」の材料になる

▷ ハイビスカス 【イベント】

夢をみる島

わらしべアイテム8個目。タルタル山脈で遭難しているパパールへ「パイナップル」を渡すと、そのお礼に手に入る
関連 ヤギのてがみ

▷ バイブル 【道具】

ゼルダの伝説

炎を出す呪文が記された魔法の書。「マジカルロッド」の呪文に炎を追加して強化できる

▷ バイラのつえ 【道具】

神々のトライフォース

魔法力が続く限り、自身を光で包み込んでバリアのように敵からの攻撃を防ぐことができる魔法の杖

▷ ハイリアの盾 【装備】

時のオカリナ　トワイライトプリンセス　スカイウォードソード　神々のトライフォース2

ハイリアの騎士が持つ大きな盾。各タイトルにおける最強の盾とされる場合が多い。『時のオカリナ』の子供時代では重くて持てず、しゃがんで身を隠す

▷ ハガネの仮面 【その他】

トライフォース3銃士

この仮面に使われているハガネが1％含まれるだけで、武器の攻撃力が跳ね上がるという。「大回転斬りの甲冑」の材料

▷ 墓場のカギ 【イベント】
● はかばのカギ

ふしぎの木の実　ふしぎのぼうし

墓場の扉を開けるためのカギ。『ふしぎの木の実』では『時空の章』に登場

▷ バクダン 【道具】
● 爆弾

ゼルダの伝説　神々のトライフォース　夢をみる島　時のオカリナ

ムジュラの仮面　ふしぎの木の実　風のタクト　4つの剣

4つの剣+　ふしぎのぼうし　トワイライトプリンセス　夢幻の砂時計

大地の汽笛　スカイウォードソード　神々のトライフォース2　トライフォース3銃士

爆風で壁に穴を開けたり敵を倒せる。『ゼルダの伝説』では一度設置すると動かせないが、爆風に自分が巻き込まれることはない ➡ P.086 (1章)

▷ 爆弾入りボム袋 【コレクト】
➡ ボム袋

ハ

▷ バクダン花 【道具】

時のオカリナ

ムジュラの仮面

ふしぎの木の実 風のタクト

4つの剣+ 夢幻の砂時計 大地の汽笛 スカイウォードソード

トライフォース3銃士

ハイラル各地に自生している、バクダンのような植物。手に取ると光りはじめ、一定時間後に爆発する。一度摘んでも少しするとすぐ生えてくる

▷ バクダン袋 【コレクト】

風のタクト 大地の汽笛 スカイウォードソード

「バクダン」を入れておく袋。大きくすれば爆弾の所持数を増やすことができる。なお、『風のタクト』には特に名称は付いていない ➡P.087（1章）

▷ バクダン袋 Lv1 【コレクト】

夢幻の砂時計

「バクダン」を20個まで入れられる袋。お店か大砲ゲーム屋で手に入れることができる ➡P.087（1章）

▷ バクダン袋 Lv2 【コレクト】

夢幻の砂時計

「バクダン」を30個まで入れられる大きめの袋。お店か大砲ゲーム屋で手に入れることができる ➡P.087（1章）

▷ バクダン袋 小 【コレクト】

スカイウォードソード

「バクダン」を持ち歩ける上限数が5個増える、予備のバクダン袋。改造すると中・大となり入れられる数が増える ➡P.087（1章）

▷ バクダン袋 大 【コレクト】

大地の汽笛 スカイウォードソード

「バクダン」を最大数持てる。『大地の汽笛』ではミニゲームや店で入手 ➡P.087（1章）

▷ バクダン袋 中 【コレクト】

大地の汽笛 スカイウォードソード

「バクダン」の持てる数が増える。『スカイウォードソード』ではジャンク屋の改造で入手 ➡P.087（1章）

▷ バクレツのお面 【装備】

ムジュラの仮面

クロックタウン北で1日目の夜に起こる事件を解決すると、バクダン屋のおふくろさんからもらえる。かぶると好きなときに爆発できる

▷ ハシゴ 【重要】

ゼルダの伝説

入手することで狭い水路や川を渡れるようになる

▷ バズジェリー 【その他】

トライフォース3銃士

倒されたバズブロブが落としていったとされるもの。体のどの部分に当たるかは不明。「コキリ族の衣装」の材料になる

▷ パッチのつえ 【道具】

ふしぎのぼうし

「炎のどうくつ」で入手。杖の先から飛ぶ光線を当てると、物をひっくり返せる。穴に向けて使うとエネルギーがたまり、高くジャンプできる

▷ ハチ 【生物】

神々のトライフォース 神々のトライフォース2

アミで捕まえることができる昆虫で、ビンから放つとモンスターを攻撃してくれる

▷ ハチの子 【生物／その他】
● はちのこ

トワイライトプリンセス 大地の汽笛 スカイウォードソード

ハチの幼虫。『トワイライトプリンセス』では釣り餌、『大地の汽笛』では汽車のパーツに、『スカイウォードソード』では道具改造の素材に使う

▷ ハチのす 【イベント】

夢をみる島

わらしべアイテム6個目。ウククそうげんにいるタリンへ「ぼうきれ」を渡すと、そのお礼に手に入る
関連 パイナップル

▷ ハチバッヂ 【道具】

神々のトライフォース2

ハイラルのカカリコ村にいるハチおじさんに「黄金のハチ」をあげるともらえる。持っていればハチに襲われなくなり、ともに戦ってくれるようになる

▷ パチンコ 【道具】
● 妖精のパチンコ

時のオカリナ ふしぎの木の実 4つの剣 トワイライトプリンセス

スカイウォードソード

木の実やかたい種などを弾にして飛ばし、遠くのものをねらい撃ちできる。『ふしぎの木の実』では『大地の章』に登場

▷ バツがたのほうせき 【イベント】
➡ ほうせき

▷ 派手なタキシード 【装備】

トライフォース3銃士

まばゆい輝きを放つ、舞台役者のタキシード。敵に発見される範囲がいつもより広くなるため、おびき寄せやオトリ役に最適

▷ ハテナの実 【道具】

ふしぎの木の実

フクロウ石にふりかけると、冒険のヒントが聞ける木の実。バズブロブにふりかけるとノモスに変化し、話しかけるとしゃべり出す

▷ バナナ 【イベント】

夢をみる島

わらしべアイテム4個目。トロンボかいがんにいるワニのセールへ「ドッグフード」を渡すと、そのお礼に手に入る
関連 ぼうきれ

▷ はねマント 【道具】
● ハネマント

ふしぎの木の実 4つの剣 ふしぎのぼうし

装備すると長い距離をジャンプで滑空できる。『ふしぎの木の実』では『大地の章』に登場、「ロック鳥の羽根」の強化版

▷ 母への速達 【イベント】

ムジュラの仮面

潜伏中のカーフェイが最後の日の前に書き残した手紙。マニ屋から受け取る。そのままアロマ夫人へ渡すもよし、ポストマンに渡すもよし

▷ ババルピー 【消費】

4つの剣 夢幻の砂時計 スカイウォードソード

黒い色のルピーで、触れると持っているルピーをばらまいてしまう ➡P.090（1章）

▷ パラショール 【道具】

スカイウォードソード

鳥乗りの儀の優勝者に贈られる、女神役であるゼルダの手編みのショール。落下中に使うと安全に着地できる。ほのかにいい香りがする

▷ バルーンタイツ 【装備】

トライフォース3銃士

チンクルリスペクトの服。足場の外に落ちても背中に付いた風船で浮かび、ノーダメージで復帰。ただし、ノーダメージなのは風船の数と同じ3回まで

▷ 春バナナ 【イベント】

ふしぎの木の実

『大地の章』に登場。翼の生えたクマ、ムッシュの大好物。ムッシュにあげると冒険を手助けしてくれる

▷ パワーグラブ 【装備】
● パワーグローブ

神々のトライフォース 神々のトライフォース2

身に着けると、素手では持てなかった石などを持ち上げて投げることができるようになる不思議な手袋

▷ パワーグローブ 【装備】
➡ パワーグラブ

▷ パワーブレスレット 【道具／装備】
● パワーリスト

ゼルダの伝説 夢をみる島 ふしぎの木の実 風のタクト

着けると強い力が湧いてくる腕輪。道を塞ぐ重い岩などを持ち上げられるようになる

▷ パワーリスト 【装備】
➡ パワーブレスレット

ハ

▷ パワフルグラブ 【装備】
● パワフルグローブ

神々のトライフォース

ふしぎの木の実

神々のトライフォース2

それまで持ち上げられなかった、より重い物を持ち上げられるようになる。『ふしぎの木の実』では『時空の章』に登場

▷ パワフルグローブ 【装備】
→ パワフルグラブ

▷ パワフルブレスレット 【装備】

夢をみる島

4つの剣+

普通では持ち上げられない、重い物を持ち上げられるようになる

▷ ハンコ 【コレクト】

トワイライトプリンセス(HD)

HD版のみに登場。ハイラル各地の宝箱に隠され、入手するとMiiverseで使用できる。ハイリア文字やミドナの表情などの種類がある

▷ 万能エサ 【消費】

風のタクト

魚男、グース、ブタなど、名前のとおりいろんな動物などが好む高級ペットフード。主に魚男に海図を描いてもらうときに使用することが多い

▷ ハンマー 【道具】

リンクの冒険

風のタクト

夢幻の砂時計

神々のトライフォース2

トライフォース3銃士

『ゼルダの伝説』では地上で岩を壊したり、木を切ることができる。『風のタクト』などでは背の高いスイッチや杭を打ち込むことも可能

▷ ハンマーのコウラ 【装備】

トライフォース3銃士

某軍団のハンマー使いを彷彿とさせる服。ハンマーを振り下ろすまでの時間が短縮され、衝撃波の届く範囲とハンマー部分の攻撃力が2倍になる

▷ ハンモンカジキ 【生物】

夢幻の砂時計

海で「大物狙いのルアー」を使うときに釣れる魚。体長3m～4m20cm。Mr.ロマンティックに見せると「ポセイドン」について教えてもらえる

ヒ

▷ ビートル 【道具】

スカイウォードソード

「天望の神殿」で入手する古代のカラクリ道具。飛ばして自由に操作し遠くの的を狙えるほか、前方に付いた小さなハサミで茎や糸を切ることも可能

▷ 緋色のハガネ 【重要】

夢幻の砂時計

「夢幻のつるぎ」をつくるために必要な、3つのハガネのうちのひとつ。ゴロン族の誇りというべき宝物

▷ 光の器 【コレクト】

トワイライトプリンセス

トワイライトの領域で精霊から受け取る、「光の雫」を集めるための器。器をすべて満たすと、精霊が守護する土地に光を取り戻せる

▷ 光の雫 【イベント】
● 光のしずく

トワイライトプリンセス

大地の汽笛

『トワイライトプリンセス』では光の精霊の力の源、『大地の汽笛』では取るとボンバー列車を倒せる

▷ 光の実 【消費】

スカイウォードソード

サイレン中に、フィールドのいたるところに出現する不思議な木の実。取ると30秒間しずくのある場所に、光るのろしの柱が現れる

▷ 光のメダル 【重要】

時のオカリナ

勇者に力を与える"賢者のメダル"のひとつ。賢者の間にいる光の賢者ラウルから入手する

▷ 光の矢 【道具】

時のオカリナ

ムジュラの仮面

風のタクト

トワイライトプリンセス

魔王に対する切り札。『ムジュラの仮面』では太陽ブロックを消滅できる。『風のタクト』『トワイライトプリンセス』ではゼルダ姫も使用する

▷ 光の弓矢 【道具】

ふしぎのぼうし

大地の汽笛

神々のトライフォース2

魔を払う聖なる光の力をたたえた弓矢。魔王などの強大な魔の者に有効な場合が多い。タイトルによってはゼルダ姫が扱うことも

▷ 光のラシンバン 【重要】

大地の汽笛

「神の塔」24階で手に入る、魔の潜む方向を指し示すことができる羅針盤。この力により、魔列車のいる「闇の世界」への道が開かれる

▷ 光の輪出現マップ 【その他】

風のタクト

満月の夜にだけ出現する光の輪のありかを示したマップ。光の輪の部分でサルベージするとルピー入りの宝箱などが入手できる

▷ ビッグポウ 【イベント/その他】

時のオカリナ

ムジュラの仮面

倒したビッグポウの魂を詰めたもの。使用することはできず、ゴーストショップで買い取ってくれる

▷ ピッコル伝説 【イベント】

ふしぎのぼうし

図書館の本のうちの一冊。ピッコルを研究している学者のレフトが借りていった

▷ 秘伝のたんもの 【その他】

トライフォース3銃士

一子相伝の、秘伝の製法で織られたとても貴重な麻布。「風使いの衣」「疾風斬りの黒衣」の材料になる

▷ 火のけっかい 【重要】

大地の汽笛

火の大地に結界を張り直した証として手に入るコレクトアイテム

▷ 火の大地の石版 【イベント】

大地の汽笛

「神の塔」17階に安置されている石版。入手すると火の大地の路線が出現する

▷ ひびき石 【その他】

時のオカリナ(3D)

3DS版のみ登場。地面に隠された穴を効果音とアイコン点滅で知らせてくれる石。64版『時のオカリナ』の「もだえ石」にあたる 関連 もだえ石

▷ ヒミツのかいがら 【その他】
● ヒミツのカイがら／▲ ひみつの貝がら

夢をみる島

ふしぎのぼうし

4つの剣+

『夢をみる島』では集めると強い剣が手に入る。『4つの剣+』では「ナビトラッカーズ」にて登場、『ふしぎのぼうし』ではくじ引きに必要

▷ ヒミツのくすり 【道具】

夢をみる島

トレーシーの薬屋で売っている。これを持っていると、体力がゼロになったとき自動的に体力が全回復で復帰できる

▷ 秘密のマップ 【その他】

風のタクト

このマップに記された海域の島には、通常では侵入しにくい秘密の入口がかならずある。秘密の場所に行くとお宝が発見できる

▷ ビューの実 【道具】

ふしぎの木の実

ふしぎの木が生えている場所までワープができる木の実。パチンコや豆鉄砲の弾として使うと敵を遠くへ吹き飛ばすことができる

▷ ヒョイの実 【消費】

風のタクト

海上を飛ぶカモメ用の餌。島の近くなどで使うとカモメが現れ、カモメを操作できるように。はるか上空のスイッチの起動やアイテムの入手に使える

▷ ビリリの実 【道具】

神々のトライフォース2

ハイラルのお店で売られている不思議な木の実。ビンに入れて持ち歩き、使うと周囲の敵を気絶させる効果がある

▷ ビン 【道具】
→ あきビン

▷ ピンクのブラジャー 【イベント】

夢をみる島

わらしべアイテム12個目。マーサの入り江、橋の下にいる釣り人へ「つりばり」を渡すと、お礼に手に入る 関連 にんぎょのウロコ

ヒ

▷ ヒントメガネ 【道具】

神々のトライフォース2
かけている間は、冒険や謎解きのヒントをくれるヒントおばけが見えるようになるアイテム。3DS本体のゲームコインを1枚払うとヒントをくれる

▷ ひんやり石 【その他】

トライフォース3銃士
暑い時期でもどんなところでも、触るといつもちょっとひんやりしている石。「ハンマーのコウラ」の材料になる

フ

▷ ファイア仮面 【装備】

トライフォース3銃士
炎を操るヒーローが着用する服。「ファイアグローブ」が強化され、一度に3発の火の玉が連なって飛ぶように。さらに火の玉のサイズも大きくなる

▷ ファイアグローブ 【道具】

トライフォース3銃士
装着すると自分の向いている方に火の弾を発射する。燭台に火をつけたり氷を溶かしたりできる。弾は跳ねるように飛び、壁に当たると反射する

▷ ファイアロッド 【道具】

神々のトライフォース　4つの剣+　神々のトライフォース2
炎を放つ魔法の杖で、モンスターへの攻撃のほかに遠くの燭台などに火をつけることもできる

▷ フィラクレスカブト 【生物】

スカイウォードソード
フィローネの森に多く生息する虫。体が大きく動きも鈍め。蜜を求めて木の幹などに止まっていることも多く、体当たりで落として素手で捕まえられる

▷ フィロホッパー 【生物】

スカイウォードソード
ぴょんぴょんと飛び跳ねて逃げる虫。そのジャンプの軌道は独特で動きを捉えにくい。フィローネの森などに多く生息する

▷ ふういんの本 【イベント】

ふしぎの木の実
『時空の章』で登場。今の時代のメガネじまとしょかんで手に入り、昔の図書館の封印を解くことができる

▷ ブーさんのお面 【装備】

ムジュラの仮面
デクナッツの執事をおいかけるミニゲームをクリアするともらえる。かぶると「魔法のキノコ」から出ている匂いが視覚で見えるように

▷ 風船 【消費】

4つの剣+
「ナビトラッカーズ」で登場。東西南北のワープポイントまで移動できる。ライバルを持ち上げて飛ばしてしまえ妨害アイテムとしても使える

▷ ブーメラン 【道具】

ゼルダの伝説　神々のトライフォース　夢をみる島　時のオカリナ

ふしぎの木の実　風のタクト　4つの剣　4つの剣+

ふしぎのぼうし　夢幻の砂時計　大地の汽笛　神々のトライフォース2
敵を倒したり気絶状態にでき、離れた場所のアイテムも取れる。スイッチなども起動可能。『夢幻の砂時計』などではタッチペンで飛ぶ軌跡を描ける

▷ ブーメラン酋長 【装備】

トライフォース3銃士
野性味あふれる「ブーメラン」の達人の服。ブーメランが大きくなり、攻撃力と貫通性能が付加。さらに仲間2人を同時に引き寄せられるようになる

▷ 笛 【重要】
● フエ

ゼルダの伝説　リンクの冒険
ワープができたり不思議な現象を起こす。『リンクの冒険』では怪物を退け、神殿を出現させる

▷ フェイスのかぎ 【イベント】

夢をみる島
レベル6ダンジョン「かおのしんでん」の入口にかかっている封印を解くカギ

▷ フェザーソード 【装備】

ムジュラの仮面
「コキリの剣」を鍛えて1段階強くした剣。100回攻撃すると「コキリの剣」に戻ってしまう

▷ フォース 【その他】

4つの剣+　夢幻の砂時計　大地の汽笛
『4つの剣+』では集めると剣に退魔の力を宿せる。『夢幻の砂時計』では仕掛け関連。『大地の汽笛』では住人の願いをかなえると入手できる

▷ フォースの精 【消費】

4つの剣+
その場でライフを全回復し、全滅したときにコンティニューできる回数を増やしてくれる、心強い味方

▷ フォーソード 【装備】

神々のトライフォース　4つの剣　4つの剣+　ふしぎのぼうし
触れた者の身体を4つに分け、不思議な力を持つ剣

▷ ブキミドール 【イベント】

ふしぎの木の実
『大地の章』に登場するわらしべアイテムで、メイプルちゃんからもらう。暑がっているザーマス夫人に渡すと「鉄のナベ」がもらえる

▷ ふこうのつぼ 【消費】

4つの剣+
「ナビトラッカーズ」で登場する妨害アイテム。順位が自分より上のライバルに壺をかぶせて足止めできる

▷ ふしぎなタマゴ 【イベント】

時のオカリナ
一夜明けると「めざましドリ」がかえるタマゴ。牧場の少女マロンからもらう

▷ ふつうのスープ 【消費】

トワイライトプリンセス
「雪山の廃墟」に住むドサンコフが作った「作りかけのスープ」を、「トアルカボチャ」で味付けしたもの。甘いにおいがする　関連 極上のスープ

▷ フックショット 【道具】

神々のトライフォース　夢をみる島　時のオカリナ　ムジュラの仮面

風のタクト　神々のトライフォース2
特殊な的や宝箱などに向かって撃ち、引っかけて移動することができる武器　関連 アームショット、クローショット、ロングフック
➡ P.088（1章）

▷ フックビートル 【道具】

スカイウォードソード
ラネール砂漠で助けた機械亜人がお礼に強化してくれた「ビートル」。新たに大きなハサミが追加され、はさんでものを遠方に運べるようになった

▷ ふっくらパン 【消費】

ふしぎのぼうし
ハイラルの町のパン屋で買える、ふっくらほかほかでおいしそうなパン。食べるとハートをひとつ回復。時々「しあわせのカケラ」が入っている

▷ 船のパーツ 【コレクト】

夢幻の砂時計
船の見た目や耐久力などをカスタマイズできるパーツ。購入したり、サルベージで宝箱から手に入ったりする。全9シリーズ72種類が存在

▷ 船の帆 【その他】

風のタクト
大海原で航海するための必需品。船上で広げれば風を受けて進み、追い風にすれば航海する速度も速くなる　関連 快速の帆

▷ ぷよぷよした塊 【その他】

スカイウォードソード
やわらかい体を持った魔物から入手できる謎の物資。熱を加えると硬質化する性質を持つため、「木の盾」や「パチンコ」などの改造に使用される

▷ フリザドの氷 【その他】

トライフォース3銃士
氷の魔物ブリザドが溶けてできた。不純物ゼロの最高にキレイな水。「バルーンタイツ」と「ハンマーのコウラ」の材料になる

▷ブリン族の首飾り 【その他】

トライフォース3銃士

モリブリンなどのブリン族が成人になった証として着ける。ブリン族でも成人になれるのはほんのひと握りだという。「ラッキーパジャマ」の材料

▷ふるいにんぎょのカギ 【イベント】

ふしぎの木の実

『時空の章』で登場。バクダンゲームをクリアすると入手。昔の時代のダンジョン「人魚の洞くつ」に入るためのカギ

▷ブレー面 【装備】

ムジュラの仮面

夜、クロックタウンの洗濯場にいるグル・グルさんに話しかけるともらえる。かぶると好きなときに行進ができる。ヒヨコが列を作る

▷プレミアムミルク 【消費】

神々のトライフォース2

普通のミルクより高価な高級品。ヘブラ山にいる遭難者のおじさんが飲みたがっている。あげると「空きビン」を入手　関連 ミルク

▷フロルのお守り 【装備】

ふしぎのぼうし

ハイラルの町で家を探しているフロルに住まいを紹介すると、空きビンに入れてもらえる。使うと、一定時間攻撃力と防御力が少しだけアップする

▷フロルの風 【装備】

時のオカリナ

ダンジョン内で使うワープ魔法。1回目はポインタ、2回目はポインタした場所に移動。フロルは世界を創造した勇気の女神の名。大妖精から入手する

▷フロルのしずく 【イベント】

スカイウォードソード

フィローネの森での精神の試練サイレンで集めることになるしずく。全部で15個入手すると試練達成となり、「水龍のウロコ」を入手できる

▷フロルの神珠 【重要】

風のタクト

大地の精霊デクの樹サマに頼まれ、禁断の森でマコレを救うとともらえる宝珠。神の塔を出現させるために使用する、3つの神珠のひとつ

▷ふわふわした毛 【その他】

トライフォース3銃士

クセになるほどのふわふわな肌触りで、ずっと頬ずりしたくなる。保温性も高いので「すべらない服」に、そして「バルーンタイツ」の材料になる

▷兵士の服 【装備】

トライフォース3銃士

マダムテーラーで最初に作ってもらえる、お城の兵士たちとおそろいの服。特別な能力などは備わっていない

▷ペガサスのくつ 【装備】
●ペガサスの靴

神々のトライフォース

夢をみる島

4つの剣

4つの剣+

ふしぎのぼうし　神々のトライフォース2

履くとダッシュができるようになる靴。移動だけでなく、体当たりで高所の物も落とせるようになる

▷別荘の権利書 【イベント】

風のタクト

ダレの島にある別荘の所有権利書。ミセス・マリーからもらえる。持っていると「トライフォースのかけら」も隠されている別荘に入れるようになる

▷紅宝珠の石版 【重要】

スカイウォードソード

「天望の神殿」で手に入る古代の石版のひとつ。女神が封じた大地への道を開く力があり、女神像内部の台座にはめるとオルディン火山へ行ける

▷ヘビィブーツ 【道具】

時のオカリナ

風のタクト

走れない重いブーツ。「ゾーラの服」と併用で水底が歩ける。『風のタクト』では強風の中も歩行可能に

▷ペラランの実 【イベント】

ふしぎのぼうし

森のピッコル里にある、不思議な木の実。食べるとピッコルたちの言葉がわかるようになる

▷ベル 【重要】

神々のトライフォース2

魔法使いの少女アイリンからもらえる、きれいな音色のベル。屋外で使うとアイリンを呼び出して、行きたい風見鶏の場所まで連れていってもらえる

▷ヘンなふえ 【重要】

ふしぎの木の実

仲間を呼ぶことができる笛。イベント後、名前が変わる
関連 ウィウィのふえ、ムッシュのふえ、リッキーのふえ

▷ポウ 【生物】

時のオカリナ

ムジュラの仮面

倒したポウの魂を詰めたもの。ハートが増加もしくは減少。ゴーストショップで買い取ってくれる

▷望遠鏡 【イベント／その他】

風のタクト

4つの剣+

夢幻の砂時計

『風のタクト』では遠くを眺められる道具。『4つの剣+』では「ナビトラッカーズ」のボーナスアイテム。『夢幻の砂時計』では「正直者にしか見えない服」と交換で入手

▷ホウキ 【イベント】

夢をみる島

わらしべアイテム10個目。森のはずれにいるドクターライトへ「ヤギのてがみ」を渡すと、お礼に手に入る
関連 つりばり

▷ぼうきれ 【イベント】

夢をみる島

わらしべアイテム5個目。カナレットじょう近くにいるサルキッキへ「バナナ」を渡すと、お礼に手に入る
関連 ハチのす

▷冒険ポーチ 【コレクト】

スカイウォードソード

騎士学校の同級生セバスンがプレゼントしてくれたポーチ。装備品や回復のクスリなどのアイテムを4つまで持ち歩けるようになる

▷冒険ポーチ（追加） 【コレクト】

スカイウォードソード

テリーの店で購入したり、宝箱から入手できる拡張用「冒険ポーチ」。入手するたびに持てる枠がひとつ増え、最大8つまでアイテムが持てるように

▷ほうせき 【イベント】

ふしぎの木の実

『大地の章』に登場。それぞれ「さんかくのほうせき」「しかくいほうせき」「バツがたのほうせき」「まるいほうせき」と呼ばれる4つの宝石

▷ポウのたましい 【その他】

トライフォース3銃士

廃墟などに潜むポウの魂。戦っているポウ本体には魂はなく、みんなどこかに隠しているらしい。「カチコチのトーガ」と「カンテラスーツ」の材料

▷ポウのとけい 【イベント】

ふしぎの木の実

『時空の章』のわらしべアイテムで、成仏を手伝ったアランからもらう。郵便局のポストマンに渡すと「レターセット」がもらえる

▷ホークアイ 【道具】

トワイライトプリンセス

遠くにある物をズームして見られる、望遠鏡のようなもの。マロの店で購入できる。「弓矢」にセットすると、遠く離れた的も楽に撃ち抜ける

▷ポーチ 【コレクト】

神々のトライフォース2

かじ屋の奥さんのお手製ポーチ。グリがよくいくお気に入りの場所に落ちている。手に入れると持てるアイテムの数が増える

▷ホーリーアゲハ 【生物】

スカイウォードソード

天上でも地上でも見かける一般的な虫。不思議な感知能力を持つとされ、女神に関するとあるものが隠されている場所に集まる習性を持つ

▷牧場のカギ 【イベント】

ふしぎのぼうし

ロンロン牧場の主人であるタロンがなくして困っているカギ。家の中のツボに隠れている

▷木刀 【装備】

トワイライトプリンセス

剣術の稽古のために愛用している。木でできているため斬ることはできず攻撃力は低いが、当たると結構痛い。後にタロに貸すことになる

▷ポケットタマゴ 【イベント】

時のオカリナ

わらしべアイテム。カカリコ村にいるコッコお姉さんから渡される。一夜明けると「てのりコッコ」がかえる

▷ポケット爆弾虫 【道具】

バーンズが開発した新型の爆弾で、ボム工房での購入専用。使うと前方に走り出し、敵か障害物に当たったり、一定時間が経つと爆発する

▷ボコババのタネ 【その他】

ボコババを倒すと手に入るタネ。森の島のクスリ屋に4個あつめて渡すと「青いクスリ」をつくってくれる

▷ポシードン 【生物】

「大物狙いのルアー」を使い、カジキの魚影から釣れる伝説の魚。体長5m25cm。ボヌン島のMr.ロマンティックに見せると「ハートの器」がもらえる

▷星のかけら 【その他】
●星のカケラ

『大地の汽笛』で汽車のパーツなどに使用する低級お宝。『トライフォース3銃士』では服の材料

▷ほしのきおく 【重要】

『時空の章』のLEVEL8ダンジョン「いにしえの墓」で手に入る、8つのことわりのひとつ

▷ホシの鉄 【イベント】

『大地の章』に登場。星の形をした鉄。ウーラ世界のウーラマーケットに持っていくと「リボン」と交換できる

▷ボスカギ 【ダンジョン】
➡ ボス部屋のカギ

▷ポストハット 【装備】

「母への速達」をポストマンに渡すとミルクバーへ配達に行く。配達後話しかけるとこれがもらえる。かぶるとポストの中が見られる

▷ポストマンからの手紙 【イベント】

ポストマンから配達される手紙の総称。『大地の汽笛』ではアイテムとして表示されるが、『夢幻の砂時計』ではその場で読まれるためアイテムではない

▷ポストマンの像 【イベント】

物々交換アイテム。リト族の勇士であるポストマンを模した像。露天商が扱う品物であり、「ツボの噴水像」「露店のあるじ像」と交換できる

▷ボスのカギ 【ダンジョン】
➡ ボス部屋のカギ

▷ボス部屋のカギ 【ダンジョン】
●大きなカギ／▲大きな扉の鍵／■ボスカギ／◆ボスのかぎ

「小さなカギ」で開かない扉や、ダンジョンのボス部屋のドアを開くカギ。入手したダンジョン内でしか使えない。タイトルによっては異なる名前のカギがこれにあたる場合もある

▷炎のエレメント 【重要】

「炎のどうくつ」で手に入る、暗闇を照らしあたたかさをもたらす炎の力の結晶。「ホワイトソード」に力を宿すために必要

▷炎のカンテラ 【道具】
➡ カンテラ

▷ほのおのきおく 【重要】

『時空の章』のLEVEL4「どくろダンジョン」で手に入る、8つのことわりのひとつ

▷炎の精霊石 【重要】
➡ ゴロンのルビー

▷炎のメダル 【重要】

勇者に力を与える"賢者のメダル"のひとつ。「炎の神殿」クリア後に、炎の賢者として覚醒したダルニアから入手する

▷炎の矢 【道具】

矢に炎の力を与え、撃った相手を燃やす。遠くの燭台に火をつけたり氷を溶かすことができる

▷ホバーブーツ 【装備】

滑りやすくなるが、空中を少し歩くことのできるブーツ

▷ボムチュウ 【道具】

ネズミの姿をした動く爆弾。地面を進み壁や天井を伝うことも。普通の「バクダン」では届かない場所にある物を壊せる

▷ボムチュウ袋 LV2 【コレクト】

「ボムチュウ」を20個まで入れられる袋。お店かゴロンゲームで手に入れることができる ➡P.087（1章）

▷ボムチュウ袋 LV3 【コレクト】

「ボムチュウ」を30個まで入れられる大きめの袋。お店かゴロンゲームで手に入れることができる
➡P.087（1章）

▷ボム袋 【コレクト】
●爆弾入りボム袋／▲ボムぶくろ

丈夫な布でできた、「バクダン」を入れるための袋。『時のオカリナ』ではドドンゴの胃袋でできている
➡P.087（1章）

▷ほりほりグローブ 【道具】

モグマ族に伝わる、ツメで地面を掘り起こせるようになる道具。特定の地面に使うとアイテムなどが入手可能
関連 モグマグローブ

▷ホワイトソード 【装備】

『ゼルダの伝説』では、「命のうつわ」が増えるともらえる。『ふしぎの木の実』では剣を強化する。『ふしぎのぼうし』は「折れたピッコルの剣」を鍛えなおす

▷ホワイトソード（3人分身） 【装備】

ハイラル城の聖域で大地と炎に加え、さらに「しずくのエレメント」を宿した「ホワイトソード」。光る床で構えると3人に分身することができる

▷ホワイトソード（2人分身） 【装備】

ハイラル城の聖域で「大地のエレメント」と「炎のエレメント」を宿した「ホワイトソード」。光る床で構えると2人に分身することができる

▷ボンバー 【装備】

炎の魔法のメダルで、使うと一面を火の海にして周囲のモンスターをすべて焼きつくすことができる

▷ボンバーズ団員手帳 【コレクト】

人々の状況がわかる。人間の姿でボンバーズのジムからもらう。3DS版ではしあわせのお面屋からもらえる

▷ボンバーメダル 【装備】

投げると周囲の見える範囲にいる敵に雷を落とし、全滅させることができる。仲間には効果は及ばない

マ行

▷ **迷子マイマイ** 【その他】

神々のトライフォース2

洞窟にすむ巨大なタコのような生物、マザーマイマイの子供たち。ハイラルとロウラルの両側各地で迷子になっている。全100匹

▷ **マカの実** 【重要】
→ 大きなマカの実

▷ **マギーの手紙** 【イベント】

風のタクト

マギーを助け出した後に預かる手紙。自分を助けてくれたモリブリンに宛てたもの。ポストに入れると、後に「モリブリンの手紙」が手に入る

▷ **まきがいのホルン** 【重要】

夢をみる島

レベル2ダンジョン「つぼのどうくつ」をクリアすると手に入る。「かぜのさかなのうた」を奏でるのに必要な楽器のひとつ

▷ **マグテントウ** 【生物】

スカイウォードソード

暑い火山地帯を住処とする虫。何匹か仲間同士でグループをつくっている。警戒心は薄く、ほとんど動かないため捕まえやすい

▷ **マグネグローブ** 【道具】

ふしぎの木の実　4つの剣

磁石の力でさまざまなものを引き寄せられる。『ふしぎの木の実』では『大地の章』に登場

▷ **マグマのしずく** 【その他】

トライフォース3銃士

別名"炎の精霊の涙"。手にした者は精霊の加護を受けられるとされる。炎を扱う服「ファイア仮面」の材料になる

▷ **マ・グロ** 【生物】

夢幻の砂時計

海で釣れる魚。体長は80cm～1m40cm。釣っても特別なごほうびはもらえない

▷ **まことのお面** 【装備】

ムジュラの仮面

沼のクモ屋敷をクリアすると手に入る。かぶるとゴシップストーンや犬のセリフがわかる。『ムジュラの仮面3D』ではさらに隠し穴の位置が光る

▷ **まことの仮面** 【装備】

時のオカリナ

話した相手の本心を聞いたり、ゴシップストーンの噂話を聞くことができる不思議な仮面。動物の心すら見通すことができる

▷ **まことのメガネ** 【道具】

時のオカリナ　ムジュラの仮面

まやかしを見破る真実の目。魔力を使用して偽りの壁や見えない落とし穴を見ることができる

▷ **マジカル キー** 【ダンジョン】

ゼルダの伝説　リンクの冒険

ダンジョンの鍵のかかっているドアをすべて開けることができるカギ。使ってもなくならない

▷ **マジカルシールド** 【装備】

ゼルダの伝説　リンクの冒険

最初持っているものよりも大きく頑丈で、敵の放つ呪文やビームを受け止めることができる魔法の盾

▷ **マジカルソード** 【装備】

ゼルダの伝説　リンクの冒険

非常に威力が強い魔法の剣。『リンクの冒険』では初期装備

▷ **マジカルブーメラン** 【道具】

ゼルダの伝説　ふしぎの木の実　ふしぎのぼうし

魔法のブーメラン。『ゼルダの伝説』では、より速く遠くへ飛ぶ。『ふしぎの木の実』では『大地の章』に登場。『ふしぎのぼうし』はカケラ合わせで入手

▷ **マジカルミラー** 【道具】

神々のトライフォース

ヘブラ山に住むおじいさんからもらえる、闇の世界から光の世界へ一瞬で戻ることができるアイテム

▷ **マジカル ロッド** 【道具】

ゼルダの伝説

呪文を放つことのできる魔法の杖。遠くの敵にダメージを与えられる

▷ **マジックアーマー** 【装備】

トワイライトプリンセス

セレブショップ（マロマート城下町支店）で販売している高級な鎧。ダメージを受ける代わりにルピーを消費。着ているだけでも1秒1ルピー消費する

▷ **マジックシールド** 【装備】

風のタクト

魔法力を使って発生させられる強力な魔法のシールド。敵の攻撃を受けてもライフが減らない

▷ **マジックのうつわ** 【コレクト】

リンクの冒険

マジックゲージの最大値を増やし、同時にマジックを全回復する

▷ **マジックのつぼ(青)** 【消費】

リンクの冒険

マジックを1マス分回復する。敵が落としたり神殿に隠されている

▷ **マジックのつぼ(赤)** 【消費】

リンクの冒険

マジックを全回復する。敵が落としたり神殿に隠されている

▷ **マジックハンマー** 【道具】

神々のトライフォース　4つの剣+

地面にある杭などを叩き潰せる。『神々のトライフォース』では、「M、Cハンマー」と書いてマジックハンマーと読むことも

▷ **マジックマント** 【道具】

神々のトライフォース　4つの剣+

魔法力が続く限り一定時間姿を消して、無敵になれるアイテム

▷ **マジックロッド** 【道具】

夢をみる島

装備して使うと正面に火の玉を発射する。モンスターにダメージを与えたり、道を塞ぐ氷を溶かしたりできる

▷ **マジュウバッチ** 【その他】

トライフォース3銃士

魔獣用の絆創膏。魔獣の毛皮模様なので、傷を治しつつ傷も隠せて一石二鳥の（魔獣専用の）便利グッズ。「チータースーツ」の材料になる

▷ **まずいスープ** 【消費】

トワイライトプリンセス

キコルが手作りしたスープ。空きビンがあれば鍋からすくって入手できる。飲むとハートを回復できることもあれば、逆にダメージを受けることもある

▷ **マスターストーン** 【イベント】

神々のトライフォース2

「マスターソード」を強化するための聖なる鉱石。ロウラルのダンジョンなどで入手でき、鍛冶屋で鍛え直してもらうとレベルと攻撃力がアップ

▷ **マスターソード** 【装備】

神々のトライフォース　時のオカリナ　ふしぎの木の実　風のタクト

4つの剣　トワイライトプリンセス　スカイウォードソード　神々のトライフォース2

勇者のみ扱える退魔の剣。『4つの剣』は、GBA版『神々のトライフォース』のクリア特典。フォーソードから持ち変える　→P.078（1章）

▷ **マスターソードLV2** 【装備】

神々のトライフォース2

ハイラルの腕利きの鍛冶屋に鍛えられたことで、その切れ味を増した「マスターソード」

▷ **マスターソードLV3** 【装備】

神々のトライフォース2

闇の世界、またはロウラルで強化されたことにより、最高の切れ味を得た「マスターソード」

▷ **町の花** 【イベント】

風のタクト

町によく似合う、ちょっと小さな花。「海の花」と交換できる。このアイテムを元手に露天商と物々交換をしていくことになる

▷ **マップ** 【ダンジョン】
→ ダンジョンマップ

▷ **まほうのオール** 【イベント】

ふしぎの木の実

『時空の章』のわらしべアイテムでメイプルからもらう。レースで使うオールを探しているラフトンにあげると、「海のウクレレ」をくれる

マ（魔法のキノコ）〜ミ（女神の落とし物）

▷魔法のキノコ 【その他】

ムジュラの仮面

森の中や洗濯していないパンツに生えるというキノコ。ビンに入れて魔法オババの薬屋へ持っていくと、「青いクスリ」を作ってくれる

▷まほうのクスリ 【消費】

ふしぎの木の実

ハートがなくなってしまったとき、自動的に満タンまで回復してくれる。『大地の章』『時空の章』ともにシロップの店で買える

▷魔法の粉 【道具】
●まほうのこな

神々のトライフォース　夢をみる島

ある種のキノコを材料に作られた粉。人やモンスターなどにふりかけると意外な効果が出ることも

▷魔法の壺 【消費】
●魔法のツボ

神々のトライフォース　時のオカリナ　ムジュラの仮面　風のタクト

とると魔法力を回復することができるアイテム。大・小2種類あり、大きい方が回復できる量も多い

▷魔法のつぼ 【道具】
●まほうのツボ

ふしぎのぼうし　スカイウォードソード

空気を吸ったり吐き出したりできる。『ふしぎのぼうし』では空気の弾を発射可能 関連 空気ツボ

▷魔法のブーメラン 【道具】

神々のトライフォース

願いの滝の女神様に強化してもらった「ブーメラン」。敵の動きを止めるだけでなく、ダメージを与えて倒すこともできるようになる

▷魔法の本 【イベント】

4つの剣+

あやしい呪文がぎっしり書かれた本。青の巫女の村にいる魔導士見習いのアイリスの本で、この本がないとうまく魔法が使えないらしい

▷魔法のマメ 【消費】

時のオカリナ　ムジュラの仮面

子供時代に植えると、大人時代に魔法の葉が生える。『ムジュラの仮面』ではすぐ足場になる

▷まぼろしのチョウ 【その他】

トライフォース3銃士

武を極めた者の前にしか現れないとされる、美しいレースの羽を持った幻の蝶。「剣聖のよろい」を作るのに必要

▷まめでっぽう 【道具】

ふしぎの木の実

木の実を飛ばして、遠くのものをねらい撃つことができる。『時空の章』のみに登場。飛ばした木の実は壁などに当たると跳ね返って進路を変える

▷マモノの化石 【その他】

大地の汽笛　トライフォース3銃士

『大地の汽笛』で汽車のパーツなどに使用する低級お宝。『トライフォース3銃士』では服の材料

▷魔物の肝 【その他】
●マモノの肝

神々のトライフォース2　トライフォース3銃士

魔物の内臓。『神々のトライフォース2』では「紫の薬」、『トライフォース3銃士』では服の材料

▷魔物の尻尾 【その他】

神々のトライフォース2

ロウラルで手に入る、魔法の薬の素材。10個集めて魔法おばばの薬屋に持っていくと、「青いクスリ」を作ってもらえる

▷魔物の角 【その他】

神々のトライフォース2

ロウラルで手に入る、魔法の薬の素材。10個集めて魔法オババの薬屋に持っていくと、「黄色い薬」を作ってもらえる

▷マモノの角笛 【その他】

スカイウォードソード

ボコブリンたち数匹を束ねるリーダーが持つ笛。敵を見つけると吹いて仲間を呼び寄せる。ムチを使うと奪うことができ、素材にもなる

▷マモノのツメ 【その他】

スカイウォードソード

キースやグエーなど、空を飛ぶ魔物などを倒すと採取できる、鋭くとがった爪。硬さゆえに盾などのアイテム強化に広く用いられている

▷まもりのきのみ 【消費】

夢をみる島

敵を倒すとたまに出現。自分の受けるダメージを半減してくれる。ダメージを3回受けるか、違う場所に移動すると効果は消える

▷まよけのお面 【その他】

トライフォース3銃士

魔物の巣窟にある魔よけのお面。あった場所が場所だけに、魔よけの効果のほどはあまり期待できない。「大回転斬りの甲冑」の材料になる

▷まるいほうせき 【イベント】
➡ ほうせき

▷マルコロガシ 【生物】

スカイウォードソード

コロコロと丸い物を転がしながら逃げる虫。地中を住処にしており、穴の中に隠れている。転がしている球体が何かは不明

▷マロン 【イベント／その他】

夢幻の砂時計　大地の汽笛

『夢幻の砂時計』ではわらしべイベントで「警備員の手帳」と交換、『大地の汽笛』では低級お宝

▷まんげつのバイオリン 【重要】

夢をみる島

レベル1ダンジョン「テールのほらあな」をクリアすると手に入る。「かぜのさかなのうた」を奏でるのに必要な楽器のひとつ

▷満タン券 【消費】

風のタクト

テリーショップでテリーに渡すとライフと魔法力を満タンにし、「バクダン」と「矢」を最大まで補充してくれる

▷ミカヅキ島の海図 【イベント】

ふしぎの木の実

『時空の章』で登場。トカゲ人たちの住むミカヅキじまへの航海に必要な海図。チンクルからもらう

▷三日月の旗 【イベント】

風のタクト

物々交換アイテム。三日月型がおしゃれな旗。露天商が扱う品物であり、「ツボの噴水像」「大漁祈願の旗」と交換できる

▷水 【消費】
●泉の水／▲ただの水

ムジュラの仮面　風のタクト　ふしぎのぼうし　トワイライトプリンセス

スカイウォードソード

水辺でビンにすくった普通の水。主に植物にかけると成長させられる。『スカイウォードソード』では水をかけると作動するスイッチも起動できる

▷水かき 【道具】
●ゾーラの水かき／▲アングラーのみずかき

神々のトライフォース　夢をみる島　ふしぎの木の実　ふしぎのぼうし

神々のトライフォース2

水に入っても溺れずに泳ぐことができるようになるアイテム。中でもゾーラの長からもらえるものを「ゾーラの水かき」という

▷水使いのローブ 【装備】

トライフォース3銃士

水を操る魔法使いが着るローブ。「ウォーターロッド」で出せる水柱の範囲が約2倍に広がり、渡り歩いての移動がかなり楽になる

▷水のかんむり 【その他】

トライフォース3銃士

やましい心の持ち主がかぶると、ただの水となって消えてしまう聖なる冠。水に関連する「水使いのローブ」と「ラインバックの服」を作るのに必要

▷水の精霊石 【重要】
➡ ゾーラのサファイア

▷水のメダル 【重要】

時のオカリナ

勇者に力を与える"賢者のメダル"のひとつ。「水の神殿」クリア後に、水の賢者として覚醒したルトから入手する

▷密猟者のノコギリ 【イベント】

時のオカリナ

わらしべアイテム。密猟者が森に残したノコギリ。ゲルドの谷にいる大工の親方に渡すと「折れたゴロン刀」をくれる

▷みとおしレンズ 【イベント】

夢をみる島

「にんぎょのウロコ」を使い、わらしべ達成で手に入る。図書館の本やどうぶつ村のとある物など、普通では見えないものが見えるようになる

▷緑チュチュゼリー　【その他】

風のタクト

トワイライトプリンセス

緑チュチュから手に入るゼリー。『緑のクスリ』の材料。『トワイライトプリンセス』では飲んでも何も起こらない

▷緑のクスリ　【消費】
●魔法のクスリ

神々のトライフォース

時のオカリナ

ムジュラの仮面

風のタクト

飲むと魔法力を回復することができる薬で、空きビンに入れて持ち運ぶことができる

▷緑の服　【装備】

神々のトライフォース

夢をみる島

神々のトライフォース2

リンクが初めから着ているおなじみの服

▷緑の宝玉　【重要】

4つの剣+

王家に仕えるハイラル騎士団のひとり、緑の騎士が守護していた宝玉。青・赤・紫と4つ集めると、グフーのいる空へ続く風の塔への道が開かれる

▷南風の花　【イベント】

風のタクト

物々交換アイテム。南国に咲く鮮やかな花。「海の花」「風車」「三日月の旗」と交換可能。入手後スズナリから「マジックシールド」がもらえる

▷見習い兵士の剣　【装備】

大地の汽笛

ハイラル城で回転斬りなどを、兵士たちとの訓練で学んだ後、兵士長ラッセルから借りうけた見習い用の剣

▷見習い兵士の服　【装備】

大地の汽笛

ハイラル城の見習い兵士の正装。100年前の風の勇者の服にデザインを似せてある　関連 機関士の服

▷ミノムの実　【イベント】

ふしぎの木の実

『時空の章』で登場。シメトリ村の火山の噴火を止める、村の秘宝

▷実の恵み　【重要】

ふしぎの木の実

『大地の章』のレベル7ダンジョン「冒険者の墓」で手に入る、8つのことわりのひとつ

▷ミミズ　【生物】

トワイライトプリンセス

ハイラルの各地に隠れている虫。ビンですくって釣竿に使うと、釣り餌として使える。平原に出現する魔物、タマケラを倒すとなぜか大量に落とす

▷ミラーシールド　【装備】

時のオカリナ

ムジュラの仮面

風のタクト

ふしぎのぼうし

光を反射する鏡の盾。『ムジュラの仮面』では悲壮感のある顔のような模様。『ふしぎのぼうし』では攻撃を防ぐとビームが出る　関連 カガミの盾

▷ミルク　【消費】
●ロンロン牛乳／▲ロンロンミルク

時のオカリナ

ムジュラの仮面

ふしぎのぼうし

トワイライトプリンセス

神々のトライフォース2

ハートを回復する栄養満点の牛乳。空きビンに入れる。『トワイライトプリンセス』では山羊のミルク　関連 シャトー・ロマーニ、プレミアムミルク

▷ムーンパール　【イベント/消費】

神々のトライフォース

4つの剣+

『神々のトライフォース』では闇の世界でも姿が変わらなくなり、『4つの剣+』ではムーンゲートを開く

▷夢幻の砂時計　【重要】

夢幻の砂時計

「海王の神殿」で、砂が落ちるまでの間、体力を吸い取られずに進むことができる。世界各地にある「時の砂」を回収すれば、残り時間を増やすことができる

▷夢幻のつるぎ　【道具】

夢幻の砂時計

3種のハガネから作られた、ベラムーに対抗するための聖剣。シーワンの力で「つるぎの刃」と「夢幻の砂時計」から生まれた。ファントムも倒せる

▷ムシ　【生物】

時のオカリナ

ムジュラの仮面

空きビンがあれば捕まえられる。穴の中に潜む黄金のスタルチュラを外に出すために使う

▷虫取りアミ　【道具】
●虫とりアミ／▲ムシ獲りアミ

神々のトライフォース

スカイウォードソード

神々のトライフォース2

ハチなどの昆虫を捕まえるだけではなく、妖精を捕まえたり、意外なものをはじき返すこともできる

▷虫メダル　【装備】

スカイウォードソード

持っているだけで効果を発揮する不思議なおまもり "メダル" のひとつ。所有時、地図に虫が生息している場所が記されるようになる

▷ムチ　【道具】

大地の汽笛

スカイウォードソード

先端を引っかけて敵の装備をはぎ取ったり、杭に引っかけて足場から足場へ移動できる道具

▷ムッシュのふえ　【重要】

ふしぎの木の実

翼の生えたクマである仲間ムッシュを呼び出せる笛。ムッシュは少しの間、空中を飛べる　関連 ヘンなふえ

▷ムテキン　【消費】

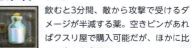
スカイウォードソード

飲むと3分間、敵から攻撃で受けるダメージが半減する薬。空きビンがあればクスリ屋で購入可能だが、ほかに比べて少々お高め

▷ムテキンV　【消費】

スカイウォードソード

素材と「ムテキン」をクスリ屋アリンに渡し、調合して完成した強化版。飲むと3分間、敵からの攻撃によるダメージがすべて無効化される

▷ムドラの書　【イベント】

神々のトライフォース

ハイラルの先住民族が使っていた古代文字を解読するために必要な本。石版に刻まれた文章が読めるようになる

▷紫チュチュゼリー　【消費】

トワイライトプリンセス

紫チュチュを倒した際に残るゼリー。空きビンにすくうと入手できる。飲むと回復したりダメージを受けたりと、ランダムで効果が変わる

▷紫の薬　【消費】

夢幻の砂時計

大地の汽笛

神々のトライフォース2

飲むとハートを8つ回復、さらに倒れたときも自動で8つ回復してくれる薬。『神々のトライフォース2』では使うと周囲の敵に大ダメージを与える

▷紫の宝玉　【重要】

4つの剣+

王家に仕えるハイラル騎士団のひとり、紫の騎士が守護していた宝玉。青・赤・緑と4つ集めると、グフーのいる空へ続く風の塔への道が開かれる

▷めおとの面　【装備】

ムジュラの仮面

アンジュとカーフェイが最後の日に無事出会え、それを見届けると手に入る。これをかぶると、町長の部屋での争いが収まる

▷メガトンハンマー　【道具】

時のオカリナ

ゴロン族の伝説の武器である「ハンマー」。岩を破壊したり、錆び付いたスイッチを押すことができる

▷メガホン　【イベント】

ふしぎの木の実

『大地の章』で登場するわらしべアイテムでホーンからもらえる。コッコ山の洞窟で寝ているタロンをこれで起こすと「キノコ」がもらえる

▷女神像　【イベント】

リンクの冒険

ルトの町から魔物ゴーリアが盗み、洞窟に隠した像。取り返すとお礼にジャンプの魔法が習得できる

▷女神の落とし物　【その他】

スカイウォードソード

そのあまりの美しさに、女神が落としたものだと伝えられる貴重な石。めったに発見できない超レアお宝だが、ごく稀に道中に落ちていることもある

メ

▶女神の剣　【装備】
女神像の中の台座に安置されていた剣。選ばれし勇者にしか抜けず、手にした者は剣にやどる精霊との契約を交わし、女神の力を使えるようになる
スカイウォードソード

▶女神の長剣　【装備】
「古の大石窟」に安置されたフロルの炎によって「女神の剣」を鍛え、強化された姿。女神の剣よりも刀身が長くなり、攻撃力も上昇する
スカイウォードソード

▶女神のハープ　【重要】
女神が用いたと伝わる美しい音色の楽器。ゼルダが所有していたが、後に託される。詩を奏でることで使命を持つものを導く力を発揮する
スカイウォードソード

▶女神の白刃剣　【装備】
「砂上船」にあったネールの炎によって「女神の長剣」を鍛えた姿。「白刃剣」と書いて「ホワイトソード」と読む。ダウジング可能な枠が強化される
スカイウォードソード

▶めざましキノコ　【イベント】
チロリアの森にあるシロップの店で買える。強烈なにおいが眠気を吹き飛ばす。居眠りしている靴職人のレムを起こすために必要
ふしぎのぼうし

▶めざましドリ　【イベント】
「ふしぎなタマゴ」からかえる。ハイラル城で寝ている牧場主タロンを起こすために必要
時のオカリナ

▶メダマガエル　【イベント】
わらしべアイテムで目薬の材料。ハイリア湖畔のみずうみ研究所にいる博士に渡すと「特製本生目薬」を作ってくれる
時のオカリナ

▶メンバーズカード　【イベント】
『大地の章』に登場。ホロン村にあるショップの地下フロアに入れるようになる
ふしぎの木の実

モ

▶木材　【その他】
ユキワロシの村のキイツノから頼まれる運搬用の資材のひとつ。サクーヨの村のマッシュから購入できる
大地の汽笛

▶モグマグローブ　【道具】
「ほりほりグローブ」の最新モデル版。人間でもモグマ族のように地中に潜って進めるようになる。地中にいる敵を攻撃することも可能
スカイウォードソード

▶モグラグローブ　【道具】
「風のとりで」で手に入れるアイテム。やわらかい壁を掘り進んだり、地面を掘ってアイテムを発見したりすることができる
ふしぎのぼうし

▶もだえ石　【その他】
地面に隠された穴の付近にいると振動で知らせる。『時のオカリナ』のみ登場で、『時のオカリナ 3D』では「ひびき石」に変更されている
時のオカリナ（64）

▶ももいろのサンゴ　【その他】
宝箱やミニゲームの報酬。ルピーに換金できるお宝のひとつ。天然のサンゴを丁寧に磨いた観賞用のオブジェ
夢幻の砂時計

▶もりのきおく　【重要】
『時空の章』のLEVEL2「つばさのダンジョン」で手に入る、8つのことわりのひとつ
ふしぎの木の実

▶森のけっかい　【重要】
森の大地に結界を張り直した証として手に入る
大地の汽笛

▶森の精霊石　【重要】
→ コキリのヒスイ

▶森の大地の石版　【重要】
「神の塔」3階に安置されている石版。入手すると森の大地の路線が出現する
大地の汽笛

▶森のホタル　【生物】
森の島にいるホタル。ビンで捕まえられる。ゲンゾーに弟子入り後に持っていくと「写し絵の箱」を「写し絵の箱DX」にしてもらえる
風のタクト

▶森の水　【その他】
森の島に湧く聖なる水。ビンに入れて8つの島にある枯れ木にあげると元気になる。森から持ち出して一定時間経つと「水」になる
風のタクト

▶森のメダル　【重要】
勇者に力を与える"賢者のメダル"のひとつ。「森の神殿」クリア後に、森の賢者として覚醒したサリアから入手する
時のオカリナ

▶モリブリンの手紙　【イベント】
マギーがモリブリンに宛てた手紙をポストに出して、モリブリンから返ってきた返信の手紙。マギーに渡す
風のタクト

ヤ行

ヤ

▶矢　【道具】
●ヤ

ゼルダの伝説　神々のトライフォース　時のオカリナ　ムジュラの仮面

風のタクト　ふしぎのぼうし　トワイライトプリンセス　大地の汽笛

大地の汽笛　スカイウォードソード

「弓」と併用し離れた敵を攻撃できる。『ゼルダの伝説』では、1本放つごとに1ルピー減る
➡P.084（1章）

▶ヤギのてがみ　【イベント】
わらしべアイテム9個目。どうぶつ村のクリスティーヌへ「ハイビスカス」を渡すと、お礼に手に入る
夢をみる島　関連 ホウキ

▶やぐらマップ　【その他】
どの海域にやぐらが立っているのかが記されたマップ。やぐらにはお宝が隠されている
風のタクト

▶ヤシぼっくり　【その他】
水がなくても100年は枯れないという生命力を持つヤシからとれる実。「スナーメンの衣」の材料になる
トライフォース3銃士

▶矢筒　【コレクト】
●矢立て

ムジュラの仮面　風のタクト　トワイライトプリンセス　大地の汽笛

「矢」を入れておくための筒状の道具。大きくすると持てる最大数が増える　➡P.085(1章)

▶矢筒 LV2　【コレクト】
矢を50本まで入れられる矢筒。お店か的当て屋で手に入れることができる　➡P.085（1章）
夢幻の砂時計

▶矢筒 LV3　【コレクト】
矢を50本まで入れられる大きめの矢筒。お店か的当て屋で手に入れることができる　➡P.085（1章）
夢幻の砂時計

▶矢筒 小　【コレクト】
道具屋にて購入可能な、拡張のための予備の矢筒。所有していると持ち歩ける矢の最大数が5本増える　➡P.085（1章）
スカイウォードソード

▶矢筒 大　【コレクト】
矢を最大数持てる。『大地の汽笛』ではミニゲームや店で入手
大地の汽笛　スカイウォードソード
➡P.085（1章）

▶矢筒 中　【コレクト】
「矢筒 小」を改造することで大きくなった予備の矢筒。所有していると持ち歩ける矢の最大数が、無所持時に比べ10本増える　➡P.085（1章）
スカイウォードソード

▶宿のカギ　【イベント】
「ゴロンの仮面」で予約していたゴロンになりすますと手に入る。深夜などでもナベかま亭に2階から入ることができる
ムジュラの仮面

▶やまがたパン　【消費】
ハイラルの町のパン屋で買える、お肉と野菜の組み合わせが魅惑的なパン。食べるとハートをひとつ回復。時々「しあわせのカケラ」が入っている
ふしぎのぼうし

ヤ

▷やまのきおく　【重要】

ふしぎの木の実
『時空の章』のLEVEL6ダンジョン「人魚の洞くつ」で手に入る、8つのことわりのひとつ

▷山の権利書　【イベント】

ムジュラの仮面
わらしべアイテム4/5個目。ゴロンの里にいるアキンドナッツに「沼の権利書」を渡すと手に入る
関連 海の権利書

▷ヤミの鉱石　【その他】

大地の汽笛
橋のたもとの駅のラインバック3世から頼まれる運搬用の資材のひとつ。ヤミの採石場でゴロン族から購入できる。陽光に溶ける奇妙な石

▷ヤミの勾玉　【その他】

スカイウォードソード
「コハクの勾玉」と似ているが、こちらはサイレンの地でしか入手できないレアな装飾品。「聖なる盾」の強化などに用いる

▷闇のメダル　【重要】

時のオカリナ
勇者に力を与える"賢者のメダル"のひとつ。「闇の神殿」クリア後に、闇の賢者として覚醒したインパから入手する

ユ

▷勇気の精霊　【重要】

夢幻の砂時計
海王に仕え、力になってくれる精霊シエラ。勇気の神殿で勇気の精霊として目覚める。その後、剣から衝撃波が出せるようになる

▷勇気のトライフォース　【イベント/重要】

風のタクト／スカイウォードソード／神々のトライフォース2
神の力「トライフォース」の一柱。『スカイウォードソード』では試練をこなし、『神々のトライフォース2』では賢者を助け、勇気を示したことで手に入る。『風のタクト』では「トライフォースのかけら」から復元する ➡P.009（1章）

▷勇気のみなもと　【その他】

夢幻の砂時計
各地に20個存在。集めてほこらの島でかかげると勇気の精霊の力が解放される。遠隔攻撃の衝撃波の攻撃力を上げることができる

▷勇気の紋章　【重要】

神々のトライフォース／神々のトライフォース2
「マスターソード」を手に入れるために必要な証のひとつ。『神々のトライフォース2』では最初は「おまもり」として入手

▷勇者のお守り　【道具】

風のタクト
装備することで注目した魔物の残り体力が見えるようになる不思議なお守り

▷勇者の剣　【装備】

風のタクト
妖精の森に落ちたテトラを追うためにプロロ島の赤シャチから譲り受ける、最初の剣

▷勇者の盾　【装備】

ムジュラの仮面／風のタクト
最初から持っている盾。『風のタクト』では、アリルたちの家に代々伝わるもの ➡P.080（1章）

▷勇者の旗　【イベント】

風のタクト
物々交換アイテム。ちょっと勇ましい感じがする旗。「大売出しの旗」「大漁祈願の旗」「ポストマンの像」と交換可能

▷勇者の服　【装備】

風のタクト／トワイライトプリンセス
古の勇者が着ていたという緑衣。『風のタクト』では子供の成長を祝うために着る ➡P.082（1章）

▷ゆうなぎのオルガン　【重要】

夢をみる島
レベル7ダンジョン「オオワシのとう」をクリアすると手に入る。「かぜのさかなのうた」を奏でるのに必要な楽器のひとつ

▷幽霊船のマップ　【その他】

風のタクト
月の位置と幽霊船の出現海域の関係が記された絵地図。これを持っていれば幽霊船に乗り込めるようになる

▷幽霊のカギ　【イベント】

夢幻の砂時計
「幽霊船」に捕らわれたテトラを助け出すのに必要なカギ。地獄四姉妹キュバスを倒すことで手に入る

▷雪のけっかい　【重要】

大地の汽笛
雪の大地に結界を張り直した証として手に入るコレクトアイテム

▷雪の大地の石版　【イベント】

大地の汽笛
「神の塔」7階に安置されている石版。入手すると雪の大地の路線が出現する

▷ゆびわ　【道具】

ふしぎの木の実
装備するとさまざまな効果がある。見た目や効果の違うものが全64種類存在。入手時は鑑定してもらわないとどんな効果があるかわからない

▷ユビワ アオ　【道具】

ゼルダの伝説
敵から受けるダメージを2分の1にする魔法の指輪。一部の商人のみが取り扱っている

▷ユビワ アカ　【道具】

ゼルダの伝説
敵から受けるダメージを4分の1にする魔法の指輪

▷ゆびわの小ばこ　【コレクト】

ふしぎの木の実
装備品の指輪を入れて持ち運べる箱。イベントをクリアすると入れられる量がアップする

▷弓矢　【道具】
●勇者の弓／▲ゆみ／■ユミ／◆妖精の弓

ゼルダの伝説／神々のトライフォース／夢をみる島／時のオカリナ

ムジュラの仮面／風のタクト／4つの剣／4つの剣+

ふしぎのぼうし／トワイライトプリンセス／夢幻の砂時計／大地の汽笛

神々のトライフォース2／トライフォース3銃士
遠方に「矢」を放つ。遠くの敵を攻撃したり、離れた場所にあるスイッチを起動させたりする。『トワイライトプリンセス』では矢と「爆弾」を融合した爆弾矢も撃てる ➡P.084（1章）

ヨ

▷妖精　【消費】
●ヨウセイ

ゼルダの伝説／リンクの冒険／神々のトライフォース／夢をみる島

時のオカリナ／ムジュラの仮面／ふしぎの木の実／風のタクト
4つの剣／ふしぎのぼうし／トワイライトプリンセス／スカイウォードソード
神々のトライフォース2
触るとライフを回復してくれる。空きビンがあれば詰めて持ち歩きでき、倒れたときに復活できる。回復量はタイトルによって異なる

▷妖精珠　【消費】

時のオカリナ
特定の場所でオカリナを吹くと出現。ライフを8個分と魔力を全回復する。空きビンには詰められない

▷妖精のオカリナ　【重要】

時のオカリナ
コキリの森を出るときにサリアからもらう思い出の品。「時のオカリナ」と同じように、さまざまな旋律を奏でられる

▷ようせいの粉　【イベント/その他】
●ようせいのこな

ふしぎの木の実／トライフォース3銃士
『ふしぎの木の実 時空の章』に登場。妖精の呪いを解く。『トライフォース3銃士』では服の素材

▷妖精のパチンコ　【道具】
➡ パチンコ

▷妖精の弓　【道具】
➡ 弓矢

ヨ

▷ ヨウセイモドキ 【その他】

トライフォース3銃士

妖精が身の危険を感じた時に出現させるという人形。いわば身代わり人形。「派手なタキシード」を作る際に必要になる材料

▷ ヨーガンスープ 【イベント】

ふしぎの木の実

『大地の章』で登場するわらしべアイテムで料理人ウーラからもらう。ゴロン山のダイゴロンにごちそうすると「ゴロンつぼ」をくれる

▷ ヨーガンドリンク 【イベント】

ふしぎの木の実

ゴロンの的当て屋の景品。カリスマゴロンの友だちの好物で、渡すと「しょうかいじょう」を書いてくれる

▷ ヨッシーのにんぎょう 【イベント】

夢をみる島

わらしべアイテムひとつ目。メーベの村にあるゲーム屋の景品。入手して村の北の家にいる4つ子の母親に渡すと「リボン」がもらえる

▷ 予備のサイフ 【コレクト】

スカイウォードソード

冒険ポーチに入れておけばサイフに入りきらないルピーを300まで入れておけるサイフ。テリーの店で3つまで購入可能 ➡P.091（1章）

▷ 夜更かしのお面 【装備】

ムジュラの仮面

バクダン屋のおふくろさんを助けているとマニ屋で売られるようになる。これをかぶると、おばあさんの長話など、眠くなりそうな場面でも目パッチリ

ラ行

▷ ラインバックの服 【装備】

トライフォース3銃士

お宝に目がないラインバックリスペクトの服。着ていると宝箱の中身が見えるようになる。さらに時間制限のあるとくべつ任務では時間が＋10秒される

▷ ラヴィオの腕輪 【装備】

神々のトライフォース2　関連 粗品の腕輪

ラヴィオから粗品としてもらった腕輪。壁の壁画になっても動くことができるようになる不思議な力を秘めている

▷ ラスの手紙 【イベント】

スカイウォードソード

ラスがクラネに宛てて心を込めて書いたラブレター。本人に渡すように押し付けられる。紙を求めているトイレの幽霊に渡すこともできる

▷ ラッキースター 【消費】

4つの剣＋

「ナビトラッカーズ」で登場。持っていると、「海賊のメダル」獲得時に描かれた数字の倍数分のメダルがもらえる。2～5まである

▷ ラッキーパジャマ 【装備】

トライフォース3銃士

ピエロのような陽気なパジャマ。敵の攻撃を約4分の1の確率で回避する。回避率はそんなに高くないので、回避できたら文字どおりラッキー

▷ ラネールアント 【生物】

スカイウォードソード

ラネール砂漠地方に生息し、常に集団で行動する虫。地中を巣としており、穴を掘ったり、樽などの物陰を探すと発見できることもある

▷ ラフレルのメモ 【イベント】

トワイライトプリンセス

ラフレルが大砲屋のトビーに宛てて書いたメモ。トビーに見せると一度だけ無料でゲルド砂漠まで飛ばしてくれる。以降の利用は有料になる

リ

▷ リカバオール 【消費】

スカイウォードソード

空きビンがあればクスリ屋で購入して持ち歩ける。壊れかけた盾に使うと、耐久力が最大まで回復する。さらに体力もハート4つ回復

▷ リカバオールSV 【消費】

スカイウォードソード

「リカバオールV」をさらに調合・強化したもの。使った際の効果は同じだが、少ない量で効果を得られるようになったため、2回使用できるように

▷ リカバオールV 【消費】

スカイウォードソード

クスリ屋のアリンのもとに素材を持ち込んで強化した「リカバオール」。盾が壊れると自動で修復してくれるうえに、体力も8つ回復する

▷ リッキーグローブ 【イベント】

ふしぎの木の実

『大地の章』に登場。リッキーがなくした愛用のグローブ。見つけて返してあげると、しばらく冒険を手助けしてくれる

▷ リッキーのふえ 【重要】

ふしぎの木の実　関連 ヘンなふえ

高い段差もジャンプで越えられる、仲間であるボクシング好きのカンガルーのリッキーを呼び出せる笛

▷ リボン 【イベント】

夢をみる島　ふしぎの木の実

『夢をみる島』ではわらしべアイテム2個目。『ふしぎの木の実』ではウラに渡すとデートできる

▷ リモコンバクダン 【道具】

ふしぎのぼうし

アイテム発明家のピッコルのベルタが「バクダン」を改造して完成させた。ボタンを押して好きなタイミングで爆発させられる

▷ 竜のうろこ 【その他】

大地の汽笛

汽車のパーツなどに使用する中級お宝。何の鱗かは不明だが、大きな竜のものとされ珍重されている

▷ りゅうのカギ 【イベント】

ふしぎの木の実

『大地の章』で登場。「龍の舞うダンジョン」への入口を出現させるためのカギ

▷ 龍の彫像 【ダンジョン】

スカイウォードソード

「大地の神殿」における「ボス部屋のカギ」。とぐろを巻いた龍を模した彫像。黄金でできており、特に頭の部分の精巧さが際立っている

▷ 竜のチンクル像 【その他】
→ チンクル像

▷ 緑宝珠の石版 【重要】

スカイウォードソード

古代の石版のひとつ。女神が封じた大地への道を開く力があり、手に入れた女神像内部にある台座にはめると、フィローネの森へ行けるようになる

▷ リンゴ 【消費】

神々のトライフォース　神々のトライフォース2

木に体当たりをすると落ちてくることがある果実で、食べると体力を回復することができる

ル

▷ ルトのかんむり 【その他】

夢幻の砂時計　大地の汽笛

ルピーに換金できるお宝のひとつ。『大地の汽笛』では汽車パーツとの交換にも使う

▷ ルピー 【ルピー】

ゼルダの伝説　神々のトライフォース　夢をみる島　時のオカリナ

ムジュラの仮面　ふしぎの木の実　風のタクト　4つの剣

4つの剣＋　ふしぎのぼうし　トワイライトプリンセス　夢幻の砂時計

大地の汽笛　スカイウォードソード　神々のトライフォース2　トライフォース3銃士

通貨として使われる宝石のような貨幣。色や大きさによって価値が異なる ➡P.090（1章）

▷ ルビーメダル 【装備】

スカイウォードソード

持っているだけで効果を発揮する不思議なおまもり"メダル"のひとつ。所有時、草刈りなどの際に、より1ルピーや5ルピーが出現しやすくなる

レ

▷ レアチュチュゼリー 【消費】

トワイライトプリンセス

光るレアチュチュを倒した後に残るゼリー。空きビンにすくって入手できる。飲むとハートが全回復し、一定時間攻撃力も上昇する優れモノ

▷ レターセット 【イベント】

ふしぎの木の実

『時空の章』のわらしべアイテムで、ポストマンからもらう。トイレの手に紙代わりに渡すと「ニオイぶくろ」がもらえる

▷ レディエリマキ 【その他】

トライフォース3銃士

洗練された女性しか身に着けることが許されない襟巻。要塞エリアのボスの初回撃破で手に入り、姫の呪いを解く「レディワンピ」の製作に必要になる

▷ レディパラソル 【その他】

トライフォース3銃士

洗練された女性しか持つことが許されない傘。天空エリアのボスの初回撃破で手に入り、姫の呪いを解く「レディワンピ」の製作に必要になる

レ

▷レディメガネ 【その他】

トライフォース3銃士
洗練された女性しか身に着けることが許されないメガネ。森林エリアのボスの初回撃破で手に入り、姫の呪いを解く「レディワンピ」の製作に必要

▷レディワンピ 【装備／重要】

トライフォース3銃士
姫のタイツを脱がせられる、シスターレディのワンピースを模した服。ハートが出現しやすくなり、ハート最大数が+1される

▷レナードの手紙 【イベント】

トワイライトプリンセス
わらしべアイテム。カカリコ村の牧師レナードがテルマに宛てて書いた手紙。イリアの記憶を取り戻すための治療の方法が詳しく書かれている

▷練習用の剣 【装備】

スカイウォードソード
騎士学校の剣術の授業で使用されている剣。練習用とはいえ本物の武器であるため、通常では剣道場からの持ち出しは禁止されている

ロ

▷ロウソク アオ 【道具】

ゼルダの伝説
炎を出して攻撃でき、暗闇に包まれたダンジョンの部屋を明るくできる。木を燃やすことも可能。一画面に一度のみ炎を出せる

▷ロウソク アカ 【道具】

ゼルダの伝説
炎を出して攻撃でき、暗闇に包まれたダンジョンの部屋を明るくできる。木を燃やすことも可能。何度でも使用可能

▷ローソク 【道具】

リンクの冒険
暗闇に包まれた洞窟を明るく照らすことができる

▷ロコモの剣 【装備】

大地の汽笛
シャリンからもらう、かつて神が使ったとされる剣。刀身に聖なる線路が刻まれ、魔を討つ力を持っている

▷ロック鳥の羽根 【道具】
●ロックちょうのハネ

夢をみる島　ふしぎの木の実　4つの剣+
装備するとボタン操作でジャンプができるようになる不思議な羽根

▷露店のあるじ像 【イベント】

風のタクト
物々交換アイテム。すべての露天商あこがれの像。「ポストマンの像」と交換可能。魚の島の露天商に渡すと「ハートのかけら」がもらえる

▷ロフトクワガタ 【生物】

スカイウォードソード
スカイロフトに生息する虫で、鮮やかな青色が特徴。子供たちの間で不動の人気を誇る虫で、この虫を追いかけて大きく育つと言われるほど

▷ロマーニのお面 【装備】

ムジュラの仮面
クリミアの馬車を護衛して無事クロックタウンまで送れたら手に入る。これをかぶると、会員制のミルクバーに入れるようになる

▷ロングいれかえフック 【道具】

ふしぎの木の実
『時空の章』で登場。通常の「いれかえフック」よりも、さらに長い距離でも入れ替え可能になったもの
関連 いれかえフック

▷ロングフック 【道具】

時のオカリナ
2倍の射程距離を持つ、高性能の「フックショット」

▷ロンロン牛乳 【消費】
→ ミルク

▷ロンロンたまご 【イベント】

ふしぎの木の実
『大地の章』登場のわらしべアイテムでマロンからもらう。若い女の子に人気。持っているときにメイプルに会うと「ブキミドール」と交換させられる

▷ロンロンミルク 【消費】
→ ミルク

ワ行

▷忘れ物の剣 【装備】

神々のトライフォース2
ハイラルの兵士長が忘れていった、鍛冶屋の親方特製の剣。高価なものではないが手によくなじむ。「マスターソード」入手まで使うことになる

▷われたミノムの実 【イベント】

ふしぎの木の実
『時空の章』で登場。割れてしまっている「ミノムの実」。復元仙人リペアに復元してもらうと「ミノムの実」になる

▷わんこのおめん 【イベント】

ふしぎの木の実
『時空の章』のわらしべアイテムで、お面屋さんからもらう。犬の顔を隠したいママム・ヤンに渡すとお礼に「鉄アレイ」がもらえる

▷ワンハートナイト 【装備】

トライフォース3銃士
体力のハート上限がひとつ増える。着ている人数分増えるので、3人全員で着れば3つ増える

▷ワンワン 【道具】

4つの剣
『スーパーマリオブラザーズ』シリーズからのゲストキャラ。鎖でつながれたワンワンが現れ、敵味方区別なく噛みつきにいく。レアな装備アイテム

ダンジョン

　冒険を進めるうえで避けられないのがダンジョン（迷宮）。入り組んだ地形で謎を解き、ボスを倒して貴重な宝を得る。様態は洞窟、塔や神殿といった建築物、怪物の体内などさまざまである。ここでは主なダンジョンを、タイトルごとに、登場順に一覧にしている。タイトルによってはダンジョンの定義が不明瞭なものもあるが、全体的な説明にて補足。また、リメイクがあるものはまとめて掲載し、リメイク専用のダンジョン等も紹介している。

1 タイトル（サブタイトル）
リメイクのあるものは、『時のオカリナ／3D』のように表記する
2 全体的な説明
3 ダンジョンの名称
4 画面写真
タイトルにより写真の点数は異なり、多くは左にダンジョンの外観（入口）を掲載。リメイク版などがあるものはそちらを基準にしている。ただし、『時のオカリナ／3D』『ムジュラの仮面／3D』『風のタクト／HD』『トワイライトプリンセス／HD』に関しては、中央にオリジナル版の画面写真も掲載している
5 ダンジョンの説明

ゼルダの伝説

　トライフォースの小片が隠された地下迷宮。地上から入口を見つけ出す。一方通行の扉やトラップなど、地上とは全く異なる仕掛けと強力な敵が潜む、画面切り替え式の見下ろし型ダンジョン。レベル順に難度が高くなっていく。その手掛かりは、ゼルダ姫の乳母インパにより「イーグル」「ムーン」といったモチーフで伝えられており、マップが実際にそのような形になっている。地上の入口やマップの形、敵の性能や配置が大きく変化した高難度の「裏ゼルダ」も存在する。

▷ LEVEL-1（イーグル）

 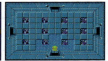 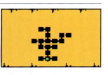

スタート地点より北方にある大木が入口の、翼を広げた鷹の姿を模した迷宮。赤ゴーリアを倒すと「ブーメラン」が、トラップの待ち受ける部屋からは「ユミ」が手に入る。ボスは「アクオメンタス」

▷ LEVEL-2（ムーン）

  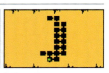

東の森林地帯の奥にたたずむ、三日月形の迷宮。素早くにじり寄ってくるロープや石像のビームをかいくぐり、強敵の青ゴーリアを倒すと「マジカルブーメラン」が入手できる。ボスは「ドドンゴ」

▷ LEVEL-3（マンジ）

西の森林地帯のはずれにある卍の形をした迷宮。宝は「イカダ」だが、入手するには前方からの攻撃をはじくタートナックと、触ると一時的に剣が使えなくなるバブルが脅威。ボスは「テスチタート」

▷ LEVEL-4（スネイク）

  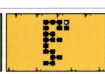

イカダで渡った小島に入口がある。蛇の形をしたこの迷宮からは、ロウソクの必要な暗い部屋が点在する。「ハシゴ」を手に入れて水路の上で使えば避けられる敵も多い。ボスは二本首の「グリオーク」

▷ LEVEL-5（リザード）

 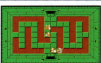 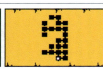

東部の山岳地帯を登り続けるとたどり着く、トカゲがモチーフの迷宮。部屋一面に現れるポルスボイスは、ファミコンのコントローラーにあるマイクで叫べば一瞬で全滅する。宝は「フエ」。ボスは「デグドガ」

▷ LEVEL-6（ドラゴン）

迷いの森と墓場を抜けた先の岩場に位置する、ドラゴンを表した迷宮。バブル、ライクライクとウィズローブの連携により屈指の難度を誇る。難所を抜ければ「マジカルロッド」が見つかる。ボスは「ゴーマー」

▷ LEVEL-7(デーモン)

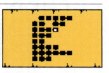

西の森の泉で笛を吹くと水が干上がり迷宮の入口が出現。悪魔の頭をかたどったこの迷宮では「ロウソク アカ」が手に入る。敵に「エサ」を渡さないと通り抜けできない部屋も。ボスは「アクオメンタス」

▷ LEVEL-8(ライオン)

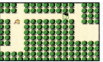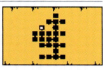

東の森林地帯の木を燃やすと入口が見つかる、ライオンの頭部の形をした迷宮。「バイブル」と「マジカルキー」までの道のりには、今までのボスたちが登場し行く手を拒む。ボスは四本首の「グリオーク」

▷ LEVEL-9(デスマウンテン)

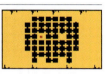

デスマウンテンの奥地に隠された、死(デス)の象徴とされるドクロの形をした迷宮。広大で複雑な迷宮内で「ユビワ アカ」「ギン ノ ヤ」を入手し、ボスの「ガノン」と雌雄を決することになる

▷ 裏LEVEL-1

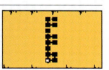

スタート地点北の大木が入口。裏面唯一、迷宮が表と同じ位置にある。ビームを放つスタルフォスなどパワーアップした敵が待ち受ける。入手アイテムは「ブーメラン」、ボスは「アクオメンタス」

▷ 裏LEVEL-2

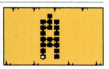

アモスによって入口が隠されている。ワープや壁抜けをしないと先に進めない箇所など、複雑な構造の迷宮。表以上に活躍の場が多い「フエ」を入手することができる。ボスは二本首の「グリオーク」

▷ 裏LEVEL-3

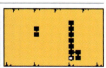

東の森林地帯の泉で笛を吹き入口を出現させる。部屋数は少ないものの見た目以上に複雑な構造となっており、敵の攻撃もより激しくなっている。宝は「マジカルブーメラン」、ボスは「ドドンゴ」

▷ 裏LEVEL-4

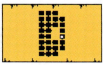

東部の山岳地帯の岩をパワーブレスレットで押すと入口が出現。「バイブル」と「イカダ」が入手できるが、ルピーか命を差し出さないと部屋を通さないおじいさんが行く手を阻む。ボスは「デグドガ」

▷ 裏LEVEL-5

イカダで渡った小島に入口があり、「ユミ」を入手できる。ボスは三本首の「グリオーク」。ちなみに裏のレベル1〜5の迷宮の形は順番を入れ替えるとアルファベットの「ZELDA」になる

▷ 裏LEVEL-6

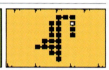

墓場で笛を吹くと墓石の下に隠された迷宮の入口が出現する。迷宮内では怪しい石を押し、ワープの入口を見つけながら進む。入手アイテムは「ハシゴ」、ボスは「ゴーマー」

▷ 裏LEVEL-7

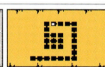

東の森林地帯の木を燃やすと入口が出現。ワープによる迷路がこれまで以上に複雑となっている。強敵を撃破し「赤いロウソク」を手に入れ、ボスの四本首の「グリオーク」と戦う

▷ 裏LEVEL-8

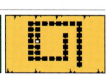

東部山岳地帯、滝の近くの崖に隠された迷宮。裏LEVEL-7と似た、渦を巻いたような形状。ワープや一方通行の多い構造の迷宮で「マジカルロッド」「マジカルキー」を入手し、ボスの「ドドンゴ」を倒す

▷ 裏LEVEL-9

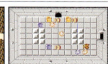

デスマウンテン最西部の崖をバクダンで破壊すると入口が現れる。ガノンの頭部をかたどったらしき形状の迷宮。表のレベル9同様、「レッドリング」と「銀の矢」を入手してボスの「ガノン」を討つ

リンクの冒険

横スクロール視点のアクション性の高いダンジョンが展開。敵のシビアな攻撃に加え、乗ると崩れ落ちる橋、落下してくるブロック等、テクニックを要する高難度のダンジョンが序盤から登場する。魔法を使いこなし、最短ルートを把握して無駄なく進む技術が問われる。

▷ 第1の神殿

パラパ砂漠の神殿。複雑な構造ではないが、エレベーター、乗ると崩れ落ちる橋、カギの必要な扉と、基本的な仕掛けや罠が登場する。「ローソク」を入手可能。ボスは「マズラ」

▷ デスマウンテン

無数の岩穴と通路によってつながる、煩雑に入り組む洞窟。迷路の先には「ハンマー」がある。洞窟から出て南方を見下ろすと前作『ゼルダの伝説』の地上フィールドが一望できる

▷ 第2の神殿

三方を山岳に囲まれた湿地の奥に位置する。落石の仕掛けが登場するので、入手できる「聖なるグローブ」でブロックを破壊しながら進む。ボスは「ジャーマフェンサ」

▷ 第3の神殿

墓場の隠し洞窟から渡った小島にある。神殿の外に出る場所があり、珍しく蒼天を眺めることができる。内部ではブロックを壊しながら進む。「イカダ」が入手可能。ボスは「レボナック」

▷ 第4の神殿

迷路島の最深部にある神殿。一方通行の落とし穴の罠の先で「聖なるブーツ」が手に入る。この神殿には魔術師の敵が頻出、ボスも大魔導師の「カロック」

▷ 第5の神殿

聖なるブーツで海を歩いた先の海上の神殿。内部は広いうえに行き止まりが多いが、すり抜けられる壁も存在する。入手できるアイテムは「笛」。ボスは第2の神殿のものからパワーアップした「ジャーマフェンサⅡ」

▷ 第6の神殿

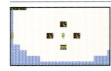

東大陸南部の3つの岩の中央で笛を吹くと出現。見えない、無限ループ、落ちた際に魔法を使う必要があるといった、さまざまな落とし穴が登場する。見えない落とし穴の先には「十字架」が。ボスは「バルバジア」

▷ 大神殿

死の谷の洞窟を越えた先にある、非常に広大な神殿。何度も落下しながらたどり着いた最深部にはボスのボルバが登場。さらに倒すと真のラスボスである「シャドウリンク」が現れる

神々のトライフォース

大きく向上した表現力を生かし、立体的な仕掛けや何層にもわたる複雑な構造など、趣向を凝らしたダンジョンが多く登場。ものを引っ張る、担ぐ、投げるといった追加された多彩なアクションで光と闇、2つの世界のダンジョンを踏破する。

▷ ハイラル城

雷雨の中、秘密の抜け道を使い、魔に操られた兵士が闊歩する城に潜入。今にも力尽きようとしているリンクのおじさんから「剣」と「盾」を、城の地下では「ブーメラン」を入手し、囚われのゼルダ姫を救出する

▷ 東の神殿

階段や石像で入り組んだ岩場の先にある神殿。大きな仕掛けはないが、大小の鉄球や突如現れるスタルフォスが侵入者を拒む。この神殿で手にする「弓」と矢でしか倒せない敵も。ボスは「デグアモス」

▷ 砂漠の神殿

あやしの砂漠の神殿。入口の石碑を解読することで入れるようになる。砂中から攻撃を仕掛けてくる敵も多い。道中で入手できる「パワーグラブ」で岩を動かし、神殿の奥で待ち構えるボスの「ラネモーラ」と戦う

▷ 山の洞くつ

  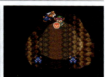

木こりの家の近く、ヘブラ山へと続く暗い洞窟。途中でランプをなくして困っているおじいさんといっしょに山の中腹にたどり着くと、お礼に「マジカルミラー」をもらえる

▷ ヘラの塔

闇の世界経由で訪れる、ヘブラ山の頂上にある塔。クリスタルスイッチで進路を、星型の床のスイッチで穴の位置を切り替え上階へと進む。「ムーンパール」を入手し、最上階にうごめくボスの「デグテール」と戦う

▷ ハイラル城（塔）

ハイラル城二階の結界をマスターソードで破って入る。狭い通路と部屋が続く塔を登り、最上階へ。ゼルダ姫を生贄として捧げたばかりの、ボスの「アグニム」と対峙する

▷ 闇の神殿

迷路状の生け垣を抜け、サルキッキに神殿の入口を開けてもらう。神殿内は剣の攻撃の効かない敵が多いため、神殿内に隠された「マジックハンマー」をいち早く入手して対処する。ボスは「ジークロック」

▷ 水のほこら

光と闇の両世界に存在する、ほこらの水門の仕掛けを連動させて侵入する。水路が張り巡らされたこの迷宮では水位を変えながら、泳いだり手に入れた「フックショット」を使って進む。ボスは「ワート」

▷ ドクロの森

霧に覆われ、ドクロが転がる不気味な地。森の中に点在する洞窟でつながった、地上と地下の複合迷宮。入手できる「ファイアロッド」の炎は、この森に登場するボスを含めた多くの敵に有効。ボスは「ガモース」

▷ はぐれ者の村

はぐれ者の村中央の石像から入れる、光から逃れるかのように造られた地下屋敷。「パワフルグラブ」が入手でき、牢の奥からは光を嫌う謎の女の子が助けを求めている。ボスは「ブラインド」

▷ 氷の塔

氷の湖中央にある壁に囲まれた迷宮。滑る氷の床やダメージを受けるトゲが随所に設置され、複数階にまたがる立体的で複雑な構造が特徴。ここでは「青い服」が入手できる。ボスは「シュアイズ」

▷ 悪魔の沼

激しい雷雨が降りしきる悪魔の沼に口を開く迷宮。広大でワープゾーンも多い。暗闇に包まれた地下では、入手した「ソマリアの杖」でブロックを出しスイッチを作動させる。ボスは「ゲルドーガ」

▷ カメ岩

デスマウンテンのカメイワ頭部が入口。ソマリアの杖をはじめ、これまで入手してきたアイテムを活用しないと進めない謎解きの多い迷宮。「鏡の盾」が入手できる。ボスは「デグロック」

▷ ガノンの塔

デスマウンテンにそびえ立つ禍々しい塔。初めて出現するの明かりがないと見えない通路や、今までの迷宮にあった仕掛けも多く登場する。「赤い服」を手に入れ、最上階で待つボスの「アグニム」を追い詰める

▷ ピラミッド

アグニムに化けていた「ガノン」が飛び込み、大きな穴が開いたピラミッド頂上から侵入する。2つの灯籠が置かれたのみの決戦の場。本性を現したボスのガノンとの、ハイラルの命運をかけた戦いが始まる

▷ 4つの剣の神殿

『神々のトライフォース&4つの剣』のリメイク時に追加されたダンジョンで、両方をクリアした者のみがピラミッドの中腹から入れる。最深部には4人4色の「ニセリンク」が立ちはだかる

夢をみる島DX

各ダンジョンとも、マップが名称どおりの形をしている。地下や一部のボス部屋では横スクロール型で進むところがあり、クリボーやカービィなど任天堂の他タイトルのキャラクターが敵として多数登場することも特徴的。

▷ レベル1 テールのほらあな

メーベの村の南にある洞窟。複雑な構造ではないが、侵入者を排除するトラップや敵が待ち構えている。「ロックちょうのハネ」が入手でき、ボスは「デグテール」

▷ レベル2 つぼのどうくつ

ゴポンガの沼の最奥、道を塞ぐ花をワンワンに食べさせると入口へ。「パワーブレスレット」を見つけ、多くの壺を持ち上げて進む。ボスは「つぼ魔王」

▷ レベル3 カギのあなぐら

ウクク草原の池に入口がある。大小2つの鍵の形をした洞窟。入手する「ペガサスのくつ」でダッシュし、仕掛けを解く。ボスは「デグゾル」

▷ レベル4 アングラーのたきつぼ

タルタル高地に流れる川に面する、魚（アングラー）の形の迷宮。大半の部屋に水路があるため「アングラーのみずかき」を入手しないと奥に進めない。水中でボス「アングラー」と戦う

▷ レベル5 ナマズのおおぐち

マーサの入り江の中心にある、口を開けたナマズの形をした洞窟。「フックショット」を盗んだマスタースタルフォンとは、計4回戦うことに。ボスは「フッカー」

▷ 南の神殿（古代遺跡）

どうぶつ村の北に位置する古代遺跡。小さな神殿だが「フェイスのカギ」が手に入るほか、島に関する重大な事実が壁に描かれている。ボスは「デグアモス」

▷ レベル6 かおのしんでん

顔の形をした神殿。クリスタルスイッチがたくさんあり、アイテム使用の応用力が試される。「パワフルブレスレット」が入手でき、最後に待つボスは大きな顔の「マットフェイス」

▷ レベル7 オオワシのとう

タルタル山脈東部に位置する巨塔。複雑な内部構造で、2階の柱を壊して4階部分を下に落とす仕掛けも。「かがみのたて」を手に入れ、屋上でボスの「アルバトス」と戦う

▷ レベル8 カメイワ

タルタル山脈西部、亀の形をした広大な洞窟。内部はそこかしこに溶岩が流れるうえ、地下には「マジックロッド」の炎で溶かさないと進めない氷のかたまりも。ボスは「デグフレム」

▷ 服のダンジョン

『夢をみる島DX』のみ登場。ウクク草原の墓場で、墓石を決まりどおりに動かすと入口が出現する。色に関する謎が多く、妖精の女王から「あかいふく」か「あおいふく」をもらえる。ボスは「ド・ポーン」

▷ せいなるタマゴ

セイレーンの楽器をすべて集めると、タマランチ山のタマゴの中に入れる。「ヒミツのほん!?」に書いてあるとおりに迷宮を進む。ボスの「シャドー」は記憶の中のガノンから強敵の影に変化し、次々と襲いかかってくる

時のオカリナ／3D

3Dダンジョンとなり、360度広がる空間をプレイヤー自身が体感できる。段差を利用したり、高所から遥か下方を見下ろすなど、立体的な仕掛けが繰り広げられる。城や洞窟、神殿といった従来にも登場した舞台のほか、大木や巨大魚の内部といった今までにないダンジョンも登場。ボスの登場もそれぞれの特徴を生かした演出になっている。

▷ デクの樹サマの中

コキリの森の奥、呪いに苦しむデクの樹サマの口から入る。クモの糸を焼き払いながら魔物が住み着いた内部を探索する。「妖精のパチンコ」を手に入れ、ボスの「ゴーマ」を狙い撃つ

▷ ドドンゴの洞窟

デスマウンテンの中腹に位置する広大な洞窟。大小のドドンゴが生息している。爆弾を使う仕掛けが多い洞窟内では「ボム袋」を入手できる。ボスは「キングドドンゴ」

▷ ジャブジャブ様のお腹

  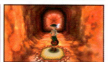

ゾーラの泉の祭壇上で、捧げたサカナもろともジャブジャブ様に飲み込まれて侵入。無数の寄生虫が巣くう体内で「ブーメラン」を手に入れ、ルト姫と力を合わせて進む。ボスは「バリネード」

▷ 森の神殿

森の聖域の最深部にある、廃墟となった神殿。絵画に関する仕掛けが多く、かつて神官だった四姉妹の幽霊が侵入者を阻む。「妖精の弓」を手に入れ、ねじれた廊下を元に戻したり、中庭に出たりして進んでいく。ボスは「ファントムガノン」

▷ 炎の神殿

デスマウンテン火口にある、溶岩の流れる灼熱の迷宮。高温のため、熱に対する装備がないと長時間の活動ができない。迷宮奥で「メガトンハンマー」を手に入れて進んでいく。ボスは「ヴァルバジア」

▷ 氷の洞窟

凍てついたゾーラの泉から入ることができる。凍って滑る床や、巨大なツララが進路を邪魔する。所々にある青い炎を用いて氷を溶かし、「ヘビィブーツ」を手に入れる。ボスは「ホワイトウルフォス」

▷ 水の神殿

ハイリア湖の底深くに隠された神殿。3段階の水位を調節しながら進む、難解な立体構造となっている。『時のオカリナ 3D』では表示がわかりやすくなった。「ロングフック」が入手可能。ボスは「モーファ」

▷ 井戸の底

カカリコ村の井戸の洞窟。見えない落とし穴や敵がうごめく。入手する「まことのメガネ」を通して、ドクロが祀られた祭壇状の壁や、処刑・拷問用と思しき器具など不気味な姿が見られる。ボスは「デドハンド」

▷ 闇の神殿

カカリコ村の墓地下の神殿。ハイラルの血塗られた闇の歴史が秘められた場所で、ギロチンなどの禍々しいモチーフが随所に施されている。「ホバーブーツ」を手に入れ奥へと進む。ボスは「ボンゴボンゴ」

▷ 魂の神殿

幻影の砂漠を越えた先の、古代遺跡内にある神殿。子供と大人、7年の時をまたいで進む。「銀のグローブ」「ミラーシールド」を入手し、ミラーシールドで光を利用した大仕掛けも。ボスは「ツインローバ」

▷ ガノン城

ハイラル城のあった場所に立つガノンドロフの居城。内部は6つの結界が張られている。「金のグローブ」を入手。パイプオルガンを弾いて待ち構える「ガノンドロフ」と対決後、力のトライフォースの力で暴走した魔獣「ガノン」が最終ボスとなる

ムジュラの仮面／3D

月が落下するまでの3日間という時間制限の中で、1つのダンジョンを攻略しなければならない。タルミナの各地方に暮らすデクナッツ、ゴロン、ゾーラ族の仮面の変身能力やそれぞれに伝わる歌などを生かし、神殿の入口を見つけ出す。ボスを倒すと、各地の巨人が目覚める。

▷ ウッドフォールの神殿

ウッドフォール中心部に位置する神殿。神殿内の水は沼地と同じく毒に侵されており、デク花ジャンプを多用して進む。「勇者の弓」を手に入れ、囚われたデクナッツの姫を助けるためにボスの「オドルワ」の元を目指す

▷ スノーヘッドの神殿

スノーヘッドの山里の奥にそびえ立つ、塔のような外見の神殿。異常気象によって神殿内は一部氷に閉ざされているので「炎の矢」で氷を溶かしながら進む。ボスは「ゴート」

▷ 海賊の砦

グレートベイ沿岸部の海底から潜入する、ゲルドの女海賊の砦。海賊たちの厳しい監視の目をくぐり、「ゾーラのタマゴ」「フックショット」「女海賊の写し絵」と多くのアイテムを入手しなければならない

▷ グレートベイの神殿

 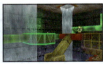 

ゾーラのタマゴからかえった稚魚が道筋を示し、巨大なカメの背中に乗ってたどり着く。水路とパイプが張りめぐらされた神殿。「氷の矢」を入手して水面を凍らせないと進めないエリアが多い。ボスは「グヨーグ」

▷ 井戸の下

イカーナ渓谷の井戸の底に広がる、亡霊が出没すると言われる洞窟。イカーナ古城への道をギブドが塞ぎ、さまざまなアイテムを要求してくる。最後の部屋の宝箱からは「ミラーシールド」が見つかる

▷ イカーナ古城

イカーナ渓谷の井戸の地下通路から侵入できる。崩れかけた城内や外壁を伝い歩いて進む。ミラーシールドで反射する光を使い、ボスの「イカーナ王」を呪いから解放すると、お礼に「ぬけがらのエレジー」を教えてくれる

▷ ロックビルの神殿

難攻不落とうたわれ、現在は異変により呪いの元凶となっている。自分の分身（ぬけがら）を出現させて謎を解き、入手した「光の矢」で、神殿の天地を逆転させる大掛かりな仕掛けも。「巨人の仮面」をかぶり、ボスの「ツインモルド」と戦う

▷ 月の中

クロックタウンの時計台から吸い込まれていく、月の内部。中心に大木が生える、美しくおだやかな草原。走り回る子どもたちとかくれんぼをして「鬼神の仮面」を手に入れ、すべての元凶「ムジュラの仮面」に挑む

ふしぎの木の実 大地の章

四季の乱れたホロドラムの大地に力を与える「大地のことわり」が隠されたダンジョン。「四季のロッド」を使い地形を変えて入口への道を切り開いていく。シリーズでおなじみの謎解きやボスが多いが、「ロックちょうのハネ」や「マグネグローブ」を使ったアクション性の高い仕掛けが特徴的。キーアイテムとなる「ふしぎの木の実」はすべてのダンジョンの攻略に欠かせない。

▷ 勇者の洞くつ

ホロン村の西の海岸にある洞窟。勇者の証として「ウッドソード」が手に入る。岩を動かす、小さな鍵で鍵のかかった扉を開くといった、ダンジョン攻略の基本が詰まっている

▷ 勇者の洞くつ（リンクシナリオ）

『時空の章』をクリアした状態でリンクさせると出現する。これまで手に入れたアイテムを使って攻略していく。難度の高いアクションが要求される仕掛けが多い

▷ LV.1 ねっこのダンジョン

ホロン村の北にあるダンジョン。冒険をサポートしてくれる「木の実ぶくろ」はここで手に入る。ボスは「アクオメンタス」

▷ LV.2 蛇のなきがら

ウインタの森にあるダンジョン。「四季のロッド」で季節を冬にし、池の水を凍らせて入口へ。ここで手に入る「パワーブレスレット」を使いバーを動かしながら進む。ボスは「ドドンゴ」

▷ LV.3 どくがの巣穴

スプール沼にある蛾の形をしたダンジョン。「四季のロッド」で季節を夏にして生えたツタを登り入る。「ロックちょうのハネ」を手に入れ床の穴をジャンプしながら進む。ボスは「ガモス」

▷ LV.4 龍の舞うダンジョン

コッコ山にあり、舞う龍の形をしている。「パチンコ」と「ふしぎの木の実」を組み合わせて遠くの燭台に火をつけたり、トロッコのレバーを切り替えながら進む。ボスは「ゴーマ」

▷ LV.5 一角獣の洞くつ

メガネ池にある洞窟。季節を秋にしてイワキノコをどかし入る。「マグネグローブ」の極性を使い磁石ブロックにくっついたり離れたりして大きな穴を乗り越えて進む。ボスは「デグドガ」

▷ LV.6 古代の遺跡

まよいの森を越えた先にある遺跡。「マジカルブーメラン」を入手でき、軌道を任意に変えながら進む。中ボス「バイア」は『時空の章』にも登場。ボスは「テスチタート」

▷ LV.7 冒険者の墓

ホロン村の西にある墓地には海賊船で向かう。墓の中では「エイミー」と「マーガレット」の幽霊姉妹の呪いが行く手を阻む。手に入る「ハネマント」は長距離を飛べる。ボスは「グリオーク」

▷ LV.8 剣と盾のダンジョン

ウーラ世界に入口がある、剣と盾の形をしたダンジョン。地下の剣エリアは溶岩地帯、地上の盾エリアは氷に覆われている。「まほうのこおり」を地下に落として進む。ボスは「メデロック」

▷ ゴルゴン城

北の山にある闇の将軍「ゴルゴン」の本拠地。「大きなマカの実」と、8つの「四季のことわり」を手に入れないと入れない。基本一本道だが、これまでに会った強敵が行く手を阻む

ふしぎの木の実 時空の章

時の流れを正しくする「時空のことわり」が隠されたダンジョン。「時のたてごと」を使い昔と今を行き来して入口への道を切り開いていく。「大地の章」と共通の敵やアイテムを使う仕掛けもあるが、「いれかえフック」や「ソマリアのつえ」を用いたパズル性の高い仕掛けが特徴的。キーアイテムとなる「ふしぎの木の実」はすべてのダンジョンの攻略に欠かせない。

▷ 勇者の洞くつ（リンクシナリオ）

『大地の章』をクリアした状態でリンクさせると出現する。これまで手に入れたアイテムを使って攻略していく。『大地の章』の同名ダンジョンよりもパズル要素が多くなっている

▷ LV.1 魂の墓

東のヨール墓地にある。墓場だけあってゴーストやスカル系のモンスターが多い。サイコロと床の色を合わせて燭台に火をともす仕掛けを解きながら進む。ボスは「ハーロン」

▷ LV.2 つばさのダンジョン

デクナッツの森にある。今の時代では崩壊している。「ロックちょうのハネ」で色つきパネルに飛び乗り、色を変える仕掛けも。隠れたカメレオンゲルも登場。ボスは「グルン」

▷ LV.3 月影のほこら

トカゲ人が住むミカヅキじまにある。島の名前のとおりミカヅキの形をしている。「まめでっぽう」で宝石を壊すと回転床のある部屋が落ちて新たな道が開ける。ボスは「影オババ」

▷ LV.4 どくろダンジョン

すべてが左右対称のシメトリ村の火山にあるダンジョン。ドクロの形をしている。昔に戻り火山の噴火を止めて中に入る。「いれかえフック」を使い溶岩を飛び越えて進む。ボスは「パタラ」

▷ LV.5 王冠のダンジョン

ゴロゴロ山にある王冠の形をしたダンジョン。暗い道では「ソマリアのつえ」でブロックを作って押しながら足場を確認して進んでいく。ボスは「バロム」

▷ LV.6 人魚の洞くつ

昔と今を行き来して攻略。昔のダンジョン内の地形を変えれば今のダンジョンの地形も変化する。「にんぎょスーツ」を手に入れ深い水の中を泳いで進んでいく。ボスは「オクタゴン」

▷ LV.7 ジャブジャブ様のお腹

昔に病死したキングゾーラを救い、許可を得てジャブジャブ様のお腹の中へ。水位を変化させたり、「ロングいれかえフック」を使い遠い足場に移動して先へ進む。ボスは「プラズマリン」

▷ LV.8 いにしえの墓

かえらずの海から向かう。ダンジョンに散らばる4つの石板を集めて地下へと進んでいく。「パワフルグローブ」で大きな像をどかしてボスの部屋へ。ボスは「ゴーリガン」

▷ 暗黒の塔

大きなマカの実と8つの「時のことわり」で真実の扉が開く。中は階段だらけの部屋が続く迷宮。正解の階段を経てようやく「ベラン」の元にたどり着く

風のタクト／HD

世界全体が海に覆われているため、ダンジョンは個々の島になっている。賢者となるキャラクターを操作し協力して進むダンジョンも登場。ストーリーの進行上で訪れる大きなダンジョンのほかに、海上に点在する島々にも仕掛けや小さな洞窟などがあり、謎解きをする場面も。

▷ 魔獣島

ガノンドロフが築いた要塞の島。高い城壁に砲台、監視のライトと厳重な警戒が敷かれており、ライトを停止させながら侵入していく。妹を救うために序盤と中盤の2度訪れる。1度目は剣を落としてしまうため見張りに見つからないように進む。マスターソードを手に入れた後、2度目の攻略の際には「ハンマー」が手に入り、砦の天井で妹をさらった因縁のボス「ジークロック」との戦いに

▷ 竜の山のほこら

  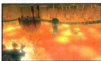

北東の竜の島の山中にある。頂上で空の精霊のヴァルーが暴れていて、様子を見にいったメドリを追いかけて侵入。吹き上げる溶岩や手に入る「カギつめロープ」を利用しながら頂上を目指す。ヴァルーの真下の部屋でボス「ゴーマ」と戦う

▷ 禁断の森

森の島の向かいの、全体が森でできた島。落ちてしまったマコレを追い、「デクの葉」を使い向かう。怪しげな草花のツタが生い茂る。手に入る「ブーメラン」はツタを切ったり遠くのスイッチを起動するのに役立つ。ボスは「カーレ・デモス」

▷ 神の塔

3つの神珠を3つの島に収めることで、海の中から姿を現す巨大な塔。神が勇者の勇気を試す試練を課すために造ったとされ、手に入る「勇者の弓」で遠くのスイッチを起動させつつ進む。最奥ではボスの裁定者「ゴードン」が待ち受ける。最上階の鐘を鳴らすことで、海中のハイラル城への入口が開く

▷ 大地の神殿

大地の島から入れる神殿で、賢者が祈りを捧げることでマスターソードに退魔の力が宿る。大地の賢者メドリと協力して攻略、メドリの持つ琴や入手できる「ミラーシールド」で光を反射させ起動するスイッチが点在。ボスは「ジャイ・ハーラ」

▷ 風の神殿

風の島から入れる神殿。神殿の中心が地下から2階までをつなぐ吹き抜けになっていて、風の賢者マコレの木を生やす能力と途中で入手できる「フックショット」で足場を渡りつつ進む。地下の最奥でボス、「モルド・ゲイラ」との戦いに

▷ ガノン城

古のハイラルの地を進みたどり着く。これまでのダンジョンで戦ったボスたちと再戦に。地下には迷宮が広がり、抜けるとガノンドロフに対抗できる「光の矢」が入手可能。最奥で「クグツガノン」および「ガノンドロフ」との最終決戦に挑む

4つの剣

冒険を進めるための基本を学べる「始まりのほこら」のほかに、4つのステージが登場。ステージは訪れるたびに仕掛けなどが変わる特殊な構造になっている。また、挑戦する勇者の人数によっても、人数に合わせた仕掛けやボスの強さが変化する。

▷ 帰らずの森

一度足を踏み入れると二度と戻れないと言われる深い森。中は明るいが木や水などの自然の仕掛けが行く手を阻み、そこらじゅうには草が生い茂っている。オクタロックなどが多く生息する。奥にはボスの巨大肉食植物「デグチタート」が自生している

▷ 岩山のほらあな

水と氷に覆われた岩山に空いた、巨大なほらあな。内部も冷気に満ちており、床が凍りついている地帯も多い。ボスであるほらあなの主「デラゾル」との戦闘も、滑りやすい氷の上という不利な状況での戦いを強いられる

▷ デスマウンテン

常に噴火を繰り返し、流れ出る溶岩がすべてを焼きつくす炎の山。一帯があまりに高温なために山道の途中にも炎が燃え盛っており、触れるとダメージを受ける。ボスの「ゴウエン」も燃え盛る体を持つ

▷ 風の宮殿

ゼルダ姫をさらった風の魔人グフーが根城とする、ハイラル上空にそびえる城。ルピーを集めて3人の大妖精に認められ、3つのカギを授けられた者のみが挑戦できる。狭い足場をアイテムを駆使しながら渡っていく場面が多い。最奥でボス「グフー」と相対することに

4つの剣+

さらわれた6人の巫女とゼルダ姫を救うため、巫女たちがそれぞれ守護している地域を巡っていく。L1～L8のそれぞれに3コース、全部で24のステージに分けられており、フィールドにあたるステージにも多くの仕掛けが配置されている。ゴールまで進むとクリアとなるが、レベルごとのコースは土地的には地続き。

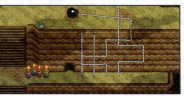

▷ 戻らずの洞窟

ハイリア湖からハイラル城付近まで伸びる巨大な洞窟。探索にはカンテラが必須。2人以上で協力しないと動かせない大岩や、同じ色を持つ者にしか動かせない、ふしぎな色付き岩が道を塞ぐ。奥ではボス「シャドウリンク」との戦闘に

▷ ハイラル城

ゼルダ姫と巫女たちが消え、魔物の巣と化したハイラル王国の城。旅の途中で2度訪れ、1度目は超妖精が捕らわれている。ボスは「ファントムガノン」。2度目はサーチライトに当たると牢屋に入れられる。ボスは「ビッグポー」

▷ 東の神殿

青の巫女の村を抜けた先にある神殿で、巫女のひとりが捕らわれている。神殿内には各所に闇の世界に通じる入口が隠されており、2つの世界を行き来して進む罠も。バクダン・カンテラ・弓矢を駆使して攻略する。ボスは「イワート」

▷ 炎の塔

デスマウンテンの頂上にそびえ立つ塔。溶岩が流れ、ところどころで炎が噴き出す罠を越えて、巫女が捕らわれている最上部を目指す。さまざまなアイテムが手に入るが、特にバクダンは最上部近くを徘徊するドドンゴたちを倒すのに必須

▷ 暗黒の神殿

かつてハイラルに攻め込んだ闇の一族を封じた"闇の鏡"がまつられていた、カカリコ村の奥にある神殿。力を手にしたゲルドの盗賊ガノンドロフに奪われシャドウリンクを生み出した。ボスは鏡を奪ったガノンドロフの影、「ファントムガノン」

▷ 砂漠の神殿

闇の力が隠された神聖なるピラミッドに、心悪しき者が近づけぬよう試練のために建てられた神殿。命を持った石像などの敵が多く配置されている。この地にもボス「シャドウリンク」が入り込んでしまっており、リンクたちの行く手を阻む

▷ ピラミッド

砂漠に住むのズナ族が古の時代に建てたという巨大な墓標。暗黒から生み落とされし魔の邪器トライデントが眠る。ガノンドロフは村の掟を破ってピラミッドに潜入、トライデントを手に入れて魔王ガノンと化した。ボスは「デグテール」

▷ 氷の神殿

冬のまま時が止まった雪原の奥地にたたずむ神殿。多くのフロアの床には氷が張っていて、つるつると滑りやすくなっている。ボスの「鉄球兵士」2体を撃破すると進める神殿の裏手には、風の塔への道を開くフォーソードの聖域の森が広がっている

▷ 風の塔

聖域にて4つの宝玉をまつり、巫女たちが祈りを捧げることで姿を現した塔。空に向かって高くそびえ、登ることで天上の世界へ向かえる。最上部にはボス「エグラース」がおり、打ち倒すと捕らえられていたゼルダ姫を救い出せる

▷ 風の宮殿

ハイラル王国の上空、暗雲に隠されし「魔神グフー」の居城。4つのムーンパールを使い奥に進み、魔神グフーと対峙。見事打ち倒すと宮殿ごと崩れ去り、ゼルダ姫とともに脱出する。脱出した先では事件の黒幕たるボス「ガノン」との最終決戦に

ふしぎのぼうし

身体の大きさを変えたり、エレメントの力の宿った剣を使い複数人に分裂して解く仕掛けが点在。冒険を進めるほど、一度に分裂できる人数も増える。自身が小さくなることで、通常の敵が巨大なボスとして登場することもある。

▷ 森のほこら

森のピッコル里の奥にある。終始小さくなった状態で挑み、タルの中に入って道をつなげたりも。入手できる「魔法のつぼ」を使って、ハスの葉に乗って水上も進める。ボスの「大チュチュ（緑）」は、実は神殿に入り込んだ普通のチュチュ

▷ 炎のどうくつ

ゴングル山の頂上にある洞窟。もとは人間が掘った鉱山であり、内部にはトロッコのレールが張り巡らせてある。敵やモノをひっくり返せる「パッチのつえ」を入手でき、地面の穴に使って高台に飛び上がることも可能に。ボスは「グリロック」

▷ 風のとりで

タバンタ秘境の沼地を越えた先にある、風の力を極めた風の民が残した砦。砦の内部は土で埋まっているところもあるが、「モグラグローブ」を入手すると掘って進めるように。ボスは「オーイス」で、最奥では「風のオカリナ」を入手

▷ しずくの神殿

ハイリア湖の水上に入口があり、内部は凍えるような寒さ。ところどころ氷に覆われていて、溶かすには天窓から日光を入れるか、入手できる「炎のカンテラ」を使うことになる。ボスは「大オクタロック」

▷ 風の宮殿

風の民たちが暮らす雲の上の家から入る。古の時代に風の民とともに空にあがったとされ、眼下には空が広がる。足場が少ないため、入手した「はねマント」で宮殿内の扇風機を利用しつつ滑空して渡り歩く。ボスはオス・メスの「グヨーグ」

▷ 闇ハイラル城

グフーの闇の魔力によって魔物が徘徊するようになったハイラル城で、タートナックなどの強敵が多数出現。完成させた聖剣フォーソードを使い、4人に分裂しながら進む。屋上にはラスボスの「グフー」が待ち受ける

トワイライトプリンセス／HD

謎解きが大規模になり、3Dならではの仕掛けや部屋自体を大きく動かすようなものも多く登場。廃墟の屋敷や空中都市など、そうとは意識せずにいつの間にか入り込んでしまうような雰囲気のダンジョンも。ラストを含めてハイラル城を3回訪れることになるのも特徴。

▷ ハイラル城

初めて獣の姿になった直後に訪れる。影の領域に侵略されており、地下水路には魂となった兵士たちの姿も。最奥の塔では、囚われの身のゼルダ姫と出会う。また、「湖底の神殿」クリア後にも、地下通路を使い再び姫の元を訪れることに

▷ 森の神殿

トアルの森の奥にたたずむ神殿。サルの群れが捕らわれていて、助け出すと神殿内の移動を連係プレーで助けてくれる。「疾風のブーメラン」が手に入り、風を利用して風車を回し橋を動かす。ボスは「ババラント」

▷ ゴロン鉱山

デスマウンテン山頂が入口。磁力を持つ石が壁や天井に点在し、アイアンブーツを使って歩くことができる。入手する「勇者の弓」で遠くの敵や的を射って攻略していく。正気を失ったゴロン族の族長がボス「マグドフレイモス」として登場

▷ 湖底の神殿

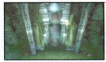

ハイリア湖の底にある神殿。水を流すスイッチがあり、神殿内の水量を調節して泳ぎながら進む。「フックショット」を入手すると的やツタを使って飛び移り、行けなかった場所にも行けるように。ボスは「オクタイール」

▷ 砂漠の処刑場

ゲルド砂漠を越えた先にある、陰りの鏡がある処刑場。人では見えないポゥなど多くの亡霊が侵入者を阻む。砂の上を滑ったりレール上を走る乗り物「スピナー」が入手可能。ボスは「ハーラ・ジカント」

▷ 雪山の廃墟

スノーピークを越えた先の、氷に覆われた廃墟の屋敷。獣人夫婦が住み、彼らのために食材を探しまわる。正気を失った奥さんが変身したボス「フリザーニャ」と対決。入手できる「チェーンハンマー」は、氷の壁や敵を壊せる

▷ 時の神殿

マスターソードがあった場所にある扉をくぐると、時をさかのぼって入れる。部屋ごとに階層になっていて階数が多く、最上階では自分の動きに合わせて石像を動かせる「コピーロッド」が手に入る。ボスは「シェルドゴーマ」

▷ 天空都市

大砲で空を飛んでたどり着く、天空人が住む都市。大小の浮島で構成され高度な文明を持つことがうかがえる。2つ目のクローショットを入手して「ダブルクローショット」となり、空中を渡り歩けるように。ボスは「ナルドブレア」

▷ 影の宮殿

陰りの鏡から行ける影の世界にあり、触れると獣になる影の霧が各所にある。宮殿内にある光球「ソル」の力をマスターソードに宿すことで影の霧を払えるようになる。最奥の玉座ではボスの影の王「ザント」が待ち受ける

▷ ハイラル城

ハイラル城下町の中央広場から行ける。統治者ゼルダ姫が住む国のシンボルであり、巨大な庭やシャンデリアなどの豪華な装飾が目を引くが、復活したボス「大魔王ガノンドロフ」により支配され不気味な雰囲気に

▷ 獣の試練

amiibo「ウルフリンク」をタッチすると挑戦できる、HD版のみのミニダンジョン。人の姿に戻れず終始獣の姿で攻略し、フロアの敵をすべて倒すことで奥へ進む。最下層では現状よりも一段階大きなサイズのサイフが入手できる

▷ 大妖精の洞窟

ゲルド砂漠に入口がある洞窟。大妖精が棲んでおり、試練を乗り越えることでハイラル各地の泉に妖精が現れる。これまで入手したアイテムを駆使し、フロアごとの敵を全滅させて進む。最下層では「大妖精の雫」がもらえる

夢幻の砂時計

海が冒険の舞台となり、南西、北西、南東、北東の4つの海域に16の島々が浮かぶ。各地の島には8つのダンジョンが点在。南西の海域にあるメルカ島の海王を祀った神殿では、下層に進むにつれて各海域の海図が手に入る。冒険の舞台を広げていくため、海王の神殿と各地のダンジョンを行き来していくことになる。

▷ 海王の神殿

メルカ島の丘の上にある神殿。魔物に侵略されてから人々が近づかなくなった。無敵の夢幻騎士ファントムが徘徊し、聖域以外では体力も削られてしまう。「夢幻の砂時計」の砂が残っている間だけ、削られるのを阻止することができる

▷ 炎の神殿

南西の海域の魔物に襲われ、すでに予言師フォーチュンしか住んでいない火山島火の島にある神殿。入口前のローソクを吹き消して入る。神殿内はあちこちから炎が噴き出しており、ボスは3体に分裂する能力を持つ「ブレイズ」

▷ 風の神殿

北西の海域にある、常に風が吹く風の島にある神殿。知恵の精霊の救出に向かうことになる。風間欠泉をはじめとした、風を利用した仕掛けが多い。手に入る「バクダン」と風を組み合わせて誘爆させたりしながら、ボス「フーオクタ」を目指す

▷ 勇気の神殿

南西の海域、漁師たちが住む村があるモルデ島にある神殿。入るには太陽のカギを使い、太陽の扉を開かねばならない。神殿内で手に入る「弓矢」を使い探索し、勇気の精霊を救出する。ボスは「レヤード」で、姿を消して近づいてくる

▷ 幽霊船

北西の海域の霧の中に現れる船。テトラをさらったほか、漁師たちもこの船の影響で漁をやめてしまった。潜入するには3人の精霊の力が必要。船内は地獄亡者が徘徊し、隠れているキュバス家の姉妹を会わせるとボス「キュバス」が出現

▷ ゴロンの神殿

南東の海域、ゴロン島の北西にある神殿。マイゴロンを追ってやってくる。「ボムチュウ」を使い進んでいくことになるが、ひとりでは先へ進めない仕掛けも登場。マイゴロンと協力して解き、ボス「ボンゴロンゴ」もともに戦うことになる

▷ 氷の神殿

南東の海域、氷の島の東にある大氷原を越えた先の神殿。床が凍っている部分は立ち止まりにくく、逆さツララといった氷でできた仕掛けも多い。手に入る「カギ爪ロープ」を使って進んでいくことになる。ボスは「グリオーク」

▷ ムトーの神殿

北東の海域にある遺跡島の北東にある神殿。かつての古代文明、ダイク王国の王ムトーが眠る。○と×が書かれたタイルを「ハンマー」で叩くパズル的な仕掛けも登場する。ボスはいつからか神殿に生息し、ムトーの眠りを妨げていた「オーイス」

大地の汽笛

魔王を封印する神の塔が中心にそびえ、周囲の4つの大地の各地に神殿が残される。また、塔と神殿とをつなぐ聖なる線路は魔を縛るための役割を持つとされ、大陸全土にはりめぐらされていた。しかし、魔王復活を目論む魔族の陰謀により消滅。封印を張りなおすため、神の塔と各地の神殿とを行き来することになる。

▷ 神の塔

世界の中心にそびえ立つ塔。遠い昔に起こった魔王と神の戦いの後、魔王の魂を封じるために神が建てたもの。頂上の祭壇までは全30階の迷宮となっており、それぞれの階で守護者であるファントムたちが眼を光らせている

▷ 森の神殿

森の大地にある迷いの森の奥にひっそりとたたずむ神殿。神殿内には人体に有害な毒ガスが満ちているが、内部で手に入る「疾風のプロペラ」を使えば吹き飛ばせる。ボス「デグクレス」もお尻の部分に毒ガスをたくわえている

▷ 雪の神殿

雪の大地の北西の吹きすさぶ吹雪の中に隠された神殿で、内部は氷に覆われている。内部には大小の釣鐘が配置され、特定の旋律を奏でると扉が開く。手に入る「ブーメラン」は炎をまとわせられ、ボス「フリブレイズ」との戦いでも有効

▷ 海の神殿

大きな砂漠と小島からなる海の大地にある神殿。海中にあり、海底への線路の入口を開くことで行けるように。内部は奈落の谷が多く、移動には途中で手に入る「ムチ」が欠かせない。最上層付近にはボスの「イバラケバラ」の触手が道を塞ぐ

▷ 火の神殿

火の大地中央に位置する神殿。神殿の前には侵入者を防ぐ門がある。神殿内は地底深くに広がり、溶岩で満ちている。途中で「弓矢」が手に入り、矢を打ち込むと矢印が向く方向に再発射される仕掛け"矢中継"が登場。ボスは「イワントス」

▷ 砂の神殿

海の大地北部の砂漠にある神殿で、「光の弓」が安置されている。いたるところに砂地が広がり、転がる大岩やパズルなどの罠が侵入者を拒む。罠を抜けるには神殿にある「サンドロッド」が不可欠。最奥にはボス「ドスボーン」が待ち受ける

▷ 闇の世界

森の大地南西の最果ての海上に隠された遺跡から向かう、魔の巣窟たる世界。大量のキラー列車が闇に浮かぶ線路を走るが、「光のしずく」を取って汽車を光のパワーで包み体当たりすると撃破できる。キラー列車を全滅させると、ボスの「魔列車」および「魔王マラドー」との最終決戦を迎える

スカイウォードソード

創世の時代であり女神の逸話が強く残っているからか、神殿などのダンジョンには宗教的な雰囲気を感じられる装飾が多く施されている。周囲の地形の過去と未来を変化させる"時空石"を使い、時空を越えて部屋の一部を変化させるような仕掛けも登場。

▷ 天望の神殿

フィローネの森の奥の、空からの使者のために造られたという神殿。ゼルダを追いかけ突入する。入手できる「ビートル」を飛ばして狭い場所を探ったり糸を切ったりできる。最奥で同じくゼルダを追うボス「ギラヒム」と対決

▷ 大地の神殿

オルディン火山中腹に位置し、巫女が訪れるもうひとつの聖なる泉がある。転がる岩の罠が多く、巨大な丸岩で玉乗りしたりも。モグマ族のテツからバクダンをストックできる「バクダン袋」がもらえる。ボスは「ベラ・ダーマ」

▷ ラネール錬石場

古代に機械亜人たちが時空石を精製していた錬石場で、ラネール砂漠の地下に隠されていた。内部にも時空石があり過去と現在を操作していく。「まほうのツボ」を入手すると積もった砂を吹き飛ばせる。ボスは「モルドガット」

▷ 古の大石窟

フロリア湖の奥にある。地上階は石像が鎮座し明るいが、地下は呪いの沼もあり薄暗く、対照的な構造になっている。入手した「ムチ」で遠くの足場に飛んで進む。ボスの「ダ・イルオーマ」は本来侵入者を退けるための古代兵器だった

▷ 砂上船

かつて海だったラネール砂海の上を動き回る巨大な船。機械亜人たちが聖なる炎を守っていたが、海賊に襲われ乗っ取られてしまった。「木の弓」が入手でき、船上の巨大な時空石を作動させるのにも用いる。ボスは「ダイダゴス」

▷ 古の大祭殿

オルディン火山頂の、溶岩に満ちた神殿。巨大な樹木が神殿内を浸食し水の実がなっている。モグマ族からもらえる「モグマグローブ」で地中を掘って進む。ボスは2度目となる「ギラヒム」。力を解放し、より強化されている

▷ 空の塔

スカイロフトの女神像の下部に隠されていた塔。古の時代に女神が守護していた万能の力（トライフォース）が隠されている。内部の操作盤を使い、部屋の位置とつながり方を変えて3つのトライフォースを集める

神々のトライフォース2

『神々のトライフォース』の未来の世界であるため、ダンジョンの名前や位置も似通ったものが多い。また、前作を踏襲した名前のボスも多数登場。各ダンジョンで必須となるアイテムをレンタル屋から借りて（買い取って）おけば、中盤以降は自由な順番で攻略できる。

▷ 東の神殿

ハイラル東側の遺跡群の丘の上にある神殿で、賢者の末裔アスファルを追いかけ突入する。「弓矢」がなければ入れず、内部も弓矢で作動させる仕掛けが多い。最奥ではアスファルを絵画へ変えた「ユガ」がボスとして立ちはだかる

▷ 風の館

ハイラル南東のハイリア湖の中心に浮かぶ。金網のリフトが張り巡らされ、名前のとおりさまざまな場所で気流が発生している。入るためにも内部攻略にも、竜巻を起こし上昇できる「トルネードロッド」が必須。ボスは「ゲト・マーゴ」

▷ ヘラの塔

ハイラル北部に位置する大きなヘブラ山西側に入口がある。1フロアは狭いが、階数が多い。「ハンマー」を使い、叩いて乗ると上段に飛べるバネや交互に壁がせりあがる赤青スイッチを駆使し登っていく。ボスは「デグテール」

▷ ハイラル城

ハイラルの中央にそびえ立つ城。不思議な力を持つ王女ゼルダ姫がいたが、ユガに占拠されてしまい、多くの敵が徘徊している。最奥ではボス「ユガ」と2度目の対決。勝利後、ロウラルへ行けるようになる

▷ 闇の神殿

ロウラル城の東、ハイラルでは東の神殿があった場所に存在。名前のとおり内部は薄暗く、暗闇や差し込む光を利用した仕掛けが多く配置されている。「バクダン」が必須で、時間差でスイッチを作動させたりも。ボスは「ジュエルロック」

▷ 水のほこら

ロウラル城の南にあり水で満たされているが、「大バクダン花」を連れてきて岩を破壊し水を抜くことで中に入れる。必須アイテムの「フックショット」を使い内部の水位や水流を変化させ、行動範囲を広げていく。ボスは「ワート」

▷ ドクロの森

ロウラル北西に広がる巨大な森。迷路のように入り組んでおり、地上と地下を行き来しながら進む。こちらを追い出そうとする、手の魔物フォールマスターが出現。ボスも手の甲の部分に目玉が付いたような「ナックルマスター」

▷ はぐれ者のアジト

ロウラル城の西に位置するはぐれ者の村の地下に広がる、盗賊たちのアジト。ボスの秘密を知ったとして牢に囚われている盗賊の女を助けて協力し、2つのスイッチを起動しながら進んでいく。ボスは「スタルブラインド」

▷ 氷の遺跡

ロウラル北部、デスマウンテンの頂上に座する遺跡。内部にはリフトが多数点在し、リフトを使ったり穴から落ちたりして頻繁にフロアを行き来する。氷に覆われた箇所やボスの「ブラックシュアイズ」戦には「ファイアロッド」が必須

▷ 砂漠の神殿

ハイラル南西の砂漠にあるが砂漠自体が孤立状態のため、ロウラル側から侵入する。各所に砂が入り込んでいるため、探索には砂柱を作れる「サンドロッド」が必須。ボスの「ザーガナーガ」は、神殿最奥で亀裂に入ってロウラル側で対決する

▷ カメイワ

ロウラル南東の湖にあるカメ型の洞窟。ママカメの3匹の子亀を捜し出すと、お礼に彼らに乗って中に入れる。足場が溶岩で分断されており、「アイスロッド」で足場を作る必要がある。ボス「ボルガロック」も岩をかぶったカメのような姿

▷ ロウラル城

ロウラルの中心に位置する城。「ユガ」を抑えるために封印されているが、七賢者を助け出した後に突入。見えない床や鉄球など、これまでのダンジョンに登場した仕掛けが集結する。城をめぐって魔物を倒し、王の間でユガとの最終決戦に挑む

トライフォース3銃士

魔境と呼ばれる「森林」「水源」「火山」「氷雪」「要塞」「砂漠」「廃墟」「天空」の8つのエリアが存在し、それぞれに4つのコースがあり全部で32のコースが登場。ドレース城にあるロビーから3人一組でコースを選んで出発する。さらにコースは4つの短いステージに分かれている。また、更新データをダウンロードすると新エリア「魔窟」が追加される。

▷ デクの森

森林エリア1つ目のコースで川や滝などもある自然豊かな森。出現するアイテムは「弓矢」のみで、弓の使い方やトーテムを使った高低差の攻略が学べる入門コース。高さの違う4体のトーテムナッツを倒すとコースクリアとなる

▷ ビリビリ洞窟

森林エリア2つ目の洞窟コースで、電気をまとう敵・デンキブロブが多く生息。登場アイテムは「弓矢」のみで、近づくと鎧に覆われる鎧スイッチを起動させるのにも使う。ステージ4では中ボス「デンキブロブキング」と対決

▷ モリブリンの砦

森林エリア3つ目のコースで、名前のとおりモリブリンが多く登場。衝撃起動スイッチが多く、「バクダン」や「弓矢」の特性を利用して起動させていく。ステージ4ではトーテムアモスや、やぐらの上にいるモリブリンたちと乱戦に

▷ 森の神殿

森林エリア最終コース。矢が放たれる罠が点在する薄暗い神殿で、「弓矢」で灯台の炎を点火して進む。「バクダン」でのみ倒せる「コマーゴ」が主な敵で、ステージ4で戦うエリアボス「メダマーゴ」はコマーゴが巨大化したような姿だ

▷ 湖のかくし砦

水源エリア最初のコース。湖の中にあり、水面で区切られ移動が困難な砦を、水柱で足場を作れる「ウォーターロッド」を使い攻略していく。最後のステージ4では巨大な滝の上の狭い足場で、モリブリンとネオリークの大群と戦う

▷ かえらずの淵

水源エリア2つ目のコースで、巨大な滝を上へ上へと登っていく。「ウォーターロッド」で水車を回すと動くリフトなどが各所に配置され、「弓矢」でスイッチを起動することで進めるように。頂上で中ボス「デンキブロブクイーン」と対決

▷ うつろいの入り江

水源エリア3つ目、水路で区切られた谷間の多いコース。「アームショット」が初登場。谷間を渡ったりイカダを動かしたり、それでしか倒せない敵のガイオームが最終ステージで現れたりと、アームショットを全ステージで駆使する

▷ 水の神殿

水源エリア最後のコースで、内部が水で満たされた神殿。「アームショット」でバルブを回して水位を上げ下げし、「ウォーターロッド」で足場を作りながら進む、水源エリアの集大成のような構成になっている。エリアボスは「ワート」

▷ しゃくねつ登山道

溶岩の煮えたぎる登山道を登っていく、火山エリアの最初のコース。長く乗っていると溶岩に沈むプレートを、「ブーメラン」を使いつつ攻略。上に登っていくと火山弾が降り注ぐステージも。ステージ4で敵を全滅させるとクリア

▷ ヒノックス坑道

火山エリア2つ目のコース。火山内の坑道が舞台で、張り巡らされたレールの上をトロッコに乗りながら進む場面も。ステージ名にもなっている中ボス「ヒノックスブロス」の兄弟とは、お互いトロッコで並走しながらの戦いになる

▷ ファイアーフロント

火山エリア3つ目のコースで、溶岩流の中に設置された金網やゴンドラを渡り歩く。空気の弾を撃てる「空気ツボ」が登場し、炎を消したり味方を対岸に飛ばしたりできる。ステージ4でファイアネオリークとファイアポーンを全滅させればクリア

▷ 炎の神殿

火山エリア最終コースの神殿。各所から溶岩の柱が吹き出し非常に危険なステージになっている。3人で協力し押し引きブロックを動かして攻略。また、このエリアで初めて3人バラバラのアイテムを持つことに。エリアボスは「デグテール」

▷ 氷結の大地

氷雪エリアのコースで、滑る氷の床や長く乗っていると割れる薄氷の床が登場。炎の弾を飛ばせる「ファイアグローブ」で氷を溶かせるが、薄氷も消えてしまうので剣も活躍する。ステージ4でアイスウィズローブを全滅させクリア

▷ 雪玉渓谷

巨大な雪玉や大岩玉が転がって来る、氷雪エリア2つ目のコース。狭い足場の切り立った崖が続くため、雪玉を「ファイアグローブ」で溶かしながら登っていく。巨大な氷塊の中ボス「フリザーグ」もファイアグローブを駆使し戦う

▷ 白銀のほこら

氷雪エリア第3コースで、雪に覆われた場所から徐々に滑る氷の場所へと展開する。アイテム「ハンマー」が登場し、各所の杭を打ち込んだり甲羅の敵をひっくり返したりと大活躍。ステージ4でデッドロックたちを全滅させてクリア

▷ 氷の神殿

氷雪エリア最後のコースであり、薄氷や大雪玉、氷の息吹など氷の仕掛けが凝縮されている。エリアボス「アイスヴァルバジア」との戦いでは、このタイトルで唯一横からの視点で戦うことになる

▷ 鉄壁の関門

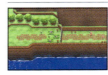

シスターレディが作った要塞エリアの1つ目のコースで、要塞の入口に当たる。鎧をまとった強敵の兵士たちが多数登場するほか、床が交互に上下するスイッチも。「空気ツボ」で味方を飛ばし、「ブーメラン」で回収を繰り返し進む。最終ステージの敵全滅でクリア

▷ バクダン保管庫

その名のとおり、「バクダン花」が大量に配置された要塞エリア第2コース。「空気ツボ」で「バクダン」を飛ばして解く場面も。中ボスは「ヒノックスブロス」が3兄弟になって再登場。爆弾を投げ合って戦う

▷ アモス訓練所

要塞エリア3つ目のコースで、動く石像トーテムアモスが大量に配置されている。敵だけでなくプレイヤーが乗って操作し仕掛けを解くステージも。ステージ4では味方も敵もアモスに乗って戦う騎馬戦のような戦闘に

▷ レディの要塞

観覧車や綱渡りのような難度の高いギミックが続く、要塞エリアの最終コース。たどり着いた最奥には事件の元凶たるシスターレディがおり、手下のエリアボス「レディガイルズ」との3連戦となる

▷ 底なし砂丘

砂漠エリア最初のコースで、エリア全体の特徴である流砂や砂山の攻略法を学べる。立ち止まると少しずつ沈んでミスになる流砂を、「ウォーターロッド」で足場を確保しつつ突破。ステージ4で3段重ねのホックボックを全滅させればクリア

▷ 石の回廊

遺跡のような、侵入者を拒む構成の砂漠エリア第2コース。ナゾの石像を利用しつつ台座に運んで仕掛けを解いていく。左右に傾くバランス床が厄介で、中ボス「ブブテンドル」戦のステージも、大部分がバランス床になっている

▷ ギブドの棺

ピラミッドのような装飾と特殊な罠の数々が待ち受ける砂漠エリア第3コース。扉の鍵を敵と奪い合ったり、「ファイアグローブ」の炎の玉で可視できる床を渡る場面も。最後はギブドたちとの乱戦になる

▷ 砂漠の神殿

砂漠エリア最終コース。序盤はもぐら叩き、中盤はシーソー床と、「ハンマー」が活躍。エリアボスは巨大なスタルフォス「スタルチャンピオン」。道具を使ってきたり広範囲攻撃をしてきたりと、さまざまな動きで翻弄してくる

▷ まやかし屋敷

朽ち果てた屋敷が舞台の廃墟エリア1つ目のコース。同じ色のプレイヤーしか対応できない色床や3色のポゥなどの色を使った仕掛けで、パズルのようなステージになっている。ステージ4でドロポゥ4体を全滅させるとクリア

▷ くらやみの館

廃墟エリア2つ目のコースで、暗闇に包まれた不気味な館を「ファイアグローブ」の炎を頼りに進んでいく。「空気ツボ」や「弓矢」も利用しつつ明かりをともし、カギを運びながら進むと、最奥で中ボス「カマカゼ」との戦いに

▷ なげきの迷宮

廃墟エリア第3コース。足場は少なく、現れては消える時限床が迷宮内に張り巡らされており、踏み外せば奈落へと真っ逆さまの危険なコース。ステージ4では、おなじみのリーデットの群れとの戦いになる

▷ 黄泉の神殿

オバケな魔物たちが多く徘徊する廃墟エリア最終コース。色床と時限床の両方がステージごとに登場しプレイヤーを惑わせる。最奥に待ち受けるエリアボス「ダムダム」も、プレイヤーの色が戦いの鍵となる

▷ 空中庭園

空に浮かぶ都市、天空エリアの1つ目のコース。草花の咲く美しい庭園だが、強風が吹きすさび容易には奥に進めない。コッコにつかまり浮島を渡る。ステージ4でファイアネオリークとヒップループを全滅させればクリア

▷ カラクリ浮遊城

歯車のような足場やバランス床など、機械仕掛け満載の城塞である天空エリア第2のコース。移動に長ける「空気ツボ」と「アームショット」を用いつつ不安定な足場を切り抜けていく。ステージ4は中ボス「ギガリーク」戦

▷ 飛竜の砦

気流を操る装置が配備された、天空エリアの真骨頂ともいえる第3コース。「ウォーターロッド」「ハンマー」「ブーメラン」と役割分担しつつ攻略していく。ステージ4はエリア名の元となったリザルナーグたちとの決戦に

▷ 天空の神殿

最奥にラスボス「シスターレディ」が待ち受ける天空エリア最終コース。ステージ1、2、3では最初にすべてのアイテムが入手可能になっていて、これまでのエリアで現れた敵たちを次々に倒し進んでいく

▷ 魔窟

更新データで追加された新エリア。ほかのエリアと構成が大きく異なり、コースの区分がなく、8種類のゾーンに分かれた40ステージを連続で攻略していく。最下層にたどり着くと、強力な「鬼神のよろい」が手に入る

159

敵・魔物

さまざまな特徴をもった魔物たち。魔物に変わってしまった生物や人物たち。そして冒険の前に立ちはだかる敵や、戦うべき相手たち。多くの敵や魔物がこの世界には存在し、なかには時代を経てさまざまな形態を見せてくるものもいる。

ここでは、フィールドで出会う魔物、ダンジョンのボスや中ボス、物語のラスボス、イベントで登場する敵などを、五十音順に羅列する。同じ魔物でもタイトルによって姿や性質が異なる場合もあるため、それらを比べて見ることができるようになっている。

種別はゲーム内の記述、公式資料および各種文献にて確認し、下記の条件で、できる限りを記している。

※手にしている武器が違うだけのバリエーションは、基本的に同一の項目とし、別項目では扱わない。ただし体色そのものが異なるバリエーションについては、資料で名称が確認できた場合や、多くのタイトルで著しい区別がある場合には、別項目として扱う
※『神々のトライフォース&4つの剣』の特殊な条件で追加されるダンジョン「4つの剣の神殿」にのみ登場する敵や魔物も、『神々のトライフォース』としてデータに含めている

▶アイスウィズロー 1
●アイスロープ・▲氷ウィズロー 2
3
魔法使いの魔物ウィズロープの一種であり、氷の魔法を使う。飛ばしてくる魔法攻撃に当たると凍り付く。瞬間移動もし 4 てくる。弓矢などの飛び道具のほか、ファイアロッドなどの炎の力に弱い 関連 ウィズロープ

1 名称
2 別称
タイトルによって違う呼び方がある場合に記載。どのタイトルの呼び方であるかは、画像の上に同じマークを付けている
3 画像とタイトル名
『時のオカリナ』『ムジュラの仮面』『風のタクト』『トワイライトプリンセス』については、それぞれオリジナル版と3D／HD版の両方を掲載している
4 説明
基本的な解説に加え、各タイトルにて特筆すべき点がある場合には、別途解説している

ア行

▶アーネル

炎の中から生まれた、大神殿を守護する蛇のような生物。移動はせずひとつの場所に留まり、飛びはねて口から炎を吐く

リンクの冒険

▶RS-002G　ドン・ゲラー

太古の昔、ラネール地方の海で活動していた機械亜人の海賊船長。ネールの炎を守護していた砂上船を奪い、時を経た現在でも船を占領している。船頭の狭い通路で決闘することに。右手には電気を帯び回転する巨大な機械の剣を持つ。左手はカギ爪になっており、盾代わりに攻撃をはじくほか、右手が壊れると電気を帯びさせ攻撃してくる

スカイウォードソード

▶RS-003K　ドン・キラー

スカイロフトにある、空の塔の一室に出現する機械亜人。砂上船で戦う「ドン・ゲラー」と見た目は似ているが、頭には王冠をかぶり、左手に剣を、右手にカギ爪を装備している。剣による突きを中心とした攻撃のほかに、途中電気をまとった剣を一定方向に構えてガードしてくる

スカイウォードソード

▶アイアンナック

●アイアンナック（黄）

リンクの冒険

時のオカリナ①

時のオカリナ 3D①

時のオカリナ②

時のオカリナ 3D②

ムジュラの仮面

ムジュラの仮面 3D

『リンクの冒険』では剣と盾、『時のオカリナ』『ムジュラの仮面』では大きな両手持ちの斧で立ちはだかる鋼の鎧の騎士。『時のオカリナ』①は通常敵。『時のオカリナ』②は魂の神殿での中ボス。正体は「ツインローバ」に操られていたゲルド族の義賊ナボールである

▶アイアンナック（青）

『リンクの冒険』に登場する、最も格上の「アイアンナック」。元はハイラル王国の親衛隊員で、初代ハイラル王の死後も忠誠を誓い神殿を守り続けている。体力が高いだけでなく、ソードビームまで放つ攻撃をしてくる強敵

リンクの冒険

▶アイアンナック（赤）

『リンクの冒険』に登場する、鋼の鎧の騎士。元はハイラル王国の親衛隊員。初代ハイラル王の死後も忠誠を誓い神殿を守り続けている。黄色のものより一段格上の「アイアンナック」で、体力・攻撃力・素早さのすべてがアップしている

リンクの冒険

▶アイアンファントム

神の塔を守るガーディアン「ファントム」の一種で、18階以降に登場。体を鉄球状に変化させ、障害物もなぎ倒しながら体当たりしてくる。攻撃を受けるとダンジョンの入口に戻される。ゼルダファントムで話しかけると語尾に「ゴロ」が付いていて、前世がゴロン族だったような発言をする者も。エリート意識が強い　関連 ファントム

大地の汽笛

▶アイゴール

ムジュラの仮面

ムジュラの仮面 3D

4つの剣

4つの剣+

ふしぎのぼうし

魔物の魂が宿った、ひとつ目姿の石像。普段は目を閉じて動かないが、近づくと目を開き襲いかかってくる。目を閉じている間はあらゆる攻撃が効かないが、開いた目への弓矢の攻撃に弱い。タイトルによっては目を閉じず、近づくか弓矢で攻撃をすると動き出すタイプも

▷アイゴール（青）

神々のトライフォース2

青色の身体のひとつ目の石像。近づくと目を開き近づいてくる、弓矢による目への攻撃に弱い、目を閉じている間はあらゆる攻撃を受け付けない、などの性質はほかのアイゴールと変わらないが、体力は「アイゴール（赤）」と「アイゴール（緑）」の中間程度。歴史的に前の時代にあたる『神々のトライフォース』には出現しない

▷アイゴール赤
●アイゴール（赤）

神々のトライフォース

神々のトライフォース2

赤色の身体のひとつ目の石像。普段は目を閉じているが近づくと目を開き、跳ねながら近づいてくる。目を閉じている間はあらゆる攻撃を受け付けない。「アイゴール」の中で最も体力が多い

▷アイゴール緑
●アイゴール（緑）

神々のトライフォース

神々のトライフォース2

緑色の身体のひとつ目の石像。普段は目を閉じているが近づくと目を開き、跳ねながら近づいてくる。目を閉じている間はあらゆる攻撃を受け付けないが、弓矢による目への攻撃には弱い

▷アイスヴァルバジア

トライフォース3銃士

氷雪エリアの氷の神殿に住み着くボスで、硬い殻のカブトを付けた大型のヘビ。狭い場所を好み、横穴から顔を飛び出させて獲物に噛みつく。尻尾の先の氷のトゲに触れた者を氷漬けにする　関連 ヴァルバジア

▷アイスウィズローブ
●アイスローブ／▲氷ウィズローブ

4つの剣

ふしぎのぼうし

神々のトライフォース2

トライフォース3銃士

魔法使いの魔物「ウィズローブ」の一種であり、氷の魔法を使う。飛ばしてくる魔法攻撃に当たると凍り付く。瞬間移動も操り翻弄してくる。弓矢などの飛び道具のほか、ファイアロッドなどの炎の力に弱い　関連 ウィズローブ

▷アイスキース

時のオカリナ

時のオカリナ 3D

ムジュラの仮面

ムジュラの仮面 3D

トワイライトプリンセス

トワイライトプリンセス HD

夢幻の砂時計

大地の汽笛

天井などで待ち伏せし、敵が近づくと体当たりで攻撃してくるコウモリに似た姿の魔物「キース」の一種。冷気を身にまとっており、主に雪山や氷の多い洞くつやダンジョンで出現する。当たると氷漬けになってダメージを受けてしまう　関連 キース

トライフォース3銃士

▷アイスギモス

神々のトライフォース2

悪魔の魂が宿った氷の像。雪山や氷の遺跡にたたずみ、近づくと動き出して攻撃してくる。体力が高く剣での攻撃ではなかなか倒せない厄介な敵だが、氷の体なので炎の攻撃には弱く、ファイアロッドによる攻撃なら一撃で溶けて消えてしまう　関連 ギモス

▷アイスギモス（大）

神々のトライフォース2

悪魔の魂が宿った氷の像。見た目の造形は通常の「アイスギモス」と似ているが、体の大きさがひとまわり大きい。近づいてくるだけでなく高く飛び上がって相手を押しつぶそうとする攻撃も繰り出してくる。体力も多いが、こちらも炎の攻撃で一撃で溶かして倒せる　関連 ギモス

▷アイスチュチュ

大地の汽笛

スライムのような体質の「チュチュ」の一種だが、氷のような体でできた珍しいチュチュ。雪や氷に覆われたフィールドや雪の神殿に生息する。敵を見つけるとゆっくりと近づいてきて、触れたり剣で攻撃するとこちらが氷漬けになってしまう　➡P.101（1章）

▷アイスバブル

トワイライトプリンセス

トワイライトプリンセス HD

夢幻の砂時計

神々のトライフォース2

空中を浮遊するドクロの魔物で、冷気をまとっている。体当たりによる攻撃を受けると氷漬けになり、一定時間動けなくなりダメージを受ける。攻撃すると冷気を解除できるが、そのまま放置するとしばらくして復活する　関連 バブル

▷アイスローブ
➡ アイスウィズローブ

▷アイロック

4つの剣+

目玉に虫のような羽が生えた魔物。必ず4匹1組で出現し、一定時間経つと画面外に消える。フォーメーションを組み、同時に攻撃しなければ倒せない。倒すとフォースを多く落とす

▷青チュチュ
➡ チュチュ（青）

▷青テクタイト
➡ テクタイト（青）

▷青バブル

時のオカリナ

時のオカリナ 3D

ムジュラの仮面

ムジュラの仮面 3D

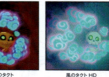
風のタクト　風のタクト HD

「バブル」の一種で、青い炎をまとう。炎を消すと直接攻撃できるように。また、攻撃を受けると『ムジュラの仮面』では剣、『風のタクト』ではすべての武器が一定時間使えなくなる呪いにかかる　関連 バブル

ア

▷ **青ボコブリン**
鬼のような風貌の「ボコブリン」の一種で、青い皮膚の小柄な魔物。「赤ボコブリン」などとともに集団で襲ってくる。赤ボコブリンよりも個体数は少ないが、体力がかなり高めで剣術にも優れ、装備した剣でガードするほかにジャンプ斬りも使ってくる。なぜかパンツに強い執着を見せる
スカイウォードソード
→ P.096（1章）

▷ **アカザル**
赤い毛並の、屈強なサルのような姿の魔物。大きな腕にこん棒を持ち、腕を振り回して攻撃してくる。爆弾を吸い込ませると体内で爆発して隙ができる　関連 ユキザル
夢幻の砂時計

▷ **赤スタルチュラ**
森の中や植物の多い場所などに生息する、巨大なクモ「スタルチュラ」種の一種。汽車の線路を塞ぐように上空からぶら下がってきて、ぶつかる前に大砲を当てないとダメージを受けてしまう。通常のスタルチュラよりも体力がある。「スタルチュラ（黄）」と表記する場合もある
大地の汽笛
関連 スタルチュラ

▷ **赤チュチュ**
→ チュチュ（赤）

▷ **赤テクタイト**
→ テクタイト（赤）

▷ **赤バブル**
→ バブル

▷ **赤ボコブリン**
→ ボコブリン

▷ **アキンドナッツ**
時のオカリナ　時のオカリナ 3D　ふしぎのぼうし
草の中などに身を隠し種を飛ばしてくる「デクナッツ」の一種。遭遇当初は攻撃してくるが、盾で種をはじき返して倒すと話しかけられるようになり、アイテムを売ってくれる。品物は登場タイトルや出現する場所によって異なる
→ P.046（1章）

▷ **アクオメンタス**
ゼルダの伝説　ふしぎの木の実
額に大きな角を持つ、一角獣と呼ばれるドラゴンの一種。『ゼルダの伝説』ではLEVEL1とLEVEL7の迷宮のボス。ほとんど移動しないが、三方向にビームを放つ。『ふしぎの木の実』では『大地の章』のねっこのダンジョンのボス

▷ **アグニマ**
ふしぎの木の実
『大地の章』に登場する、龍の舞うダンジョンの中ボス。分身し、炎の弾を投げて攻撃してくる。部屋が暗いと攻撃できず、明るくなれば本物には影が現れる

▷ **アグニム**
神々のトライフォース
司祭アグニム。ハイラル城の塔の最上階で待ち受けるボス。ガノンの分身であり邪悪な司祭。3種の魔法弾を放つ。アグニム自身は魔法のバリアによって守られ直接攻撃は一切効果がないため、マスターソードで魔法をはじき返してダメージを与える。ガノンの塔での再戦時は3体に分身して襲いかかってくる

▷ **アナモネア**
夢をみる島DX
ゴポンガの沼で道をふさぐ巨大な「モネア」。Lv.1の剣の攻撃は一切効かないが、Lv.2の剣なら倒せる。ワンワンを連れていれば一気に丸飲みしてくれる　関連 モネア

▷ **アヌビス**
時のオカリナ　時のオカリナ 3D
魂の神殿の守護者。獣の頭部をかたどったような直立したミイラの姿をしている。侵入者とは正反対の動きをし、剣を振ると炎を吐いてくる。魔法や燭台の炎以外でダメージを与えることはできない

▷ **アモス**
ゼルダの伝説　神々のトライフォース　夢をみる島DX　時のオカリナ

時のオカリナ 3D　ムジュラの仮面　ムジュラの仮面 3D　ふしぎの木の実

風のタクト　風のタクト HD　4つの剣　4つの剣+

ふしぎのぼうし　トワイライトプリンセス　トワイライトプリンセス HD　夢幻の砂時計
大地の汽笛　スカイウォードソード　神々のトライフォース2
人型の石像のような魔物で、近づくと動き出し追いかけてくる。剣と盾を持っていたり、顔が巨大だったりと姿もさまざま。シリーズ通して爆弾が有効な攻撃手段。主に神殿内や遺跡などのダンジョンに出現する。『ふしぎのぼうし』では小さくなって中に入り、起動しないと動かないものも
関連 デスアモス、トーテムアモス

▷ **アルバトス**
夢をみる島DX
オオワシのとうのボス。巨大な怪鳥。塔の最上階で同ダンジョンの中ボスとして登場した魔物「ピッコロ使い」が背に乗って襲撃してくる。左右から突進してきたり、羽ばたいて羽根を飛ばすとともに強風を巻き起こし、こちらを吹き飛ばそうとしてくる

▷ **アルローダ**
リンクの冒険
砂漠に生息するサソリの一種。トゲのある尾からは毒の代わりに炎を放つ。動きは鈍いが殻は硬く、どんな攻撃も通じない。唯一の弱点である目を開いているときに攻撃すれば倒すことができる

ア

▷アングラー

夢をみる島DX

アングラーのたきつぼのボス。頭に誘引突起の付いたチョウチンアンコウのような巨大な魚。壁に体当たりをして岩を落としたり、上下に動いて突進してくる。小型のアングラーである「ミニグラー」を呼ぶことも。2Dでは珍しい完全な水中戦

イ

▷イーノー

ムジュラの仮面

ムジュラの仮面 3D

タルミナ平原の北の雪原やスノーヘッドの神殿に出現する、ゴロンに似た顔をした雪の塊の魔物。近づくと雪玉を投げて攻撃してくる。大きいものと小さいものが存在し、大きいものは攻撃すると小さいイーノーに分裂。炎に弱い

▷イエローチュチュ
➡ 黄チュチュ

▷イカーナ王

ムジュラの仮面

ムジュラの仮面 3D

イカーナ古城のボス。側近の2人を倒すと、自ら討って出る。イカーナ地方にかけられた呪いにより甦った王の亡霊で、フルネームはイゴース・ド・イカーナ。倒すと、かつて争いで滅びたことを悔い改め、成仏する

▷イカーナ王の側近

ムジュラの仮面

ムジュラの仮面 3D

イカーナ古城のボス。イカーナ王の前に戦う、2人の部下の亡霊。光を嫌うため、ミラーシールドで反射した光を当てて倒す。どちらも相手のことを認めずささいな口喧嘩が勃発するが、王に諭されて成仏する

▷イバラケバラ

大地の汽笛

荊毒寄生種イバラケバラ。海中の海の神殿のボス。植物型の魔物で、いばらのようなトゲ付きの触手を何本も操る。その力は、神殿の壁も突き破るほど。頭部に付いた毒々しい色の玉の下に目玉を隠している

▷イモース

ふしぎのぼうし

森のほこらやしずくの神殿に出現する、ジグザグに動き回る巨大なイモムシ。頭部の目立つ赤い鼻に攻撃をすると尻尾に弱点が現れる。弱点が再び隠れた後は、体全体を赤くして暴走する

▷イワート

4つの剣+

東の神殿の最奥に潜むボス。巨大な岩に魂が宿った怪物。巨大な本体を周囲の小イワートが護衛している。いきおいよく壁を不規則にはね返りながら、体当たりで攻撃してくる

▷岩チュチュ

ふしぎのぼうし

夢幻の砂時計

ゼリー状の魔物「チュチュ」の一種。赤色のチュチュが岩をかぶったような姿。剣での攻撃がなかなか通じず手強いが、爆弾やハンマーなど岩を砕く手段があると倒せる ➡P.101（1章）

▷イワントス

大地の汽笛

溶焰巨神イワントス。火の神殿のボス。溶岩の中に潜んでいた、岩の体を持つ巨人。巨大な両手で標的を叩き潰し、つかんで蹂躙する。硬い体にはところどころヒビが入っており、溶岩で柔らかくなった部分が露出している

ウ

▷ヴァルバジア
● バルバジア

リンクの冒険

時のオカリナ

時のオカリナ 3D

ハイラルに太古から存在し、炎の中に住み着く竜。『リンクの冒険』では第6の神殿の守護者。『時のオカリナ』では、灼熱穴居竜ヴァルバジアとして登場する炎の神殿のボスで、かつてゴロン族の祖先が封印したデスマウンテンの邪竜。炎を吐いたりして攻撃してくる　関連 アイスヴァルバジア

▷ウィズザール

リンクの冒険

初代ハイラル王に仕えていた魔術師。ワープを使って現れ、魔法を放って攻撃する。剣の攻撃は効かないため、魔法の力を使わないと倒すことができない。『リンクの冒険』の時代の「ウィズロープ」一派は王子を陰で操り、初代ゼルダ姫を眠らせた罪で追放されている

▷ウィスプ
● ウィスプ（赤）

ふしぎの木の実

4つの剣

ふしぎのぼうし

炎をまとい浮遊するドクロで、ゆっくりとこちらを追いかけてくる。触れてもダメージは受けないが、一定時間剣を振れなくなってしまう

▷ウィスプ（青）

4つの剣

ふしぎのぼうし

「バブル」と似た姿と性質を持つ、青い炎をまとったドクロ。触ってしまうと取りつかれて、剣がしばらく振れなくなってしまう

▷ウィズロープ
● ウィズロープ（召喚）

神々のトライフォース

夢をみる島DX

ムジュラの仮面

ムジュラの仮面 3D

ふしぎの木の実　風のタクト　風のタクト HD　
4つの剣

4つの剣+　ふしぎのぼうし

遠くから魔法を飛ばして攻撃してくる、魔法使いの魔物。環境に左右されずさまざまな場所で出現する。ワープを操り、現れては消えるを繰り返すため、近づくのが難しい
関連 アイスウィズロープ

ウ

▷ウィズローブ（青）

ゼルダの伝説

ふしぎの木の実

迷宮に現れる、ローブに身を包んだ魔法使い。ワープの魔法を使い、呪文を放つ。『ゼルダの伝説』では水路やブロックさえも越えて部屋の中を自在に動き、連続して呪文を放つ。『ふしぎの木の実』でも、移動しつつ攻撃をしてくる

▷ウィズローブ（赤）

ゼルダの伝説　ふしぎの木の実

迷宮に現れる、ローブに身を包んだ魔法使い。ワープの魔法を使い、呪文を放つ。ワープをした後に呪文を放って消え、また別の場所に移動をする行動を繰り返す

▷ウィズローブ（中ボス）

風のタクト

風のタクト HD

風の神殿に中ボスとして現れる「ウィズローブ」。ほかのウィズローブよりも体格が大きく、攻撃魔法を放ってくるほかに、ウィズローブ（召喚）やほかの魔物を召喚してくる

▷ウィズローブ（炎）

●ファイアウィズローブ／▲ファイアローブ／■炎ウィズローブ

風のタクト

風のタクト HD

4つの剣

ふしぎのぼうし

神々のトライフォース2

●魔法使いの魔物「ウィズローブ」の一種であり、炎の魔法を使う。瞬間移動も操り、現れては消えを繰り返しながら炎の魔法を飛ばしてくる。当たると炎が燃え移りダメージを受けてしまう。剣で攻撃することも可能だが近づくのは難しいため、弓矢などの飛び道具アイテムが有効な場合が多い

▷ウィズローブ（紫）

神々のトライフォース

ガノンの塔に現れる、帽子とローブを着用した魔法使い。顔がドクロになっている。ワープの魔法を使い、威力の高い呪文を放つ。ワープをした後に呪文を放って消え、また別の場所に移動するという行動を繰り返す。何度倒しても現れる

▷ウインギー

ふしぎの木の実

『時空の章』に登場するつばさのダンジョンの中ボス。部屋を飛び回る翼竜で、空中からこちらめがけて落下して押しつぶそうとしてくる

▷ウーク

トワイライトプリンセス

トワイライトプリンセス HD

森の神殿に住み着くサルの群れのリーダー。魔物に寄生されたことで正気を失い、仲間のサルたちをバラバラに檻に入れて捕まえたうえ、襲いかかってくる。邪悪な力に染まった「疾風のブーメラン」で攻撃してくる

▷ウォース

リンクの冒険

剣を持ち鎧を着て二足歩行をする、犬から造られた神殿の番兵。すべての神殿に配置されており、侵入者に向かって突進する。倒すのは容易だが、いくら倒しても無尽蔵に出現する。速度が遅いものと早いものがいる

▷ウォールマスター

ゼルダの伝説

迷宮の壁から出現する巨大な手。壁に触れると次々と現れ、壁沿いに進んだ後しばらくすると壁の中へ戻る。捕まると迷宮の入口まで連れ戻される　関連 フォールマスター

▷ウニ

夢をみる島DX

4つの剣+

鋭利なトゲを持った大型のウニ。攻撃はしてこないが、道を塞ぐかのように1カ所に留まっている。『夢をみる島』では、武器を持っていない場合は盾で押しつけてどかす必要がある。剣で攻撃すると一撃で倒せる

▷ウミブリン

夢幻の砂時計

小鬼のような魔物「モリブリン」の一種で、かなり小柄。ウミブリン船の乗組員で、こちらの船に乗り込んでくる。体が小さいため体力は低く、攻撃力も高くない
➡P.096（1章）

▷ウミブリン船

夢幻の砂時計

ドクロを掲げた、「ウミブリン」たちが乗る海賊船。さまざまな海域で出現し、遠くからラインバック号に向けて大砲を撃ち込んでくるほか、横に付かれると船内に「ウミブリン」が集団で侵入してくる。また、攻撃して沈めるとその場から船のパーツをサルベージできる

▷ウルフォス

時のオカリナ

時のオカリナ 3D

ムジュラの仮面

ムジュラの仮面 3D

狼の魔物。二足歩行をし、鋭い爪で素早く引っかき攻撃をしてくる。守りも固く生半可な攻撃は防御されてしまう。弱点の尻尾を攻撃すると一撃で倒すことができる　関連 ホワイトウルフォス

エ

▷衛兵

ふしぎの木の実

『時空の章』の昔の時代に登場。アンビきゅうでんを守護している兵士で、侵入者を見つけると猛スピードで走って捕まえにくる

▷エイミー

時のオカリナ

時のオカリナ 3D

ムジュラの仮面

ムジュラの仮面 3D

ふしぎの木の実

『時のオカリナ』では森の神殿の中ボス、『ムジュラの仮面』ではイカーナ地方で登場する、四姉妹の幽霊（四女）。『ふしぎの木の実』では『大地の章』の冒険者の墓の中ボスで、「マーガレット」とともに登場。幽霊姉妹の妹で、幼いしゃべり方をする　関連 ジョオ、ベス、マーガレット、メグ

エ ▷エーク

リンクの冒険

大型の吸血コウモリ。森の木や洞窟など、暗闇に生息する。獲物が近づくと舞い降りてきて襲いかかる。町では人間に化けたエークも存在する

▷エークマン

リンクの冒険

本来は「エーク」の仲間の吸血コウモリ。ガノンの悪の力に呪われ伝令役となった。地上に降りたつと二足歩行のコウモリ男に変身し襲いかかる。口からは炎を吐く

▷エグラ

4つの剣+

「エグラース」が生み出す、小さな分身。空中を円を描いて飛びながら接近してきて、冷気を浴びせてくる。冷気を浴びると凍ってしまい、一定時間動けなくなる

▷エグラース

4つの剣+

風の塔のボス。上階にてゼルダ姫の封印を守っていた、巨大な目玉を持つ氷の花のような魔物。天井に逆さまにぶら下がり、「エグラ」を従えて身を守らせる。天井裏の、魔物のような根本（画像）を倒すと天井から離れるが、氷の花弁を翼のように羽ばたかせ宙を舞い、氷のつぶてを飛ばしてくる

オ ▷黄金のスタルチュラ

時のオカリナ　時のオカリナ 3D　ムジュラの仮面　ムジュラの仮面 3D

金色に輝く「スタルチュラ」。ダンジョンの壁などに張りついているほか、夜行性で箱や壺の中にも潜んでいる。近くにいると特徴的な音が聞こえる。倒した際に残るアイテムを集めると、タイトルによって異なる報酬がもらえる
関連 スタルチュラ

▷オーイス

ふしぎのぼうし　夢幻の砂時計

『ふしぎのぼうし』では風のとりでの守護者兼ボスとして、「風のオカリナ」を守護していた機械仕掛けの石像。『夢幻の砂時計』では古代巨岩兵オーイスとしてムトーの神殿に登場。ともに頭部が弱点

▷オームアイ

ふしぎの木の実

『大地の章』に登場する、どくがの巣穴の中ボス。水中に潜む魔物で、攻撃するときだけ水の中から頭を出してくる。群れで獲物を襲う

▷オクタイール

トワイライトプリンセス　トワイライトプリンセス HD

湖底の神殿の地下で戦うボス。覚醒多触類オクタイール。神殿に住んでいた水生生物が、影の結晶石の黒き力によって突然変異を起こした。水中を泳ぎ回り、獲物を周囲の水ごと吸い込んで捕食する　➡P.100（1章）

▷オクタゴン

ふしぎの木の実

『時空の章』の人魚の洞くつのボスで、貝をかぶった巨大なタコの魔物。「オクタロック」と同じように、口から弾を吐いて攻撃してくる。身の危険を感じると水中に身を隠す　➡P.100（1章）

▷オクタバルーン

神々のトライフォース

タコの魔物「オクタロック」の派生種。頭部が風船のように膨らんでいる。頭を破裂させ、小さなオクタたちをまき散らして攻撃してくる　➡P.100（1章）

▷オクタロック

●オクタロック（赤）／▲水中オクタロック

ゼルダの伝説　リンクの冒険　神々のトライフォース　夢をみる島DX

時のオカリナ　時のオカリナ 3D　ムジュラの仮面　ムジュラの仮面 3D

ふしぎの木の実　風のタクト　風のタクト HD　4つの剣

4つの剣+　ふしぎのぼうし　夢幻の砂時計　大地の汽笛

スカイウォードソード　神々のトライフォース2　トライフォース3銃士

タコのような姿をした魔物で、口から岩を飛ばして攻撃してくる。登場タイトルによって草の中や岩、川の中などさまざまな場所に潜んでいる。近づくと隠れて攻撃できないが、岩を跳ね返しての反撃も可能。また、『夢幻の砂時計』において、その場にとどまり岩を吐いてくるものをオクタ大砲と呼ぶ　➡P.100（1章）

▷オクタロック（青）

ゼルダの伝説　リンクの冒険　ふしぎの木の実　4つの剣+

ふしぎのぼうし

地上生活をするタコの一種。口から岩を吐く。岩は最初から持っている盾で防ぐことが可能。赤色のものより若干耐久力が高い。『リンクの冒険』や『4つの剣+』ではその場にとどまり岩を吐くものと、俊敏に動き回るものの2種がいる　➡P.100（1章）

165

▶オクタロック(海)

風のタクト / 風のタクト HD

海に生息している「オクタロック」で、口から爆弾を吐き出してくる。船上からは弾をはじき返せないため、爆弾を使って応戦するか、遠距離を攻撃アイテムを使えば倒せる。一度に大群で襲いかかってくることも ➡P.100（1章）

▶オクタロック(金色)
●ゴールデンオクタ

ふしぎの木の実 / ふしぎのぼうし

岩を吐いて攻撃してくるタコの魔物「オクタロック」の一種だが、黄金色の珍しい種で幻とも言われている。『ふしぎのぼうし』ではカケラ合わせをすると出現し、倒すと通常の魔物よりも高額なルピーを落とす。『ふしぎの木の実』では『大地の章』に登場 ➡P.100（1章）

▶オクタロック(紫)

4つの剣+

海岸沿いに大群で登場し、道を塞ぐ「オクタロック」。全個体が同じタイミングで同方向に連続して弾を発射するのが特徴。統率のとれた動きに圧倒されるが、耐久力などは通常のオクタロックと変わらない ➡P.100（1章）

▶オコリナッツ

時のオカリナ / 時のオカリナ 3D / ムジュラの仮面 / ムジュラの仮面 3D

通常の「デクナッツ」とは体色や頭部の葉の形が異なる。こちらが近づくと巣に潜り、距離が離れるとタネを吐き出してくる。『時のオカリナ』ではデクの実を3連射してくるが、『ムジュラの仮面』では単発のみ ➡P.046（1章）

▶オシン

夢をみる島DX

つぼのどうくつにのみ出現するリフトの魔物。攻撃は一切してこず、通常のリフトとして待ち構えている。ひとりで乗っても下に降りてくれないが、更に重量を加えることにより下がっていくようになる 関連 ドッスン

▶オタマ

トワイライトプリンセス / トワイライトプリンセス HD

湖底の神殿の中ボス「デクトード」が生み出す、尻尾の生えた稚魚。足もとの水中を素早く泳いで近づいてきて、集団で体当たりをして邪魔してくる

▶オドルワ

ムジュラの仮面 / ムジュラの仮面 3D

ウッドフォールの神殿のボス、密林仮面戦士オドルワ。剣と盾を装備した大きな人型の魔物。剣で斬りつけたり、天井からブロックや「スカラベ」を落として攻撃してくる。炎の壁で取り囲んでくることも

▶オバケ

ムジュラの仮面 / ムジュラの仮面 3D

深夜2時半ごろにロマニー牧場に謎の光球とともに襲来。目からサーチライトのような光を発し、集団で牛小屋に押し寄せる。夜明けになると消滅するが、倒し切れないと牛とロマニーをさらっていく

▶オヤブリン

夢をみる島DX / 大地の汽笛

大きくてタフな「モリブリン」たちの親分。『夢をみる島』では小ダンジョンであるモリブリンのすみかのボス。『大地の汽笛』では海の大地で海賊として登場、部下を引き連れて汽車の中に乗り込み襲ってくる ➡P.096（1章）

カ行

▶カーゴロック

風のタクト / 風のタクト HD / トワイライトプリンセス / トワイライトプリンセス HD

空を飛び回って周囲を警戒し、外敵を発見すると滑空して近づき攻撃してくる巨大な鳥の魔物。平原や大海原など、広くて空が開けている場所に多く出現する

▶ガーナイル

トワイライトプリンセス / トワイライトプリンセス HD

天空都市に出現する中ボス。翼の生えたトカゲ人間で、高速で空中を飛び回りながら剣を構え突進して攻撃してくる。盾で弓矢などの遠距離武器もはじいてしまうが、クローショットなら盾ごと引き寄せられる

▶カービィ

夢をみる島DX

『星のカービィ』シリーズからのゲストキャラクター（本来は敵ではなく主人公）。かわいらしい顔をしているが、大きく口を開けて吸い込もうとしてくる。倒すと、妖精が出現することがある

▶ガーモス
➡ ガモース

▶カーレ・デモス

風のタクト / 風のタクト HD

森の島の隣にある禁断の森の地下に潜むボス。森の地下に自生する、超巨大な植物型の魔物。禁断の森に落ちてしまったマコレを飲み込んだ。大量のおしべを使い天井からぶら下がり、無数の触手で獲物を襲う

▶ガイオーム

神々のトライフォース2 / トライフォース3銃士

水に関連するダンジョンなどに出現し、巨大な貝殻に入っているヤドカリの魔物。触れると殻に身を隠し攻撃がはじかれてしまうが、フックショットで中身を引きずりだせば、剣でも攻撃可能

▶海賊女剣士

ムジュラの仮面 / ムジュラの仮面 3D

海賊の砦を警備する二刀流の女剣士。ゾーラのタマゴが保管されている部屋に出現する。回転斬りを食らうと一撃で倒され、砦の外へ追い出される。海賊見張りとは異なり、石コロのお面は通用しない

▶海賊見張り

ムジュラの仮面 / ムジュラの仮面 3D

海賊の砦内を常に見張り続ける女海賊。見つかると砦の外に放り出されるが、石コロのお面をかぶればこちらを見失い発見されない。矢を当てれば一定時間気絶させることができる

▶カギドロボウ

トライフォース3銃士

お化けの魔物「ポゥ」の一種。お化けであるために暗がりを好み、主に廃墟などに集団で生息。積極的に攻撃はしてこないが、扉のカギを奪って逃げ回り勇者たちを邪魔してくる。また、カギを持っている勇者がいると大挙して押し寄せ、カギを奪おうとする　関連　ポゥ

▶影オババ

ふしぎの木の実

『時空の章』の月影のほこらのボス。自在に影に変身し、地中にもぐって攻撃を避ける。背中を見せていると実体を現し襲ってくる

▶影の怪鳥

トワイライトプリンセス

トワイライトプリンセス HD

トワイライトの領域に出現する巨大な鳥の怪物。くちばしや瞳はなく、顔の部分には影の者の特徴である赤い光の筋があるのみ。「カーゴロック」に似た動きで空中を飛び回り、獲物を見つけると急降下して襲ってくる

▶影の巨大蟲

トワイライトプリンセス

トワイライトプリンセス HD

光の雫を内包する「影の蟲」の中で、ハイリア湖上にて最後に戦う。人間の数倍もの大きさで、足のような6本の触手を持つ。電気をまとって突進して攻撃してくる。触手を同時に攻撃しないとトドメを刺せずに復活する

▶影の使者A

トワイライトプリンセス

トワイライトプリンセス HD

トワイライトに出現する、影の王「ザント」の先兵。元は影の領域に住む影の一族が、ザントによって魔物へと変えられた姿。常に3体以上で出現し、ほかの個体が倒され1匹のみが残ると咆哮し、仲間を復活させてしまう

▶影の使者B

トワイライトプリンセス

トワイライトプリンセス HD

トワイライトの平原や道端に出現する、人型の影の魔物。あたりを徘徊し、敵を見つけると攻撃してくる。「ボコブリン」に似た体格をしていて、こん棒を持ったタイプと弓矢で遠くから攻撃してくるタイプがいる

▶影の生物A

トワイライトプリンセス

トワイライトプリンセス HD

トワイライトや影の世界の宮殿などに出現する、「キース」に似た姿の影の魔物。キースと同じく壁や天井に潜み、侵入者を見つけると飛んで攻撃してくる。近づいてきたときに噛みついたり剣で切ったり、飛び道具で攻撃すれば倒せる

▶影の生物B

トワイライトプリンセス

トワイライトプリンセス HD

トワイライトに出現するクモのような影の魔物。地下水道などに多く生息。単体の攻撃力や体力は低いものの、集団で襲いかかって来るうえ、水の上も自由に動けるので狭い下水道内では脅威にもなりうる

▶影の生物C

トワイライトプリンセス

トワイライトプリンセス HD

トワイライトに出現する「デクババ」似の影の魔物。普段は草の中に潜んでいて敵が近づくと這い出て、噛みついてこようとする。攻撃して茎を切ると消滅するタイプと、頭のみでも動き、追いかけてくるタイプがいる

▶影の大怪鳥

トワイライトプリンセス HD

ハイリア湖のトワイライトで遭遇する、「影の怪鳥」よりもさらに巨大な鳥の魔物。主人である「影の使者B」の笛に反応して上空から飛来。影の使者Bを背中に乗せて飛び回り、急降下で体当たりして攻撃してくる

▶影の蟲

トワイライトプリンセス

トワイライトプリンセス HD

光の精霊から奪った力の源である光の雫に魔物が取り憑いた姿。トワイライトでは通常では実体が見えず、センスを使うことで見えるように。羽で空を飛べるほか、地面にもぐって隠れていることもある

▶ガノン

ゼルダの伝説

神々のトライフォース

時のオカリナ

時のオカリナ 3D

ふしぎの木の実

4つの剣+

トワイライトプリンセス

トワイライトプリンセス HD

最後のダンジョンで登場するラスボス。主に三つ叉の槍トライデントを使用する。人の姿であるガノンドロフから化身するタイトルもあり、『トワイライトプリンセス』では魔獣ガノンとして登場。『ふしぎの木の実』は連動で登場する
➡P.016（1章）

▶ガノン（魂）

トワイライトプリンセス

トワイライトプリンセス HD

影の世界に落とされたガノンドロフの強い怨念が具現化した姿。王になれず落胆したザントを利用し、闇の力を与えて暗躍。ハイラル城で肉体を取り戻し復活を果たした　➡P.016（1章）

▶ガノンドロフ

時のオカリナ

時のオカリナ 3D

風のタクト

風のタクト HD

トワイライトプリンセス

トワイライトプリンセス HD

『時のオカリナ』『トワイライトプリンセス』では大魔王ガノンドロフとして登場し、ガノンに化身する。『風のタクト』では獣の姿にはならず、ラスボスとして倒される　➡P.016（1章）

▶ガノン憑依ゼルダ

トワイライトプリンセス

影の世界から復活しハイラル城を占拠したガノンドロフが、ゼルダ姫の身体に乗り移った姿。体中に不気味な文様が浮かび上がっている。空中を高速で飛び回り、魔術や剣を構えての突進、光球を放つなどで攻撃してくる

▶兜チュチュ

スライム状の身体を持つ魔物「チュチュ」の一種。赤チュチュが角付きの兜をかぶっており、剣の攻撃もはじかれてしまう。ムチや爆弾で兜を取ると通常の赤チュチュになり、剣でも攻撃できるようになる　➡P.101（1章）

▶ガブラ

神々のトライフォース

神々のトライフォース2

大きな口を持つ、動く花。『神々のトライフォース』では闇の世界、『神々のトライフォース2』ではロウラルのフィールドなどを徘徊しており、敵が近くに来ると直進せずナナメに動く。攻撃力は高め

▶カマカゼ

トライフォース3銃士

廃墟エリアの中ボスで、くらやみの館の最後に登場する。巨大なカマを操る巨大な「ポゥ」で、暗闇の中で姿を消して風を飛ばしてきたり、つむじ風のようにカマを振り回しながら突進してくる。亡霊系の魔物の例にもれず、光が苦手

▶カマバド

夢幻の砂時計

海王の神殿を守る、カマを持った鳥人。普段は姿を消しているが、標的の背後を狙って姿を現し、カマで攻撃して侵入者の命を刈り取る。攻撃されると神殿内を探索できる時間が減ってしまう

▶カメイワ（タートルロック）

夢をみる島DX

ダンジョンであるカメイワの入口に立ちはだかっている。オカリナの歌"カエルのソウル"を奏でると動きだす。長い首を左右に揺らし、不意に突進して襲ってくる。突進を避けながら剣で斬りつけるとよい。倒すとカメイワの中に入ることができる

▶カメレオンゲル

ふしぎの木の実

『時空の章』に登場。つばさのダンジョンに出現する特殊な「ゲル」。床の色と同じ色に体色を変化させる。部屋のパネルを使って床の色を変化させないと、姿の確認とダメージを与えることはできない

▶ガモース

●ガーモス／▲ガモス

神々のトライフォース

ムジュラの仮面

ムジュラの仮面 3D

ふしぎの木の実

風のタクト　風のタクト HD　大地の汽笛

多彩な攻撃をしてくる、巨大な蛾の魔物。『神々のトライフォース』ではドクロの森のボス。『ふしぎの木の実』では『大地の章』に登場。『風のタクト』ではダメージを受けると「モース」をまき散らす。ゲームボーイアドバンス版『神々のトライフォース』の4つの剣の神殿では、強化版が登場

▶ガモース（羽なし）

風のタクト

風のタクト HD

植物の多いダンジョンなどに生息。羽がないため飛ばないが動きは素早く、カマで攻撃してくる。また攻撃を受けると背を向けて、おしりから「モース」を大量に発射してくることも。通常ガモースを攻撃し羽を取るとこの姿になる

▶ガモス
→ ガモース

▶カラコロ（青）

夢をみる島DX

『夢をみる島DX』の服のダンジョンにのみ出現する。両手に盾のような殻を持った姿のひとつ目の魔物。敵が近くに来ると回転しながら突進してくる

▶カラコロ（赤）

夢をみる島DX

『夢をみる島DX』の服のダンジョンにのみ出現する。両手に盾のような殻を持った姿のひとつ目の魔物。ダメージを与えると殻にこもる

▶カラコロ（緑）

夢をみる島DX

『夢をみる島DX』の服のダンジョンにのみ出現する。両手に盾のような殻を持った姿のひとつ目の魔物。部屋にいるすべてのカラコロを同じ色の穴に投げ入れると、仕掛けが解ける

▶カランメイダ

神々のトライフォース

ダンジョンの壁の開閉する大きな目。侵入者が正面にいるとレーザーを放つものと、侵入者とお互いに正面を向き合っている間のみレーザーを放つものの2種類存在する。レーザーは「カガミの盾」以外では防げない。どんな攻撃もダメージは与えられず倒すことはできない

▶ガロ

ムジュラの仮面

ムジュラの仮面 3D

かつてのイカーナ王国で諜報活動をしていた敵国の忍者の亡霊。イカーナ地方の"殺気を感じる"場所でガロのお面をかぶると出現する。亡霊と化した後でも職務に忠実で、入手した情報を伝えてくれる。学名は「ガロ・ロープ」

▶カロック

リンクの冒険

第4の神殿の守護者。選ばれた者の知恵と勇気を確認するため神殿を守護する、魔法使いの最高の位を持つ魔導師。通常攻撃は一切効果がなく、リフレックスの魔法でカロックの魔法を反射しなければダメージを与えられない

▶カンテラポゥ

トライフォース3銃士

くらやみの館などに出現するお化け。正確には敵ではなく、攻撃できない。カンテラを持って通路をうろついているので、暗闇の中で探索する際の頼りになる。しかしやはり明るすぎる場所は得意ではなく、館の中のすべての燭台に火をつけると消えてしまう　関連 ポゥ

168

▷キース

洞窟や暗い場所に潜むコウモリ。空を飛び体当たりをしてくる。大抵の攻撃で一撃で倒せるほど体力は低い。多くの派生種が登場している。『ゼルダの伝説』ではバイアが分裂した際にも2匹の赤いキースになる

関連 アイスキース、サンダーキース、ファイアキース、ヤミキース

▷ギーズ

「グース」に似た、各所の洞窟やロウラルのダンジョンなどの暗がりを好む、小さなねずみのような魔物。集団で床や壁をかけまわり、体当たりして攻撃してくる。小さいうえに素早いため、なかなか攻撃を当てづらい

▷キース（輪）

周囲を囲うようにグルグルと高速で回り続ける「キース」。影分身のように多くのキースが連なっているように見えるが、本体は最も濃い色の1匹のみ。本体に攻撃を当てて倒せれば、多くのフォースを落とす

▷キータン（黄）

額に十字の傷を持つキツネの魔物。短剣を手にこちらに向かって突進し、激突されると手持ちのルピーをばらまいてしまう。また、持っているルピーの額が多いほどばらまくルピーが高額になる

▷キータン（紫）

額に十字の傷を持つキツネの魔物。短剣を手にこちらに向かって突進し、激突されると手持ちのルピーをばらまいてしまう。また、持っているルピーの額が多いほどばらまくルピーが高額になる。「闇ハイラル城」にのみ、集団で出現する

▷ギーニ
● ギーニ（光）

墓場などに住むひとつ目お化け。墓石に触れたり動かしたりすると増えるものもおり、最初からいる1体を倒すと連動して自滅するタイプも存在する。『ふしぎのぼうし』では取り憑いてなめてくるが、魔法のつぼで吸い込むことができる。『神々のトライフォース2』では、明るい場所でしか姿が見えない

▷ギーニ（闇）

暗闇に紛れて姿を隠す、半透明のひとつ目お化け。近づくと姿を現し体当たりしてくる。『神々のトライフォース2』では「ギーニ（光）」とは反対に、明るい中では姿が見えず、闇の中でのみ姿を現す 関連 デグギーニ

▷ギーボ

はぐれ者の村やカメイワのダンジョンに出現。わずかに宙に浮き、赤い核と外部のゼリー状の表皮から成る、星型とも人型ともいえる姿をした謎の魔物。弱点は核だが、外皮に包まれているときはダメージを与えられない

▷キーマスター

一部のダンジョンで、ボスの部屋のカギを入手すると出現する番人。紫色の手首の不気味な姿で、手のひらの部分には目玉がある。複数体が同時に出現し、カギを奪おうと迫ってくる。爆弾などで倒せるが、しばらくすると復活してしまう 関連 フォールマスター

▷ギガバリ（金）

通常サイズの「バリ」よりも巨大なバリ。一定間隔で放電を繰り返し、電撃をまとっている間に攻撃するとしびれて逆にダメージを受けてしまう。アイテムなどの遠距離攻撃なら通る。倒すとビリの大群に分裂する

▷ギガバリ（紫）

通常サイズの「バリ」よりも巨大なバリ。ロウラル城で王の間への封印の一角を守っている中ボス。一定間隔で放電を繰り返し、電撃をまとっている間に攻撃するとしびれて逆にダメージを受けてしまう。倒すとビリの大群に分裂する

▷ギガリーク

「ネオリーク」など、弾を飛ばして攻撃してくる花の魔物の親玉。人が上に乗れるほどの大きさを持つ。巨体ながら空中を自在に飛行し、落ちてもしばらく燃え続ける炎の弾をまき散らしてくる。裏側の面に弱点のコアがある

▷寄生触手

風のタクト　　風のタクト HD

禁断の森や大地の神殿など、主に植物の多い場所に出現。地面からゆっくりと伸びてきて、侵入者の頭をつかもうとする。つかまってもダメージは受けないが魔法力を吸い取られてしまう。剣で斬れるがすぐに再生する

▷寄生虫の触手?

時のオカリナ　　時のオカリナ 3D

ジャブジャブ様のお腹の中にある、さまざまな色の触手。侵入者が近づくと伸びて攻撃してくる。伸びた際に見えるくびれた部分が弱点だが、縮むと急所が隠れてしまう。『時のオカリナ3D』では外見が変わり、先端以外が電撃で覆われている

▷黄チュチュ

●イエローチュチュ

ムジュラの仮面　ムジュラの仮面 3D　風のタクト　風のタクト HD

トワイライトプリンセス　トワイライトプリンセス HD　夢幻の砂時計　大地の汽笛

黄色い体をした「チュチュ」。電気を帯びている場合が多く、帯電中は剣で攻撃するとしびれる。『ムジュラの仮面』では帯電はせず、体内に矢を持っていて、倒すと入手できる。『トワイライトプリンセス』でも帯電はしておらず、倒してビンですくうとカンテラの油代わりになる ➡P.101（1章）

スカイウォードソード

▷ギブド

●ギブド（青）

ゼルダの伝説　神々のトライフォース　夢をみる島DX　時のオカリナ

時のオカリナ 3D　ムジュラの仮面　ムジュラの仮面 3D　ふしぎの木の実

4つの剣　4つの剣+　ふしぎのぼうし　トワイライトプリンセス

トワイライトプリンセス HD　神々のトライフォース2　トライフォース3銃士

迷宮に出現するミイラ。全体的に体力と攻撃力が高いが炎に弱いという性質がある。標的が近くを通るとにらみつけて動きを取れなくしたり、抱きついて締めつけ攻撃をするものもいる。包帯を燃やすと中身が飛び出してくるが、中身は「リーデッド」、「スタルフォス」など作品によって異なる

▷ギブド（黄）

4つの剣+

黄色っぽい包帯で身を包んだミイラ。攻撃方法や性質、炎に弱いなどの弱点は通常のギブドと変わりないが、倒すと闇の世界で「スタルフォス」となって甦る

▷キマロキ

大地の汽笛

魔王復活のため、ハイラル王家の大臣として潜り込んでいた魔族。頭にかぶった大小の帽子は、大きな角を隠すためのもの。人をだまし、利用するのが得意だが、戦闘はあまり得意ではない。闇の世界で「マラドー（ゼルダ憑依）」を支援するため、ゼルダファントムに光状のグースを放ち、操って邪魔してくる

▷ギモス

神々のトライフォース2

悪魔をかたどった石像。悪魔の魂が宿っており、近づくと赤く光る目を開いて動き出す。動かず固まっている状態ではあらゆる攻撃を受け付けない。ロウラルのさまざまなダンジョンに出現する
関連　アイスギモス、アイスギモス（大）、ファイアーギモス

▷キャメロン

神々のトライフォース　神々のトライフォース2

水のほこらなどに出現する水でできた魔物。水面から水のかたまりが浮かび上がって組み合わさり、部屋の中を素早く動き回る。壁に当たるとはね返り、ある程度経つと水に戻る。倒すことは可能だが、無尽蔵に出現

▷キャンドキャン

ふしぎの木の実

『時空の章』に登場する、歩くロウソクの魔物。通常の武器やアイテムでダメージを与えることはできない。頭部の芯に火をつけると暴走し、部屋を走り回って自爆する

▷キューネ

神々のトライフォース　夢をみる島DX　ふしぎの木の実　神々のトライフォース2

角を持ち翼竜にも似た姿の、主に闇の世界に住む鳥。『夢をみる島』などでは普通の鳥のような姿。『ふしぎの木の実』では『大地の章』に出現する。「クロウリー」と似た性質を持ち、木の上などで待ち構え敵が近くを通ると襲いかかり、体当たりした後は飛び去っていく

▷キューム

ふしぎのぼうし

地面を這って近づいてくる、虫のような魔物。剣で斬っても倒せないが、反動で転がりダンゴムシのように丸くなる。地面の穴に放り込むとすっぽりはまり、上を通れるようになる

▷キュバス

夢幻の砂時計①　夢幻の砂時計②　夢幻の砂時計③　夢幻の砂時計④

地獄4姉妹キュバス。テトラをさらった幽霊船のボス。左から①長女、②次女、③三女、④四女。キュバス家の四女に、幽霊船内でスタルチュラが苦手で動けずにいるほかの姉妹を引き会わせると正体を現す。撃ってくる弾をはじき返しダメージを与える

キ

▷巨大ビーモス

時のオカリナ

時のオカリナ 3D

闇の神殿や魂の神殿など、限られた場所に出現する巨大な「ビーモス」。敵を視認すると頭部のひとつ目からビームを撃ってくる。通常のビーモスよりも大型ではあるが、攻撃パターンは同じ
関連 ビーモス

▷ギョマゾン

夢幻の砂時計／大地の汽笛

屈強な肉体を誇る魚人の戦士。剣で攻撃、盾で防御と武具を駆使してくる強敵。背中側は手薄なため、はさみうちにしたり背中にブーメランを当てるなどすれば、隙が生じて攻撃が通るようになる

▷ギョマゾンリーダー

大地の汽笛

魚人の魔物「ギョマゾン」の中でも強化された魔物。神の塔で出現する。剣と盾で武装し、盾で防ぎつつ攻撃してくるほか、口から炎も吐いてくる。盾はムチで奪える

▷キョロボー

夢をみる島DX

カギのあなぐらのダンジョンのみ出現する、大きなクチバシを持った鳥。近づくとワープし、弾を撃ってくる。ワープした先で待ち構えて攻撃するか、距離を取って攻撃すると倒すことができる

▷キラー列車

大地の汽笛

汽車の運転中に遭遇し、線路をランダムに走る魔の列車。大砲の砲撃でも倒せず、ぶつかると即アウトになる。同じ魔の列車である「ボンバー列車」のパワーアップ版であり、突如線路をUターンしてくる

▷ギラヒム

スカイウォードソード①

スカイウォードソード②

スカイウォードソード③

ゼルダを執拗に狙う、魔族長を名乗る男。①天望の神殿のボス、②古の大祭殿ボスとして2度目の対決、③過去のハイラルの地で戦う。当初は一見紳士的だが、戦うごとに魔力を解放し残忍な本性を見せる。素手で剣を受け止めたり、鋭い剣技を見せたりする実力者。正体は「終焉の者」の剣の精霊 ➡P.095（1章）

▷地獄亡者（キルビス）

夢幻の砂時計

幽霊船に住み着く亡者。地獄亡者と書いて"キルビス"と読む。船内を歩き回り迷い込んだ生者に襲いかかる。攻撃力が高いうえに倒すことができない恐ろしい存在だが、背後にある目を弓矢で撃ち抜けば、少しの間だけ気絶させられる

▷ギルボック

リンクの冒険

空中をゆっくり浮遊する目玉の魔物。その巨大な姿は出会った者を恐怖に陥れるが、恐怖に負けずに戦えば勝利できる。攻撃力が高く、目を閉じている間は攻撃を受け付けない

キングドドンゴ

時のオカリナ

時のオカリナ 3D

猛炎古代竜キングドドンゴ。ドドンゴの洞窟のボス。何でも食べるといわれる巨大な「ドドンゴ」で、本来は洞窟の守護神のような存在だったが、ガノンドロフにより狂暴化してしまった。大きく息を吸い込んだ後に炎を吐き、転がって体当たりをしてくる

▷キング・ブルブリン

トワイライトプリンセス

トワイライトプリンセス HD

強き者に従う「ブルブリン」一族の首領であり、何度も対峙することになる中ボス。「ブルボー」をたくみに駆って騎乗戦を仕掛けてくるほか、得物の巨大な斧を振り回して攻撃することもある。普段は無口だが人間の言葉を理解し、話すこともできる ➡P.096（1章）

ク

▷クー

神々のトライフォース

神々のトライフォース2

闇の世界に迷い込んだ「ゾーラ」らしきひとつ目の魔物。『神々のトライフォース』では水中から顔を出すだけだが、『神々のトライフォース2』ではゾーラと同じように巣を持ち、地上で二足歩行をする。子亀をいじめていることも

▷グース

●グーズ

神々のトライフォース

風のタクト

風のタクト HD

4つの剣+

トワイライトプリンセス／トワイライトプリンセス HD／夢幻の砂時計／大地の汽笛

神々のトライフォース2／トライフォース3銃士

主に屋内の暗い場所に生息するネズミ。素早く動き回り、集団で出現。『風のタクト』では体当たりをしてルピーを奪うことも。『大地の汽笛』ではゼルダ姫の苦手な生き物 関連 ギーズ、スノーグース、ポゥグース、ボムチュウ

▷グーマ

リンクの冒険

牛から造られた強靭な体を持つ、神殿を守護する戦士。動きは鈍いが、「チェーンハンマー」を放物線状に連続して投げてくる。攻撃をするにはチェーンハンマーの軌道の内側に入り込まなくてはならない

▷クーリ

大地の汽笛

森の大地に多く生息する、クリのような形をした、小さな魔物。フィールドを動きまわっていて、敵を見つけるとトコトコ歩いて近づいてきて、ぶつかるとダメージを受ける。が、動きはゆっくりなので簡単に避けたり反撃できる
関連 緑クーリ

171

ク

▷グエー

時のオカリナ

時のオカリナ 3D ／ ムジュラの仮面

ムジュラの仮面 3D

トワイライトプリンセス ／ トワイライトプリンセス HD

スカイウォードソード

木の上などに集団で生活し、人を見つけると次々に襲いかかってくる、カラスに似た鳥。タイトルによっては、条件が合うと隠し持っていたルピーを落とす。『スカイウォードソード』ではフンを落としてくる　関連 ルピーグエー

▷クグツガノン

風のタクト

風のタクト HD

「ガノンドロフ」が操る、不気味な魔の傀儡。ガノン城のボスのひとり。古の時代にガノンドロフが変化した怪物に似た姿で、尻尾が弱点なのも同様。ダメージを受けると巨大なクモのような形や、「デグテール」のような姿に変形する

▷くされボコブリン

スカイウォードソード

「ボコブリン」の一種で、死後にゾンビとして甦ったボコブリン。主に古の大石窟の地下、地獄を模したような場所に多く出現。動きは遅いが大群で迫ってきて、体力も多い。「聖なる盾」など、清き輝きを恐れる性質がある　→ P.096（1章）

▷グフー

4つの剣①

4つの剣②

4つの剣＋

ふしぎのぼうし①

ふしぎのぼうし② ／ ふしぎのぼうし③ ／ ふしぎのぼうし④

風の魔神。『4つの剣』では風の宮殿のボス。長い年月で封印が弱まりゼルダ姫をさらう。①第1形態、②第2形態。『4つの剣＋』ではガノンドロフが封印を解き復活、風の宮殿のボス。『ふしぎのぼうし』では元はピッコルのグフーが①願いを叶える帽子の力で魔人となり、さらにフォースを手に入れ魔神となった。闇ハイラル城ボスとして②③④と姿を変え襲ってくる

▷グマーム

スカイウォードソード

溶岩の中に潜み、侵入者が近づくと姿を現す巨大な手の形の魔物。マグマでできているため、攻撃してもダメージを与えられないが、水に当たると瞬時に固まり、攻撃して砕けるようになる

▷くもピラニア

ふしぎのぼうし

「ひれピラニア」の派生種で、雲の中に生息する凶暴な魚型の魔物。サメのようにヒレを出した状態で雲の中を泳ぎ回って獲物を狙い、スピードを上げてから飛び出して噛みつこうとする。飛び出してきたところを剣で斬れば倒せる

▷グヨーグ

ムジュラの仮面

ムジュラの仮面 3D

風のタクト

風のタクト HD

夢幻の砂時計

『ムジュラの仮面』ではグレートベイの神殿のボスの巨大仮面魚グヨーグ。角と鋭利な牙を持つ巨大な魚の魔物で、水面から飛び出し食らいついてきたり、水中では丸飲みにしてくる。ダメージが蓄積すると口から小魚を大量に吐き出し攻撃してくる。その他のタイトルでは、海中を泳いで体当たりしてくる敵　関連 モルディヨーグ

▷グヨーグ オス

ふしぎのぼうし

天空に浮かぶ風の宮殿のボスとして上空に飛来した、巨大な空飛ぶエイの魔物。青い色の体に、自在に開閉する目玉を持つ。対となるメスよりも体は小さく、目玉は4つ。尻尾を振り回して背中の標的を攻撃する

▷グヨーグ メス

ふしぎのぼうし

天空に浮かぶ風の宮殿のボスとして上空に飛来した、巨大な空飛ぶエイの魔物。赤色の体に自在に開閉する8つの目玉を持つ。必ず対のオスといっしょに行動し、緑色の子どもとも連携しながら背中に乗った敵に猛攻を仕掛けてくる

▷クリーピー

● クリーピー（玉投げ）

神々のトライフォース①

神々のトライフォース② ／ 夢をみる島DX

神々のトライフォース2

キノコに羽が生えたような姿の魔物。多くは空中を移動しながら木の実爆弾を投下してくる。『神々のトライフォース』では①玉を投げてこないタイプと②玉を投げてくるタイプの2種類が存在する。主に闇の世界およびロウラルなどに出現

▷クリーピー（雪玉）

神々のトライフォース2

デスマウンテンの高地の、雪の積もる地に生息する「クリーピー」。青っぽい体色をしている。ふわふわと空中を移動し、上空から雪玉のバクダンを吐き出して攻撃してくる。体力は少なめ

▷グリーンチュチュ

→ チュチュ（緑）

ク ▷グリオーク

ゼルダの伝説①

ゼルダの伝説②

ゼルダの伝説③

ふしぎの木の実

夢幻の砂時計

複数の首を持つドラゴン。『ゼルダの伝説』では①LEVEL4のボスで2つ首、②LEVEL6の中ボスで3つ首、③LEVEL8のボスで4つ首。斬り離された首も飛び回る。『ふしぎの木の実』では『大地の章』の冒険者の墓のボス。首を斬ると骨になり襲いかかる。『夢幻の砂時計』では氷炎双頭竜グリオーク、氷の神殿のボス。炎と氷を吐き、津波を起こす

▷クリボー

夢をみる島DX

『スーパーマリオブラザーズ』シリーズからのゲスト敵キャラ。主にダンジョン内の横移動型の部屋で登場する。原作と同じく、ジャンプで踏みつけると倒すことができる

▷グリロック

ふしぎのぼうし

炎のエレメントのある炎のどうくつの最奥に待ち構えるボスの首長竜。マグマの中に生息し、火の弾や激しい火炎放射で攻撃してくるうえ、背中にある弱点のコアは硬化した溶岩でできた甲羅で守っている。甲羅は上からかぶさっているだけなので、パッチのつえの魔法を当てればひっくり返せる

▷グルン

ふしぎの木の実

『時空の章』に登場する、つばさのダンジョンのボス。色の異なる4つの顔を持つ。正面を向いた顔の色によってさまざまな攻撃を繰り出してくる。赤い顔が弱点

▷クロウリー

神々のトライフォース

夢をみる島DX

ふしぎの木の実

ふしぎのぼうし

夢幻の砂時計

大地の汽笛

神々のトライフォース2

トライフォース3銃士

カラスに似た鳥。木の上などで待ち構えて、人が近くを通ると襲いかかり、体当たりをした後はそのまま飛び去っていく。ルピーや鍵など光り輝くものを好み、盗んだり巣に運ぶ習性があるものもいる

▷黒チュチュ

風のタクト

風のタクト HD

スライム状の魔物「チュチュ」の一種。黒い体で暗がりを好む。動きなどは通常のチュチュと変わりないが、剣での攻撃は瞬時に分裂して避けられてしまう。太陽光に当たると石化する性質を持ち、砕いて倒せるようになるほか、重しにもなる　➡P.101（1章）

▷クロボー

ムジュラの仮面

ムジュラの仮面 3D

暗い場所に生息する真っ黒な球体の魔物。闇にまぎれ、集団で襲いかかってくる　関連 シロボー

ケ ▷ゲール（青）

リンクの冒険

魔界から呼びよせられた、高い知能を持つトカゲの魔物。棍棒と盾を手に持ち、上段に向けて遠くから棍棒を投げつけてくる。盾では防げず、リフレックスの魔法が必要。頭が固くジャンプ下突きが通じない

▷ゲール（赤）

リンクの冒険

魔界から呼びよせられた、高い知能を持つトカゲの魔物。棍棒と盾を手に持ち、上段に向けて棍棒を振り回して接近してくる。盾では防げず、リフレックスの魔法が必要。頭が固くジャンプ下突きが通じない

▷ゲール（黄）

リンクの冒険

魔界から呼びよせられた、高い知能を持つトカゲの魔物。槍と盾を手に持ち、上下段を使いこなして攻撃する。槍は盾で防ぐことができる。頭が固くジャンプ下突きが通じない

▷ゲコ

スカイウォードソード

空中を漂うハリセンボンのような魔物で、主に水辺などに生息。臆病な性格で、敵に気が付くとトゲを出して身を守りつつ近づいてくる。剣で叩くと勢いよく吹き飛び、なにかに衝突すると爆発を引き起こす危険な生態を持つ

▷ゲッコー

ムジュラの仮面

ムジュラの仮面 3D

カエルのような姿の敵。ウッドフォールの神殿では「スナッパー」に乗ったり、グレートベイの神殿では「マッドゼリー」をまとったり、ほかのモンスターといっしょに行動して攻撃してくる
関連 スナッパー、マッドゼリー

▷ゲッソー

夢をみる島DX

『スーパーマリオブラザーズ』シリーズからのゲスト敵キャラ。横画面に切り替わって水中を進む場面などに出現。体を伸び縮みさせながら近づいてくる

▷ゲト・マーゴ

神々のトライフォース2

ハイラルの風の館に潜んでいたボスで、知恵の紋章の封印を守っていた。円盤状の体を風の力で浮遊・回転させて移動し、標的を周囲の奈落へ押し出そうとする。上部に付いた目玉が弱点であり、攻撃されると円盤の段数を増やして目玉を守ろうとする

▷ケパダマ

大地の汽笛

雪の大地に生息し、線路脇にたたずむ雪だるまのような魔物。一見すると愛くるしい見た目だが、自ら頭を取り外して汽車に向けて投げつけてくる恐ろしい敵。顔を壊してもしばらくすると復活するが、近づくと逃げ去る

ケ

▶ゲル

ゼルダの伝説

ふしぎの木の実

4つの剣

夢幻の砂時計

迷宮を跳ねまわる小型のゼリー状の魔物。『ゼルダの伝説』では弱い剣で斬られた「ゾル」が2匹のゲルに分裂。『夢幻の砂時計』ではゲルも細かく分裂し、まとわりつく。『ふしぎの木の実』では『大地の章』に登場

関連 カメレオンゲル、ゾル

▶ゲルドアーム

リンクの冒険

砂漠に生息する、長い体を持つムカデのような生物。巨大な姿のわりにおとなしい性質で、体を伸ばして近づく昆虫などを捕食する。体を攻撃すると縮み、弱点の頭を狙うことができる。体全体に毒を持つため、どの部位でも触れるとダメージを受ける

▶ゲルドーガ

神々のトライフォース

悪魔の沼のボス。粘液に浸かった巨大な目玉。最初は小さな目玉を飛ばしたり電撃を発して攻撃してくる。飛ばす目玉がなくなると巨大な目玉自体が体当たりしてくる。粘液に当たってもダメージを受けるため、狭い行動範囲の中で戦わなければならない

▶ゲルドの盗賊

時のオカリナ

時のオカリナ 3D

ゲルドの砦で襲いかかってくる女盗賊。湾曲した大きな剣を2本携え、素早い動きで攻防する。とくに回転しながらのジャンプ攻撃が強力で、受けるとやられて捕まってしまう

▶ゲルドの盗賊（見張り）

時のオカリナ

時のオカリナ 3D

ゲルドの砦で見張りをしている女盗賊。見つかると捕まってしまうが、弓矢で遠くから狙うと気絶させることができる

▶ゲルドマン

神々のトライフォース

4つの剣+

神々のトライフォース2

砂漠の砂地の中から突然現れる、砂でできた人型の魔物。早い動きで追いかけてくるが、しばらくすると砂に潜っていく。『神々のトライフォース2』ではサンドロッドを使うことで、ゲルドマンの全身を地上に出すことができる

▶ケルビン

神々のトライフォース

カメイワに2体のみ出現する、鎖でつながれた鉄球に顔の付いたような姿の魔物。高い攻撃力を持ち、体当たりをしてくる。倒すことはできない

▶ゲロック

スカイウォードソード

砂漠に生息する怪鳥で、石に含まれる鉱物が好物。大きく膨らむ赤いのどが特徴で、消化しきれない小石をのどにためて、岩にして吐き出す習性がある。岩をくわえて上空から敵を狙い、落として攻撃してくる

▶剣兵士（青）
→ 兵士（青）

▶剣兵士（緑）
→ 兵士（緑）

コ

▶ゴウエン

4つの剣

デスマウンテンのボスである、灼熱の炎を身にまとった魔物。勇者たちと同じ4色に変化する弾を発射してくる。いかつい姿をしているが、ダメージを受けて炎がすべてはがされると、小さく貧弱な本体が現れる

▶コウメ

時のオカリナ

時のオカリナ 3D

ふしぎの木の実

ガノンドロフの育ての親で、炎の攻撃を得意とする魔法使い。『ふしぎの木の実』では2作を連動すると登場。なお『ムジュラの仮面』にも登場するが、そこでは敵ではなくボートクルーズの受付をしている 関連 コタケ、ツインローバ

▶ゴースト

夢幻の砂時計

黒い人魂のような姿の、幽霊船に住み着くお化け。神出鬼没で、不意に現れて口から青白い火の玉を吐き、また消えるという動きを繰り返す。現れた瞬間を狙えば剣で迎撃できる

▶ゴート

ムジュラの仮面

ムジュラの仮面 3D

仮面機械獣ゴート。スノーヘッドの神殿のボスで、四つ足の獣の姿をした機械の魔物。円形の部屋を高速で走り回り、岩を蹴り上げ、光球を放ってくる。ダメージが蓄積すると爆弾を投げたり、天井から石柱を落としてくる

▶ゴードン

風のタクト

風のタクト HD

選ばれし者の力を見定めるために、神が建てた神の塔の最奥に眠る石像でボス。勇者が越えるべき最後の試練として立ちはだかる。そして見事試練を乗り越えた者を、古の王国への入口を開くための鐘のもとへ導く

▶ゴーマ

●ゴーマー／▲ゴーマー（赤）

ゼルダの伝説

夢をみる島DX

時のオカリナ

時のオカリナ 3D

ふしぎの木の実

風のタクト

風のタクト HD

4つの剣+

巨大なひとつ目の甲殻類の魔物。硬い殻を持ち、目以外は攻撃を受け付けない。『ゼルダの伝説』ではLEVEL6の迷宮のボス。『時のオカリナ』では甲殻寄生獣ゴーマとして登場するデクの樹サマの中のボス。『ふしぎの木の実 大地の章』では龍の舞うダンジョンのボス。『風のタクト』では竜の山のほこらのボス。熱に強く、精霊ヴァルーの尻尾に悪さをしてヴァルーを暴れさせていた

関連 シェルドゴーマ

▷ゴーマ（ベビー）

トワイライトプリンセス

トワイライトプリンセスHD

時の神殿に住み着いた「シェルドゴーマ」の子ども。大群で床を這いまわり、ぶつかるとダメージを受ける。甲殻はまだ硬化しておらず、剣やフックショットで簡単に倒せる

▷ゴーマ（幼生）
●コゴーマ／▲幼生ゴーマ

時のオカリナ

時のオカリナ3D

ふしぎの木の実

トワイライトプリンセス

トワイライトプリンセスHD

「ゴーマ」の子ども。『時のオカリナ』ではゴーマが生み出した卵からかえる。親と似た姿をし攻撃態勢を取った後に飛びかかってくる。『ふしぎの木の実 大地の章』では、ゴーマがハサミを落とすと口から吐いてくる。『トワイライトプリンセス』では「ゴーマ（ベビー）」が大きくなった姿。甲殻が多少堅くなり、噛みついて攻撃してくる

▷ゴーマー（青）

ひとつ目の大型の甲殻類の魔物。ビームを放ち、甲羅は非常に硬くどんな攻撃も通じない。目を開いたときに矢を撃ち込めばダメージを与えられる。体の赤い「ゴーマー」よりも耐久力があり、矢を3回撃ち込まないと倒せない

ゼルダの伝説

▷ゴーマの卵
●ゴーマ（タマゴ）

時のオカリナ

時のオカリナ3D

トワイライトプリンセス

トワイライトプリンセスHD

「ゴーマ」が天井に貼りつき生み出す巨大な卵。時間が経つと幼生がかえる。一気に近寄れば、卵がかえる前に倒すことができる

▷ゴーリア
●ゴーリア（赤）

ゼルダの伝説

リンクの冒険

ふしぎの木の実

「モリブリン」の仲間。草原や砂漠、洞窟などに住む。ブーメランの名手。『ゼルダの伝説』では迷宮の部屋を塞ぎ、エサを要求することも。『リンクの冒険』では一度に3つのブーメランを上下段自在に投げてくる

▷ゴーリア（青）

ゼルダの伝説

リンクの冒険

「モリブリン」の仲間で小鬼の一種。ほかのゴーリアよりも体力があり、攻撃力が高い。『リンクの冒険』でゴーリアの中でも最も位が高く、一度に4つのブーメランを上下段自在に投げる。ブーメランは盾で防げる

▷ゴーリア（黄）

リンクの冒険

「モリブリン」の仲間で小鬼の一種。草原や砂漠、洞窟などさまざまな場所に住む。ブーメラン使いの名手で、一度に2つのブーメランを上下段自在に投げてくる。ブーメランは盾で防ぐことができる

▷氷ウィズローブ
→ アイスウィズローブ

▷ゴーリガン

ふしぎの木の実

『時空の章』に登場する、いにしえの墓のボス。空中に浮かび、巨大な顔に4種類の腕のパーツを使い分ける機械。ロケットパンチを放ってきたり、手で守りを固めてビームを撃ってきたりと、パーツによって多彩な戦い方をする

▷ゴールデンオクタ
→ オクタロック（金色）

▷ゴールデンテクタイト

ふしぎのぼうし

ランダムに跳ね回る、ひとつ目の虫「テクタイト」の中でも珍しい黄金色のタイプ。特定の人物とカケラ合わせをすると出現、素早い動きではね回るため攻撃しづらい。倒すと高額なルピーを落とす

▷ゴールデンロープ

ふしぎのぼうし

突進して攻撃してくる「ロープ」の中でも、珍しい黄金色のタイプ。特定の人物とカケラ合わせをすると出現。通常と異なり体力があるので一撃では倒せない。倒すと高額なルピーを落とす

▷子ザーガナーガ

神々のトライフォース2

「ザーガナーガ」が飛ばしてくる、小さなサボテン型の幼体。飛んだ勢いを使って空中を素早く飛行し、体当たりしてこちらの移動を妨げてくる

▷コタケ

時のオカリナ

時のオカリナ3D

ふしぎの木の実

ガノンドロフの育ての親で、氷の攻撃を得意とする魔法使い。『ふしぎの木の実』では2作を連動すると登場する。なお『ムジュラの仮面』にも登場するが、そこでは敵ではなく、薬屋を営んでいる。　関連 コウメ、ツインローバ

▷コッピ（赤）

神々のトライフォース

神々のトライフォース2

闇の世界の神殿などに現れる子鬼の一種。侵入者の動きを対称的に真似をして正面で向き合ったときに、ミラーシールド以外ないと防げない炎を吐いてくる。「コッピ（緑）」よりも硬く、矢の攻撃しか通用しない

▷コッピ（緑）

神々のトライフォース

神々のトライフォース2

闇の世界の神殿などに現れる子鬼の一種。こちらの動きを対称的に真似をする。自分から攻撃してくることはなく剣で倒せる

▶コトン

夢をみる島DX　ふしぎの木の実

地下通路で待ち構え、人が下を通ると落ちてくる小型の「ドッスン」。ドッスンと異なり乗ることはできず、倒せない。複数仕掛けられていて、通るには走り抜ける必要がある。『ふしぎの木の実』では『大地の章』に登場
関連　ドッスン

▶コドンゴ（赤）

神々のトライフォース　神々のトライフォース2　トライフォース3銃士

闇の世界やロウラルに出現する、小型の地竜。火を吹いて攻撃してくる。「コドンゴ（緑）」の上位種であり、『神々のトライフォース』では動きが素早かったり、『神々のトライフォース2』では警戒心が強く隙がなかったりする

▶コドンゴ（緑）

神々のトライフォース　神々のトライフォース2　トライフォース3銃士

闇の世界やロウラルに出現する、小型の地竜。火を吹いて攻撃してくる。『神々のトライフォース2』では連戦バトルの痛快！大バトル道場にのみ出現。口からバーナーのように炎を吐く。警戒心は強いが前方のみで、後方には隙ができる

▶ゴベラの剣

トワイライトプリンセス　トワイライトプリンセスHD

砂漠の処刑場の一室にある、巨大な剣の封印を解くと現れる魔物の亡霊。センスを研ぎ澄まさなければ実体を捉えることができない。ある程度ダメージを与えると実体化し、人の目にも見えるようになる

▶コボズラ

夢幻の砂時計

海上に出現するひとつ目の魔物。水面から突き出た植物のような姿で、弾を吐いて船を攻撃してくる。撃破するには大砲の弾を2発当てなければならない

▶コマーゴ

トライフォース3銃士

超高速で回転しながら一定のルートを移動する、トゲトラップ型の敵。剣の攻撃は効かず、近づくとダメージを受けるうえに吹き飛ばされてしまうが、上部に空いた穴にうまく爆弾を投げ込むと倒せる

▶ゴメス

ムジュラの仮面　ムジュラの仮面3D

ロックビルの神殿に登場する中ボス。漆黒の体に多数の「キース」をまとい、本体にダメージを受けない。巨大なカマを振りかざし、投げつけて攻撃してくる。光の矢でキースを追い払ったときに見える中心のコアが弱点

▶ゴルゴン

ふしぎの木の実①　ふしぎの木の実②

『大地の章』のラスボスでゴルゴン城で相対する闇の将軍。大地の巫女ディンをさらって四季の恵みを奪い、ホロドラム支配を企む。①巨大なトゲ鉄球を振り回す。②正体のドラゴンの姿を現し、炎の弾や両腕による攻撃を仕掛けてくる

▶コロッド

スカイウォードソード

古代のラネール錬石場で警備用に作られた。空中を巡回し、侵入者を発見すると砲撃してくる。中央には直進弾、左右には追尾型の浮遊バクダンを備える高性能ロボット。侵入者からの攻撃を受け付けないが、はじき返された自身の弾には弱い

サ行

▶ザーガナーガ

神々のトライフォース2

ハイラルの砂漠の神殿を抜けた先で亀裂に入り、ロウラルで戦うことになるボス。たくさんの眼が付いた、不気味な巨大花。流砂の中を自在に動き回り、無数の「子ザーガナーガ」を飛ばしてくるほか、驚異的な攻撃範囲を誇る砂嵐のビームを放ってくる

▶ザーザック（青）

神々のトライフォース　神々のトライフォース2

鎧を着て歩き回るワニの兵士。とても気が荒い。『神々のトライフォース2』でははぐれ者のアジトにて、牢から逃げ出した女盗賊を狙い、捕まえにくる

▶ザーザック（赤）

神々のトライフォース　神々のトライフォース2

鎧を着て歩き回るワニの兵士。『神々のトライフォース』では炎を吐いて攻撃してくる。『神々のトライフォース2』では連戦バトルの痛快！大バトル道場でのみ出現

▶サイガー

ふしぎの木の実

『大地の章』に登場する、一角獣の洞くつの中ボス。トラのような見た目の魔物だが、体を丸めて体当たりで攻撃してくる。しっぽの先に付いた、宝石のような赤い玉が弱点

▶サンダーキース

スカイウォードソード

体内器官でつくる電気を全身に帯びているコウモリ。放電しているときに触れると、感電してしばらく動けなくなる
関連　キース

▶ザント

トワイライトプリンセス　トワイライトプリンセスHD

僭王ザント。影の宮殿の玉座にて戦う、影の王にしてボス。もとは影の一族の王の側近であったが、強すぎる野心ゆえ次期の長になれなかったことを恨む。ガノンドロフから闇の魔力を授けられ謀反を起こした

▶ザントアイ

トワイライトプリンセス　トワイライトプリンセスHD

影の宮殿に出現する、「ザント」の兜を模した巨大な魔物。口から光弾を放つ。宙に浮いているが、出現した場所から動くことはない

▷サンボ

夢をみる島DX

ふしぎの木の実

『スーパーマリオブラザーズ』シリーズからのゲスト敵キャラ。砂漠地帯に出現する、動くサボテン。攻撃するとどんどん体が短くなっていく。『ふしぎの木の実』では『大地の章』に登場

▷シーオクタ

夢幻の砂時計

海に出現する大きなタコの姿をした魔物。船の周りを旋回し突進してくる。船の大砲で倒すことができる
➡ P.100（1章）

▷ジークロック

神々のトライフォース

風のタクト

風のタクト HD

4つの剣＋

仮面をかぶった巨大な魔物。『風のタクト』では、長い耳の少女を手当たり次第にさらっていた。2回目の魔獣島ではボスとして襲いかかる。『4つの剣＋』ではL3デスマウンテンの登山道のボス

▷シーハット

風のタクト

風のタクト HD

頭上にプロペラを持つ、大きな口の巨大な魚。海の上を低空飛行しているが、プロペラを切り落とすと泳いで迫ってくる

▷シェルゼリー

トワイライトプリンセス

トワイライトプリンセス HD

ゼリー状の「チュチュ」に似た姿の魔物。「チュチュケラ」が中に入っており、剣や弓矢などの攻撃を吸収する。チュチュケラを引き出されて倒されると、いっしょに消滅する　関連 チュチュケラ

▷シェルドゴーマ

トワイライトプリンセス①

トワイライトプリンセス HD①

トワイライトプリンセス②

トワイライトプリンセス HD②

時の神殿のボス、覚醒甲殻眼シェルドゴーマ。時をかけ成長するクモの魔物が、陰りの鏡の力で強化され凶暴化した。①ダメージを受けると大量の卵を産み落とし、「ゴーマ（ベビー）」が襲ってくる。②本体の目玉が飛び出した姿。ゴーマ（ベビー）を引き連れ逃げ惑う　関連 ゴーマ

▷シェルブレード

時のオカリナ

時のオカリナ 3D

ムジュラの仮面

ムジュラの仮面 3D

およぐ

トワイライトプリンセス

トワイライトプリンセス HD

水のあるところに住む貝の魔物。殻の刃で切り付けてきたり、殻を閉じてはさんで攻撃してくる。貝柱が弱点

▷地獄亡者
➡ 読み　キルビス

▷シザード

大地の汽笛

丸い体に長い鼻と大きな耳を持った魔物。耳を羽ばたかせて空を飛び、汽車で運ぶ資材を吸い込んで奪おうとする。耳が大きく、大きな高い音を嫌うため、汽笛を鳴らすことでも追い払える

▷司祭アグニム
➡ アグニム

▷シスターレディ

トライフォース3銃士①

トライフォース3銃士②

フリル姫に全身タイツの呪いをかけた、派手好きの魔女。似合うと思ったから送っただけで、本人には悪気はなかった。①パラソルでの攻撃や、3色に変わる光弾を放つ。②追いつめられ、舞台と一体になり巨大化。投げたパラソルに雷撃を落としてくる

▷シャーフ

時のオカリナ

時のオカリナ 3D

ムジュラの仮面

ムジュラの仮面 3D

『時のオカリナ』で、ハイラル王家に仕える音楽家として登場した幽霊。『ムジュラの仮面』ではイカーナ地方に登場。呪いのため凶暴化しており、呪いの曲を奏でてくるが、弟「フラット」の託した嵐の歌により浄化される　関連 フラット

▷ジャーマフェンサ

リンクの冒険

第2の神殿の守護者。初代ハイラル王に新たな命を吹き込まれたという、王国の元親衛隊長。全身鎧と剣と盾を装備し、ビームを吐いてくる剣士。頭部を攻撃すると兜が取れ頭が露出する。取れた兜は宙を飛び回る

▷ジャーマフェンサⅡ

リンクの冒険

第5の神殿の守護者。第2の神殿と同じく、全身鎧と剣と盾を装備し、ビームを吐いてくる剣士。頭部を攻撃すると2つの兜がビームを吐いて襲いかかってくる

▷ジャイアントビー

ムジュラの仮面

ムジュラの仮面 3D

天井などにぶら下がっているハチの巣を落とすと、巣の中から現れて攻撃してくる巨大なハチ　➡ P.062（1章）

▷ジャイ・ハーラ

風のタクト

風のタクト HD

お化けの敵「ポウ」が融合して生まれた、巨大な亡霊。大地の神殿の賢者の命を奪ったボス。手にしたカンテラでの火炎攻撃や炎の息などによる攻撃や、とり憑いて前後左右を混乱させる呪いも使ってくる。太陽の光が苦手

▷シャコマイト

スカイウォードソード

砂漠に太古から生息する、アンモナイトのような殻とシャコのような手足を持つ魔物。体内に電気を発生する器官を持ち、近づくと殻にこもり電気をまとって突進してくる

177

▷ジャッキー

夢をみる島DX

ふしぎの木の実

エイのような姿の魔物で、こちらに向かって鉄球を投げつけてくる。『夢をみる島』ではかおのしんでんなどに登場するボス、『ふしぎの木の実』では『時空の章』に登場、王冠のダンジョンの中ボス

▷シャドウリンク

リンクの冒険

4つの剣+

神々のトライフォース2

トライフォース3銃士

リンクと同じ能力を持つ、リンクの影。『リンクの冒険』では、死の谷の大神殿で戦うラスボスで、リンクの心の悪しき部分が実体化した敵。大守護神「ボルバ」を倒した者のみに与えられる最後の試練。動きは俊敏で、リンクと全く同じ攻撃方法を持つ。『神々のトライフォース2』ではすれちがい通信でやってくる。『トライフォース3銃士』では魔窟の最終ボス ➡P.094（1章）

▷シャドー

夢をみる島DX①

夢をみる島DX②

夢をみる島DX③

夢をみる島DX④

夢をみる島DX⑤

夢をみる島DX⑥

せいなるタマゴ内部のボス。風のさかながみる悪夢の化身。①ゾル ②アグニム ③デグテール ④ガノンと、さまざまな魔物の姿に変身する。⑤の第5形態では小さな影が弧を描きつつ突進。⑥が最終形態で、手を振り回す。時々開く中心の目が弱点

▷シャボム

時のオカリナ

時のオカリナ 3D

ジャブジャブ様のお腹の通路や部屋などに浮く、シャボン玉のような魔物。デクの実を使えば簡単に倒せる

▷シュアイズ

神々のトライフォース

氷の塔のボス。雲にひとつ目が付いたような姿の魔物。天井から氷塊を落として攻撃する。最初は大きな氷に身を包み守りを固めているため、炎を使って氷を溶かす必要がある。氷が溶けた後は3体で襲いかかる
関連 ブラックシュアイズ

▷終焉の者

スカイウォードソード

かつて魔族たちを率いて地上を襲い、人間たちを蹂躙した魔王。女神との激しい戦いの後に封印の地に封印されていたが、過去の"ハイリアの地"で女神の生まれ変わりであるゼルダの魂を吸収し、完全に復活を果たした。後の歴史で繰り返される、闇の者との戦いの輪廻の発端となった
関連 封印されしもの

▷ジュエルロック

神々のトライフォース2

闇の神殿のボスで、宝石が混ざった硬い鎧で全身を守っている、巨大な地竜。暗闇の中でも利く眼を持っており、高速で突進して獲物を襲う。鎧にはルピーも含まれており、破壊するとたくさんのルピーがこぼれ落ちる
関連 ジークロック

▷ジュゲム

ふしぎのぼうし

『スーパーマリオブラザーズ』シリーズからのゲスト敵キャラ。雲の上のフィールドで足場のせまい通路に陣取って道を塞ぐ。オリジナルとは異なり、トゲの弾ではなく電気の弾を飛ばして攻撃してくる。魔法のつぼで乗っている雲を吸い取ることができる

▷ジョオ

時のオカリナ

時のオカリナ 3D

ムジュラの仮面

ムジュラの仮面 3D

『時のオカリナ』では森の神殿の中ボス。『ムジュラの仮面』ではイカーナ渓谷にある幽霊小屋で戦う。四姉妹の幽霊の次女 関連 エイミー、ベス、メグ

▷ジョリーン

夢幻の砂時計

とある過去の因縁から、ラインバックを恨んでいる女海賊。海上を船で移動し、魚雷を撃ち込みながら近づいてくる。さらに接触するとこちらの船に乗り込んできて、決闘を挑んでくる。人魚のコスプレをしている妹がいる

▷白バブル

時のオカリナ

時のオカリナ 3D

空飛ぶドクロ。ほかのバブルとは違い、直接攻撃をしてくることはない
関連 バブル

▷シロボー

ムジュラの仮面

ムジュラの仮面 3D

スノーヘッド地方に生息する真っ白な球体の魔物。雪にまぎれ、集団で襲いかかってくる 関連 クロボー

ス

▷水中オクタロック
➡ オクタロック

▷スーパーリザルナーグ

トライフォース3銃士

ラスボス「シスターレディ」が待ち構えるステージの前で、最後に立ちはだかる敵。それ以外の場所には出現しない。翼で空を飛ぶ、剣を構え突進してくるなど、基本的には「リザルナーグ」と似ているが、地上に降りている際に、前方に向け勢いよく炎を吐いてくるのが特徴
関連 リザルナーグ

▷スカイオクタ

スカイウォードソード

頭に葉が生えた「オクタロック」の派生種。大空に浮く岩の上で待ち構え、ロフトバードで近づくと石を吐いて攻撃してくる ➡P.100（1章）

▷スカイソルジャー（剣/盾/槍）

トライフォース3銃士

「シスターレディ」が居を構える天空エリアを守るエリート兵士。個々にさまざまな武器、防具を装備して侵入者を阻む。地上の要塞エリアを警備していた兵士たちよりも高い能力を誇る。剣は緑、盾は青、槍は赤の装飾が付いている

▷スカイソルジャー（鉄球/鉄球・火）

トライフォース3銃士

「シスターレディ」が居を構える天空エリアを守るエリート兵士。地上の要塞エリアを警備していた兵士たちよりも高い能力を誇る。鎖付きの鉄球を振り回し、攻撃してくる。炎をまとった炎鉄球を扱う者は、攻撃後すぐに離れないと炎鉄球のダメージを受ける

▷スカイソルジャー（爆弾）

トライフォース3銃士

「シスターレディ」が居を構える天空エリアを守るエリート兵士。地上の要塞エリアを警備していた兵士たちよりも高い能力を誇る。間合いを取りつつ、爆弾を次々に投げて攻撃してくるが、盾や剣を持っていないので防御は薄い

▷スカイテール

スカイウォードソード

積乱雲内部に生息する、長い体を持った空飛ぶ虫。ロフトバードを見つけると背後につき、体当たりしてくる

▷スカラベ

ムジュラの仮面　　ムジュラの仮面 3D

「オドルワ」との戦いの際に、天井から落ちてくる虫。炎に集う習性があり、バクダン花や爆弾を使用すると誘引されて自滅する

▷スカル魚
●スカルギョ

ムジュラの仮面　ムジュラの仮面 3D　トワイライトプリンセス　トワイライトプリンセス HD

トライフォース3銃士

水に入ると襲いかかってくる、骨だけの魚の魔物。集団で襲ってくるものも。『ムジュラの仮面／3D』『トワイライトプリンセス／HD』では釣り上げることも可能
関連　砂スカルギョ、デスプレコ

▷スカルロープ
●バブロープ

神々のトライフォース　神々のトライフォース2　トライフォース3銃士

『神々のトライフォース』では闇の世界、『神々のトライフォース2』ではロウラル、『トライフォース3銃士』では廃墟にいる、頭部がドクロの「ロープ」。ダンジョン内で誤ったレバーを引くと大量に落ちてくることがある

▷スタル

神々のトライフォース　神々のトライフォース2

地面に置かれたドクロに紛れこみ、触れると動き出す魔物。こちらを追ってきて、体当たりしようとしてくる

▷スタルウォール

時のオカリナ　時のオカリナ 3D　ムジュラの仮面　ムジュラの仮面 3D

トワイライトプリンセス　トワイライトプリンセス HD　スカイウォードソード

壁やツタなどに張りついている大きなクモ。登場タイトルの多くで背中にドクロ模様をもつ。ドクロは硬く、飛び道具でないとダメージを与えられない

▷スタル・キータ

ムジュラの仮面　ムジュラの仮面 3D

イカーナ渓谷の墓場に眠る巨大な「スタルフォス」。目覚めのソナタを使うと動きだす。道なりに進んで宝箱の前へ到着する前に倒すと降参する。矢で射ると一瞬だけ直立不動になる
➡P.098（1章）

▷スタルキッド

時のオカリナ　時のオカリナ 3D　ムジュラの仮面　ムジュラの仮面 3D

トワイライトプリンセス　トワイライトプリンセス HD

森で迷った子供が魔物と化した姿。大人嫌いでいたずら好き。『時のオカリナ』『トワイライトプリンセス』では迷いの森で出会うが、『時のオカリナ』の子供時代は戦わない。『ムジュラの仮面』では「ムジュラの仮面」に意思を乗っ取られ、タルミナで悪事をはたらく

▷スタルチャンピオン

トライフォース3銃士

砂漠エリア内に出現する「スタルフォス」の中でも、王者級の体格と強さを誇る砂漠の神殿のボス。腕輪や左手の鉄球を駆使し、強力な格闘技と俊敏な動きでリング内を暴れ回る。体を壊されても頭部だけで襲いかかる
➡P.098（1章）

▷スタルチュラ

時のオカリナ　時のオカリナ 3D　ムジュラの仮面　ムジュラの仮面 3D

トワイライトプリンセス　トワイライトプリンセス HD　夢幻の砂時計　大地の汽笛

スカイウォードソード

ドクロ模様の硬い甲殻を持つ大グモ。天井や木から糸でぶら下がって近くを通る獲物を待ち伏せをしている。より大型の個体が登場するタイトルも
関連　赤スタルチュラ、黄金のスタルチュラ、大スタルチュラ

▷スタルナック

4つの剣+

剣を装備したガイコツの兵士。標的を見つけると剣を振りあげ、ダッシュ攻撃をしてくる ➡P.098（1章）

▷スタルハウンド

トワイライトプリンセス　トワイライトプリンセス HD

夜に城下町入口近くのハイラル平原の地中から現れるガイコツ犬。単体で出現するが、集団でこちらを追いかけてくることも。わらしべアイテムである「木彫りの像」を奪った

▷スタルフォス

ゼルダの伝説　神々のトライフォース　夢をみる島DX　時のオカリナ

時のオカリナ 3D　ふしぎの木の実　風のタクト　風のタクト HD

4つの剣+　トワイライトプリンセス　トワイライトプリンセス HD　夢幻の砂時計

大地の汽笛　スカイウォードソード　神々のトライフォース2　トライフォース3銃士

ガイコツの戦士。バックジャンプで攻撃を避ける、武器や盾を持つ、剣からビームを放つ、自身の頭を飛ばす、バラバラになっても時間が経つと復活する、ただのガイコツのふりをしているなど、さまざまな個体が存在する ➡P.098（1章）

▷スタルフォス（青）

ふしぎの木の実　ふしぎのぼうし

ガイコツの戦士。ジャンプをして攻撃を避け、そのまま踏みつけようとしてくる。『ふしぎのぼうし』では魔法のつぼで頭を取ると相手の姿を見失う ➡P.098（1章）

▷スタルフォス（赤）

神々のトライフォース　ふしぎのぼうし

ガイコツの戦士。バックジャンプで攻撃を避け、手を振り回したり、自身の骨を投げて攻撃してくる ➡P.098（1章）

▷スタルフォス剣士

夢幻の砂時計　大地の汽笛

剣と兜を装備したガイコツの戦士。最初はただの骨のふりをしているが、近づくと剣を振り回して攻撃してくる。ダメージを与えると頭だけで襲ってくる ➡P.098（1章）

▷スタルフォン
● スタルフォン（赤）

リンクの冒険　神々のトライフォース

ガイコツの戦士。『リンクの冒険』では剣と盾を持って神殿を守護する。盾の使い方は未熟で下段攻撃に弱い。『神々のトライフォース』ではジャンプをして下突きで攻撃してくる ➡P.098（1章）

▷スタルフォン（青）

リンクの冒険

剣と盾を持った、神殿を守護するガイコツの剣士。突然ジャンプをして頭上から襲いかかってくることがある ➡P.098（1章）

▷スタルブラインド

神々のトライフォース2

ロウラルのはぐれ者のアジトのボスで、はぐれ者の村に住む盗賊たちの親分。賢者アスファルの絵画を隠し持っていたが、部下の女に隠し場所を知られてしまい幽閉している。巨大な盾と剣を振るほか、闇のブレスで攻撃してくる
関連 ブラインド

▷スタル兵

トワイライトプリンセス　トワイライトプリンセス HD

砂漠の処刑場のボス「ハーラ・ジガント」戦で登場する、兵士の亡霊。ハーラ・ジガントの周囲の砂の中から現れて、スピナーによる攻撃を防ぐ壁役になる。その場からは動かない ➡P.098（1章）

▷スタルヘッド

スカイウォードソード

太古の昔から生息する、ドクロ頭の3つ首のヘビの魔物。死してなお人を襲う執念を持ち続ける。頭を個別に破壊しても再生するため、撃破には3つの頭部を同時破壊する必要がある ➡P.098（1章）

▷スタルベビー

時のオカリナ　時のオカリナ 3D　ムジュラの仮面　ムジュラの仮面 3D

4つの剣　トワイライトプリンセス　トワイライトプリンセス HD

小型のガイコツ。『時のオカリナ』では夜に地面から多数現れ、朝になるとルピーを残して消える。『ムジュラの仮面』ではイカーナ王国の兵士の亡霊として登場する。『トワイライトプリンセス』では槍で攻撃してくる ➡P.098（1章）

▷スタルマスター

スカイウォードソード

ガイコツたちの隊長で、4つの腕それぞれに異なる武器を持った戦士。古の大石窟、空の塔などで中ボスとして登場する。最初は2本の腕のみだが、ある程度ダメージを与えると本気を出し、4本の腕すべてを使って戦う ➡P.098（1章）

▷スティンガ

時のオカリナ

時のオカリナ 3D

エイのような魔物。普段は水面に潜んでいるが、近くを通った者に反応して空中に舞い上がり体当たりをしてくる

▷砂オクタ

大地の汽笛

砂地に生息する「オクタロック」の派生種。砂の中から現れて鉄球を吐いて攻撃してくる ➡P.100（1章）

▷砂スカルギョ

トライフォース3銃士

砂地を生息地とし、水中のように砂の中を泳ぐ「スカル魚」の派生種。近づくと砂の中から飛び出して襲ってくる
関連 スカル魚

▷スナッパー

ムジュラの仮面

ムジュラの仮面 3D

一切の攻撃を受け付けない、強固な甲羅を持つ亀の魔物。腹が弱点
関連 ゲッコー

▷砂虫

トライフォース3銃士

動く砂の山。カニ型の魔物「チャオ」が隠れていることがある。空気ツボで強い風を当てれば砂が吹っ飛ぶ
関連 チャオ

▷スノーグース

トライフォース3銃士

氷雪地帯に生息する、ネズミの魔物「グース」の派生種。寒さに強く、雪の塊の中に身を潜める 関連 グース

▷スパーク

夢をみる島DX

ふしぎの木の実

ふしぎのぼうし

ダンジョンや洞窟の中で壁に沿って移動する丸い電撃。ブーメランを当てると妖精に変化する

▷スパイク

時のオカリナ

時のオカリナ 3D

ムジュラの仮面

ムジュラの仮面 3D

普段は岩の姿だが、近づくとトゲが飛び出してゆっくり近づいて来る魔物

▷スフィアマスター

トワイライトプリンセス

トワイライトプリンセス HD

影の宮殿で"ソル"の番をしている巨大な手の魔物。ソルを奪うと取り戻そうと宙を飛び、壁もすり抜けて追いかけてくる。倒すことはできないが、攻撃し続ければしばらく動きを止めるられる 関連 フォールマスター

▷スプリンター・ファントム

夢幻の砂時計

海王の神殿を警護するため徘徊する、赤い甲冑を着た「ファントム」の派生種。ファントムの中では最も動きが素早い
関連 ファントム

▷スミオクタ

大地の汽笛

海底に住む巨大なタコの魔物。スミを吐いて汽車の進行を妨害してくる ➡P.100（1章）

▷スライム

●スライム（青）

神々のトライフォース

4つの剣+

『神々のトライフォース』では魔法の粉やシェイクの魔法、『4つの剣+』ではシェイクメダルで変化した魔物の姿。こちらに向かって体当たりをしてくるが歩みは遅く、一撃で倒せるとても弱い敵

スライム（緑）

4つの剣+

必ず4体で縦か横に編成を組んで出現するスライム。倒すと大量のフォースを落とす。4体すべてに同時に攻撃しないと倒せずに逃げてしまう

▷スラロック

神々のトライフォース

神々のトライフォース2

闇の世界に「オクタロック」が迷い込み、姿が変化したと思しき魔物。素早く動き、オクタロックと同じように石を吐く

▷センカン

風のタクト

風のタクト HD

海上のさまざまな島の近辺をうろつき、近づくと船に向かって大砲を撃ってくる小型船。大砲で倒すことができる

▷ゾーラ

ゼルダの伝説

リンクの冒険

神々のトライフォース

夢をみる島DX

ふしぎの木の実

4つの剣+

神々のトライフォース2

水中に住む半魚人。水面から顔を出しビームや炎を吐いて攻撃してくる。『ゼルダの伝説』以降は、浅瀬や陸上を歩く者も登場。人間に友好的だったゾーラ族がなんらかの要因で敵となった姿 ➡P.044（1章）

▷空の監視者

スカイウォードソード

精神の世界サイレンで、空中から地面を照らしながら徘徊する幽霊のような姿の監視者。決まったルートを巡回し、監視者が照らす光の中に侵入者が入ると守護者を呼ぶ

▷空の守護者

スカイウォードソード

精神の世界サイレンの守護者。宙を飛び追いかけてくる。倒すことはできず、攻撃をされると心が砕かれ試練失敗となる。サイレンに散らばる"しずく"を取ると一時的に動きが止まる

▷ゾル
●ゾル（赤）

ゼルダの伝説

神々のトライフォース

夢をみる島DX

ふしぎの木の実

4つの剣

地上や迷宮を歩き回ったり跳ねたりするゼリー状の魔物。攻撃すると分裂する。『ゼルダの伝説』では、分裂したものは「ゲル」と呼ばれる。『神々のトライフォース』『夢をみる島』などでは、小さなゾルにまとわりつかれると動きが鈍くなる。 関連 ゲル

▷ゾル（薄緑）

神々のトライフォース

地上や迷宮を歩き回ったり跳ねたりするゼリー状の魔物。カメ岩に出現する

▷ゾル（黄）

神々のトライフォース

地上や迷宮を歩き回ったり跳ねたりするゼリー状の魔物。悪魔の沼に出現する「ゾル」

▷ゾル（緑）

神々のトライフォース

夢をみる島DX

ふしぎの木の実

歩き回ったり跳ねたりするゼリー状の魔物。「ゾル（赤）」とは異なり、斬っても分裂はしないものを指す

▷ゾロ

神々のトライフォース

爆弾で開けた壁穴から出てくる小さな黒い球体。集団で出現する

▷ゾロゾロ
●ゾロゾロ（黒）

夢をみる島DX

ふしぎの木の実

ふしぎのぼうし

草や岩を持ち上げたり地面を掘ると現れる虫。攻撃力はないが、まとわりつかれると剣やアイテムが使えなくなる

▷ゾロゾロ（赤）

ふしぎのぼうし

風のとりでのボス「オーイス」が天井から落としてくる、希少種の「ゾロゾロ」。攻撃力はないが、まとわりつかれると剣やアイテムが使えなくなる

▷ゾンビ

夢をみる島DX

墓地周辺に現れる動く死体。いくら倒しても地中から湧いてくる

タ行

▷ダーク・ファントム

夢幻の砂時計

海王の神殿を守護し、侵入者を排除する鎧の兵士。「ファントム」の一種であるが、斧を得物とする。走行速度はほかのファントムに劣るが、ほかのファントムや「ファントム・アイ」が見つけた侵入者のもとにワープする能力を持つ
関連 ファントム

▷ダークリンク

時のオカリナ

時のオカリナ 3D

ふしぎの木の実

リンクの影。『ふしぎの木の実』では『時空の章』に登場。「ベラン」との戦いで最初から4体召喚されている。リンクの動きを反転して移動するだけで、攻撃などはしてこない ➡P.094（1章）

▷タートナック

夢をみる島DX　　4つの剣　　トワイライトプリンセス　トワイライトプリンセス HD

大きな鎧や盾で装備を固めている重装の騎士。攻撃力・防御力ともに高く、正面からぶつかると苦戦を強いられる強敵

▷タートナック（青）

ゼルダの伝説　　ふしぎの木の実　　4つの剣＋

青い大きな鎧や盾で装備を固めている重装の騎士。強さは登場タイトルによって異なり、初代『ゼルダの伝説』では赤い「タートナック」よりも格上となっている

▷タートナック（赤）

ゼルダの伝説　ふしぎの木の実　4つの剣＋　ふしぎのぼうし

トワイライトプリンセス　トワイライトプリンセス HD

赤い大きな鎧や盾で装備を固めている重装の騎士。強さは登場タイトルによって異なり、『4つの剣＋』では赤いタートナックが最も格上となっている

▷タートナック（強）

風のタクト　　風のタクト HD

黒い大きな鎧や盾で装備を固めている重装の騎士。「タートナック（弱）」の隊長格で、マントを羽織っている者もいる。先にマントを炎の矢などで燃やす必要がある

▷タートナック（金色）

ふしぎの木の実

『大地の章』に登場。金色の体をしていて、通常より非常に強い「タートナック」。このタートナックを含め4種類いる金色の魔物を倒すと、ごほうびに剣の威力が倍になるゆびわがもらえる

▷タートナック（弱）

●タートナック（白）

風のタクト　　風のタクト HD　　ふしぎのぼうし

白い大きな鎧や盾で装備を固めている重装の騎士。ほかの「タートナック」と比べて体力などの低い、格下のタートナックではあるが、そのパワーはあなどれない

▷タートナック（緑）

4つの剣＋　トワイライトプリンセス　トワイライトプリンセス HD

緑色の大きな鎧や盾で装備を固めている重装の騎士。『4つの剣＋』では青い「タートナック」よりも格下。『トワイライトプリンセス』では通常と同じ

▷タートナック（メイス）

トワイライトプリンセス　トワイライトプリンセス HD

武器を剣からメイスに持ち替えた「タートナック」。身に着けている鎧のデザインも変わっているが、戦い方に大きな違いはない

▷タートルロック

→ カメイワ

▷ダイオクタ

時のオカリナ　時のオカリナ 3D　ムジュラの仮面　ムジュラの仮面 3D

風のタクト　風のタクト HD

『時のオカリナ』ではジャブジャブ様のお腹の中ボス。『ムジュラの仮面』ではウッドフォールの沼地におり、攻撃も移動もせず道を塞ぐ。『風のタクト』では多くの目を持ち海上で渦潮を起こす　➡P.100（1章）

▷大オクタロック

ふしぎのぼうし

しずくの神殿の奥で、しずくのエレメントとともに氷漬けになっていた「オクタロック」。本来は普通のオクタロックだが、ピッコルサイズであるため巨大に見える。太陽光でエレメントとともに解凍され、エレメントを吸い込んで奪った。背中に寄生した植物と一体化してる。同ダンジョンのボスに相当　➡P.100（1章）

▷大スタルチュラ

時のオカリナ　時のオカリナ 3D

大型の「スタルチュラ」。スタルチュラと同じように天井からぶら下がり獲物が来るのを待ち構えている。ドクロ模様の背中は硬く、剣を弾く。回転をして敵をはじき飛ばそうとする
関連　スタルチュラ

▷ダイダゴス

スカイウォードソード

ラネール砂海の砂上船を突如襲ってきた巨大な海の魔物。同ダンジョンのボス、古代海獣ダイダゴス。その昔太古の海を支配していたと言われる。髪の毛のような触手はヘビに似た口が付いていて、それぞれ個別に動く。剣で切断することも可能だが、一定時間経つと再生する強い生命力をもつ

▷大地の監視者

スカイウォードソード

神から与えられた試練の地である精神世界サイレンに出現する魔物。地面近くを浮遊して移動し、手にした光で周囲を監視する。侵入者を発見すると鈴を鳴らしながら追いかけ、守護者たちを呼ぶ役割を持つ

▷大地の守護者

スカイウォードソード

神から与えられた試練の地である精神世界サイレンに出現する、巨大な剣のような武器を持つたたずむ鎧兵。監視者や、水辺に似た"シラレ"に触れると動き出し、侵入者を走って追いかける。攻撃を受けると試練失敗とみなされ、再挑戦を余儀なくされる

▷大チュチュ（青）

ふしぎのぼうし

しずくの神殿に中ボスとして登場する青い「チュチュ」。小さくなっているため巨大にみえるが、実際は普通の青いチュチュ。魔法のつぼで足もとを吸い込み続けるとバランスを崩して頭を攻撃できる。ただし、電気をまとっている間は吸い込めない　➡P.101（1章）

▷大チュチュ（緑）

ふしぎのぼうし

大地のエレメントが眠る小さな森のほこらに迷い込んだ、普通の緑色の「チュチュ」。通常なら取るに足らない敵だが、ピッコルサイズになっているため大きな脅威となる。頭に対して足もとが細いため、足を吸われて小さくなるとバランスを崩して転ぶ。同ダンジョンのボスにあたる
➡P.101（1章）

▷ダイテクタ（砂・火）

大地の汽笛

火の大地のトンネルに住み着き、内部を通る汽車を襲う巨大なひとつ目の虫。砂の神殿へいたるための3つの試練の1つとされる。硬い甲殻で全身を覆っており、口の中にある目玉以外には爆弾すら通用しない。「ダイテクタ（雪）」とは異なり、口を閉じて目玉を防御してくることがある

▷ダイテクタ（雪）

大地の汽笛

ユキワロシの村から雪のホコラをつなぐトンネルに住み着き、内部を通る汽車を襲う巨大なひとつ目の虫。硬い甲殻で全身を覆っており、目玉以外には爆弾すら通用しない。中ボス格にあたり、完全に倒すまで逃げられずいつまでもしつこく追いかけてくる

▷大デクババ

時のオカリナ　　時のオカリナ 3D

大型の「デクババ」。森の神殿の中庭などに生息し、茎の首を伸ばし噛みついて攻撃してくる。大型なだけに普通のデクババよりも体力があり、倒すとデクの実を3個落とす　関連 デクババ

▷ダイナフォス

時のオカリナ　時のオカリナ 3D　ムジュラの仮面　ムジュラの仮面 3D

トワイライトプリンセス　トワイライトプリンセス HD

高い知能を持つ恐竜の戦士。剣や手斧といった武器を使いこなし、盾で器用に防御する。炎を吐く個体も存在。『トワイライトプリンセス』ではより知恵が働き、フェイントを使って防御を崩してきたり、アイテムにも対応してくる

▷タイノン

神々のトライフォース　神々のトライフォース2

壁に埋め込まれた、生きた氷の彫刻。近寄ると動き出し追いかけてくる。剣は効かないが、炎の攻撃には弱い

▷大砲船

夢幻の砂時計　大地の汽笛

海上を移動中に現れる、巨大な大砲を携えた船。数隻の船団で現れ次々に大砲を撃ち込んでくる。また、「ウミブリン船」など大きな船に連なって登場することも多いが、乗組員がこちらの乗り物に侵入してくることはない

▷大砲戦車

大地の汽笛

巨大な砲台を有する戦車。海の大地以外の特定の場所を通過する際に遭遇する。複数台で汽車を追いかけ、しつこく砲弾で攻撃してくる。大砲を2発当てると爆発し撃破が可能

▷ダイラ（赤）

リンクの冒険

ガノンの新たな援軍であるワニの兵士。闘争心が旺盛で、怪力を生かして斧を振り回し、時には投げて攻撃してくる。斧は盾で防ぐことができない

▷ダイラ（黄）

リンクの冒険

ガノンの新たな援軍であるワニの兵士。闘争心が旺盛で、怪力を生かして斧を振り回して攻撃してくる。斧は盾で防ぐことができない

▷ダ・イルオーマ

スカイウォードソード

古の大石窟の最深部で侵入者から聖なるフロルの炎を守っていた守護者。魔蝕神器ダ・イルオーマ。時を経て機能が停止していたところをギラヒムに利用されてしまい、ボスとして襲いかかる。呪いのエネルギーを動力源として6本の腕を使い、大剣による斬撃や腕を使った叩きつけなどで暴れ回る

▷タックリー

ムジュラの仮面　ムジュラの仮面 3D　ふしぎのぼうし

体当たりをし、盗みを働く怪鳥。『ムジュラの仮面』ではマニ屋と通じており、タックリーが盗んだ品が店に並ぶ。『ふしぎのぼうし』では「クロウリー」に似た赤い鳥で、体当たりされると持っているルピーをばらまいてしまう

▷タドポール

トワイライトプリンセス　トワイライトプリンセス HD

ダンジョン内の水辺に生息する、ナマズのような姿の魔物。水中を泳ぎまわり、口から岩の弾を発射して攻撃してくる。弓矢での攻撃でも倒せるが、盾アタックで吐き出した岩をはね返すことも可能　関連 マグポール

▷タマケラ

トワイライトプリンセス　トワイライトプリンセス HD

ハイラル平原に出現する魔物。一匹で平原に立っている。近づくと周囲に爆弾をまき散らしながら、走っても追いつけないほどのスピードで逃げる。倒すと体内にいたミミズを吐き出す

▷ダムダム

トライフォース3銃士

廃墟エリアの黄泉の神殿を占拠するボスで、巨大な目玉に機械の体を持つ。体に付いた3色のランプは、同一の色を持つ者以外の攻撃を受け付けない。地面と平行になったり垂直になったりしながら自在に動きまわる

▷タロス（青）
● タロス（練習槍）

神々のトライフォース

神々のトライフォース2

闇の世界やロウラルに現れる、二足歩行をする牛の姿をした兵士。練習用槍を持ち、敵を見つけると追いかけてくる

▷タロス（赤）
● タロス（三叉槍）

神々のトライフォース

神々のトライフォース2

闇の世界やロウラルに現れる、二足歩行をする牛の姿をした兵士。三叉の槍を持ち、敵を見つけると追いかけてくる

▷ダンゴロス

トワイライトプリンセス

トワイライトプリンセス HD

ゴロン鉱山の中ボスである、大きな体格を誇るゴロン族。磁場の舞台の上で戦い、転がって体当たりしてくる。古の勇者が使っていたという弓を守っていた。倒すとこちらを認め、道を通してくれる

▷チャオ

神々のトライフォース2

トライフォース3銃士

平原や砂漠などに出現するカニ型の魔物で、片方のみ発達したハサミが特徴。『神々のトライフォース2』では横方向への移動は速いが前後への移動は遅い。『トライフォース3銃士』では「砂虫」に潜り身を隠したりも　関連 砂虫

▷チャスパ

神々のトライフォース

神々のトライフォース2

トライフォース3銃士

主に闇の世界やロウラルなどの、日の当たらない場所に生息するひとつ目コウモリ。体当たりをして攻撃してくる。『神々のトライフォース』では、ハイラル城の塔の上層にも出現する。『トライフォース3銃士』は廃墟エリアにいる

▷チュチュ（青）
● 青チュチュ／▲ ブルーチュチュ

ムジュラの仮面

ムジュラの仮面 3D

風のタクト

風のタクト HD

ふしぎのぼうし

トワイライトプリンセス

（続き画像）
スカイウォードソード

青い体をしたスライム状の魔物で、登場タイトルによってその姿かたちや能力は大きく異なる。『ムジュラの仮面』では凍らせると足場になり、『風のタクト』『ふしぎのぼうし』『夢幻の砂時計』では電気を帯びて攻撃をしてくる。『風のタクト』ではレア種になっている　→P.101（1章）

▷チュチュ（赤）
● 赤チュチュ／▲ レッドチュチュ

ふしぎのぼうし

トワイライトプリンセス

トワイライトプリンセス HD

大地の汽笛／スカイウォードソード

赤い体をしたスライム状の魔物で、体当たりで攻撃をしてくる。回復のハートや体力回復の薬の材料となるものを落とすことが多い。『スカイウォードソード』では炎の属性を持った攻撃をしてくる　→P.101（1章）

▷チュチュ（黄）
→ 黄チュチュ

▷チュチュ（緑）
● 緑チュチュ／▲ グリーンチュチュ

ムジュラの仮面

ムジュラの仮面 3D

風のタクト

風のタクト HD

ふしぎのぼうし／トワイライトプリンセス／トワイライトプリンセス HD／夢幻の砂時計

スカイウォードソード

緑色の体をしたスライム状の敵で、体当たりで攻撃してくるが体力・攻撃力ともに低め。魔法のツボや魔力回復の薬の材料を落とす場合が多い　→P.101（1章）

▷チュチュケラ

トワイライトプリンセス

トワイライトプリンセス HD

巨大な水滴のような「シェルゼリー」に身を包み、シェルゼリーごと押しつぶそうとしてくる、二足歩行の虫の魔物。シェルゼリーは剣や弓矢での攻撃を吸収するが、引きずり出すか爆節矢で破壊すれば攻撃可能　関連 シェルゼリー

▷ツインモルド

ムジュラの仮面

ムジュラの仮面 3D

大型仮面虫ツインモルド。ロックビルの神殿のボス。赤と青の2体組の巨大なムカデ。砂中を移動し宙を舞い、体当たりしてくる。『ムジュラの仮面 3D』では赤の個体は炎弾を吐き、モルドベビーを生み出してくる

▷ツインローバ

時のオカリナ／時のオカリナ 3D／ふしぎの木の実

双子の魔法使い「コタケ」と「コウメ」が合体した姿。『時のオカリナ』では、双生魔導師ツインローバとして登場する魂の神殿のボス。『ふしぎの木の実』では、2本を連動すると登場する　関連 コウメ、コタケ

▷つぼ魔王

夢をみる島DX

つぼのどうくつのボス。壺に出入りする道化師のような姿をした魔物。壺から出ているときは炎を吐き、入っているときは体当たりをしてくる。壺に入ると無敵なので、壺を持ち上げ壁に叩きつけて壊さないとダメージを与えられない

▷ディーゴ

大地の汽笛

神の塔の上階で戦うボス、勇往神魔ディーゴ。ハイラルを見守る賢者の一族であるロコモ族の男であり、神の塔を守る賢者シャリンの元弟子。しかし、神以上の存在になるために力を欲し、魔王復活に手を貸した。後に魔族「キマロキ」に利用されていたことを知り、勇者に協力する

▷ディープパイソン

ムジュラの仮面　　ムジュラの仮面 3D

トンガリ岩に住む非常に大型の海ヘビ。タツノオトシゴの仲間とゾーラの卵を巣に隠している。巣のある横穴に近づくと顔を出し噛みつこうとしてくる。首もとが弱点

▷ディーラー（青）

リンクの冒険

森林に生息する大蜘蛛。「ディーラ」と表記することもある。動物の血をすすり肉を食いあさるうちに体が丸く巨大になった。木の枝から糸を伝い、地面に降り立ってから、獲物に飛びかかっていく

▷ディーラー（赤）

リンクの冒険

森林に生息する大蜘蛛。「ディーラ」と表記することもある。動物の血をすすり肉を食いあさるうちに体が丸く巨大になった。木の枝から糸を伝い降りてきて、上から獲物を狙う

▷テール

神々のトライフォース　夢をみる島DX　ふしぎの木の実　4つの剣

4つの剣+　ふしぎのぼうし　夢幻の砂時計　神々のトライフォース2

丸い体が3つつながったような形の虫型の魔物。地面を這うような不規則な動きは進路を予測しづらい。壁にぶつかると反射する。洞窟やダンジョンの中に生息する。尻尾以外への攻撃が通じないものも存在する

▷テール（紫）

神々のトライフォース2

丸い体が3つつながったような形の虫型の魔物。地面を這うような不規則な動きは進路を予測しづらい。壁にぶつかると反射する。通常の「テール」に対して、ロウラルのダンジョンや洞くつの中などに生息している

▷テールパサラン

時のオカリナ　　時のオカリナ 3D

電撃を発する芋虫のような姿の魔物。ジャブジャブ様のお腹に発生している。触れたり剣で斬りつけると感電する。無傷で倒すにはブーメランが必要

▷デカファンギン

神々のトライフォース2

氷の遺跡など、主に氷の張った場所に生息するファンキーなペンギン「ファンギン」の中でも、異常な成長を遂げ巨大化したもの。通常のファンギンの数倍もの大きさをほこる。腹ばいで滑ることで氷の床を器用に移動し、突進してくる

▷デキシーハンド

ムジュラの仮面　ムジュラの仮面 3D

グレートベイの神殿など水のある場所に現れる、青く細い腕だけの魔物。近づくと手に捕まって放り投げられる。触れてもダメージは受けない

▷デグアモス

神々のトライフォース　夢をみる島DX　風のタクト　風のタクト HD

「アモス」の巨大版。『神々のトライフォース』では東の神殿のボス。6体で取り囲み襲ってくる。『夢をみる島』では南の神殿のボスで、フェイスの鍵を守っている。『風のタクト』ではボスではなく、主に複数体で登場する

▷デグギーニ

夢をみる島DX　ふしぎの木の実

巨大な幽霊。「ギーニ」と同じように墓場にいるものと、ダンジョン内に生息するものがいる。『ふしぎの木の実 時空の章』では中ボスとして登場。小さいギーニを呼び出し、取り憑かれると動きが鈍くなり剣が振れなくなってしまう

▷デグクレス

大地の汽笛

大きな木の中にある森の神殿のボスである、巨大なカブトムシのような見た目の魔物。甲殻巨大種デグクレス。巨大な角を振るい、羽で空を飛んでの突き攻撃を得意とする。お尻のあたりには毒ガスが溜まり、容易には近づけない

▷デクスズメバチ

スカイウォードソード

フィローネの森などに生息するハチ。巣に近づくと大群で出てきて攻撃してくる。虫とりアミで捕獲することができ、クスリやアイテムの改造のための素材になる
➡P.062（1章）

▷デグスタルナック

4つの剣+

代々ハイラル王国を守るハイラル騎士団の4人の騎士たちが、ガノンドロフのトライデントの力により魔物に変えられた姿。L4草原、L5カカリコ村などのボスとして登場。撃破後は正気を取り戻し、グフーの潜む風の塔への道を開くための4色の宝玉を勇者に託す
➡P.098（1章）

▷デグゾル

夢をみる島DX

カギのあなぐらのボス。大型のひとつ目の「ゾル」。天井に張りつき次々とゾルを落としてくるが、壁に体当たりをすると床に落ちる。攻撃していくと分裂し、ダメージを受けると地面を大きく揺らす

▷テクタイト

リンクの冒険

夢をみる島DX

ふしぎの木の実

4つの剣

大地の汽笛

トライフォース3銃士

ひとつ目四つ足で、大きく飛び跳ねて襲いかかってくる虫のような魔物。予測の難しい独特の動きをするため、不意うちで体当たりを喰らいやすい
関連 ゴールデンテクタイト

▷テクタイト（青）
●青テクタイト

ゼルダの伝説

神々のトライフォース

時のオカリナ

時のオカリナ 3D

ムジュラの仮面

ムジュラの仮面 3D

ふしぎの木の実

4つの剣+

ふしぎのぼうし

トワイライトプリンセス

トワイライトプリンセス HD

夢幻の砂時計

神々のトライフォース2

ひとつ目四つ足で、大きく飛び跳ねて襲いかかってくる魔物。赤い体の個体との能力の差はタイトルによって異なり、『時のオカリナ』『ふしぎのぼうし』などでは青い個体の方が体力が高い。能力差の無いタイトルも存在する

▷テクタイト（赤）
●赤テクタイト

ゼルダの伝説

神々のトライフォース

時のオカリナ

時のオカリナ 3D

4つの剣+

ふしぎのぼうし

トワイライトプリンセス

トワイライトプリンセス HD

夢幻の砂時計

神々のトライフォース2

ひとつ目四つ足で、大きく飛び跳ねて襲いかかってくる魔物。青い体の個体との能力の差はタイトルによって異なり、『神々のトライフォース』『夢幻の砂時計』などでは赤い個体の方が体力が高い

▷デグチタート

4つの剣

グフー直属の配下で、帰らずの森にボスとして潜む植物の魔物。花弁の色が異なる3本の花を振り回して攻撃してくる。花が倒れると左右にレバーが出現、限界まで引っぱると、茎の先の花が開き攻撃できる

▷デグテール

神々のトライフォース

夢をみる島DX

4つの剣+

神々のトライフォース2

トライフォース3銃士

虫のような魔物「テール」の超大型版。大きな音を立てて動き回り、弱点の尻尾以外を攻撃するとはじかれる。『神々のトライフォース』『神々のトライフォース2』ではヘラの塔、『夢を見る島』ではテールのほらあなのボス。『トライフォース3銃士』では火山エリア炎の神殿のボスで、目から攻撃の標的としている対象の色と同じ色の光を放つ特性を持つ

▷デグテール（紫）

神々のトライフォース2

巨大な「テール」。ロウラル城の王の間への封印の一端を守る中ボス。尻尾が弱点であることや這いまわって体当たりする攻撃方法はハイラルのヘラの塔のボスである、通常の「デグテール」と同じ

▷デグトード

トワイライトプリンセス　トワイライトプリンセス HD

湖底の神殿の中ボス。部屋の天井に張りついて獲物を待ち構えている。背中に大量のタマゴをしょっており、タマゴから「オタマ」をかえして攻撃したり、ジャンプからの押しつぶしで攻撃してくる

▷デグドガ

ゼルダの伝説

ふしぎの木の実

ビームを放つ超大型のウニ。小さく分裂する。『ゼルダの伝説』ではLEVEL5の迷宮のボス。あまりに巨大な体のため衝撃波を受けると体がしぼむ。『ふしぎの木の実』では『大地の章』に登場、一角獣の洞くつのボス

▷デグドドンゴ

4つの剣+

L8の天上の世界のボス。巨大な青い体をした「ドドンゴ」で、口から勢いよく炎を吐き攻撃してくる。雲の上の天上の世界で、「グフー」のいる風の宮殿への砦を守護していた。大きな爆弾も一飲みにしてしまうが、一度の体内爆発では倒れないほどの頑丈さを持つ

▷デクドン

夢をみる島DX

『夢をみる島DX』のみに登場する服のダンジョンの中ボス。全身が岩のような物質でできていて、ノシノシとゆっくりした動きをする。一度攻撃を当てると暴れだし、上から多数の岩を降らせてくる

187

▷デクナッツ

時のオカリナ

時のオカリナ 3D

ふしぎの木の実

頭に葉を生やして蓑をかぶった小型の生物。草の中から顔を出して口からデクのタネを吐いてくる。タネを盾で跳ね返して当てると巣から飛び出して逃げ回る。話しかけた際には、語尾に「ッピ」を付ける特徴的なしゃべり方をする。ひとつの種族として国を作り王制を敷いたり、最初から友好的に接する者も。『ふしぎの木の実』では『大地の章』に登場 ➡P.046（1章）

▷テクノボコブリン

スカイウォードソード

小鬼の魔物「ボコブリン」の一種。機械的なマスクを被り、高度な古代技術から生み出されたという、電撃を帯びたこん棒を武器とする。こちらの攻撃をこん棒を構えてガードしてくるため、剣で触れるとしびれてダメージを受ける。服装は当時のボコブリン族で流行したものらしい ➡P.096（1章）

▷デクババ

時のオカリナ

時のオカリナ 3D

ムジュラの仮面

ムジュラの仮面 3D

トワイライトプリンセス　トワイライトプリンセス HD　スカイウォードソード

主に緑豊かな場所に生息する植物型の魔物。地中に隠れて、獲物が近づくと突然首を伸ばし噛みつく。デクの棒、デクの実の材料となり、派生種も多い
関連 大デクババ、バイオデクババ、ババレシア、ファイババ、ヘビババ、ボコババ、ミニババ、ヨツババ

▷デグバブル

リンクの冒険

夢をみる島DX

「バブル」の集合体で体当たりをしてくる。『リンクの冒険』では大神殿に出現する。動きは遅いが触れると魔力を吸い取ってくる。攻撃すると2体のバブルに分裂する。『夢をみる島』ではダンジョンの地下通路に出現するが倒せない

▷デグヒップ

トワイライトプリンセス

トワイライトプリンセス HD

天空都市に生息する、前面と側面を硬い甲殻で守る魔物。背後からの攻撃には弱い点などは「ヒップループ」と似ているが、ひと回り大きな体躯で、殻を奪うことは不可能。ただし、大きいぶん動きが鈍い 関連 ヒップループ

▷デグフレム

夢をみる島DX

カメイワのボス。溶岩の中から現れる巨大な炎の魔物。高速で体当たりや溶岩のしぶきで攻撃してくる。マジックロッドから放つ魔法以外の攻撃は原則的に受け付けない。ダメージが蓄積すると炎が落ち、本体が露出する

▷デクレシア

トワイライトプリンセス

トワイライトプリンセス HD

森の神殿で道を塞ぐ、巨大な肉食の植物。生えた場所から動くことはないが、上を通過したり落ちてきた獲物を見境なく飲み込む。頑丈な外殻を持ち、剣での攻撃は効かないが内側はもろい
関連 ババレシア

▷デグロック

神々のトライフォース

カメ岩のボスの、巨大な亀の魔物。背中には炎、氷を吐く首と、伸縮自在な本体の首の3つの頭を持つ。背中の2本の首を倒すと甲羅が割れ、蛇のような姿になった本体が襲いかかってくる

▷デスアモス

ムジュラの仮面

ムジュラの仮面 3D

ロックビルの神殿の衛兵。宙を漂い侵入者を押しつぶそうとしてくる。胸部を光の矢で撃つと逆立ち状態になり、そのまま落下させると倒せる。最後は自爆する機能がある 関連 アモス

▷デスタルフォス

ふしぎの木の実

『時空の章』に登場する、いにしえの墓の中ボス。巨大な鎌を持った、死神の「スタルフォス」。黒い弾を吐き出して攻撃してくる。弾をはじき返してデスタルフォスに当てると、コウモリに変化する ➡P.098（1章）

▷テスチタート

ゼルダの伝説

ふしぎの木の実

4つの剣+

4つの特徴的な部位を持つ魔物。その姿は登場タイトルによって大きく異なる。『ゼルダの伝説』ではLEVEL3の迷宮のボス。『ふしぎの木の実』では『大地の章』に登場、古代の遺跡のボス。『4つの剣+』ではL3ハイラルの東の海岸のボス

▷デスプレコ

ムジュラの仮面

ムジュラの仮面 3D

水中に棲息する、鋭い牙とヒレを持った大きな骨魚。多数の「スカルギョ」を周りに引き連れている
関連 スカル魚

▷デスボール

夢をみる島DX

ブラックホールのような性質を持つ魔物。周囲のものを吸い込むタイプと、空気を吐き出し周囲に寄せつけないタイプの2種類が存在する。移動はせず、ダンジョンの特定の部屋に待ち構えている。吸い込まれるとダンジョンの入口まで戻されてしまう。ペガサスの靴でダッシュしないと、空気を吐き出すタイプのデスボールには近づけない

▷鉄球兵士

●鉄球兵士（黒）／▲兵士（鉄球・銀）

神々のトライフォース

夢をみる島DX

ふしぎの木の実

4つの剣

4つの剣+　ふしぎのぼうし　神々のトライフォース2

トライフォース3銃士

鎖につながれたトゲ付きの鉄球を振り回し攻撃してくる兵士。『神々のトライフォース』では捕らわれたゼルダ姫の牢屋を守っているなど、何かの番人をする中ボスとして立ちはだかることが多い

▶鉄球兵士（金）
● 兵士（鉄球・金） ／▲兵士（炎鉄球・金）

神々のトライフォース

神々のトライフォース2

トライフォース3銃士

金色の鎧をまとった「鉄球兵士」。普通の鉄球兵士よりも格上で体力も高く、さらに『トライフォース3銃士』では振り回す鉄球に炎をまとわせることで攻撃力を増している

▶デッコンギョ

スカイウォードソード

フロリア湖などに生息する巨大な魚の魔物。こぶのような大きな額が特徴で、その立派さで群れでの力関係が決まるとされる。非常に凶暴な性格で、標的を見つけると興奮し、勢いよく突進してくるが、自身でもスピードを制御しきれず岩や壁にぶつかり気絶することも

▶デッドロック

神々のトライフォース

4つの剣+

神々のトライフォース2

トライフォース3銃士

機敏に動き回る小型の恐竜の魔物。武器やアイテムで攻撃すると、攻撃されたその場で石化する。倒すためには石化の後にハンマーで叩く必要がある。『神々のトライフォース』や『4つの剣+』では魔法などでスライム化させても倒せる

▶デドハンド

時のオカリナ

時のオカリナ 3D

井戸の底のボスで、闇の神殿の中ボス。血痕らしき斑紋の浮いた胴体と、長い首を持った人型の魔物。普段は地中に潜り、長く伸びる白い手を地上に無数に伸ばしている。手に捕まると本体が姿を現し、剣での攻撃が通用するようになる。捕まってもダメージは受けないが、しばらく身動きがとれない

▶デビラント

神々のトライフォース

神々のトライフォース2

アリジゴクの魔物。砂地にすり鉢状のくぼみを作り、中心で獲物を待ち構える。『神々のトライフォース』では青と赤の2種類が存在し、体色が赤いものは火の玉を吐く。『神々のトライフォース2』ではサンドロッドで砂から出せる

▶デラゾル

4つの剣

岩山のほらあなステージのボスで、巨大なナメクジの魔物。グフーの直属の部下。姿を消したり分身したりと多彩な攻撃方法を持つが、ダメージが蓄積するたびに小さくなり、最後には4色の風船の弱点があらわになる

▶テレサ

夢をみる島DX

『スーパーマリオブラザーズ』シリーズからのゲスト敵キャラ。つぼのどうくつの暗い部屋に出現する。侵入者の方に向かってくる。こちらが攻撃しても姿を消してしまい、ダメージを与えられない。魔法の粉などで部屋を明るくすることで動きが鈍くなり、剣で倒せるようになる

▶デンキブロブ

神々のトライフォース2

トライフォース3銃士

ゼリー状の魔物「バズブロブ」の亜種で、常に電気をまとっている。剣で攻撃すると感電しダメージを受けてしまう。主にフィールド上など自然豊かな場所に生息している　関連 バズブロブ

▶デンキブロブキング

トライフォース3銃士

森林エリアに出現する「デンキブロブ」たちの王様。森林エリアの中ボスにあたり、ビリビリ洞窟の最後に出現する。通常の何倍も大きな体に王冠をかぶっている。帯電するだけでなく、電気をためた後四方に電撃を放って攻撃してくる

▶デンキブロブクイーン

トライフォース3銃士

水源エリアに出現する「デンキブロブ」たちの女王。水源エリアの中ボスにあたり、かえらずの淵の最後に出現する。ピンク色の巨体に小さな王冠をかぶっている。水中に住んでおり、ダメージを受けると水中に身を隠す

▶テンドル

神々のトライフォース

神々のトライフォース2

トライフォース3銃士

主に砂漠に生息するコンドルのような姿の怪鳥。普段はサボテンや崖の上で休んでいたり、上空を飛んでいたりと攻撃できない場所にいるが、通行人を見つけると周囲をぐるぐると旋回し体当たりで攻撃してくる

▶とうぞく

神々のトライフォース

4つの剣+

体当たりを仕掛けてルピーや爆弾、矢といったアイテムをばらまかせ、落としたアイテムを盗み取る。体当たりされてもダメージは受けないが、倒すこともできない。『4つの剣+』では、カカリコ村に潜み荒している

▶トーチスラグ

時のオカリナ

時のオカリナ 3D

トワイライトプリンセス

トワイライトプリンセス HD

炎を吹き出すナメクジの魔物。主に火山地帯に生息する。『時のオカリナ』ではメガトンハンマーを使うとひっくり返せる。『トワイライトプリンセス』では天井に張りついていることが多く、下を通りかかると落ちてくる

▶トーテムアモス

トライフォース3銃士

上に乗ることで動く石像。モリブリンなどの敵が上に乗ってトーテムを作り、小さく飛びはねながら動く。上に乗っている敵を倒すと制御不能になって暴れまわり、一定時間で爆発する。停止中に上に乗ることで操作することも可能　関連 アモス

▶トーテムナッツ

トライフォース3銃士

「デクナッツ」の一種。射程圏内に入ると足もとに植物を使ったトーテム状態で地中から出現し、ナッツ球を吐いて攻撃してくる。警戒心も強く、近づきすぎると一瞬で地中に潜り身を守る　➡P.046（1章）

▷毒ムイ

トワイライトプリンセス

トワイライトプリンセス HD

砂漠の処刑場などに潜む。大群で襲いかかり、全身にまとわりついてくる小さな虫。ダメージは受けないが移動速度が極端に落ちるため、留まっていると沈む流砂の上で襲われると危険度が増す

▷ドクロナイト

夢をみる島DX

ふしぎの木の実

ダンジョンに出現する、ロープを身にまとったドクロの魔物。槍を投げて攻撃してくる

▷ドクロナイトソード

夢をみる島DX

ふしぎの木の実

ダンジョンに出現する、ロープを身にまとったドクロの魔物。剣で攻撃してくる

▷トゲゾー

夢をみる島DX

ふしぎの木の実

4つの剣

ふしぎのぼうし

『スーパーマリオブラザーズ』シリーズからのゲスト敵キャラ。剣の通用しない硬い甲羅と鋭いトゲを持つ生物。近づくと素早く体当たりをしてくる。盾ではじいたり下突き、一部のアイテムを使えばひっくり返すことができ、弱点の腹を狙える

▷トゲチュチュ

ふしぎのぼうし

スライムのような「チュチュ」の一種。体色は灰色で、こちらから攻撃しようとするとトゲを出して防御してくる。トゲを出している間は大半の攻撃が効かない。トゲのない間に回転斬りを使うと気絶して、剣で攻撃できるように
➡P.101（1章）

▷トゲテントウ（青）

ふしぎのぼうし

トゲの付いたドクロのような模様を背に持つ虫の魔物で、湿地帯のタバンタ秘境などに生息。標的を見つけるとグルグルと回るように動き、斬りつけると動きが激しくなる。しかし盾ではじくと、一瞬だけ動きが止まる

▷トゲテントウ（赤）

ふしぎのぼうし

トゲの付いたドクロのような模様を背に持つ虫の魔物で、植物の豊富な森のほこらなどに生息。標的を見つけるとグルグルと回るように動き、斬りつけると動きが激しくなる。しかし盾ではじくと、一瞬だけ動きが止まる

▷ドシン

夢をみる島DX

カギのあなぐらの地下通路で待ち構える、いかつい顔をした四角い岩。体当たりをすると驚いた表情になり下に落ちる
関連 ドッスン

▷ドスボーン

大地の汽笛

マラドーを倒すための光の弓が安置された、砂の神殿のボス。古代魔人族ドスボーン。ガイコツのような首だけの魔物で、首の骨部分は強固な鎧でガードしている。砂地の中央に陣取り動かないが、岩を打ち出したりビームを撃って標的を狙う

▷とたけけ

夢をみる島DX

海岸のヤシの木の上からヤシの実を投げつけてくるサル。たまに爆弾を投げてくる。ペガサスの靴でヤシの木に体当たりをすると木から落ちて逃げていく。ワンワンを連れていると、とたけけを丸飲みしてくれる

▷ドッグラー

ふしぎの木の実

『時空の章』に登場する月影のほこらの中ボス。ドリルの鼻を持つモグラの魔物で、砂の中を移動し、鼻を突きだして攻撃してくる

▷ドッスン

4つの剣+

『スーパーマリオブラザーズ』シリーズからのゲスト敵キャラ。終盤の風の塔に出現。原作と同じように、空中にとどまっていて、下を通る者を急降下し押しつぶそうとしてくる
関連 オシン、コトン、ドシン、ひとつ目ドスン

▷トッポ

神々のトライフォース

草むらに住む、大きな耳を持つウサギのような生物。草原でジャンプを繰り返す。ジャンプした後に着地する地点の草を刈ると身動きが取れなくなり、負け惜しみの台詞とともにハートやルピーなどのアイテムを残して消える

▷ドドンゴ

ゼルダの伝説

夢をみる島DX

時のオカリナ

時のオカリナ 3D

ムジュラの仮面

ムジュラの仮面 3D

ふしぎの木の実

4つの剣+

トワイライトプリンセス

トワイライトプリンセス HD

小型の地竜。表皮は硬く通常の攻撃を一切通さない。倒すには爆弾を食べさせる。主に小さめの個体を指すが、『ゼルダの伝説』ではLEVEL2の迷宮のボス。『ふしぎの木の実』では『大地の章』に登場　関連 ベビードドンゴ

▷ド・ボーン

夢をみる島DX

『夢を見る島DX』にのみ出現する服のダンジョンのボス。大型の「ボーン」。ダメージによって次々と色を変える水晶のような頭を持ち、攻撃すると通常のボーンのように敵をはじく性質を持つ。弾を飛ばしたり、頭部が危険を示す赤色になるとスタルフォスをけしかけて攻撃してくる

▷ドラゴンフライ

ムジュラの仮面

ムジュラの仮面 3D

ウッドフォール地方やロックビルの神殿に生息する巨大なトンボ。空中でホバリングしながら電気のたまった尻尾を叩きつけてくる

▷ドロボウ

トライフォース3銃士

大きな腕に、勇者と似た髪型やトンガリ耳を持つ白いお化け。不気味な笑い声とともに現れてプレイヤーを担ぎ、奈落に投げ落としてくる。一度担がれると自力では脱出できず、仲間と協力して倒す必要がある　関連　ポゥ

▷ドン・キラー
→ RS-003K　ドン・キラー

▷ドン・ゲラー
→ RS-002G　ドン・ゲラー

▷ドン・シザード

大地の汽笛

火の大地にある神殿付近の線路沿いに出現する「シザード」の亜種。小型の赤い象のような見た目で、耳を翼にして飛行する。3匹がそれぞれひとつずつ神殿のカギを守っている。「ポッポー」と特定のリズムで鳴る汽笛の音が苦手

▷トンドル

4つの剣+

デスマウンテンに生息する、コンドルのような姿の鳥の魔物。標的を発見すると円を描きながら飛び回り、突進してくる。向かってきたところを迎え撃って剣で反撃すれば倒せる

ナ行

▷ナックルマスター

神々のトライフォース2

ドクロの森のボスで、同ダンジョン内に数多く登場する「フォールマスター」の親玉的存在。強烈な上からのたたきつぶしのほかに、拳を丸めて突進してくる。突進パンチは素早いうえに追尾能力も高く、走っても逃げきれないほど

▷ナリシャ

スカイウォードソード

スカイロフトの積乱雲内部に住む、女神に仕え空を統治していた大精霊。人語を解し、トライフォースのありかを示す勇者の詩の一節を、選ばれし勇者へ伝える役割を担う。「パラスパラス」に寄生され暴走していた　関連　パラスパラス

▷ナルドブレア

トワイライトプリンセス　トワイライトプリンセス HD

覚醒炎翼竜ナルドブレア。天空人たちの住む天空都市を襲撃し支配した飛竜のボス。陰りの鏡の魔力でより強く、凶悪な性格になり天空都市を荒らしている。黒い甲冑で身を固めるが、ダメージを受けると身軽になり、より高い位置を飛行するように

▷ニセリンク

神々のトライフォース①　神々のトライフォース②　神々のトライフォース③　神々のトライフォース④

『神々のトライフォース&4つの剣』で両方をクリアすると、『神々のトライフォース』側で出現する4つの剣の神殿のボス。リンクの偽物。『4つの剣』と同じく①「グリーン」②「レッド」③「ブルー」④「パープル」の4色が登場する
→ P.094（1章）

▷ニョロンゾ

夢幻の砂時計

ゴロンの神殿に生息する、するどい牙を持つひとつ目のヘビ。集団で現れ、標的に向かって突進してくる。ただし体力は低いので剣の一撃で倒せる

▷ヌラヌール

神々のトライフォース　ふしぎのぼうし　神々のトライフォース2

『神々のトライフォース』『神々のトライフォース2』では爆弾を置いて動き回るナメクジ。『ふしぎのぼうし』では時々天井から落ちてきて、ゆっくり床を這う普通のナメクジ。こちらが小さくなっているため、巨大ナメクジに見える

▷ネオリーク

神々のトライフォース2　トライフォース3銃士

主に水辺や氷のある地域に生息する。高い位置を浮遊し、花のように開く口から連続して爆弾を吐き出して攻撃してくる。通常では剣やアイテムも届かないため、高さを稼ぐ必要がある　関連　ファイアネオリーク

▷ネジロン

ムジュラの仮面　ムジュラの仮面 3D

イカーナへの道に出現する火薬のかたまりの魔物。突如地面から顔を出し、丸まって転がりながら襲ってくる。攻撃すると自爆する。石コロのお面をかぶっていると地面から顔を出さない

▷ノックン

4つの剣

黒く硬い甲殻を持ち、フワフワと空中をただよう不思議な魔物。攻撃を受けると殻を閉じ、防御態勢に入って攻撃を受け付けない。防御態勢の際に持ち上げて投げつけると勢いで殻が開き、剣で攻撃が可能に　関連　ヒックン

▷ノモス

神々のトライフォース　夢をみる島DX　ふしぎの木の実

「バズブロブ」に魔法の粉をかけて変化した姿。珍しく会話のできる魔物で、話しかけると駄洒落や関西弁などをしゃべる。触れると通常のバズブロブと同じようにダメージを受ける　関連　バズブロブ

ハ行

▷ハーラ・ジガント

トワイライトプリンセス

トワイライトプリンセス HD

砂漠の処刑場のボス。蘇生古代獣ハーラ・ジガント。死して骨となった古代獣の額に、ザントが剣を刺して影の力を与え復活した。体を砕いても首だけで浮遊し、火の弾を飛ばして攻撃してくる　➡P.098（1章）

▷ハーロン

ふしぎの木の実

『時空の章』に登場する魂の墓のボスで、ジャック・オ・ランタンのようなカボチャ頭を持つ。しかしその外見は見せかけで、胴体を破壊し頭部を持ち上げると中身の小さな本体があらわになる

▷バイア

ゼルダの伝説

夢をみる島DX

ふしぎの木の実

翼を持った悪魔。『ゼルダの伝説』『夢をみる島』では、攻撃を受けると「キース」に分裂。『ゼルダの伝説』では4つの目を持ち、迷宮内を跳びはねる。『ふしぎの木の実』では関西弁を操りツインローバの手下として働く

▷バイオデクババ

ムジュラの仮面

ムジュラの仮面 3D

茎を切ると頭だけで襲ってくる新種の「デクババ」。普段は蓮の下に生息しているが、蓮の茎を切ると水底を歩き出す。注目せずに頭を直接ブーメランで攻撃すれば、茎を切らずに一撃で倒すことができる　関連 デクババ

▷ハイリアオオスズメ蜂

トワイライトプリンセス

トワイライトプリンセス HD

トアルの森などに生息し、巨大な巣をつくるハチ。近づくぶんには無害だが、巣を攻撃すると大群で襲いかかってくる。巣の中のはちのこは栄養が豊富なことで有名で、釣りのエサに最適なほか、人間もそのまま食べられる　➡P.062（1章）

▷爆弾魚

トワイライトプリンセス

トワイライトプリンセス HD

ダンジョン内の水中などに生息する魚の魔物で、球体のような体と無数の牙が特徴。強い衝撃を与えると体を丸め、一定時間で自爆する危険な生態をもつ。釣り竿を使うと釣り上げることも可能で、水中爆弾としてストックできる

▷爆弾虫

トワイライトプリンセス

トワイライトプリンセス HD

非常に長い手足に球体のような体が特徴の虫型の魔物。普段は足を伸ばして体を持ち上げて待機しており、その際は人間と同等程度の高さになる。なんらかの衝撃を受けると体を丸め、一定時間で爆発する

▷爆弾兵士
●爆弾兵／▲兵士（バクダン）

神々のトライフォース

4つの剣+

神々のトライフォース2

トライフォース3銃士

城壁の上や離れた場所から爆弾を投げて攻撃をしてくる兵士。剣が届かないところにいることが多いので、素早くくぐり抜けてやり過ごすか、爆弾が爆発する前にそのまま投げ返して対応するのが効果的

▷パゴパゴ

リンクの冒険

水のあるところに生息する肉食性の骨魚。岩を吐きながら飛び出し攻撃してくる。群れをなして獲物を狙う。食べた肉は骨の間からこぼれ落ちるため、食欲が満たされることはない　関連 ファイア・パゴパゴ

▷はさみクワガタ

ふしぎのぼうし

小さく黄色い体の前方に、青く巨大なはさみを持つクワガタのような魔物。はさみは鋼鉄のように硬く、剣の攻撃は簡単にはじき返してしまうほど。また、攻撃時にははさみをブーメランのように飛ばす。しかし、飛ばしている際の本体は無防備になる

▷ハジケラ

トワイライトプリンセス

トワイライトプリンセス HD

非常に長い胴体を持つ虫型の魔物。タイル状になっている床の地中に潜む。タイルを頭に乗せて擬態し、上に標的が乗ると飛び出してはじき飛ばす。人ひとりなら簡単に飛ばすパワーを持つが、重すぎると飛び出せずにもがく

▷バズ

神々のトライフォース

闇の世界のはぐれ者の村のダンジョン内、光の差し込む回廊などに生息する巨大な虫。壁に沿って素早く動き回り時折立ち止まるといった、光の世界の「グーズ」とよく似た行動パターンを持つ

▷バズブロブ

神々のトライフォース

夢をみる島DX

ふしぎの木の実

4つの剣+

短い足でゆっくり歩きまわる、目の付いた緑色のゼリー状の魔物。一部のタイトルでは帯電しているため、剣などで攻撃すると感電してダメージを受けてしまう。魔法の粉やシェイクの魔法によって、ノモスへと変化するタイトルも　関連 デンキブロブ、ノモス

▷パタオクタ

夢をみる島DX

羽の生えた「オクタロック」の派生種。口から岩を吐き、羽を使って飛び攻撃を器用にかわす。飛び道具やジャンプ攻撃が有効　➡P.100（1章）

192

▷パタフライ

夢幻の砂時計

海に生息する、非常に凶暴な性格の魚の魔物。海面から突然大きくジャンプして現れ、船に攻撃を仕掛けてくる。ただし海上での動きは鈍く、大砲を1発当てれば撃ち落とせる

▷パタラ

ゼルダの伝説

ふしぎの木の実

ダンジョンを飛び回る、目玉に羽の付いた魔物。ボス的な大サイズ1匹と、その周りを飛ぶ複数の小サイズの集団で行動する。『ふしぎの木の実 時空の章』ではいれかえフックの使用が有効

▷ハチ

神々のトライフォース

4つの剣+

夢幻の砂時計　大地の汽笛

神々のトライフォース2

木に体当たりしたり、巣を突いたり落としたりすると出現する虫。攻撃力も体力も低いが、追いかけて刺してくる。『神々のトライフォース』、『神々のトライフォース2』では捕えて空きビンに入れることができ、再び放てば敵を刺しに行ってくれる。『大地の汽笛』のハチは攻撃が当たらず倒せないため、家屋か水の中への避難が必要 ➡P.062（1章）

▷パックンフラワー

夢をみる島DX

『スーパーマリオブラザーズ』シリーズからのゲスト敵キャラ。横画面のマップに出現。土管ではなく柱のような場所からニョッキリと姿を現す

▷バッド・バット

ムジュラの仮面　ムジュラの仮面 3D

屋内外に集団で生息するコウモリ。近づく者に、頭上から飛びかかってくる。同じコウモリの「キース」とは異なり炎をまとって突進してくることはないため、炎による攻撃が効く

▷ババラント

トワイライトプリンセス　トワイライトプリンセス HD

覚醒寄生種ババラント。トアルの森の奥深くにある森の神殿にて遭遇するボス。神殿内に自生していた植物が、光の精霊によって封じられていた影の結晶石の黒き力の影響で巨大な魔物と化した姿

▷ババレシア

トワイライトプリンセス　トワイライトプリンセス HD

「デクババ」と「デクレシア」を配合したような植物系の魔物。高い生命力を持ち、頭部が破壊されても根元の花が残っていれば何度でも再生する。無差別に物を飲み込む性質がある
関連 デクババ、デクレシア

▷バブース

神々のトライフォース

闇の世界のダンジョンに出現する黒い影の魔物。目を光らせた後、壁の穴から現れて対面の壁の穴へと高速で移動する。攻撃しに向かってくることはない

▷バブル
●赤バブル

ゼルダの伝説

リンクの冒険

神々のトライフォース

夢をみる島DX

時のオカリナ

時のオカリナ 3D

ムジュラの仮面

ムジュラの仮面 3D

ふしぎの木の実

風のタクト　風のタクト HD　4つの剣

4つの剣+

トワイライトプリンセス　トワイライトプリンセス HD

夢幻の砂時計

大地の汽笛　神々のトライフォース2

触れた者に取り憑き呪いを与える人魂。大抵は宙に浮き炎に包まれたドクロの姿をしている。触れたときにダメージ以外の影響があり、その効果が一定時間剣が抜けなくなる、体力と同時に魔力が減るなどさまざま。『ゼルダの伝説』では赤と青がおり無敵を誇っていたが、その後は魔法の粉、ブーメランなどのアイテムで倒せるものが多くなる
関連 アイスバブル、青バブル、白バブル、ファイヤーバブル、緑バブル

▷バブロープ
➡ スカルロープ

▷パペット

トワイライトプリンセス

トワイライトプリンセス HD

迷いの森に住む「スタルキッド」が呼び出す、不気味なあやつり人形。スタルキッドの笛の音とともに出現し、スタルキッドを倒さないと無限に現れる。木でできているため、動くとカラコロと軽い音がなり、非常にもろい

▷パメット

神々のトライフォース

4つの剣+

夢幻の砂時計

神々のトライフォース2

トライフォース3銃士

ダンジョンに出現する亀の魔物。甲羅が硬く、通常攻撃が通用しない。ハンマーで叩くとひっくり返って身動きが取れなくなり、攻撃が効くようになる。『トライフォース3銃士』ではトーテムを組んで潜んでいることも

▷パラスパラス

スカイウォードソード

巨眼寄生種パラスパラス。スカイロフトの積乱雲内部に住む空の大精霊「ナリシャ」に寄生した、巨大な目とヒレを持つボス。寄生した宿主の心と体を意のままに操ることができ、ナリシャを暴走させる。近寄ってきた外敵には口から粘液の付いた弾を発射して攻撃する。目玉が弱点だが、ヒレが開いている間は攻撃できない　関連 ナリシャ

ハ

▶バリ(青)
●バリ

神々のトライフォース

トワイライトプリンセス

トワイライトプリンセス HD

神々のトライフォース2

一定間隔で電気をまとうクラゲのような魔物。放電中に剣で攻撃すると、逆にしびれてダメージを受けてしまうので、タイミングを見計らう必要がある。倒しても分裂しない

▶バリ(赤)
●バリ

神々のトライフォース

時のオカリナ

時のオカリナ 3D

ふしぎの木の実

神々のトライフォース2

一定間隔で電気をまとうクラゲのような魔物。放電攻撃だけでなく、一度倒すと複数の小さな「バリ」や「ビリ」に分裂する。分裂のしかたはタイトルによってさまざまだが、最後の一匹まで倒しきる必要がある。『時のオカリナ』では3匹に、ほかは2匹に分裂する　関連 ギガバリ、ビリ

▶バリ(金)

神々のトライフォース2

ロウラル王国の水のほこらに生息する金色の「バリ」。一定間隔で帯電し、帯電中に剣で攻撃するとしびれてしまう。倒すと2匹の「ビリ」に分裂する

▶バリ(銀)

神々のトライフォース2

ロウラル王国の水のほこらに生息する銀色の「バリ」。一定間隔で帯電し、帯電中に剣で攻撃するとしびれてしまう。同じダンジョンに出現する「バリ(金)」とは異なり、倒しても分裂しない

▶バリネード

時のオカリナ　時のオカリナ 3D

電撃旋回虫バリネード。ジャブジャブ様のお腹のボス。ジャブジャブ様に巣くう寄生虫たちの親玉で、長い触手を持つクラゲのような姿をした巨大な寄生虫。胴体を無数のクラゲで覆っている。触手の先から電撃を放ち、胴体を覆うクラゲを回転させて襲いかかってくる

▶バルタム(青)

リンクの冒険

神殿の要所を守ることを任された、「スタルフォン」の選りすぐりの兵士。兜をかぶり、攻撃力の高い剣を持つ。赤色の個体より強く、ジャンプをして下突き攻撃を連発してくる　関連 ヘルグーマ

▶バルタム(赤)

リンクの冒険

神殿の要所を守ることを任された、「スタルフォン」の選りすぐりの兵士。兜をかぶり、攻撃力の高い剣を持つ。盾の扱いの未熟さはスタルフォンと変わらず、上段から下段へのフェイントが有効　関連 ヘルグーマ

▶バルバジア
→ ヴァルバジア

▶バレリーネ

夢をみる島DX

ダンジョンに出現する星型の魔物。くるくると高速で回転をして部屋中を駆けめぐる。剣で簡単に倒せるが、予測できない動きをすることがある

▶バロム

ふしぎの木の実

『時空の章』に登場する王冠のダンジョンのボス。空中を漂う雲の魔物で、口から稲妻を放ってくる。分裂したバロムは、部屋に配置されたブロックに沿って動き、ブロックをうごかして分身同士をくっつけないとダメージを与えられない

▶ハンマーナック

トワイライトプリンセス

トワイライトプリンセス HD

雪山の廃墟で遭遇する中ボス。左右の狭い通路で戦闘する。チェーンハンマーを振り回し、敵に向かって投げて攻撃する。全身を強固な鎧で固めているため、唯一露出している尻尾以外には攻撃が通じない

ヒ

▶ピース

神々のトライフォース　夢をみる島DX　ふしぎの木の実　4つの剣+

大地の汽笛

神々のトライフォース2

川や湖など、水場に近い地上に生息する大きなハサミを持ったカニ。横方向への移動は素早く、縦方向は遅い。攻撃力はやや高いので、飛び道具を持たないうちは急な接近に注意が必要

▶ヒータス

大地の汽笛

岩のような甲羅を持つ、巨大なカメの魔物。炎の神殿に生息する中ボス。敵が近づいてくると手足を収めて突進し攻撃。甲羅に入った状態では攻撃は効かないが、電気には弱い。宝石のような青い額が弱点

▶ヒーダル

神々のトライフォース2

名前のとおり火だるまになった地竜。炎に包まれている間の体は非常に高温で、剣で触れるとダメージを受けるほか、這って歩いた地面も赤く高温になり、しばらく上を歩けなくなる

▶ピーハット

ゼルダの伝説

夢をみる島DX

時のオカリナ

時のオカリナ 3D

ムジュラの仮面

ムジュラの仮面 3D

ふしぎの木の実

風のタクト

風のタクト HD

4つの剣+

ふしぎのぼうし

スカイウォードソード

花や植物の化身。上部の花弁や葉を回転させて空中を飛び回る。『時のオカリナ』『ムジュラの仮面』では大型の個体が出現。根を切らないと倒せない。タイトルによっては攻撃してこず、クローショットで引っかけて移動に利用する場合も　関連 ボムハット、幼生ピーハット

▶ビーモス

時のオカリナ

時のオカリナ 3D

ムジュラの仮面

ムジュラの仮面 3D

風のタクト

風のタクト HD

4つの剣+

トワイライトプリンセス

トワイライトプリンセス HD

夢幻の砂時計

スカイウォードソード

トライフォース3銃士

ダンジョンに侵入者排除のため設置されている像。ひとつ目の頭部は360度回転し、敵を見つけるとレーザーで攻撃してくる。「ビム」と似ているが、ビーモスは爆弾や矢などの攻撃手段で行動停止するものが多い　関連 巨大ビーモス、ビム

▶ビック

神々のトライフォース

二足歩行をする狐のような生物。闇の世界のはぐれ者の村で待ち構え、標的に体当たりをしかけルピーや爆弾、矢といったアイテムをばらまかせて落としたアイテムを盗み取る。体当たりされてもダメージは受けないが、倒すことはできない。光の世界における「とうぞく」と同じ能力を持つ

▶ビッグポウ
●ビッグポー

時のオカリナ

時のオカリナ 3D

ムジュラの仮面

ムジュラの仮面 3D

4つの剣+

大型の「ポウ」。『4つの剣+』以外は倒すと魂を空きビンに入れられる。『時のオカリナ』ではハイラル平原に10体だけ出現。『ムジュラの仮面』ではイカーナ地方で出現、ギブドがその魂を要求してくる。『4つの剣+』ではL4の「ハイラル城への潜入」のボス　関連 ポウ

▶ヒックン

4つの剣

黒く硬い甲殻で覆われたひとつ目の魔物。一度攻撃すると殻を閉じ、それ以降一切の攻撃を受け付けなくなる。殻の側面には突起のようなものがあり、それを2人で引っ張ると引きちぎれる。中身はかなり伸縮性がある　関連 ノックン

▶ピッコロ

夢をみる島DX

オオワシのとうで「ピッコロ使い」に召喚され操られるコウモリの一種。6体の群れで襲いかかる。地上の近くを飛行するキースなどと異なり、ピッコロはより高い高度で飛んでいるため、襲ってくるときしか攻撃が通用しない

▶ピッコロ使い

夢をみる島DX

笛で子分の「ピッコロ」編隊を呼び出し、敵に襲いかからせる。ピッコロ使い自身は攻撃をするわけではなく、編隊を一度にすべて倒すことができれば、負け惜しみを言いながら退散していく

▶ヒップループ

神々のトライフォース

夢をみる島DX

ムジュラの仮面

ムジュラの仮面 3D

ふしぎの木の実

4つの剣

ふしぎのぼうし

トワイライトプリンセス

トワイライトプリンセス HD

神々のトライフォース2

トライフォース3銃士

仮面を付けた生物。突進してくる。頭部への剣の攻撃が通用しない。『ムジュラの仮面』のウッドフォールでは仮面を付けていない。『トワイライトプリンセス』では倒すと仮面が残り、ダンジョンでの謎解きに使用する場面も　関連 デグヒップ

▶ヒップループホバー

夢をみる島DX

LEVEL4ダンジョンのアングラーのたきつぼに登場する中ボス。部屋の中をぐるぐると突進するだけの単純な行動パターンながら、正面からの攻撃が効かない。弱点は頭の丸い部分

▶ビト

リンクの冒険

ハイラル全土に生息するゼリー状の生物。体を震わせながら移動する。本来は人を襲ってくることはないが、体の中にわずかに毒を持ち、触れると体力を奪われる　関連 ボト

▶ヒドカリ

スカイウォードソード

巨大なヤドカリに似た魔物。殻のほかに古代生物の骨を背負っていたり、かぶるのではなく狭い穴などを宿としていたりすることもある。臆病な性格で、近づくと殻の中に隠れて火を吹くため、近寄ることができない

▷ひとつ目ドスン
●ひとつ目ドスン

夢をみる島DX

ふしぎの木の実

ダンジョンの地下通路に待ち構えているひとつ目の四角い大岩。側面と下部にはトゲが生えているが、上部は平らで乗ることができる。人が下を通ると落ちてくる　関連 ドッスン

▷ヒドドリー

スカイウォードソード

鮮やかな赤い体色に4枚の翼、そして長い尾を持つ怪鳥。炎を食べて生きているとされる。見た目は美しいがれっきとした敵であり、上空を飛行し火の玉を吐き出して攻撃してくる。尾の先端は輪っか状になっていて、ムチを引っかけられる

▷ヒノックス

神々のトライフォース

夢をみる島DX

4つの剣+

夢幻の砂時計

神々のトライフォース2　トライフォース3銃士

ひとつ目の巨人。攻撃力と体力に秀で、爆弾を投げて攻撃してくる。岩をつかんで投げたり、突進してくるものも。シリーズを通して爆弾を扱うが、自身も爆弾の爆風に弱い。『神々のトライフォース2』ではルピーを差し出して命乞いをするヒノックスもいる

▷ヒノックス（雪玉）

神々のトライフォース2

デスマウンテンなど雪の積もる地域に生息する、ひとつ目の巨人。雪玉を作って投げつけてくる。体が頑丈で、体力も多い強敵。また、寒い地域に生息しているからか冷気にも強く、氷による攻撃が効かないのも特徴

▷ヒノックスブロス三男

トライフォース3銃士

長男・次男とは異なり、要塞エリアのバクダン保管庫でのみ登場。兄たちよりも爆弾の扱いに長け、大きくて威力も強い大爆弾を投げてくる。大爆弾は投げ返すことができない

▷ヒノックスブロス次男

トライフォース3銃士

火山エリアのヒノックス坑道と要塞エリアのバクダン保管庫で行く手を阻む中ボス。長男がダメージを受けると、遅れて加勢にやってくる。どちらのステージでも長男と同じように爆弾を投げて攻撃してくる

▷ヒノックスブロス長男

トライフォース3銃士

火山エリアのヒノックス坑道と要塞エリアのバクダン保管庫で行く手を阻む中ボス。前者では勇者たちが乗るトロッコに並走してきて、爆弾を投げ込んでくる。後者ではランダムで開く窓から出現し、勇者たちに向けて爆弾を放り投げてくる

▷ビム

神々のトライフォース

夢をみる島DX

ふしぎの木の実

ダンジョン内に配置され、ひとつ目を360度回転させ監視をしている石像。視線の先に侵入者を発見すると高速のビームを撃つ。ブロックなど部屋の障害物に隠れればビームを防げるが、生半可な盾では受け止められない　関連 ビーモス

▷ヒュー

神々のトライフォース

神々のトライフォース2

闇の世界やロウラルに出没する幽霊。目と口の部分に穴の開いたボロ布を全身にまとい、ランタンを持って一定の場所をフワフワと浮遊している

▷ビヨーンおばけ（青）

夢をみる島DX

『夢をみる島DX』の服のダンジョンのみ現れる。自身の体色と同じ色の床に潜み、近づくと突然手首と体をビヨーンと伸ばして襲いかかってくる。赤や緑のものよりも数が少なく、わずかに動きが素早い

▷ビヨーンおばけ（赤）

夢をみる島DX

『夢をみる島DX』の服のダンジョンのみ現れる。自身の体色と同じ色の床に潜み、近づくと突然手首と体をビヨーンと伸ばして襲いかかってくる

▷ビヨーンおばけ（緑）

夢をみる島DX

『夢をみる島DX』の服のダンジョンのみ現れる。自身の体色と同じ色の床に潜み、近づくと突然手首と体をビヨーンと伸ばして襲いかかってくる

▷ビリ
●ビリ（赤）

時のオカリナ

時のオカリナ 3D

ふしぎの木の実

神々のトライフォース2

宙を漂い、一定間隔で電気をまとう小さなクラゲのような魔物。帯電しているときに剣で攻撃すると感電してダメージを受けてしまう。倒されて「ビリ」に分裂する「バリ」もいる。『ふしぎの木の実』では『時空の章』に登場する
関連 バリ

▷ビリ（金）

神々のトライフォース2

ロウラル王国の水のほこらなどに生息する「ビリ」。「バリ（金）」倒すと、この金色のビリ2匹に分裂する。電気をまとって攻撃をしてくるのは、ほかの色のビリと変わらない

▷ビリ（紫）

ロウラル城で出現する「ビリ」。「ビリ（赤）」や「ビリ（金）」よりも体力が多い最上位種となっている。ほかのビリと同じく一定間隔で帯電し、その間に剣で攻撃するとしびれてしまう

神々のトライフォース2

196

▷ヒ ▷ビリッポ

スカイウォードソード

砂漠地帯に生息し、流砂の中に身を潜めている丸いカエルのような魔物。外敵の気配を感じると顔を出し、電気の弾を放ってくる。弾の弾速はかなり遅いが、3回連続で放つこともある　関連 マグッポ

▷ひれピラニア

夢をみる島DX

ふしぎの木の実

4つの剣

頭部に巨大な背ビレを持ったピラニア。水の中からジャンプをして体当たりをしてくる。雲の中に住む派生種も存在する。『ふしぎの木の実』では『大地の章』に登場　関連 くもピラニア

▷ピログース

神々のトライフォース

水のほこらに生息する魚のような姿をした魔物。壁の穴から現れ水路に落ち、そのまままっすぐ泳ぐ。進行方向にいなければ体当たりされることはない

▷フ ▷ファイアーギモス

神々のトライフォース2

悪魔の魂が宿る石像「ギモス」の一種で、熱い溶岩でできている。溶岩などがある場所に配置され、近づくと動き出す。直接、または剣で触れても熱でダメージを受けてしまうが、氷などで冷やせば剣で攻撃できる　関連 ギモス

▷ファイアウィズローブ
→ ウィズローブ（炎）

▷ファイアキース

時のオカリナ

時のオカリナ 3D

ムジュラの仮面

ムジュラの仮面 3D

ふしぎの木の実

風のタクト

風のタクト HD

トワイライトプリンセス

トワイライトプリンセス HD

夢幻の砂時計　大地の汽笛　スカイウォードソード

トライフォース3銃士

炎をまとった「キース」。元から炎を帯びたものと、燭台の火などをくぐり抜けて後から炎をまとったものの2種類が存在する。通常のキースと同じように空を飛び体当たりしてくるが、炎に触れると燃え移ってダメージを受けてしまう。盾で体当たりを防いだり、特定のアイテムを使うと炎が消え、ただのキースに戻るものもいる　関連 キース

▷ファイアネオリーク

トライフォース3銃士

水辺にすむ「ネオリーク」の亜種で、火山や砂漠などの高熱地帯に生息。赤く光りながら空中を浮遊し、花のような口から炎の弾をまき散らしてくる。高い位置にいるため足場を利用するか、仲間同士で助け合って高さを合わせ攻撃する必要がある　関連 ネオリーク

▷ファイア・バゴバゴ

リンクの冒険

大神殿の炎の池に放たれた「バゴバゴ」。肉食性の骨魚。炎を吐きながら飛び出し攻撃してくる。群れをなして獲物を狙う。食べた肉は骨の間からこぼれ落ちるため、食欲が満たされることはない　関連 バゴバゴ

▷ファイアポーン

トライフォース3銃士

大きく弾力のある頭が特徴の「ポーン」の亜種で、炎をまとっている。剣で斬ると炎で反撃されてしまうが、空気ツボなどで炎を消したり気絶させれば、剣での攻撃が可能に。弾力のある頭は通常のポーンと同じで、斬りつけると大きく後ろにはじかれる　関連 ポーン

▷ファイアモア

リンクの冒険

人が近づくと覗きにくる、好奇心の強いひとつ目の幽霊。神殿に出現し、フワフワと浮遊して方向転換をしながら炎を落とし、去っていく

▷ファイアローブ
→ ウィズローブ（炎）

▷ファイス

ふしぎの木の実

『大地の章』に登場する、剣と盾のダンジョンの中ボスで、炎と氷の2つの属性を持つ。ハテナの実を受けると属性が変化する性質を持つ

▷ファイババ

大地の汽笛

食欲旺盛な植物の魔物。巨大な口にはするどい牙が生えていて、近づいた人間すら丸のみに。また、炎を吐いても攻撃してくる。見境なくなんでも丸のみにするので、爆弾を食べさせるのが有効　関連 デクババ

▷ファイヤーバブル

トワイライトプリンセス

トワイライトプリンセス HD

空中を飛ぶドクロ「バブル」の一種で、同タイトルの「バブル」に対して体に炎をまとっているタイプ。翼で空を飛び回り、体当たりで攻撃してくる。剣で攻撃すると羽を失い、地面を飛び跳ねて移動する　関連 バブル

▷ファンギン

神々のトライフォース

4つの剣+

神々のトライフォース2

氷のある場所に群れをなして生息するペンギンの魔物。氷の床を利用して腹で滑って突進してくることも。一体一体は強くないが、集団で出現し襲ってくる

▷ファントム

夢幻の砂時計

大地の汽笛

神殿を警備する屈強な守護者。背中が唯一の弱点で、聖なる力を持つ剣でのみ倒せる。『大地の汽笛』では本来良い人間は襲わないはずだが、神の塔が支配された影響で魔物の魂が入り込んでしまっている

関連 アイアンファントム、スプリンターファントム、ダークファントム、フレイムファントム、ワープファントム

▶ファントムアイ

夢幻の砂時計

大地の汽笛

プロペラ付きの小さな警備機械で、空中を飛び回り周囲を監視している。侵入者を見つけると、攻撃はしてこないが警報を鳴らしてまとわりつき、「ファントム」を呼ばれてしまう

▶ファントムガノン

時のオカリナ

時のオカリナ 3D

風のタクト

風のタクト HD

4つの剣+

闇の力で生み出されたガノンドロフの幻影。光の弾を放って攻撃してくる。『時のオカリナ』では森の神殿のボス、異次元悪霊ファントムガノン。『風のタクト』では魔獣島や海底のハイラル城にあるガノン城の中ボス。後者では分身なども使ってくる。『4つの剣+』ではハイラル城、暗黒の神殿などのボス ➡P.016（1章）

▶ファントムザント

トワイライトプリンセス

トワイライトプリンセス HD

影の宮殿の東西の塔の奥で襲ってくる、「ザント」の幻影。テレポートで移動しながら巨大な紫の弾を作り出し、闇の生物や闇の使者を召喚してくる。ファントムザント自身は攻撃してこない

▶ファントムライダー

トワイライトプリンセス

トワイライトプリンセス HD

大魔王ガノンドロフとの馬上での戦闘の際に出現。ガノンドロフが駆る馬に背後から近づくと、一度に5体召喚し、後方に向けて横一列で突進攻撃を仕掛けてくる。剣で一度斬りつければ消滅する

▶封印されしもの

スカイウォードソード①

スカイウォードソード②

スカイウォードソード③

封印の地の谷底に封じられていた異形の者。魔王の魂の器とされる。①女神のハープを受け取った直後に戦う。封印の神殿を目指し谷を登る。②時の扉を開こうとした際に復活。手が生え段差を越えて登ろうとする。③勇者の詩の収集の際に戦う。尻尾が生え、さらに背後の輪で空中を飛行する　関連 終焉の者

▶フーオクタ

夢幻の砂時計

竜巻魔空魚フーオクタ。風の神殿のボスで、竜巻をまとったタコの魔物。空中を自由に移動している。空から竜巻を放ってきたり、急降下で体当たりをしてくる。爆弾を竜巻の風に乗せ上空へと打ち上げると攻撃できる。命中すると気絶して落ちてくる ➡P.100（1章）

▶ブーン

リンクの冒険

ハイラルの一部に生息するお化けバエ。通りかかる人を突然襲う害虫として知られている。素早く飛び回り、真下に石を落としてくる

▶プーン（青）

ふしぎのぼうし

ひとつ目のハエの頭部のような見た目を持つ虫の魔物。空中を飛行し、標的を発見すると岩などの物をつかんで頭上に落としてくる　関連 ミニプーン

▶プーン（赤）

ふしぎのぼうし

ひとつ目のハエの頭部のような見た目を持つ虫の魔物。空中を飛行し、標的を発見するとゆっくりと近寄ってきて、ぶつかるとダメージを受ける。青い個体とは異なり、岩は落としてこない　関連 ミニプーン

▶フォース兵士

4つの剣+

フォースの形そっくりな魔物。敵の「兵士」と同じく剣と盾を装備していて、攻撃法なども兵士と同じ。倒すと100フォースを落とすが、一定時間内に倒さないと自爆してしまい、1フォースしか得られなくなる

▶フォースライク

4つの剣+

獲物を飲み込みさまざまなものを食べる「ライクライク」の一種。地中に潜みつつ、触手の先の疑似フォースを出して獲物を待ち構える。近づいてきた者を捕まえ、フォースを奪う。ほかのライクライク同様、耐久力は高め　関連 ライクライク

▶フォールマスター

神々のトライフォース

時のオカリナ

時のオカリナ 3D

ムジュラの仮面

ムジュラの仮面 3D　ふしぎの木の実　4つの剣+　ふしぎのぼうし

神々のトライフォース2　トライフォース3銃士

ダンジョンの天井から落ちてくる巨大な手。捕まると入ってきた場所に戻される。地面に影が落ちるので、落ちてくる場所は事前に察知できる。『トライフォース3銃士』では叩きつけで攻撃してくるのみ

関連 ウォールマスター、キーマスター、スフィアマスター、フロアマスター

▶フォッカー（青）

リンクの冒険

大神殿を守護するために初代ハイラル王によって鳥から造られた最強の兵士。剣術に優れ、盾を巧みに使いこなす。ジャンプ力も高く、振るう剣からは上下段自在にビームを放つ。赤よりも体力が高い

▶フォッカー（赤）

リンクの冒険

大神殿を守護するために初代ハイラル王によって鳥から造られた最強の兵士。剣術に優れ、盾を巧みに使いこなす。ジャンプ力も高く、振るう剣からは上下段自在にビームを放つ。石像から出現するものもいる

▷フォッケル

リンクの冒険

大神殿を守護するために炎から生まれた鳥の兵士。体は赤く燃えさかる炎に包まれ、口からは放射線状に炎を吐く。吐いた炎は着地した後も敵のいる方に移動してくる

▷プクプク

夢をみる島DX

ふしぎの木の実

4つの剣+

『スーパーマリオブラザーズ』シリーズからのゲスト敵キャラ。横画面のマップで水中を泳いでいる。『4つの剣+』ではゲームボーイアドバンス側の横画面マップに登場。普通のプクプクの4倍ほど大きなプクプクも存在する

▷ブタブリン

夢をみる島DX

ふしぎの木の実

「ボコブリン」と似た魔物で、ブタのような容姿の半獣人。剣を装備した者と矢を装備した者が存在し、剣装備の者は突進で、矢を装備した者は間合いをとりつつ敵を襲う　➡P.097（1章）

▷プチガット

スカイウォードソード

砂漠に生息する、1000年かけて成長するという虫のような魔物の幼生。群れで砂の中に潜み、動くものに反応して飛びかかる凶暴な性格。長い時を生き抜き、プチガットが成長し成虫になった姿が「モルドガット」である

▷プチブリン

風のタクト

風のタクト HD

夢幻の砂時計

大地の汽笛

必ず集団で行動し、大群で次々に押し寄せてくる。悪魔のような恐ろしげな見た目だが、小柄ゆえ耐久力は低め。『風のタクト』では歌うような鳴き声を出しながらカベをつたって忍び寄ってくる。『大地の汽笛』では海賊の船員としても登場、「ブリン船」から汽車内に侵入し乗客をさらおうとする　➡P.097（1章）

▷フッカー

夢をみる島DX

ナマズのおおぐちのボスの海ヘビの魔物。壁の穴から顔を出し、部屋の中央に開いた穴からは尻尾を振り回して攻撃する。ダメージを与えるためには壁から引きずり出して胸の弱点を攻撃する必要がある。時折、爆発する偽物を出して引きずり出させることも

▷フックレイ

ふしぎの木の実

『時空の章』に登場するダンジョン、ジャブジャブ様のお腹の中ボスで、チョウチンアンコウのような魔物。部屋の中をピョンピョンと飛び回り、時折アワを吐き出す

▷ブヒウシ

大地の汽笛

森の大地のモヨリ村付近の平原に生息する、ウシのような柄のブタ。大人しい性格で攻撃性は低いが、線路付近に数匹迷い込んでいる場合があり、衝突すると怒って体当たりで攻撃してくる。ぶつかる前に汽笛で知らせてやれば走って逃げていく

▷ブブテンドル

トライフォース3銃士

砂漠エリアの中ボスで、石の回廊のラストで戦うことになる巨大な「テンドル」。不安定なバランス床上での戦いを強いられる。バランス床をつついて揺らしたり、こちらを吹き飛ばすブレスを吐いたりと、直接攻撃よりはこちらを奈落に落とそうとしてくるのが特徴

▷ブラインド

神々のトライフォース

はぐれ者の村のダンジョンのボス。闇の世界に行った盗賊ブラインドが魔物と化した姿。レーザーを吐いて攻撃してくる。攻撃し続けると頭部が分裂して飛び回り、炎を吐いてくる。GBA版『神々のトライフォース』の4つの剣の神殿では、パワーアップ版が登場　関連 スタルブラインド

▷ブラザーゴーリア

ふしぎの木の実

『ふしぎの木の実』の『大地の章』に登場。ねっこのダンジョンの中ボスとして襲ってくる、赤と青2匹の兄弟の「ゴーリア」。ブーメランを投げ合い行く手をさえぎる

▷プラズマリン

ふしぎの木の実

『時空の章』に登場するダンジョン、ジャブジャブ様のお腹のボス。巨大なクラゲ型の魔物で、誘導性のあるアワを放って攻撃してくる。いれかえフックで入れ替わると体の色が赤と青に変化する性質を持つ

▷ブラックシュアイズ

神々のトライフォース2

氷の遺跡のボスの、触手の塊のような不気味な魔物。氷の鎧で全身を覆って身を守り、周囲に冷気の弾のような手下を放って攻撃してくる。放たれた手下は3角形を描き、結界の中にいる者を凍てつかせる強力な魔法を使ってくる
関連 シュアイズ

▷ブラックナイト

ふしぎのぼうし

闇ハイラル城の終盤で遭遇する、漆黒の鎧を身にまとった騎士。重厚な装備で攻撃が通りにくいうえ、隙がほとんどない強敵。背中側に回り込み、隙をうかがうことになる。「グフー」の元へ向かう最後の砦としても出現、3体で立ちふさがる

▷ブラックリンク

大地の汽笛

ハイラル城下町で挑戦できるエネミーアタックのLEVEL3のボス。リンクと同じ姿で、回転切りや爆弾などを駆使してくる　➡P.094（1章）

▷フラット

時のオカリナ

時のオカリナ 3D

兄弟幽霊の弟。生前はハイラル王家に仕える宮廷音楽家で、兄の「シャープ」と太陽の歌の研究をしていたが、研究成果をガノンドロフに盗み取られそうになった。『ムジュラの仮面』ではイカーナの墓場の地下でイベントキャラクターとして登場　関連 シャープ

▷フラッパー

夢幻の砂時計

角の生えた人魂のような不気味な魔物。数匹で隊列を組み、主に南東の海域を飛行しており、船を見つけると体当たりをしてくる。大砲で撃ち落とせる

▷フラッパー赤

夢幻の砂時計

角の生えた人魂のような不気味な魔物。数匹で隊列を組み、主に南東の海域を飛行しており、船を見つけると体当たりをしてくる。大砲で撃ち落とせる。「フラッパー」の色違いだが、相違点はなし

▷フリザーグ

トライフォース3銃士

氷雪エリアの中ボスで、雪玉渓谷の最後に出現する。巨大な氷の塊の怪物で、ステージの中央に陣取り、回転しながら氷の息吹を吐く。後半になると動き出し、3回連続の踏みつぶしと、氷の息吹の勢いを使って滑る体当たり攻撃でステージ内を暴れ回る

▷フリザーニャ

トワイライトプリンセス　トワイライトプリンセス HD

覚醒大氷塊フリザーニャ。スノーピークにある雪山の廃墟で暮らす獣人マトーニャが、陰りの鏡の破片の魔力に侵され巨大な氷塊と化したボス。魔力によって空中を浮遊し、氷柱を作り出して上空から標的を狙う

▷フリザド

時のオカリナ　時のオカリナ 3D　ムジュラの仮面　ムジュラの仮面 3D

トワイライトプリンセス　トワイライトプリンセス HD　大地の汽笛　トライフォース3銃士

氷像の魔物。氷の息を吐き、凍てつかせる。『トワイライトプリンセス』のものは大型で竜の首の姿をしており、チェーンハンマーを当てると「ミニフリザド」に分裂する。『大地の汽笛』では氷に包まれた「オクタロック」
関連 ミニフリザド

▷フリザフォス

トワイライトプリンセス　トワイライトプリンセス HD

氷でできた細い体を持つ兵士。つららの形で天井に潜み、近づいたり衝撃を与えると地上に落ちて姿を現す。氷の槍を武器とし、突きやなぎ払いなどを駆使して戦うほか、標的との距離が離れていると槍を投げつけて攻撃する

▷フリブレイズ

大地の汽笛

氷炎幻術師フリブレイズ。雪の神殿のボスで、炎と氷の魔術を巧みに操る悪魔の魔術師。知能は高く、炎と氷の力を交互に身にまといながら、魔法を発射して攻撃してくる。また、ダメージを受けると炎と氷の力を持つ2体の「フリブレイズJr.」に分裂する　**関連** ブレイズ

▷フリブレイズJr.

大地の汽笛

「フリブレイズ」がダメージを受けて分裂し、氷と炎の性質を持った2体に分かれた姿。それぞれ、相反する力をぶつけないと倒せない。元がひとつのため、片方だけを倒しても復活してしまう

▷ブリン船

大地の汽笛

海賊のアジトが出現した後、汽車に乗客を乗せているときのみ出現する特殊な海賊船の旗艦。攻撃方法などは元となる「大砲船」と同じだが帆に海賊のマークがあり、倒しきれずに突撃を受けると船員の「プチブリン」や「オヤブリン」たちが客車内に侵入してくる　**関連** オヤブリン、プチブリン

▷ブリン戦車

大地の汽笛

海賊のアジトが出現した後、汽車に乗客を乗せているときのみに出現する特殊な戦車。大砲による攻撃方法などは「大砲戦車」と同じだが、大きく海賊のマークが描かれた旗を掲げているのが目印　**関連** オヤブリン、プチブリン

▷ブルーチュチュ

➡ チュチュ（青）

▷ブルブリン

トワイライトプリンセス　トワイライトプリンセス HD　大地の汽笛

平原などを徘徊する、頭に2本の角が生えた魔物。『トワイライトプリンセス』ではさまざまな武器を扱う者が登場。また、「ブルボー」に騎乗して襲ってくる者も。『大地の汽笛』ではブルボーに乗り弓を使う者のみが登場　➡P.096（1章）

▷ブルブル

4つの剣

細長い体の中心にある急所を、ゼリーのような弾力性のある物質で守っている。攻撃を受けるとゼリーが減るが、短時間ですぐに復活する。連続で斬りつけ、ハート型の急所を露出させて叩かなければ倒せない

▷ブルボー

トワイライトプリンセス　トワイライトプリンセス HD　大地の汽笛

「ブルブリン」が騎乗するイノシシ。猛スピードで走行し、強烈な体当たりで攻撃してくる。『トワイライトプリンセス』では攻撃しても倒すことはできないが騎乗できる。ダッシュスピードは速いが、走り出したらなかなか止まらない

▷フレアダンサー

時のオカリナ　時のオカリナ 3D

炎の神殿の中ボスで、炎の衣をまとった人型の魔物。炎の中から現れくるくると踊るように回転し炎の攻撃をする。攻撃して炎の衣をはがすと、小さい体の本体が現れ床を歩き回る。炎の衣の色は赤→青→緑の順に変化する

▷ブレイズ

夢幻の砂時計

火焔幻術師ブレイズ。3体に分裂する能力を持つ炎の神殿のボス。3体が同時に火炎を撃ってくる。また火山がある火の島の地形を利用し、火山弾を降らせてくることもある。倒すには、ブーメランを当て合体させてから攻撃する必要がある　関連 フリブレイズ

▷フレイムファントム

大地の汽笛

神の塔の守護者「ファントム」の一種で、燃える炎の剣を装備する。真っ暗な部屋にいるため、剣の炎が燭台代わりになる。フレイムファントムたちの中には、暗闇を嫌がっている者と、逆に楽しんでいる者がいるらしい
関連 ファントム

▷フロアマスター

時のオカリナ

時のオカリナ 3D

ムジュラの仮面

ムジュラの仮面 3D

ふしぎの木の実

風のタクト

風のタクト HD

4つの剣+

ふしぎのぼうし

ダンジョンの床を這い回る巨大な手。「フォールマスター」と似た姿のものが多いが能力は違うことも。作品ごとに異なるが、攻撃すると3体に分裂しリンクをつかむと巨大な手に戻る、捕まるとフォールマスターのようにダンジョンの入口に戻されるといった能力を持つ。『風のタクト』では壺やドクロがあると投げてくる　関連 フォールマスター

ヘ ▷兵士（青）

●剣兵士（青）、弓兵士（青）／▲兵士（青・剣）、兵士（青・弓矢）／■兵士（剣・青）、兵士（剣・盾）、兵士（弓矢・青）

神々のトライフォース

4つの剣+

神々のトライフォース2①

神々のトライフォース2②

トライフォース3銃士①　トライフォース3銃士②

剣や弓を扱う、青い鎧をまとった敵兵士。緑色の鎧の兵士よりも格上。倒すと青いルピーを落とす。『神々のトライフォース2』は、もとはロウラル兵でユガに召喚された。『トライフォース3銃士』では大きな盾を持つ者も登場する

▷兵士（赤）

●兵士（赤・投槍）／▲兵士（投槍・赤）／■槍兵士（赤）、槍兵士（草むら）

4つの剣+

神々のトライフォース2

トライフォース3銃士

槍や投槍を扱う、赤い鎧をまとった敵兵士。緑や青の鎧の兵士よりも高い攻撃力と体力を持つエリート兵士で、倒すと赤いルピーをよく落とす

▷兵士（赤・槍）

●兵士（槍・赤）／▲槍兵士（槍投げ）

神々のトライフォース

神々のトライフォース2

トライフォース3銃士

槍や投槍を扱う、赤い大きな鎧をまとった敵兵士。体力が非常に高いため、ほかの兵士のように簡単に倒すことは難しい

▷兵士（鉄球・金）
➡ 鉄球兵士（金）

▷兵士（鉄球・銀）
➡ 鉄球兵士

▷兵士（炎鉄球・金）
➡ 鉄球兵士（金）

▷兵士（灰色）

4つの剣+

剣と盾を装備し、鎧で身を固めた兵士。『4つの剣+』に登場する兵士の中で、最も階級が高い。剣を突き出しながらじりじりと間を詰めてきて、正面から剣で攻撃しても弾かれる

▷兵士（バクダン）
➡ 爆弾兵士

▷兵士（複数）

4つの剣+

『4つの剣+』に登場する、剣と盾を装備し鎧で身を固めた兵士たちの集団。きっちりと隊列を組んで行進する。兵士とともに出現する「タートナック」を攻撃すると、同時に向かって襲いかかってくる。また前に構えた剣で正面からの剣攻撃ははじかれてしまう

▷兵士（緑）

●兵士（短剣・緑）、兵士（剣・緑）、兵士（槍・緑）／▲兵士（緑・短剣）、兵士（緑・剣）、兵士（緑・槍）／■剣兵士（緑）、兵士、槍兵士（緑）、弓兵士（草むら）

神々のトライフォース

4つの剣+

神々のトライフォース2

トライフォース3銃士

剣、槍、弓などさまざまな武器を扱う、緑色の鎧をまとった敵兵士。フィールドなどさまざまな場所で登場する。登場する色ちがいの兵士の中では最も階級が低く、体力も少ない

▷ヘイジー

神々のトライフォース

夢をみる島DX

ふしぎの木の実

4つの剣

ふしぎのぼうし

草や岩、ドクロをかぶる虫の魔物。普段はじっとして草や岩などに擬態しているが、近づくと動き出す。『神々のトライフォース』では臆病で触れてもダメージを受けないが、『夢をみる島』以降のものは好戦的で近づくと突進してくる

▷ヘイホー

夢をみる島DX

『スーパーマリオブラザーズ』シリーズからのゲスト敵キャラ。こちらの行動をマネして動く。正面からの攻撃は効かない。背中合わせになって回転斬りを当てるなど、倒すには少し工夫が必要

▷ベガス

夢をみる島DX

腹にルーレット状のトランプのマークを持つ、ダンジョンの魔物。必ず3体いっしょに出現する。攻撃をするとルーレットを止められ、3体のマークをそろえると倒すことができる。ハートにそろえるとハートを、ダイヤでそろえるとルピーを残していく。クローバー、スペードで倒しても何も落とさない

▷ベス

時のオカリナ　時のオカリナ 3D　ムジュラの仮面　ムジュラの仮面 3D

イカーナ渓谷にある幽霊小屋で戦う4姉妹の三女。次女のジョオとともに登場。姿を消したり、突進して攻撃してくる　関連 エイミー、ジョオ、メグ

▷ベビードドンゴ

時のオカリナ　時のオカリナ 3D

ドドンゴの洞窟に生息する「ドドンゴ」の子ども。まだ手足が生えておらずナメクジに似た姿をしている。土煙をあげて地中から現れ突進してくる。ダメージを与えると、しばらくしてその場で爆発する　関連 ドドンゴ

▷ヘビババ

トワイライトプリンセス　トワイライトプリンセス HD

さまざまな場所に自生し、近づく獲物に巨大な口で噛みつく凶暴な植物型の魔物。姿は「デクババ」に似ているが、茎を斬ってもやられずに頭だけで動き回り、ジャンプして噛みついてくる　関連 デクババ

▷ベラ・ダーマ

スカイウォードソード

獄炎大岩ベラ・ダーマ。オルディン火山の中腹の大地の神殿のボスで、深部に仕掛けられた巨大な岩玉の罠が、ギラヒムの魔力で魔物と化したもの。口から連続で巨大な火の弾を放ってくるほか、身体から生えた6つの長い脚で坂を上り、転がって体当たりしてくる。外の岩壁は硬いが、中からの衝撃には弱い

▷ベラムー

夢幻の砂時計①　夢幻の砂時計②　夢幻の砂時計③

海王の神殿のボス。夢幻魔神ベラムー。不気味な目玉と多くの触手を持つ。①水中から酸を飛ばしたり高所から「マッディー」を生み出す。②幽霊船に憑りついた姿。周囲を無数のマッディーが守る。③幽霊船で戦う最終形態で、ラインバックに憑依した姿

▷ベラン

ふしぎの木の実①　ふしぎの木の実②　ふしぎの木の実③　ふしぎの木の実④

ふしぎの木の実⑤　ふしぎの木の実⑥

『時空の章』ラスボスの闇の司祭。①人の体に憑依し意のままに操る魔女。時の巫女ネールを操り、ラブレンヌの過去を変え支配を目論む。②ネールに憑依した姿。アンビ宮殿のボス。③アンビ女王に憑依した姿。ラストダンジョンの暗黒の塔ボス。女王の体から追い出されると、④カメ、⑤クモ、⑥ハチと次々に姿を変えて襲ってくる

▷ヘルグーマ

リンクの冒険

牛から造られた強靭な体を持ち、鎧に身を包み神殿を守護する戦士。「パルタム」を統率する役目を持つ。鉄球を振り回して攻撃してくる。水平にこん棒を投げつけ、時々ジャンプをする。こん棒は盾では防げない　関連 パルタム

▷ベルクラゲ

夢幻の砂時計　大地の汽笛　トライフォース3銃士

海に住むクラゲ型の魔物で、攻撃するたびにルピーを落とす。水面に落ちると消えるが、一定数攻撃できると分裂する。『トライフォース3銃士』では主にステージの最後に浮遊しており、分裂はしないがお手玉のように落とさず攻撃し続ければ、より高額なルピーを落とす

▷ポウ
●ポウ　▲ポー

神々のトライフォース　時のオカリナ　時のオカリナ 3D　ムジュラの仮面

ムジュラの仮面 3D　風のタクト　風のタクト HD　4つの剣+

トワイライトプリンセス　トワイライトプリンセス HD　神々のトライフォース2　トライフォース3銃士

死後この世にとどまった魂の成れの果て。墓場だけではなく屋内外さまざまな場所で浮遊している。倒すと魂を残すものもいて、コレクターに売却することができる。『トワイライトプリンセス』では通常ではカンテラしか見えず、獣のセンスを使って目視する　関連 カギドロポゥ、カンテラポゥ、ドロポゥ、ビッグポウ

▷ポゥ（青）

トライフォース3銃士

死後この世にとどまった魂の成れの果てである「ポゥ」の一種。廃墟などに出現し、不意に消えたり現れたりしながら体当たりしてくる。3人一組の勇者たちのうち、青い服の勇者の剣攻撃でしかダメージを与えられない

▷ポウ(赤)

トライフォース3銃士

死後この世にとどまった魂の成れの果てである「ポウ」の一種。廃墟などに出現し、不意に消えたり現れたりしながら体当たりしてくる。3人一組の勇者たちのうち、赤い服の勇者の剣攻撃でしかダメージを与えられない

▷ポウ(緑)

トライフォース3銃士

死後この世にとどまった魂の成れの果てである「ポウ」の一種。廃墟などに出現し、不意に消えたり現れたりしながら体当たりしてくる。3人一組の勇者たちのうち、緑の服の勇者の剣攻撃でしかダメージを与えられない

▷ポウグース

トワイライトプリンセス

トワイライトプリンセス HD

ネズミの魔物「グース」が死して霊となった姿。暗い場所を好み、群れで襲いかかる。また、獣のセンスを使わないと姿が見えない。生前とは違い、ぶつかってもダメージは受けないが、まとわりつかれると動きが鈍くなる
関連 グース

▷ポウフィー

トワイライトプリンセス

トワイライトプリンセス HD

お化けの「ポウ」の一種で巨大なカマを武器とする。財宝を望み、悪魔に魂を売ったことで黄金の体になってしまった男性ジョバンニの"魂のカケラ"を体内に持つ。ハイラルの各地に夜のみ現れ、獣のセンスでしか目視できない

▷ボーズナー

大地の汽笛

砂の神殿に潜む、体がすべて砂でできた魔物。砂であるため剣や弓の攻撃をすべて無効化してしまうが、砂を固めて隆起させるサンドロッドの魔力を当てることで体が固まり、ダメージを与えられるようになる。また、固まったボーズナーはおもしブロックの代わりにもできる

▷ホーバー
●ホーバー

神々のトライフォース

夢をみる島DX

ふしぎの木の実

神々のトライフォース2

トライフォース3銃士

ダンジョンの水辺に生息する水蜘蛛。4本足で水面を滑り移動する。「テクタイト」とは異なり、ピョンピョンとは跳ねず、水のある場所以外は移動しない。『神々のトライフォース』『神々のトライフォース2』では緑とアーモンド型の胴体を持った虫の姿。『夢をみる島』『ふしぎの木の実 大地の章』ではテクタイトと酷似した姿になっている

▷ボーム

神々のトライフォース2

魔物の魂が宿った爆弾。標的を見つけると近寄ってくる。刺激を与えるとすぐに爆弾に変化して起動し、一定時間後に自爆する。爆発に巻き込まれると大きなダメージになるが、上手く利用すれば謎解きにも使える

▷ポールズ

ふしぎのぼうし

仮面をかぶった5匹組のモグラの魔物。一匹一匹は小さいが、5匹縦につながった状態で飛び出してくる。警戒心が強く、飛び出す前に一度1匹だけ顔を出す。その際に攻撃すると残りの4匹は出てこられなくなる

▷ホールド・ド・アーム
●ホールドアーム

夢をみる島DX

ふしぎの木の実

細長い体を持った虫のような生物。大きなアゴと多数の節でできた体を持つ。草原の穴に潜み、近づくと目を光らせ顔を出して襲いかかる

▷ポーン
●ポーン(青)

神々のトライフォース

夢をみる島DX

ふしぎの木の実

4つの剣+

夢幻の砂時計

神々のトライフォース2

丸いヘルメットをかぶったような頭部を持つ、タコやクラゲに似た魔物。ダンジョンに生息し、小刻みに動いて体当たりをしてくる。体は強い弾力があり、剣で攻撃すると双方がはじかれる。爆弾の爆風で動きが止まるという特徴を持つ。『夢をみる島』『ふしぎの木の実』では完全に不死身だが、『夢幻の砂時計』ではハンマーで粉砕できる 関連 ファイアポーン、リペアポーン

▷ポーン(赤)

神々のトライフォース

神々のトライフォース2

丸いヘルメットをかぶったような頭部を持つ、タコやクラゲに似た魔物。体は強い弾力があり、剣で攻撃すると双方がはじかれる

▷ボコババ

風のタクト

風のタクト HD

森などに生息する植物型の魔物。地中に隠れ、獲物が近づくと首を伸ばし噛みつく。倒された後に根元がブイババという植物に変化するものも。ブイババは中に入ったものを勢いよく上方向に吐き出す習性がある 関連 デクババ

▷ボコブリン
●赤ボコブリン

風のタクト

風のタクト HD

トワイライトプリンセス

トワイライトプリンセス HD

スカイウォードソード

長くとがった耳を持ち、主に集団で行動する小鬼。環境に左右されさまざまな土地に生息する。『風のタクト』では小柄な体型を利用し、つぼの中に潜んでいることも。『トワイライトプリンセス』ではこん棒や剣での戦闘を得意とする。『スカイウォードソード』では近遠問わず弓などさまざまな武器を持つ。通常よりも強いリーダー格の個体もおり、頭に布を巻いている ➡P.096(1章)

▷ボス・ガロ

ムジュラの仮面

ムジュラの仮面 3D

ロックビルの神殿に登場する中ボスで、イカーナ王国で諜報活動をしていた忍者「ガロ」たちの親玉。小気味よくはずんで間合いをとり、スピードを上げて一気に突進してくる

▷ボスブリン

時のオカリナ

時のオカリナ 3D

ふしぎの木の実

大きな体を持つ「モリブリン」のボス格。『時のオカリナ』では大人時代に森の聖域の通路を塞ぐ。巨大なこん棒を持ち、トゲの付き兜とショルダーで敵を威嚇する。『ふしぎの木の実』では王冠をかぶりモリブリンを統率し、要塞を築いている。『大地の章』、『時空の章』を通して何度か戦う因縁の相手　➡P.096（1章）

▷ボスブロブ

夢をみる島DX

『夢をみる島DX』で追加された服のダンジョンの中ボスで、大きな「バズブロブ」。四方に電撃を放ってくる。そのままでは剣が効かないため、魔法の粉で弱らせる必要がある

▷ボズラボズラ

夢幻の砂時計

太陽のカギを入手し、勇気の神殿に向かうためにモルデ島にやってくると海上に出現するボス。ボズラボズラの目玉を大砲で狙って攻撃すれば倒せる。目を攻撃すると弾を3連続撃って反撃してくる

▷ホックボック

神々のトライフォース

神々のトライフォース2

トライフォース3銃士

鋭い目と耳を持った頭部と、球体が積み重なった魔物。剣で斬ると斬った胴体部分が部屋を高速で跳ね回る。『神々のトライフォース2』では砂漠の神殿に出現、砂中で待ち構えている。『トライフォース3銃士』では体の部分が復活する

▷ボト

リンクの冒険

全土に生息するゼリー状の生物。「ビト」と同じ種の生物だが仲間を守る衛兵のような役割を持ち、近づく者に飛びかかる。体を震わせながら移動し、大きくジャンプして攻撃してくる。大神殿に出現するものは攻撃力と体力が高く、「ボトマスター」から分裂したものはさらに体力が高い　関連 ビト

▷ボトマスター

リンクの冒険

大神殿に出現。下を人が通りかかると突然降ってくる。大神殿の中に入り込んでいた「ボト」たちが長い年月を生きるうちに、神の力を得て変身した。巨体の正体は強い生命力と精神力を持つボトの融合体。ダメージを与えると体力の高いボトに分裂する

▷ホネパタ

夢をみる島DX

『夢をみる島DX』で追加された服のダンジョンにのみ現れる、ドクロの頭部を持つ人型の魔物。羽を持つものと持たないものがいる。羽を持つものは宙をフラフラ飛びながら爆弾を投下してきて、ダメージを与えると羽が取れて地面に降りる。羽を持たないものは、周囲をピョンピョンと跳びはねる

▷炎ウィズローブ
➡ ウィズローブ（炎）

▷ホバー
➡ ホーバー

▷ポポ

神々のトライフォース

4つの剣+

神々のトライフォース2

ダンジョン内に潜む、軟体動物のような触手の魔物。敵に向かってゆっくりと移動するのみで、特に危険な攻撃はしてこないが、地面から突然現れて不意をつかれることも。倒すとルピーを残すことが多い

▷ポポ（赤）

神々のトライフォース2

ダンジョン内に潜む、軟体動物のような触手の魔物。ゆっくりと移動し近寄ってくるのみで、特に危険な攻撃はしてこないが、地面から突然現れて不意をつかれることも。通常の「ポポ」に比べ、体力や与えるダメージが高い

▷ボマー

夢をみる島DX

カギのあなぐらにのみ現れる手足の付いた爆弾。剣で攻撃をすると自爆する。カウントダウンしながら近づいてくるものと、部屋中を高速で転げ回るものの2種類が存在する。爆弾を使えば自爆をさせずに破壊できる

▷ボムチュウ
● 本物のボムチュウ

ムジュラの仮面

ムジュラの仮面 3D

風のタクト

風のタクト HD

4つの剣+

アイテムではない、爆弾を扱うネズミの魔物。タイトルごとに姿や能力は異なり、『ムジュラの仮面』ではタルミナ平原やイカーナへの道、一部の神殿に生息する、尻尾に爆弾の付いたネズミ。敵目がけて突っ込んできて自爆する。『風のタクト』では爆弾を投げてくる「グース」を指す

▷ボムナック

夢をみる島DX

カナレットの城の中庭の穴に潜む兵士。中庭に6つ開いた穴の中から顔を出し爆弾を投げ、また穴に潜ることを繰り返す。倒すとアイテムのおうごんのはっぱを落とし、二度と出現しない

▷ボムハット

ふしぎのぼうし

頭上に生えた葉っぱのプロペラで空を飛ぶ植物型の魔物。「ピーハット」の亜種にあたり、葉の色が異なる。名前のとおりバクダンを抱えて飛行し、標的に向かって下降しながら投下し攻撃してくる　関連 ピーハット

▷ボム兵

4つの剣　ふしぎのぼうし

『スーパーマリオブラザーズ』シリーズからのゲスト敵キャラ。本家と違い、目が赤く光っている。一度攻撃すると火がついて走り出し、しばらくすると爆発する

▶ボルガロック

神々のトライフォース2

岩の甲羅を持つ巨大なカメの魔物で、カメイワのボス。マグマの中を泳ぎ回り、背中の岩から噴火のようにマグマを吹き出して、上にいる標的を焼き尽くそうとする。硬い甲羅はどんな攻撃でも傷つかないが、時折顔を出す頭の部分は比較的柔らかい

▶ポルスボイス

ゼルダの伝説

夢をみる島DX

ふしぎの木の実

夢幻の砂時計

大きな耳を持ったお化け。手足のないウサギのような姿をしており、ダンジョン内をピョンピョンと跳ね回っている。高い耐久力を持ち、剣を振ると跳ねて避けるものや、剣が効かないものも。音に敏感で、大きな音が弱点

▶ボルバ

リンクの冒険

大神殿で勇気のトライフォースを守る大守護神。初代ハイラル王らによって造り出された人工生命体。空中から炎をまき散らす。サンダーの魔法で結界を破らないとダメージを与えられない。攻撃し続けると炎の量が増える

▶ポワール

ふしぎのぼうし

森のほこらなどに生息するキノコのような魔物。体内に胞子を大量に蓄えており、自分の周囲に胞子をまき散らす。生息地近辺はよく胞子まみれになっていて、足を取られて身動きがとりづらくなる。また剣による攻撃も、受ける前に胞子を吐き出して防ぐ

▶ホワイトウルフォス

時のオカリナ

時のオカリナ3D

ムジュラの仮面

ムジュラの仮面3D

トワイライトプリンセス

トワイライトプリンセスHD

大地の汽笛

寒冷地に生息する白狼の魔物。二足歩行をし、鋭い爪で引っかき攻撃をしてくる。守りも固く生半可な攻撃は防御されてしまうが、弱点の尻尾を攻撃すれば一撃で倒せる。『ムジュラの仮面』では、春になると「ウルフォス」になる
関連 ウルフォス

▶ボンゴボンゴ

時のオカリナ

時のオカリナ3D

暗黒幻影獣ボンゴボンゴ。カカリコ村の井戸の底に封印されていたが、魔物の力が強まったため封印が解け、闇の神殿のボスとして登場する。まことのメガネがないと姿が見えない。天井から逆さ吊りになった巨大な人型の魔物で、足場を打楽器のように叩いて揺らし、突進、手で締め付ける、張り手といった攻撃を行う

▶ボンゴロンゴ

夢幻の砂時計

重機動鎧竜ボンゴロンゴ。ゴロン島のゴロンの神殿地下3階で待ち受けるボス。強力な体当たりと炎で攻撃してくる。序盤はマイゴロンと協力し、操作を切り替えながら戦っていく。体表が硬いため、大きく息を吸い込んだ瞬間に爆弾を投げ込み、倒れたところで背中の弱点を狙う

▶ボンバー列車

大地の汽笛

汽車の運転中に遭遇し、特定の場所の線路上を暴走する魔の列車。汽車よりも少しだけスピードが速い。大砲の砲撃で短時間の足止めは可能だが倒すことはできず、衝突すると大爆発。一定の範囲内を複数台で走っている場合が多い
関連 キラー列車

▶本物のボムチュウ
➡ ボムチュウ

マ行

▶マーガレット

ふしぎの木の実

『大地の章』「冒険者の墓」の中ボスとして、「エイミー」とともに登場する幽霊姉妹の姉。ちなみに、マーガレットの愛称のひとつに"メグ"がある
関連 エイミー、メグ

▶マーゴ

リンクの冒険

魔法使いのようなローブ姿の魔物。ランダムな場所に姿を現し、床に炎を走らせて姿を消す。近くに姿を現したら炎を出す前にジャンプ、下突きで攻撃できる

▶マイトパンチ

夢をみる島DX

LEVEL8ダンジョンカメイワに登場する中ボス。ボクサーのように軽快な動きで近づき、素早くパンチで攻撃してくる。腕を後ろに振り上げてグルグル回し始めたら、強力なアッパーカットを繰り出す合図。これを食らうとダンジョンの入口まで飛ばされてしまう

▶マインオクタ

大地の汽笛

ひとつ目の黒いトゲ付き球体のような見た目をしている。海底に伸びる路線の周辺に上下に浮き沈みしているだけで、特に攻撃はしてこないが、触れると爆発する➡P.100（1章）

▶マウ

リンクの冒険

狼の頭のような形をした、動く像。ゆっくりとした動きで直角に上、前、下、前という順に進行してくる。それと同時に弾も撃ってきて、さらにいくら倒しても無限に出現する。ジャンプで避けられない細道など、狭い場所では脅威になる

▶マグッポ

スカイウォードソード

溶岩の中に生息している、丸いカエルのような魔物。マグマから噴出するガスを体内に溜めて、引火させた火球マグッポ弾を放つ。臆病な性格で、なにかが近づいてきたり、危険を察知するとすぐに身を隠す
関連 ビリッポ、ミズッポ、ヤミッポ

▶マグテイル

風のタクト

風のタクトHD

硬い甲殻に覆われたムカデのような虫型の魔物。火山帯などに住み溶岩の中にも進入可能。頭部に付いたはさみで素早く標的に襲いかかる。はさみの中心にある目玉が弱点。攻撃を受けると体を丸めてボールのようになる

▷マグドアーム

神々のトライフォース2

高温で燃える丸く連なった体と、発達したあごを持つ虫型の魔物。溶岩が豊富な場所に生息し、一定の場所を行ったり来たりしている。剣で攻撃すると熱さで逆にダメージを受けてしまうため、倒すには何らかの方法で体を冷やす必要あり　関連 モルドアーム

▷マグドフレイモス

トワイライトプリンセス　トワイライトプリンセスHD

覚醒火炎獣マグドフレイモス。ゴロン族の長老たちにより、ゴロン鉱山の奥深くに封印された異形の者。同ダンジョンのボスにあたる。その正体はゴロン族の族長ダルボスであり、影の結晶石に誤って触れてしまい、黒き魔力によって変貌してしまった

▷マグネス

ふしぎの木の実

『大地の章』「一角獣の洞くつ」に生息。まるい球体のような形をしており、間合いを取りながら弾を吐き出してくる。近づくと素早く逃げられてしまうため、マグネグローブで引き寄せる必要がある

▷マグポール

トワイライトプリンセス　トワイライトプリンセスHD

溶岩の中に生息する魚の魔物。地上にいる標的に対し、中から顔を出して口から火の弾を飛ばし攻撃してくる。近づいてこないため剣での攻撃はできないが、放ってきた弾に盾アタックを使えばはじき返せる　関連 タドポール

▷マグル

大地の汽笛

鮮やかな青色の外皮の芋虫。ダンジョン内などをゆっくり移動しているが、攻撃すると丸まってトゲ付きの爆弾に変化、しばらくすると自爆する。威力は爆弾と同等で、ひび割れた壁などを破壊できる

▷魔獣ガノン

➡ ガノン

▷魔人（魔神）グフー

➡ グフー

▷マスクポー

4つの剣＋

L4草原地方の沼地にある墓場に潜むお化けのボス。巨大で不気味なマスクの亡霊で、燭台の光に吸い寄せられる特徴を持つ。ダメージを受けるごとに小さくなりながら、大勢の亡者の魔物を吐き出す

▷マスクモ

夢幻の砂時計

仮面をかぶり身を固めた小さなクモの魔物。正面からの攻撃には強いが背中側のガードは甘い

▷マスタースタルフォン

夢をみる島DX

ナマズのおおぐちに登場する中ボス。都合4回戦うことになるが、行動パターンはまったく同じ。剣で攻撃すると骨が崩れ落ちるので、その隙に爆弾を置いてダメージを与える。4度目にマスタースタルフォンを倒すと、フックショットが手に入る　➡P.099（1章）

▷マズラ

リンクの冒険

第1の神殿の守護者。初代ハイラル王によって馬から造られた。頭部が馬で鎧を着込み大きな体を持つ。こん棒を振り回し攻撃してくる

▷マッシブアイ

夢幻の砂時計

ゴロン島への上陸を海上で阻む、謎の巨大生物。弾を撃ち、体当たり攻撃を仕掛けてくる。体の側面に3つずつある目が弱点で、そこに船の大砲を当てて攻撃すると倒せる

▷マッディー

夢幻の砂時計

夢幻魔神「ベラムー」が飛ばした液体が、魔物に変化したもの

▷マッドゼリー

ムジュラの仮面　ムジュラの仮面3D

グレートベイの神殿に登場する中ボス。液体かアメーバのような姿で、多数の水玉になったり、天井から落ちたり、形状をさまざまに変えて攻撃してくる。弱点はコアのように存在している「ゲッコー」。氷の矢でゼリーを凍らせるとゲッコーが外に出てくる

▷マットフェイス

夢をみる島DX　ふしぎの木の実

床に浮かぶ顔の魔物。『夢をみる島』ではかおのしんでんのボス。戦闘中に自分の苦手なものをしゃべる。『ふしぎの木の実』では『大地の章』のダンジョン蛇のなきがらの中ボスで、魔物や火の玉を降らせて来る

▷マネマネ

夢をみる島DX　ふしぎの木の実

リンクの動きと逆に動く習性を持つ魔物。『夢をみる島』では、メーベの村にあるゆめのほこらに出現

▷マラドー

大地の汽笛①　大地の汽笛②　大地の汽笛③

古の時代に世界を支配しようと神に挑み、封印された魔王。①「ディーゴ」たちの策略で魂の姿で復活。器となる体を求める。②儀式の末、ゼルダ姫の体を奪った姿。闇の世界の「魔列車」の上で戦う。③ゼルダ姫の体を追い出されたため「キマロキ」を取り込んだ姿。『大地の汽笛』の最終ボス。姫の聖なる力を警戒し襲ってくる

▷魔列車

大地の汽笛

闇の世界のボスのひとり。魔族たちが利用する、空を飛ぶ不気味な列車。魔物の命が宿っており、戦闘には恐ろし気な顔が付いている。3両編成でそれぞれの車両が爆弾タル、レーザー砲台、クリスタル砲台などで武装され、高速で線路を走りながら攻撃してくる

▷水オクタ

大地の汽笛

「オクタロック」の亜種。水の中に潜むタコの魔物。敵が近づくと顔を出し、口から弾を飛ばして攻撃してくる
➡P.100（1章）

▷ミズッポ

スカイウォードソード

ラネール砂海の、過去の海中に生息している丸いカエルのような魔物。体内にためた水を弾にしたミズッポ弾で攻撃してくる。臆病な性格で、なにかが近づいてきたり、危険を察知するとすぐに身を隠す。また、倒すと必ずハートを落とす　関連 マグッポ

▷緑クーリ

大地の汽笛

クリのような姿の魔物「クーリ」の亜種。トコトコ歩いてぶつかってくる動きや速度などはほぼ変わりないが、クーリよりも一回り体が大きく、少しタフで強い。森の神殿ではクーリと群れをなして登場する　関連 クーリ

▷緑チュチュ
➡ チュチュ（緑）

▷緑バブル

時のオカリナ

時のオカリナ 3D

緑色の炎をまとった「バブル」で、決まったルートを移動し続けている。炎が消えているときのみダメージを与えることができる
関連 バブル

▷緑ボコブリン

スカイウォードソード

小鬼のような魔物「ボコブリン」族の一種。頭にドクロをかぶっていて、洞窟などの暗がりに住む。緑色の肌は日光に当たらずに暮らしているため。集団で行動し、近接武器と遠距離武器を持つものがいる。同じ『スカイウォードソード』に登場する「赤ボコブリン」と攻撃力は同じだが、若干体力が多い　➡P.096（1章）

▷ミニグラー

夢をみる島DX

アングラーの滝つぼのボスである、「アングラー」が呼び出す小型の魔物。アングラーと似た姿をしている

▷ミニデグドガ

ふしぎの木の実

『ふしぎの木の実 大地の章』に登場した、一角獣の洞くつのボスの大型のウニ「デグドガ」が小さく分裂した姿

▷ミニババ

ムジュラの仮面

ムジュラの仮面 3D

茎のない、小さな体の「デクババ」。こちらを襲ってくることはない。倒すと必ずデクの実を落とす　関連 デクババ

▷ミニプーン

ふしぎのぼうし

空飛ぶ虫の魔物「プーン」のミニサイズ版。緑のマメがあるピッコルの道にいる。とても小さいため大きいときには無害だが、小さくなっていると倒せない　関連 プーン

▷ミニフリザド

トワイライトプリンセス

トワイライトプリンセス HD

トライフォース3銃士

氷の床の上に出現する。ゆっくりと標的に向かって動くが、叩くと高速で滑り壁で跳ね返る。『トワイライトプリンセス』では「フリザド」を砕くとこれに分裂。タイトルによってこれと同じ特徴のものを「フリザド」とする場合もある　関連 フリザド

▷ミュー

リンクの冒険

地面をうごめく小さなトゲを生やした敵。じわじわ動き、たまに飛びかかってくる。下突きで倒すかやり過ごすのが得策

▷ムジューン

ふしぎの木の実

『時空の章』に登場する、どくろダンジョンの中ボス。剣と盾を持った剣士。剣は宙を舞い、敵を追う

▷ムジュラの仮面

ムジュラの仮面

ムジュラの仮面 3D

月の中で戦うラスボス。仮面が巨大化し、多数の触手が伸び、円盤のように回転しながら突進してくる。ある程度ダメージを与えると、4つのダンジョンで手に入れたボスの亡骸も動きだし、ムジュラの仮面はビームを発射する

▷ムジュラの化身

ムジュラの仮面

ムジュラの仮面 3D

「ムジュラの仮面」の第2形態。顔と手足が生え、人のような姿になる。コミカルだが高速に動き、クラシックバレエやコサックダンスのような動作も見せる。高速弾を連射するなど、攻撃性能も高い

▷ムジュラの魔人

ムジュラの仮面

ムジュラの仮面 3D

「ムジュラの仮面」の最終形態。ムジュラの化身よりも肉付きがよく、締まった体つきになっている。両手が長いムチのような形状になり、それを振り回して遠くから攻撃してくるが、光の矢には弱い

▷ムチルダ

大地の汽笛

海の神殿などに登場する、仮面をかぶったムチ使い。手にしたムチを巧みに操り、標的の自由を奪う。ムチで捕まえた相手をたぐり寄せ、強烈なパンチを繰り出す格闘系の攻撃を用いる

ム ▶紫チュチュ

トワイライトプリンセス

トワイライトプリンセス HD

紫色の体をしたスライム状の敵で、倒した後ビンですくうと紫チュチュゼリーを手に入れることができる。複数の「チュチュ」が混ざることで、色が変わったり合体して大きくなったりする
➡P.101（1章）

▶ムワード

大地の汽笛

森の神殿に住み着く小型の虫の魔物。置かれた爆弾などの狭い隙間もすり抜けてくる。また、体内に毒を有していて、倒されるとその場に毒の霧をまき散らす

メ ▶メグ

時のオカリナ

時のオカリナ 3D

ムジュラの仮面

ムジュラの仮面 3D

四姉妹の幽霊（長女）。『時のオカリナ』では「森の神殿」の中ボスとして登場。分身をし、偽物で惑わせる。『ムジュラの仮面』ではイカーナ地方で登場する
関連 エイミー、ジョオ、ベス、マーガレット

▶メグマット

リンクの冒険

大陸南西部あたりでよく出会う魔物。ピョンピョンとひっきりなしに飛び跳ねながら近づいてくる。動きはなかなか素早いので、避けるのが少し厄介

▶メダマーゴ

トライフォース3銃士

森林エリアの森の神殿のボスで、同エリアに登場する魔物「コマーゴ」の親玉的存在。体中からトゲを生やし、コマのように高速で回転しながら標的に突進してくる。ダメージを受けると段差を増やし高さが増す

▶メタルチュチュ

大地の汽笛

ゼリー状の体を持つ「チュチュ」の一種であるが、体が金属でできているという特殊なタイプ。さらに電撃も身にまとっており、気絶させてもしびれさせてくる、チュチュ種の中でも非常に厄介な相手。爆弾や弓矢による攻撃が有効
➡P.101（1章）

▶メデロック

ふしぎの木の実

『大地の章』に登場する剣と盾のダンジョンのボス。巨大な生首のような魔物で、目からレーザーを撃ったりこちらを足止めする光弾を放ってくる

モ ▶モア（青）

リンクの冒険

ひとつ目の幽霊のような姿をした敵。旧カストの町などに登場。「モア（赤）」との差違点は、十字架を持っていないと姿が見えないこと。左右に大きく、高速に移動。高度も変わるので攻撃を当てづらい

▶モア（赤）

リンクの冒険

ひとつ目の幽霊のような姿をした敵。大陸南西部の墓地などに登場。左右に大きく、高速に移動。高度も変わるので攻撃を当てづらい

▶モース

風のタクト

風のタクト HD

トライフォース3銃士

蛾の魔物「ガモース」の幼生の、トゲ玉のような魔物。動くものに反応して飛びついてくる。ダメージは受けないがまとわりつかれると動きが遅くなる。『風のタクト』ではガモースが攻撃を受けるとお尻から大量のモースを発射してくる

▶モービー

リンクの冒険

フィールドに出現する敵。上空から高速に降下、標的と同じ横座標から直角に方向転換、標的に向かって突っ込む。いくら倒しても無限に現れる

▶モーファ

時のオカリナ

時のオカリナ 3D

水棲核細胞モーファ。水の神殿のボス。部屋に溜まる水すべてがモーファそのもので、水を触手のように自在に操り攻撃してくる。本体は小さい核細胞。核を水の外に引きずり出さなければダメージを与えられない

▶モネア

夢をみる島DX

ふしぎの木の実

火の玉や種を飛ばしてくる大きな花の魔物。『夢をみる島』ではゴポンガの沼で道を塞いでおり、ワンワンなら食べることができる　関連 アナモネア

▶モリブリン

● モリブリン（黄）　／▲槍モリブリン、弓モリブリン

ふしぎのぼうし

神々のトライフォース2

トライフォース3銃士

ブリン族の一種で、剣・槍・弓などさまざまな武器を使いリンクに襲いかかってくる魔物。森に住むことがその名前の由来とも考えられるが、森以外でもいたるところで現れる　➡P.096（1章）

▷モリブリン（青）

ゼルダの伝説

リンクの冒険

『ゼルダの伝説』『リンクの冒険』では最上位の「モリブリン」。『ゼルダの伝説』では弓矢で、『リンクの冒険』では槍を投げて激しい攻撃を仕掛けてくる

▷モリブリン（赤）

ゼルダの伝説

リンクの冒険

『ゼルダの伝説』『リンクの冒険』では標準の強さの「モリブリン」。『ゼルダの伝説』では弓矢で、『リンクの冒険』では槍で攻撃をしてくる

▷モリブリン（剣盾）、モリブリン（槍盾）

●モリブリン（木の盾）、モリブリン（鉄の盾）

夢をみる島DX

ふしぎの木の実

スカイウォードソード

神々のトライフォース2

武器だけではなく、盾を持っていて身を守っている「モリブリン」。正面から攻撃してもダメージを与えられないので、アイテムで盾をはがしたりうまく回り込んで攻撃する必要がある

▷モリブリン（金色）

ふしぎの木の実

『ふしぎの木の実』では『大地の章』に登場。金色の体をしていて、通常より強いモリブリン。このモリブリンを含め4種類いる金色の魔物を倒すと、ごほうびに剣の威力が倍になるゆびわがもらえる

▷モルディヨーグ

大地の汽笛

海の大地の砂場に群れで生息し、海中のように砂の中を自在に泳ぎ回るサメの魔物。非常にどう猛で、砂から獲物に向かって次々に飛びかかる。大きな音を嫌う傾向があり、汽笛などを鳴らすと驚いて砂から飛び出してくる
関連 グヨーグ

▷モルドアーム

ゼルダの伝説

神々のトライフォース

4つの剣+

神々のトライフォース2

『ゼルダの伝説』では赤の丸が連なった虫で、ゆっくり動く。『神々のトライフォース』では地中から飛び跳ねるように姿を現す。『4つの剣+』ではあやしの砂漠などに登場し、流砂に引きずり込もうとしてくる。『神々のトライフォース2』ではロウラルのフィールドに出現 関連 マグドアーム

▷モルドガット

スカイウォードソード

千年甲殻蟲モルガット。ラネール錬石場のボス。錬石場に住み着いていたサソリ型の魔物「プチガット」が1000年かけて成体へ成長したもの。両手のはさみの内部と頭部の、計3つの目を持つ。中の目玉を攻撃されはさみを破壊されると砂の中に逃げ込み、身を隠しながら尾に付いたするどい針で攻撃してくる

▷モルド・ゲイラ

風のタクト

風のタクト HD

風の神殿に入り込み祈りを捧げていた賢者を殺害したボス。砂の中から巨大な流砂を作り出し、落ちてきた獲物を丸のみにする。ダメージを受けると「モルド・ゲイラ（子）」を呼び出す。空中を飛行することも可能

▷モルド・ゲイラ（子）

風のタクト

風のタクト HD

「モルド・ゲイラ」の幼体で、モルド・ゲイラを攻撃すると数体出現。砂の中を泳ぎ、大きくジャンプして襲いかかってくる。フックショットで引きずり出すと剣での攻撃が可能になり、倒すと必ずハートを落とす

▷モルドワーム

ふしぎのぼうし

トワイライトプリンセス

トワイライトプリンセス HD

夢幻の砂時計

地中に生息する虫型の魔物。『ふしぎのぼうし』ではピッコルの道に現れ、食べられると服が汚れて「プーン」が寄ってくる。『トワイライトプリンセス』では流砂の中を高速で泳ぎまわり、標的に向かって飛びかかる。砂中から引きずり出すと陸にあげた魚のようにはね回る。『スカイウォードソード』では地中の細い通路を動き回るムカデのような魔物

スカイウォードソード

ヤ行

▷ヤミー

大地の汽笛

暗闇の中を徘徊する、不気味な人魂型のゴースト。暗闇ではあらゆる攻撃を受け付けないが、光が苦手

▷ヤミキース

スカイウォードソード

骨だけの姿になった「キース」。暗い場所を好む性格などは通常のキースと変わらないが、魔属性を持ち、体当たりで攻撃した対象の攻撃・防御を封じる呪いをかける。また、魔属性に耐性を持たない盾では、盾アタックを活用しないとヤミキースの攻撃を防げない 関連 キース

▷ヤミッポ

スカイウォードソード

沼や溶岩の中に生息する、丸型のカエルの魔物。攻撃した対象に攻撃と防御を封じる呪いをかける魔グッポ弾を、口から発射して攻撃してくる。魔属性に耐性を持たない盾では、盾アタックを活用しないと魔グッポ弾を防げない
関連 マグッポ

▷ヤミリザルフォス

スカイウォードソード

人型のトカゲの魔物「リザルフォス」の一種で、外皮が黒くなっている。右腕に手甲を装備してガードにも攻撃にも用いるうえ、俊敏な動きの体術で敵をほんろうする。また、魔属性であり口から呪いの霧を発射してくることも 関連 リザルフォス

▷槍兵士（赤）
➡ 兵士（赤）

▷槍兵士（緑）
➡ 兵士（緑）

▷槍兵士（槍投げ）
➡ 兵士（赤・槍）

▷槍モリブリン
➡ モリブリン

209

ユ

▷ユガ

神々のトライフォース2①

神々のトライフォース2③

人間や自身を絵画に変える魔法を操る、ロウラルの司祭。①東の神殿ボスとして戦った後逃走し、ハイラル城を封印。後にハイラル城ボスとして再戦するが、ロウラルに逃げる。②ガノンごと力のトライフォースを取り込んだ姿。ロウラル城で戦うラスボスで、ヒルダごと知恵のトライフォースも手に入れる

▷ユキザル

夢幻の砂時計

氷の島に住む、雪のように白い毛を持つサルの部族。もとは温厚な性格で、海王から授かったハガネを守っていたが、氷の神殿に現れた魔物に操られ凶暴化してしまった。その影響で同じ島に住むユキワロシ族と対立していたため、仲直りしたいと思っている　関連 アカザル

▷弓兵士（青）
→ 兵士（青）

▷弓兵士（草むら）
→ 兵士（緑）

▷弓モリブリン
→ モリブリン

ヨ

▷溶岩バブル

夢をみる島DX

ふしぎの木の実

『スーパーマリオブラザーズ』シリーズからのゲスト敵キャラ。横スクロールの部屋で溶岩から吹き出している溶岩の玉。倒すことはできない

▷溶岩バブルタワー

ふしぎの木の実

ウーラ世界に出現する。溶岩バブルがタワー状になったもの

▷幼生ゴーマ
→ ゴーマ（幼生）

▷幼生ピーハット

時のオカリナ

時のオカリナ 3D

ムジュラの仮面

ムジュラの仮面 3D

夜間、地中に埋まっている「ピーハット」を攻撃すると、中からこの幼生ピーハットが大量に出現。体当たりで攻撃を仕掛けてくる　関連 ピーハット

▷ヨツババ

スカイウォードソード

自然豊かな場所に生息する凶暴な植物。「デクババ」と似た姿だが攻撃力・体力ともに高いほか、四方に裂けた口は縦方向にも横方向にも開く。外殻は硬いが口の中は柔らかいため、開いた口の方向に合わせて剣で何度か攻撃すると倒せる　関連 デクババ

ラ行

▷ラー（青）

リンクの冒険

神殿に登場する、一角獣のような顔の像。波線のような軌跡で突っ込んでくる

▷ラー（黄）

リンクの冒険

最終ダンジョンの大神殿に登場する、一角獣のような顔の像。波線のような軌跡で突っ込んでくる

▷ライクライク

● ライクライク（盾）

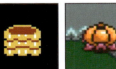
ゼルダの伝説

神々のトライフォース①

神々のトライフォース②

夢をみる島DX

時のオカリナ

時のオカリナ 3D

ムジュラの仮面

ムジュラの仮面 3D

ふしぎの木の実

ふしぎのぼうし

夢幻の砂時計

大地の汽笛

巨大な軟体生物のような魔物。近づいてきた獲物を丸のみにして捕獲する。盾が大好物で、捕まってしばらくそのままでいると盾を食べられて失ってしまう。『神々のトライフォース』では①舌を伸ばして攻撃してくる。②ゲームボーイアドバンス版の4つの剣の神殿などに登場。獲物ごと捕食し盾を奪う　関連 フォースライク、ライフライク、ルピーライク

神々のトライフォース2

▷ライネル

● ライネル（赤）

ゼルダの伝説

神々のトライフォース

ふしぎの木の実

神々のトライフォース2

ケンタウロスのような体に、ライオンの頭を持つ魔物。体力攻撃力ともに高く、『ゼルダの伝説』ではソードビーム、『神々のトライフォース』では炎を吐く攻撃なども持っている。なるべく相手にせず、攻撃をかわして通りぬける方がよい

▷ライネル（青）

ゼルダの伝説

ふしぎの木の実

「ライネル」の上位種。赤い個体よりも体力と攻撃力がさらに上がっており、『ゼルダの伝説』では地上フィールドにおける最強クラスの魔物

210

ラ

▷ライネル（金色）

ふしぎの木の実

『大地の章』に登場。金色の体をしていて、通常より非常に強い「ライネル」。このライネルを含め4種類いる金色の魔物を倒すと、ごほうびに剣の威力が倍になるゆびわがもらえる

▷ライネル（黒）

神々のトライフォース2

『神々のトライフォース2』のロウラルのデスマウンテンにある痛快！大バトル道場にのみ登場する、「ライネル」の上位種。ただでさえ強いライネルが、遠距離への炎攻撃を持ち強化されている

▷ライフライク

トライフォース3銃士

さまざまなものを食べてしまう「ライクライク」の一種。地中に潜んで触手の先の疑似ハートで獲物を誘い込み、近づいてきたものを捕まえてハートを奪う。振り払うのも容易ではなく、ほかの仲間に助けてもらわないと、連続でダメージを受ける

▷ラネモーラ
●ラネモーラ（赤）

ゼルダの伝説　神々のトライフォース　夢をみる島DX

『ゼルダの伝説』では、赤くて長い姿で高速に動いている。『神々のトライフォース』では砂漠の神殿のボス。巨大な芋虫の姿をした3体の魔物で、砂のかたまりを飛ばしながら砂中から出現し、飛行しながら襲いかかる

▷ラネモーラ（青）

ゼルダの伝説

表の『ゼルダの伝説』では、LEVEL9ダンジョンのひとつの部屋にしか登場しない、レアな敵。LEVEL9をクリアするには必須の部屋ではないため、この敵を目撃しない可能性もある。「ラネモーラ（赤）」よりも動きが素早い

リ

▷リーデッド

時のオカリナ　時のオカリナ 3D　ムジュラの仮面　ムジュラの仮面 3D

風のタクト　風のタクト HD　トライフォース3銃士

墓地などに出現するミイラ。じっと立っているが、恐ろし気な叫び声とともに獲物を金縛りにし、抱きついて締め付けたり噛みついて攻撃してくる。抱きつかれたら早めに振り払わないと、連続でダメージを受けてしまう

▷リーバ
●リーバー／▲リーバ（赤）／■リーバー（赤）

ゼルダの伝説　リンクの冒険　神々のトライフォース　夢をみる島DX

時のオカリナ　時のオカリナ 3D　ムジュラの仮面　ムジュラの仮面 3D

ふしぎの木の実　ふしぎのぼうし　トワイライトプリンセス　トワイライトプリンセス HD

神々のトライフォース2　トライフォース3銃士

地中に生息する花のような生物。地中から姿を現し、しばらく動き回った後また地中に姿を消す。『ゼルダの伝説』では弱い方のリーバー。防御力が低い。『神々のトライフォース』では「リーバ（緑）」と比べて素早さがアップ

▷リーバ（緑）

神々のトライフォース

砂地に住む、花のようにも見える生物。砂からはい出てきて、ゆっくりと近づいてくる

▷リーバー（青）

ゼルダの伝説　ふしぎのぼうし

地中に生息する花のような生物。『ゼルダの伝説』では、「リーバー（赤）」よりも防御力が高い

▷リザルナーグ

トワイライトプリンセス　トワイライトプリンセス HD　トライフォース3銃士

背中の翼で空を高速で飛び回る竜人。非常に好戦的。上空から敵に狙いを定めて滑空し、剣を構えて突進してくる。『トライフォース3銃士』では空中から翼で竜巻を起こして投げ、標的を大きく吹き飛ばして奈落へ落そうとすることも
関連 スーパーリザルナーグ

▷リザルフォス

時のオカリナ　時のオカリナ 3D　トワイライトプリンセス　トワイライトプリンセス HD

スカイウォードソード

人型のトカゲの戦士。盾と剣、手甲などで武装し、こちらの攻撃を防ぎながら攻撃してくる。動きは機敏で、はねるように動き回り、こちらの隙をつくように攻撃してくる。飛び道具などはあまり通用しないことも多く、剣同士の実力を争うことになる　関連 ヤミリザルフォス

リ ▶リペアボーン

ふしぎの木の実

『時空の章』に登場する。「ポーン」の色違いで、イベント限定の敵キャラ　関連 ポーン

ル ▶ルピーグエー

スカイウォードソード

スカイロフトの空を飛行し、足でルピーを運んでいる珍しい「グエー」。見た目は通常のグエーに似ているが、飛行能力が高くすばしっこい。一定時間内に倒せば持っているルピーを入手できるが、時間が経つとルピーが消えてしまう　関連 グエー

▶ルピーライク
●ルピーライク（緑）

4つの剣

ふしぎのぼうし

夢幻の砂時計

神々のトライフォース2

ルピーに擬態して待ち構え、近づいてきた人間を捕まえて逆に持っているルピーを奪おうとするタイプの「ライクライク」

▶ルピーライク（青）

4つの剣

ふしぎのぼうし

青ルピーに擬態してリンクを待ち構える「ルピーライク」。ルピーが大好物。先端に付いた疑似の青ルピーで獲物を誘い込んで捕まえる。捕まえられると一定時間ごとに青ルピーの分を奪われてしまうため、なるべく早く脱出する必要がある

▶ルピーライク（赤）

4つの剣

ふしぎのぼうし

赤ルピーに擬態してリンクを待ち構える「ルピーライク」。ルピーが大好物。先端に付いた疑似の赤ルピーで獲物を誘い込んで捕まえる。捕まえられると一定時間ごとに赤ルピーの分を奪われてしまうため、なるべく早く脱出する必要がある

レ ▶レアチュチュ

トワイライトプリンセス

トワイライトプリンセス HD

光り輝く体を持つ珍しいチュチュ。倒した後ビンですくうと、大妖精の雫と同じ効果を持つ、強力なアイテム「レアチュチュゼリー」を手に入れることができる ➡P.101（1章）

▶レッドチュチュ
➡ チュチュ（赤）

▶レディガイルズ（デグテールタイプ）

トライフォース3銃士

要塞エリアレディの要塞で「シスターレディ」が召喚するボス軍団の1匹で、"オシャレ3銃士"と愛でる忠実なしもべ。3匹の内2番目に登場する。火山エリアボスの「デグテール」型のマシンであり、動きなどは元と似ているが、頭部から炎を出し危険度が増している

▶レディガイルズ（メダマーゴタイプ）

トライフォース3銃士

要塞エリアレディの要塞で「シスターレディ」が召喚するボス軍団の1匹で、"オシャレ3銃士"と愛でる忠実なしもべ。3匹の内最初に登場する。森林エリアボスの「メダマーゴ」型のマシンであり、主な動きなどは元の魔物と似ているが、高さは2段でしか増えない

▶レディガイルズ（ワートタイプ）

トライフォース3銃士

要塞エリアレディの要塞で「シスターレディ」が召喚するボス軍団の1匹で、"オシャレ3銃士"と愛でる忠実なしもべ。3匹の内最後に登場する。水源エリアボスの「ワート」型のマシンであるが、周囲の目玉は炎と氷の弾に変化しており、剣で攻撃することができなくなっている

▶レボナック

リンクの冒険

第3の神殿の守護者。王国の元親衛隊選り抜きの騎士。空を飛ぶ魔法の馬にまたがり突進してくる。ある程度ダメージを与えると馬から降りて攻撃する

▶レムリー

スカイウォードソード

スカイロフトの住民の間で、ペットとしても愛されている動物。昼は温厚だが夜になると豹変して凶暴化し、人間に襲いかかるように。普段は4足歩行だが、短時間であれば耳を翼のように羽ばたかせて空中を飛行することも可能

▶レヤード

夢幻の砂時計

甲殻巨大種レヤード。勇気の神殿に潜むヤドカリのようなボス。姿を隠して近づきハサミで攻撃してくる。殻の側面にある青い部分が弱点で、攻撃すると殻が外れて本体が出てくる。ニンテンドーDS本体の上画面はレヤードの視点になっており、隠れている間も位置が把握できる

ロ ▶ロウラル兵（剣）

神々のトライフォース2

ロウラル城を守っている上級兵士。鎧の見た目だけでなく、ハイラルに召喚され同じ剣を扱う兵士たちよりも体力・攻撃力ともに優れている。攻撃方法や動きなどは一般の兵士と同じ

▶ロウラル兵（鉄球）

神々のトライフォース2

ロウラル城を守っている上級兵士。鎧の見た目だけでなく、ハイラルに召喚されている鉄球を武器にした兵士たちよりも体力・攻撃力ともにかなり優れている。鉄球に炎をまとわせて、狭い部屋で振り回してくる

▶ロウラル兵（投槍）

神々のトライフォース2

ロウラル城を守っている上級兵士。鎧の見た目だけでなく、ハイラルに召喚されている投槍兵よりも体力・攻撃力ともに優れている。間合いを取って槍を投げてくる

▶ローダー

通常は地面を左右にゆっくり移動しているが、敵が同じ足場に降り立つとすぐ方向転換、スピードを上げて襲ってくる

リンクの冒険

▷ローパー

神々のトライフォース

4つの剣+

神々のトライフォース2

裏世界や洞窟内など、薄暗い場所を好んで生活する軟体動物のような魔物。あまり移動はしないが、生命力などは見た目以上に高い。群れでいることもある

▷ロープ

ゼルダの伝説

神々のトライフォース

夢をみる島DX

ふしぎの木の実

4つの剣

4つの剣+

ふしぎのぼうし

夢幻の砂時計

神々のトライフォース2　トライフォース3銃士

ダンジョンや洞窟などに住み着くヘビの魔物。主に集団で出現し、部屋の中を高速で走って突進攻撃をしてくる。仕掛けなどを作動させた際にどこからか大量に落ちてくることも多い

関連　ゴールデンロープ

▷ローラ

夢をみる島DX

「テールのほらあな」「カメイワ」に登場する中ボス。部屋の上下いっぱいの長いトゲ付きローラーを押して攻撃してくる。ローラーをジャンプで避けて攻撃が基本。武器によっては簡単に倒せるものもある

ワ行

▷ワート

神々のトライフォース

ムジュラの仮面

ムジュラの仮面 3D

神々のトライフォース2

トライフォース3銃士

ひとつ目の巨大なクラゲの魔物で、水辺に生息する。自身の周りに泡や目玉などを無数にまとわせ身を守る。『神々のトライフォース』『神々のトライフォース2』では水のほこらのボス。『トライフォース3銃士』では水源エリアの水の神殿のボス。『ムジュラの仮面』のみ中ボスでグレートベイの神殿などに出現、姿が異なる

▷ワート（ロウラル）

神々のトライフォース2

ロウラル城にてボスのいる王の間への封印を守っている中ボスの1匹。攻撃方法などは水のほこらのボスと同じく、目玉を飛ばしての攻撃やビームなどを仕掛けてくる

▷ワートの周囲の目玉

みずのほこらのボス「ワート」本体を守るように周囲を浮遊している目玉。フックショットを当てると本体から引きはがせる

神々のトライフォース2

▷ワートの周囲の目玉（ロウラル）

神々のトライフォース2

「ロウラル城」の中ボス「ワート（ロウラル）」の本体を守るように周囲を浮遊している目玉。フックショットを当てると本体から引きはがせる

▷ワープファントム

大地の汽笛

神の塔の守護者「ファントム」の一種で、ワープ能力を持つ。監視役である「ファントムアイ」とともに行動することが多い。自分の意志ではワープできず、ファントムアイに対する不満を漏らしたりも。また、呼び出されたときだけ行動し、普段は控え室で待機しているものもいる

関連　ファントム

▷ワインダー

神々のトライフォース

ふしぎのぼうし

夢幻の砂時計

大地の汽笛

壁沿いなど、一定のルートを周回している謎の球体群。電気を帯びているため剣で斬るとしびれてダメージを受け、盾でも防げない。ほとんどの場合倒せないが、『大地の汽笛』では先頭を矢で射ると消滅する

▷ワンワン

4つの剣+

『スーパーマリオブラザーズ』シリーズからのゲストキャラ。倒せないが、鎖につながれていてその範囲からは動かないので、近づかなければ被害に遭うこともない

記号

▷???

➡ シャドウリンク

鎧の中の姿

厚い鎧を装着し、行く手を阻む敵。しかしダメージを与えることで、その装甲が剥がれ落ち、鎧の中のさまざまな姿を見られることがある。ここではその一例を掲載する。

時のオカリナ 3D　アイアンナック　　**時のオカリナ3D　アイアンナック(ナボール)**

ゲルドの盗賊がアジトにしている魂の神殿に現れるアイアンナック。厚い装甲の中は、ゲルドの女性戦士。見た目が少し違うアイアンナックは、魔法使いに操られた義賊ナボール

風のタクト HD　タートナック(弱)　　**風のタクト HD　タートナック(強)**

厚い鎧をまとったタートナック。中は獣のような魔物。ダメージを与えた場所に応じて、盾、兜、胸部や腕の鎧が剥がれ落ち、武器を落とすと素手で攻撃してくる

トワイライトプリンセスHD　タートナック

神殿を守るタートナック。ダメージを与えて大きな剣や兜を剥がし落とすと、細い剣を取り出して応戦してくる

CHAPTER.3

ARCHIVES

　本章では『ゼルダの伝説』の30年の軌跡を、タイトルごとに次の5つの視点から見ていく。各タイトルの概要を記した「物語」をはじめ、その世界を彩る「主な登場人物」たち。その登場人物の関係をまとめた「人物相関図」。「世界」では、マップやダンジョンの位置といったゲーム内で見られるものをまとめ、さらに「開発資料」では多数の文献から開発当時を読み解いていく。

　それら以外にも、巻末には『ゼルダの伝説』シリーズの本編以外の派生タイトルやチラシといった販促物、総合プロデューサーである青沼英二氏のインタビューも掲載している。つまり、さまざまな角度からシリーズの軌跡を振り返る章となっている。

　最後に、読み進めるにあたり、本章は30周年の記念に特徴を編纂してまとめているものであり、細部についての具体的な冒険内容については、自分の手で触り、ぜひ確かめてもらいたい。

ゼルダの伝説／ゼルダの伝説1	216
リンクの冒険	220
ゼルダの伝説 神々のトライフォース（神々のトライフォース&4つの剣 版を含む）	224
ゼルダの伝説 夢をみる島／夢をみる島DX	229
ゼルダの伝説 時のオカリナ／時のオカリナ 3D	234
ゼルダの伝説 ムジュラの仮面／ムジュラの仮面 3D	240
ゼルダの伝説 ふしぎの木の実 大地の章	246
ゼルダの伝説 ふしぎの木の実 時空の章	250
ゼルダの伝説 風のタクト／風のタクト HD	254
ゼルダの伝説 神々のトライフォース&4つの剣	260
ゼルダの伝説 4つの剣+	262
ゼルダの伝説 ふしぎのぼうし	266
ゼルダの伝説 トワイライトプリンセス／トワイライトプリンセス HD	272
ゼルダの伝説 夢幻の砂時計	278
ゼルダの伝説 大地の汽笛	284
ゼルダの伝説 スカイウォードソード	290
ゼルダの伝説 神々のトライフォース2	296
ゼルダの伝説 トライフォース3銃士	301
本編以外のシリーズ	306
雑誌広告・チラシ	312
青沼英二インタビュー	316

1986

Data
1986年2月21日発売
ファミリーコンピュータ ディスクシステム

Data
1994年2月19日発売
ファミリーコンピュータ

伝説の幕開けとなったシリーズ第1作は、ファミリーコンピュータ用の周辺機器、ディスクシステムと同時発売。当時では大容量のデータを扱えたディスク媒体の特性を生かし、広大なマップに豊富な謎解きを用意。主人公のリンクが剣で戦い道具で謎を解くゲーム性は、ここから確立されている。1994年にはROMカセット版『ゼルダの伝説1』も発売。ディスクシステム内蔵の音源を使用していないことを除きゲーム内容は同様。また、2004年2月14日にはゲームボーイアドバンス用「ファミコンミニ」シリーズの1本として『ゼルダの伝説1』が発売に。画角と色味は原作とは異なっている。

※この画面は「ファミコンミニ」版『ゼルダの伝説1』のものです

▷ 物語

　遠い昔、世界がまだ混迷の時代——。
　ハイラル地方の小王国へ、大魔王ガノン率いる魔の軍団が侵攻。この国の宝である力のトライフォースを奪った。トライフォースとは神秘の力をもつ黄金の三角形で、王家に代々伝えられたもの。
　王国の姫ゼルダは、もう1枚の知恵のトライフォースをガノンに奪われる前に8つの小片に分け、小王国各地に隠した。また、ガノンを倒せる勇気ある者を探すよう、乳母のインパに指示する。インパは秘密裏のうちに小国を脱出した。これを知ったガノンは激怒。ゼルダ姫を捕らえ、部下にはインパ捜索を命じた。
　追っ手の手は早く、インパはまもなくガノンの手下たちに見つかってしまう。まわりを囲まれ、絶体絶命と思ったそのとき、ひとりの少年が現れた。少年は手下たちを巧みに混乱させ、無事にインパを救い出したのである。
　少年の名はリンク。旅の途中だった彼に、インパは小王国に起きている事態を伝えた。正義感の強いリンクはそれを聞くと、ガノンを倒し、ゼルダ姫を助けることを決意。しかし強大なガノンを倒すには、隠された知恵のトライフォースの小片をすべて集める必要がある。苦難の冒険を覚悟して、リンクは小王国に入るのだった。

　小王国は各地にガノンの手下たちがはびこり、トライフォースの小片を探すリンクの冒険は厳しいものとなった。だが洞窟などに隠れている老人や商人たちのサポートもあり、トライフォースの小片が隠されている8つの地下迷宮を探索していく。
　迷宮は敵の攻勢もさることながら、難解なトラップが行く手を阻む。しかし、リンクは勇気と持ち前の柔軟さでこれを切り抜けていく。
　さらに冒険のなかでアイテムを手に入れ、探索場所が広がることで、少しずつ強くなっていった。リンクの装備もマジカルソードとマジカルシールドへと強化されていく。トライフォースの小片をすべて集めたリンクは、いよいよガノンがいるというデスマウンテン、メガネ岩へ——。

　デスマウンテンと呼ばれるガノンの本拠地は、これまでの迷宮とは比べものにならない広さであった。部屋の多さもさることながら、そのつながりも複雑。ガノン、そしてゼルダ姫はさらにその最深部に……。
　リンクはついにガノンの部屋へたどり着く。ガノンの魔力は、完成した知恵のトライフォースの力によって弱まった。……が、姿を消し高速移動しながら反撃するガノン。その気配を察知しながらマジカルソードで攻撃するリンク。最後の闘いは熾烈を極めたが、ガノンの一瞬の隙を突いて放った銀の矢が命中。見事ガノンを倒すことができたのであった。
　力のトライフォースを取り戻し、捕らえられていたゼルダ姫を無事救出する。「ありがとうリンク。あなたはハイラルの英雄です」

　こうして、ハイラルに平和が戻ったのであった。
　——"これでこの物語は終わりです"。

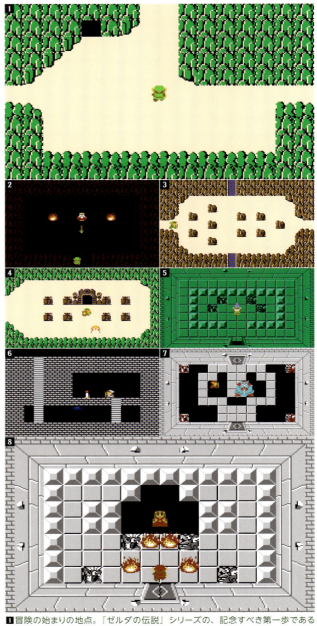

1 冒険の始まりの地点。『ゼルダの伝説』シリーズの、記念すべき第一歩である　**2** 開始地点近くにある洞窟の中。老人からソードをもらう　**3** 迷いの道。東西南北に決まった順で進まなければ、目的地にたどり着けない　**4** 隠された迷宮の入口　**5** 迷宮最深部のボスを倒すと知恵のトライフォースの小片が手に入る　**6** 地下の部屋に隠されたアイテム　**7** 最終ボス、ガノンとの戦い。ガノンは魔力で姿を隠して攻撃してくる　**8** ラストシーン。囚われのゼルダ姫を救出する

▷ 主な登場人物

リンク
魔物に襲われていたインパを、武器も持たず機転を利かせて助け出した旅の少年

ゼルダ姫
知恵のトライフォースを8つに分け小王国に隠すが、ガノンにより囚われの身となる

インパ
ゼルダ姫の乳母。密命を受け、ガノンを倒す勇気ある者を捜していた

ガノン？
リンクにとって未知の大魔王。知恵のトライフォースを得るため、ゼルダ姫をさらう

メインビジュアル

▷ 人物相関図

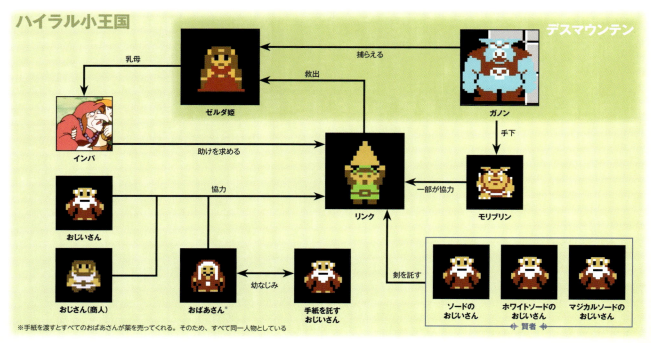

※手紙を渡すとすべてのおばあさんが薬を売ってくれる。そのため、すべて同一人物としている

▷ 世界

横16×縦8ブロックで構成されているフィールド。ゲーム開始直後からかなり遠くまで行くことは可能だが、進むごとに強力な敵が出現したり、情報がないと先に進めない迷い道がある。また一度クリアすると遊べるようになる、いわゆる『裏ゼルダ』はフィールドマップの一部エリアに変更があるが、ここでは表のフィールドマップで『裏ゼルダ』のダンジョン配置も示している。

ハイラル

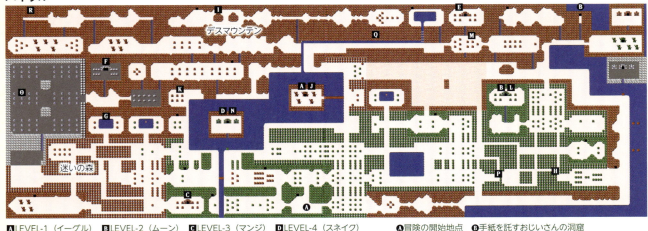

- A LEVEL-1（イーグル）
- B LEVEL-2（ムーン）
- C LEVEL-3（マンジ）
- D LEVEL-4（スネイク）
- E LEVEL-5（リザード）
- F LEVEL-6（ドラゴン）
- G LEVEL-7（デーモン）
- H LEVEL-8（ライオン）
- I LEVEL-9（デスマウンテン）
- J 裏LEVEL-1
- K 裏LEVEL-2
- L 裏LEVEL-3
- M 裏LEVEL-4
- N 裏LEVEL-5
- O 裏LEVEL-6
- P 裏LEVEL-7
- Q 裏LEVEL-8
- R 裏LEVEL-9
- ⓐ 冒険の開始地点
- ⓑ 手紙を託すおじいさんの洞窟

▷ 開発資料

▷ フィールド画面 設計案

開発当初、現在のフィールドマップを移動するような仕様は存在せず、タイトル画面もしくはメニュー画面からすぐダンジョンへ突入する仕様になっていた。下図のように、立体的な視点でダンジョンの入口を表現する方法が試された。

ダンジョン突入画面

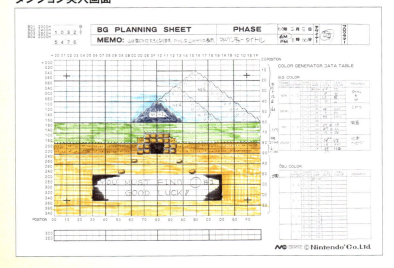

試作画面

左の仕様を元にし、ファミリーベーシックを使って作成された試作画面（ブラウン管に表示したものをカメラで撮影した写真）

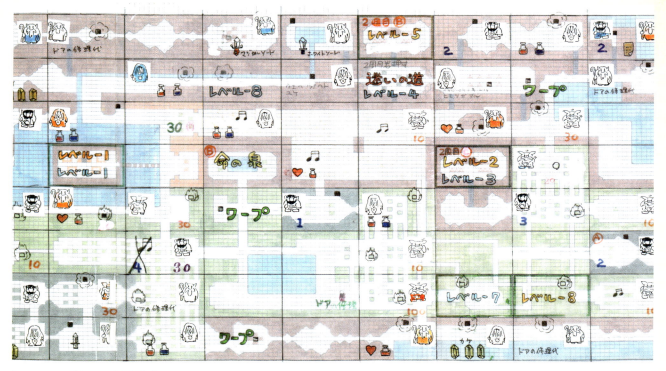

フィールドマップ 設計案

ゲームに実装されたフィールドマップ。デザインはまず、右のように手描きの設計図から始まる。そして、上の全体マップの設計図にはトレーシングペーパーがかけられ、その上に「レベル8」「ワープ」などの書き込みやキャラクターイラストが貼られている。このエリアにはこういう仕掛けを入れよう、こんな人物を配置しよう、などと何度も書き込み、修正しながら調整していく。

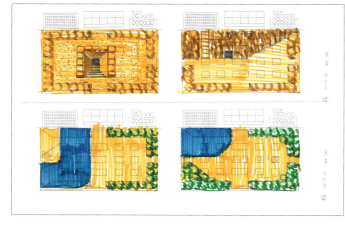

LEVEL1~6

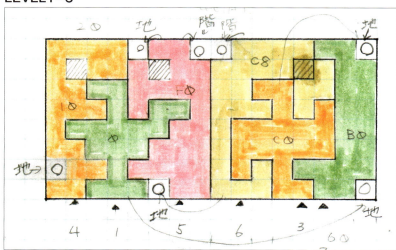

ダンジョン 設計図

ダンジョンマップのデータ格納には、フィールドマップと同じ横16×縦8ブロックが使われている。その中にLEVEL1から6のマップをパズルのように組み合わせて設計してあり、余ったブロックには各ダンジョンの地下（ハシゴなどアイテムが置いてある部屋や、部屋をつなぐ地下通路）のデータが納められている。

LEVEL7から9も同様に、ブロックの無駄がないようにつくられている。各LEVEL内の仕掛けや出現アイテム、ひとつの部屋デザインなども個別に手描きで設計されている。

開発秘話

●北東のおじいさんからおばあさんに届ける手紙。ゲーム内で文面は読めないが、「この者はインパ様の知り合いで勇敢な少年だ。力を貸してやってほしい」という内容が書かれているイメージとのこと。おばあさんが快く薬を売るようになるのはこのため。

●オープニングBGMは当初クラシックの「ボレロ」だった。ゲームの完成直前、著作権が残り1か月ほどで切れていないことが発覚。発売日はずらせないため、別の曲を用意することに。作曲者の近藤浩治氏は、フィールド曲をアレンジし一晩で制作した。

参考文献
●ファミリーコンピュータマガジン
　1986年No.9「ゼルダの伝説 Q&A」
●「ニンテンドークラシックミニ ファミリーコンピュータ」
　発売記念インタビュー第4回「ゼルダの伝説篇」

1987

DATA
1987年1月14日発売
ファミリーコンピュータ ディスクシステム

『ゼルダの伝説』の発売から1年弱で登場したこのタイトルは、シリーズで唯一横画面をメインに冒険が繰り広げられる。また、攻撃と防御を上段・下段に使い分けるバトルや、敵を倒すことで経験を積みレベルアップする要素など、独自のシステムも多い。とはいえ世界各地の神殿を巡って目的を達成する冒険や、アイテムを入手することで行動範囲が広がり、リンク自身も強くなるといった『ゼルダ』らしい要素も健在。2004年8月10日にはゲームボーイアドバンス用「ファミコンミニ ディスクシステム セレクション」シリーズの1本として発売。画角と色味がオリジナル版とは異なる。

※この画面は「ファミコンミニ」版『リンクの冒険』のものです

▶ 物語

リンクの活躍によって知恵と力のトライフォースを取り戻したハイラルの小王国。しかし大魔王ガノンの邪悪な心は残り、ハイラルの秩序は乱されていた。また、生き残ったガノンの手下たちはリンクの血を欲しがっていた。リンクを生け贄にし、その血を灰となったガノンへ垂らすことにより、ガノンは復活するというのである。

そのころリンクは小王国でハイラル復興を手助けしていたが、荒廃は進むばかり。そんななかリンクが16歳の誕生日を迎えると、左手の甲に光るあざが現れた。その正三角形の印を見たインパは、リンクを北の城へ連れていった。その印は、北の城にある開かずの扉を開く鍵となるのである。

扉を開けた向こうでリンクが見たのは、祭壇で眠るひとりの女性。「あのお方が初代ゼルダ姫じゃよ」インパは話を続ける。遠い昔、ハイラルがひとつの大きな国だったころ、偉大なるハイラル王はトライフォースの力で秩序を保っていた。王が亡くなったあと、王子が王位とトライフォースを受け継いだが、トライフォースを完全には継いでいなかった……。それを不満に思っていた王子に、側近の魔術師が助言をした。「トライフォースの秘密をあなたの妹、ゼルダ姫が知っているようだ」。王子はゼルダ姫に詰め寄るが、ゼルダ姫は語ろうとはしない。魔術師が、永遠に眠り続ける魔法をかけるとおどしても態度は変わらず、ついに業を煮やした魔術師の魔法でゼルダ姫は倒れこんでしまう。同時に魔術師も絶命した。王子は後悔し、嘆き悲しみ、ゼルダ姫を北の城の祭壇に納めた。そしてこの悲劇を忘れぬよう、王家に生まれた女性は名前を必ずゼルダとするように命じたのである。

伝説を語り終えたインパは、祭壇に置かれていた巻物と6つの小さなクリスタルを託す。巻物に書かれた言葉は今まで見たことのない文字だったが、まるで文字がリンクに話しかけてくるように頭に入ってきた。巻物にはハイラル王の言葉が記されていた。「トライフォースには力、知恵、そして勇気という3つの種類がある。それをすべて受け継ぐべき者に、私が生きている間に会えなかった。だから私は力と知恵のトライフォースだけを王国に残し、勇気のトライフォースは死の谷に隠すことにした。そして、私は魔法をかけた。トライフォースを受け継ぐ素養を持った者が道を誤らずに育ち、さまざまな経験を積み、ある年齢に達したとき、左手に紋章が現れる魔法を。その者とトライフォースがハイラルの希望となることを願う」

初代ゼルダ姫にかけられた魔法も、3枚のトライフォースがそろえば解けるはず。リンクは死の谷を目指して冒険の旅へ出た。巻物に書かれていたとおり、リンクはハイラル各地にある6つの神殿を見つけ、最奥の石像へクリスタルを納めていった。すべて納めることで、死の谷にある大神殿の封印は解かれる。

大神殿の最奥で待ち受ける守護神ボルバを撃破。奥の部屋で勇気のトライフォースを見つけたそのとき……壁に映っていた影が襲いかかってきた！ 自分自身との戦い、それはトライフォースを受け継ぐ者を見定める、最後の試練だった。リンクは影に打ち勝ち、勇気のトライフォースを手に入れた。

北の城に戻ったリンク。祭壇の前で、3つのトライフォースが輝きを放つ。すると眠りの魔法が解け、初代ゼルダ姫が目覚めたのである。ハイラルを救ったリンクに、初代ゼルダ姫は言うのだった。
「あなたは真の勇者です！」

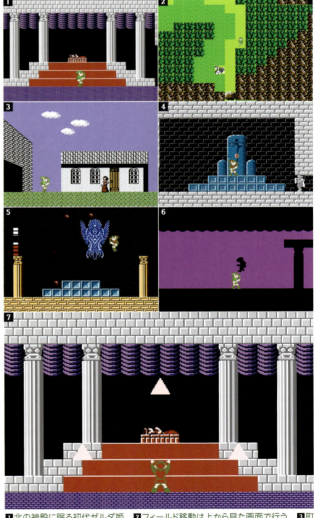

❶北の神殿に眠る初代ゼルダ姫 ❷フィールド移動は上から見た画面で行う ❸町で情報収集 ❹神殿の守護神を倒した先にある石像。この額にクリスタルを納めていく ❺大神殿の守護神ボルバ。「サンダー」の魔法を使うと剣による攻撃も通用するようになる ❻リンクの影が自分から離れていき、自我を持ったように動いてリンクを攻撃してくる ❼3つのトライフォースが輝き、初代ゼルダ姫がついに目覚める

▷ 主な登場人物

⚜ リンク
ガノンを倒してからも旅を続けていたが、再びハイラルの地を訪れて復興に力を貸していた

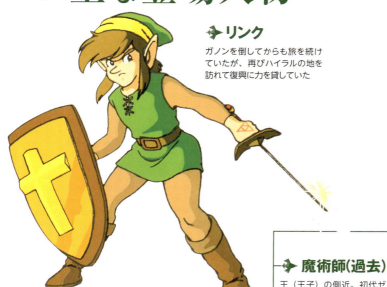

メインビジュアル

⚜ 魔術師(過去)
王(王子)の側近。初代ゼルダ姫に、永遠の眠りにつく魔法をかけた後、絶命する

⚜ 王子(過去)
国王となるがトライフォースの力を不完全にしか継げず、ゼルダ姫を問い詰める

⚜ 初代ゼルダ姫
トライフォースについて口を割らなかったため、魔術師の魔法により、眠りにつかされる

⚜ インパ
左手の甲にあざが浮き出たリンクに、ハイラル王家に伝わる巻物とクリスタルを託す

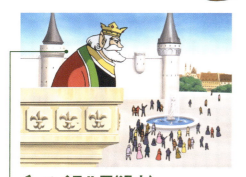

⚜ ハイラル王(過去)
トライフォースの力を使って秩序を保っていた偉大な王。ハイラルの地に魔法をかけた

▷ 人物相関図

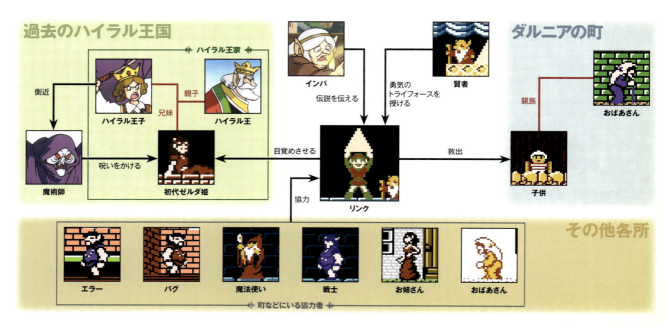

▷ 世界

6つの神殿は、東西2つに分かれた大陸に点在している。マップ上は何もない場所でも、足を踏み入れると落とし穴になっていたり、敵が待ち受けるエリアとなっている場合がある。町では魔法の力を手に入れ、「第3の神殿」で手に入るイカダによって東西の大陸を行き来し、大神殿を目指していく。

ハイラル西大陸

ハイラル東大陸

A	第1の神殿	A	ラウルの町
B	デスマウンテン	B	ルトの町
C	第2の神殿	C	サリアの町
D	第3の神殿	D	ミドの町
E	第4の神殿	E	ナボールの町
F	第5の神殿	F	ダルニアの町
G	第6の神殿	G	カストの町
H	大神殿	H	旧カストの町

地形で変化する戦闘場所

フィールドで敵と出会うと戦闘に入るが、そのときリンクがいた場所によって戦う舞台、そして敵の種類が変化する。北の城から離れるごとに、敵は強大になっていく。

森

砂漠

草原

沼

墓地

▷ 開発資料

▷ ストーリーアートワーク 製作過程

取扱説明書には、10ページに渡ってストーリーが書かれている。そしてそこには、まるでテレビアニメのワンシーンのような挿絵イラストが掲載されていた。そのイラストは、制作過程もアニメーションの工程と同様に、キャラクターと背景が別々に描かれており、まずラフを元に線画が描かれ、塗りについての指定などが記されていく。

完成版

完成版

開発秘話

● 「攻撃も防御も上下に使い分ける横スクロールのアクションゲームを作りたい」という宮本茂プロデューサーの一言から開発がスタートした。もともと『ゼルダの伝説』とは別の遊び方を模索していた「外伝」だったので、シリーズで異色なタイトルになった。

● レベルアップの要素は、当時ハード的な制限があるなかで長く遊べるよう、何回も敵と戦う理由として導入した。フィールドでのシンボルエンカウントは、本作の狭いマップでも遊びが増えるよう、運の要素も入れたかったために設計された仕組み。

● アクションの難易度は高め。全般的な話でもあるが、当時のアクションゲームはボリュームが少なめだったこともあり、できるだけ長く遊んでもらうように、あっさりクリアできない設計になっていた。

● 『リンクの冒険』のスーパーファミコン版を開発していた。しかし完成時期はNINTENDO 64の発売後になりそうだったこと、そして開発スタッフが『スターフォックス64』の開発に加わることになり、開発は停止されることとなった。

参考文献
● 任天堂公式ホームページ トピックス
「なぜ『リンクの冒険』は当たり前にならなかったのか？」
● 任天堂 公式ガイドブック『スターフォックス64』
開発スタッフインタビュー

1991

SUPER FAMICOM ゼルダの伝説 神々のトライフォース

DATA　1991年11月21日発売　スーパーファミコン

『リンクの冒険』より5年近く、スーパーファミコン発売からちょうど1年後に発売。『ゼルダの伝説』からシステム、グラフィック、音楽などすべてがパワーアップ。2Dながら高低差のあるダンジョンや、光と闇ふたつの世界で展開する物語が驚きを生んだ。国内販売本数はミリオンセラーを記録。2003年3月14日にはゲームボーイアドバンス版『ゼルダの伝説 神々のトライフォース&4つの剣』で初リメイク。画面比率はオリジナルと異なるが、一部の仕様や台詞の調整でより遊びやすくなり、『4つの剣』と連動した新ダンジョンの追加も楽しめる。

※画面は『神々のトライフォース&4つの剣』のものです

▷ 物語

全知全能の力を持つトライフォース。それはハイラル地方に眠るという、触れた者の願いが叶う秘宝。ハイラル王国でトライフォースの隠された聖地へ通じる入口が見つかり、多くの人が争って聖地へ入っていった。しかし戻った者はなく、入口から悪しき力がわき出てきたため、ハイラル王は7人の賢者に命じて聖地への入口を封印した。

後に「封印戦争」と呼ばれるこの物語が遠い昔の伝説になったころ。謎の司祭アグニムはハイラル国王を亡き者にし、城の兵を操って七賢者の血を引く娘たちを捕らえ、次々に生け贄として捧げていった。ハイラルの王女、ゼルダ姫が生け贄にされるのも時間の問題であった。

「助けてください……。私は、城の地下牢に捕らえられています。私の名はゼルダ……。6人の生け贄が捧げられ、私が最後のひとり。助けて……」リンクは夢の中でこんな声を聞き、夜中に目覚めた。横では叔父が剣と盾をもち、外に出ようとしていた。「心配ない、朝までには戻るからお前は家を出るんじゃない」叔父はそう言って出ていった。が、どうにも胸騒ぎが止まらない。リンクは家を飛び出し、ハイラル城を目指した。城の脇から地下に降りたリンクが見たものは、傷つき倒れた叔父の姿。叔父の剣と盾を預かり、城の奥へと進む。ゼルダ姫を救出し、秘密の抜け道からたどり着いた教会でゼルダ姫は身を隠すことになった。

リンクは賢者の子孫サハスラーラの知恵を借り、司祭アグニムに対抗するための退魔の剣「マスターソード」を手に入れる旅に出た。かつて王族を守り、封印戦争で賢者の盾となったナイトの一族。その末裔がリンクであり、ナイトの一族から勇者が誕生すると言われている。リンクはその資格を得るべく勇気、力、知恵の紋章を入手し、神聖な森の奥、美しい木漏れ日の下でマスターソードを引き抜いた。

その瞬間、ゼルダ姫からの声が頭に響く。アグニムの追っ手に捕らわれてしまった、と。救いに行くため、リンクは再びハイラル城へ……。

マスターソードの力によりアグニムを撃退するが、聖地の封印が解かれハイラル城にも闇の世界への通路が開いてしまった。このまま通路が広がれば、闇の世界に封じられている魔王ガノンが光の世界へ這い出てしまい、世界は滅亡するだろう。その前にガノンを倒し、トライフォースを取り戻さなくてはならない。

生け贄となった七賢者の血を引く娘たちは、闇の世界へ飛ばされていた。リンクは光と闇の世界を行き来し、6人の娘とゼルダ姫を救う。そして7人全員を助け出したとき、ガノンの塔を包む結界は破られた。

再び立ちはだかるアグニムを退け、ガノンの元へたどり着いたリンクは、激闘の末ガノンを打ち倒しトライフォースを奪還。世界が元の平和な姿になることを願い、トライフォースに触れた。

すると、ハイラル王をはじめ犠牲になった人たちが次々と蘇り、ハイラルは平和な姿を取り戻した。トライフォースは再びハイラル王家が守り、ガノンの悪しき心から生まれた闇の世界は、徐々に消えていくのだった。

①〜④封印戦争の様子が描かれた画。今では伝説となった、過去の物語　⑤アグニムの手により、変わり果てた姿になったハイラル王　⑥生け贄として連行される賢者の末裔　⑦アグニムが魔法の力で賢者の血を引く娘を生け贄にする　⑧教会へ避難したゼルダ姫　⑨森の聖域に眠るマスターソードを引き抜くリンク　⑩司祭アグニムを追い詰め、リンクはハイラル城のバルコニーで激しい戦闘を繰り広げる　⑪大魔王ガノンとの一騎打ち。銀の矢でとどめを刺す　⑫取り戻したトライフォースに触れ、リンクは平和を願う　⑬〜⑰ハイラル王やリンクの叔父、途中で出会ったオカリナ少年なども元気な姿を取り戻す

▷ 主な登場人物

リンク
ナイトの一族の末裔で勇者の資質をもつ。人の話をちゃんと聞かないところもある

ゼルダ姫
ハイラルの王女であり、賢者の血を引く娘のひとり。代々不思議な力をもつ

ガノン
巨大な魔獣。光の世界に戻りハイラル全土を支配するため、アグニムを送り込む

おじさん
ナイトの一族の血を引いており、リンクと同居している

アグニム
闇の世界からきた悪しき司祭。賢者の血を引く娘たちを次々と生け贄にする

サハスラーラ
カカリコ村に住む長老。ハイラルの異変に気づき東の神殿を調べていた

メインビジュアル

▷ 人物相関図

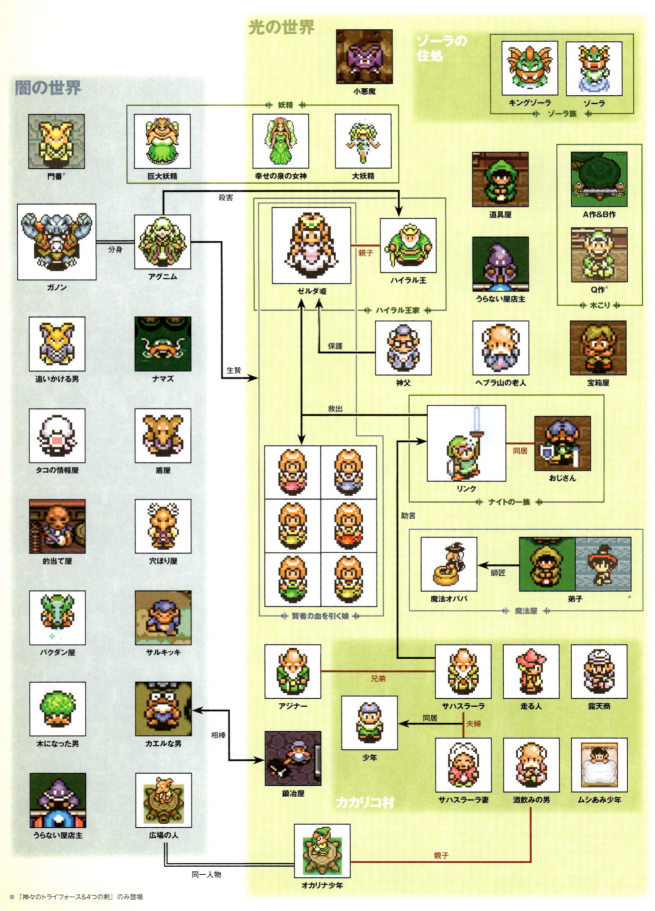

▷ 世界

ハイラル城を中心に豊富な自然が広がる光の世界。それに対して闇の世界は、地形こそ似ているが、草木の色はくすみ、荒れ果てたような大地が広がる。

生き物と自然を育む豊かな表の世界

ハイラル城を中心に山や森に囲まれた自然豊かな世界。しかしアグニムの策略によってリンクはお尋ね者となり、兵士たちが襲いかかってくる。闇の世界への入口ができると一部の住人は闇の世界へ迷い込んでしまい、行方不明となっている。

A ハイラル城　**B** 東の神殿　**C** 砂漠の神殿
D 山の洞くつ　**E** ヘラの塔　**F** ハイラル城(塔)
G 闇の神殿　**H** 水のほこら　**I** ドクロの森
J はぐれ者の村　**K** 氷の塔　**L** 悪魔の沼
M カメ岩　**N** ガノンの塔　**O** ピラミッド
P 4つの剣の神殿(『神々のトライフォース&4つの剣』のみ)

A カカリコ村　**B** はぐれ者の村
C リンクの家　**D** 教会　**E** ゾーラの住処
F 木こりの家　**G** 鍛冶屋　**H** アジナーの住み家

光の世界

人が人でいられなくなる裏の世界

ガノンの悪しき心がつくりだした闇の世界。光の世界に住む者が迷い込むと、欲深い者は魔物に、それ以外の人も動物や植物など異なる姿になってしまう。そんな闇の世界にも住人がおり、治安は悪いものの、村やお店が少なからずある。リンクも一時ウサギの姿になるが、ヘラの塔でムーンパールを手に入れることで人間の姿が維持できるようになる。また、マジカルミラーがあれば好きな場所で闇の世界から光の世界へ戻ることができる。

闇の世界

光の世界

闇の世界

▷ 開発資料

▷ オープニング 絵コンテ

当時としては珍しい、ポリゴン表示による立体的でなめらかな動きのトライフォースが印象的なタイトル画面。トライフォースの動きは、このように絵コンテでその回転や合体、タイトル表示のタイミングなどが細かく指定されている。また、デモで流れるシーンについてもキャラクターの動きなどが指定されているのがわかる。

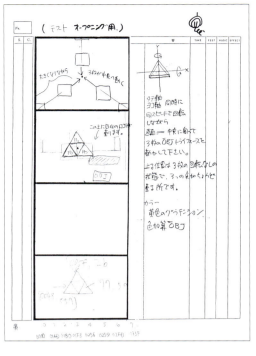

▷ ガノン戦 仕様書

ガノンとの最終決戦。それぞれの段階ごとに変化する攻撃方法についてまとめて記したもののひとつ。

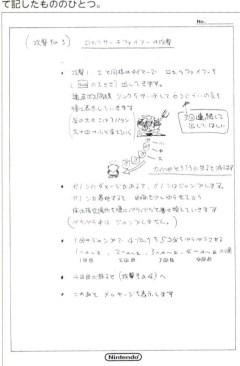

▷ 序盤の流れ 仕様案

序盤の物語の展開案。「国」「場所」「アイテム」「情報・イベント」「備考」欄があり、「王女よりトライフォースを受け取る」「教会で"いのる"を覚える」といったイベント情報と、その展開にあわせた体力やセーブについての備考を記している。実際のゲームとは異なる内容ではあるが、城の秘密の通路から教会に出るアイデアなどは実際にゲームに組み込まれている。

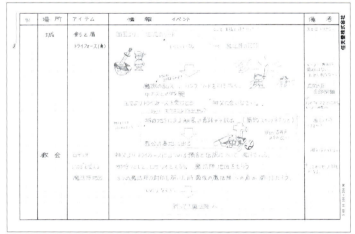

開発秘話

● 制作期間は3年ほど。スーパーファミコンが発売されるよりもかなり前から始まっていた。構想に1年、実験に1年、実際に開発に入って1年くらいで完成した。

● 開発初期は光と闇の世界のほか、もうひとつの世界があった。しかし世界が3つもあるとプレイヤー側も混乱してしまうため、シェイプアップせざるを得なかった。

● 宮本茂プロデューサーは本作のイベントについて、「決められたイベントに沿ってゲームを進めるのは好きではない、しかしそうやってつくらないとゲームにならない。だからお使いではなく、何をすればいいのかを自分で考えられるようにしたかった」と語っている。

● ダンジョンに登場するファイアバーは、もともとディスクシステムの『ゼルダの伝説』のためにつくられた仕掛けだった。しかし『スーパーマリオブラザーズ』で試したところ、とてもおもしろくなったため採用、『ゼルダの伝説』では使われなかった。それから数年たち、『スーパーマリオブラザーズ』の盗用とも思われないだろうというスタッフの判断で、本作で登場することとなった。

● 構想段階ではAボタンに「食べる」「踊る」などのアクションがあったが、収拾がつかなくなったので削除、今の形に落ち着いた。

● 音楽担当の近藤浩治氏が前作の音楽を続編で使ったのは、本作が初めてのこと。

● スーパーファミコンはファミコンよりも重厚な音が出せたが、より重厚にするためメロディーを2音で鳴らし、それぞれのピッチをずらすことでコーラス効果を出し、より広がりのある勇ましい音になった。

● 近藤浩治氏は『スーパーマリオワールド』が終わった後、本作の制作に関わった。どちらも音楽・効果音を含めすべてひとりで担当した。

参考文献
● 任天堂 公式ガイドブック
『ゼルダの伝説 神々のトライフォース』上
● ニンテンドードリーム 2014年2月号
『ゼルダの伝説 神々のトライフォース2』きっと遊びたくなる! ネタバレなしの発売直前インタビュー

1993

DATA
1993年6月6日発売
ゲームボーイ

DATA
1998年12月12日発売
ゲームボーイカラー対応

携帯機向けに初めて開発された本作は、画面こそコンパクトながら、『ゼルダの伝説』のゲーム性を十分に楽しめる内容となった。しかし、ハイラルを舞台とはせず、『スーパーマリオ』シリーズなど、ほかのゲームのキャラクターが登場したり、切なさを感じさせるストーリーが展開するといった、これまでと違う見どころも多い。

1998年にはカラー表示が可能なゲームボーイカラーに対応したリメイク版が発売。「服のダンジョン」や写真屋が追加された。イベントで撮影した写真は周辺機器の「ポケットプリンタ」で印刷することができた。

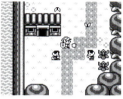

※この画面はゲームボーイ版『夢をみる島』のものです

▷ 物語

『神々のトライフォース』の冒険でハイラル王国に平和を取り戻したリンクは、修行の旅に出ていた。リンクは異国での修行を終え、懐かしいハイラルへ帰る航海の途中で嵐に遭う。雷によって船は真っ二つになり、リンクは深い海の底へ……。

気がついたリンクの目の前にいたのは、歌うことが好きなマリンという少女。リンクはコホリント島という場所に漂着し、マリンに助けられたのだという。盾を受け取り、自分の剣を捜しに海岸へ行くと、不思議なフクロウが現れて言った。「すべては"風のさかな"の目覚めが答えてくれる」。

リンクはフクロウの導きに従い、この不思議な島からの脱出を試みる。ゴポンガの沼ではワンワンとともに道を切り開き、カナレット城ではリチャード王子の協力を仰ぐ。

そして浜辺でマリンとふたり、会話をする。海の向こうには何もないと信じられているこの島で、彼女だけはこう言うのだ。

「リンクを見つけたとき私ドキドキしたわ。この人は、海の向こうから何かを告げにきたんだって。私が、カモメだったら……ずっと、遠くへ、飛んでいくのに」

8つのダンジョンに眠る"セイレーンの楽器"を集めていくリンク。発見した壁画には、島の真実が書かれていた。「コホリントは島にあらず。空、海、山、人、魔物。みなすべて作り物なり。風のさかなの見ている夢の世界なり。風のさかな目覚めるとき、コホリントは泡となる。我、流れ着きし者に真実を伝える」

8つの楽器を集めて聖なるタマゴの前に立つと、美しいメロディーを奏で、タマゴにヒビが入った。タマゴの中に巣食うのは、悪夢が生み出した恐ろしい魔物シャドー。さまざまな形態でリンクを襲うが、リンクは悪夢に打ち勝って見せた。

リンクを導いたフクロウは、風のさかなの心のひとつ。眠るあいだ夢の世界を守ることが使命であった。しかし夢の裂け目から悪夢が芽生え、島をむしばみだしたのだという。そんなとき、島にリンクがやってきた。彼こそ目覚めの使者だとフクロウは確信したのだ。フクロウは別れを告げると、風のさかなと一体化。

風のさかなの目覚め、それはコホリント島の消滅を意味する。しかし風のさかなは、礼とともにリンクに言った。「……キミはいつかこの島を思い出すだろう。この思い出こそ、本当の夢の世界では、ないだろうか」と。

「時は満ちた！　ともに目覚めよう！！」

目覚めたリンクは、海のうえを漂っていた。見上げると、空には巨大なクジラのような姿が見えた。風のさかなだ。

そして一羽のカモメが、遠くへと飛んでいった。

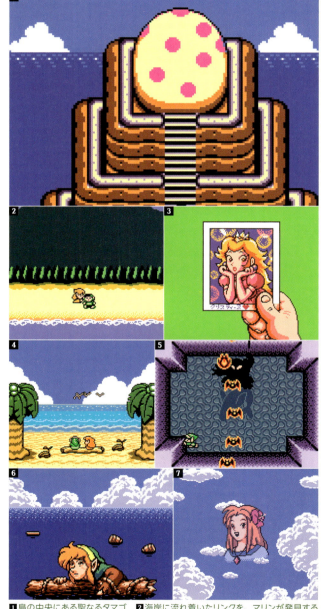

① 島の中央にある聖なるタマゴ　② 海岸に流れ着いたリンクを、マリンが発見する　③ ヤギのクリスティーヌが、文通相手のドクターライトへ送った写真。本人とのことだが……　④ 浜辺で語りあうイベント。このあとマリンを"お借り"して、次の目的地までいっしょに行動する　⑤ シャドーは、リンクの記憶にあるさまざまな魔物の姿となる　⑥⑦ 現実に帰ってきたリンク。頭によぎるのは、コホリント島での思い出

▷ 主な登場人物

🌿 リンク
ハイラルを救った勇者。ぶっきらぼうな面もあるが、持ち物に名前を書く几帳面な性格

🌿 マリン
島に流れ着いたリンクを介抱する歌が好きな女の子。時にはやんちゃな側面も見せる

🌿 フクロウ
行く先々でリンクに助言する老フクロウ。風のさかなの「心のひとつ」

🌿 タリン
マリンと暮らしている、キノコが大好きなおじさん。少しおっちょこちょいな面がある

夢をみる島

メインビジュアル

夢をみる島DX

▷ 人物相関図

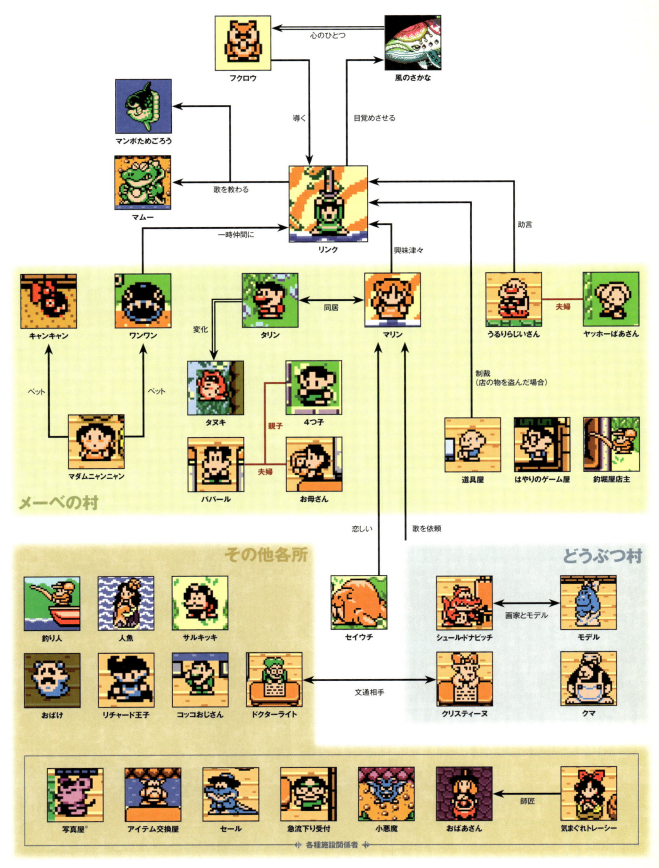

▶ 世界

風のさかなが見ている夢の世界だというコホリント島。南の島という雰囲気で、豊かな自然がある。各地方の名前が細かく設定されており、マップ画面でカーソルを移動させるとそのブロックの地域名が表示された。16×16ブロックという広大なフィールドだが、各所に点在するワープ穴や、ワープができる歌「マンボウのマンボ」などのおかげで移動は快適に行える。

漂着したリンクを見つけたマリン

コホリントじま

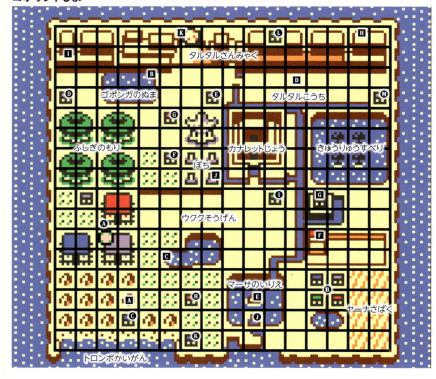

- A レベル1 テールのほらあな
- B レベル2 つぼのどうくつ
- C レベル3 カギのあなぐら
- D レベル4 アングラーのたきつぼ
- E レベル5 ナマズのおおぐち
- F 南の神殿（古代遺跡）
- G レベル6 かおのしんでん
- H レベル7 オオワシのとう
- I レベル8 カメイワ
- J 服のダンジョン（『夢をみる島DX』のみ）
- K せいなるタマゴ

- A メーベの村
- B どうぶつ村
- C セールの家
- D ドクターライトの家
- E 写真屋（『夢をみる島DX』のみ）
- F 魔法オババの家
- G きまぐれトレーシーの薬屋さん
- H リチャードの別荘
- I 貝がらの館
- J 人魚像
- K おばけの家
- L ニワトリ小屋
- M 急流すべり受付

出会えるゲストキャラクター

アイテムに「ヨッシー」、敵キャラクターに「カービィ」などがいるほか、『カエルの為に鐘は鳴る』からリチャード王子とカナレット城、『シムシティ』シリーズからドクターライトが登場する。

『夢をみる島 DX』で追加された施設とダンジョン

『夢をみる島DX』では、新たな建物とダンジョンが追加されている。写真屋は特定のタイミングや場所などの条件でどこからともなく登場し、リンクや仲間たちの記念写真を撮ってくれる。撮った写真は、写真屋へ行くといつでも見ることが可能。また、服のダンジョンは赤、青、緑といった色にちなんだ謎解きが待ち構えているダンジョンで、クリアすると「赤い服」「青い服」のどちらかが手に入る。

赤、青、緑。カラフルな「服のダンジョン」

撮影ポイントでは、特別な画面でイベントが展開される

▷ 開発資料

▷イベント絵コンテ＆スクリプト

キャラクターの動きやタイミングなど、イベントに関する情報が絵コンテの状態でまとめられている。スクリプト（メッセージ）も絵コンテに記入されている。スクリプト記入用紙では、画面へ一度に表示できる文字の数だけマス目が用意されているので、キリのよい改行と文章の量がひと目でわかるようになっている。

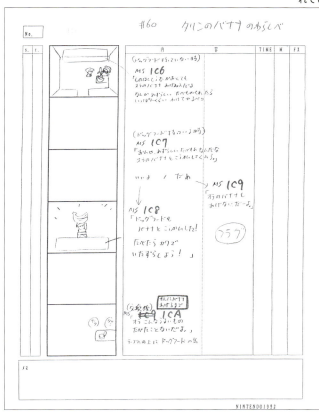

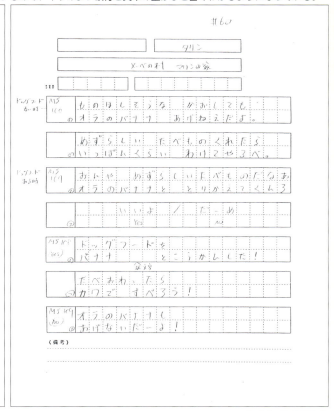

わらしべイベント

マリン救出イベント

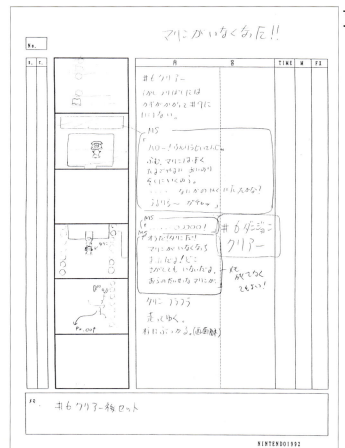

🌿 開発秘話 🌿

● ゲームボーイで『ゼルダ』をどこまで再現できるか、という実験からスタート。正式なプロジェクトではなかったので定時を過ぎてから関係者が集合した。まるで放課後のクラブ活動のような雰囲気で、他タイトルのパロディを入れるなど、自由奔放に開発していた。手塚卓志ディレクターは「『ゼルダの伝説』のパロディを作っている気分だった」と語っている。

● 世界観とストーリーは、手塚ディレクターの「海外ドラマ"ツインピークス"のような妖しい世界」、小泉歓晃氏の「自分の夢なのか、人の夢なのか」、田邊賢輔氏の「山の頂上のタマゴが割れると世界が終わる」というイメージが合わさって生まれたもの。

参考文献
● 社長が訊く『ゼルダの伝説 大地の汽笛』
　携帯機ゼルダの歴史篇
● 任天堂 公式ガイドブック『ゼルダの伝説 夢をみる島』
● 任天堂 公式ガイドブック
　『ゼルダの伝説 夢をみる島DX』

1998

DATA
1998年11月21日発売
NINTENDO 64

ゼルダの伝説 時のオカリナ 3D
DATA
2011年6月16日発売
ニンテンドー3DS

『ゼルダの伝説』らしい謎解きやアクションを、3D空間で実現させたタイトル。自動でジャンプしたり、Zボタンを押すことで敵や対象物を見失うことなく注目できるシステムなどを導入。立体的なフィールドで展開する謎解き、空気の感触と没入感、ゲームならではのインタラクティブ性は、大きな驚きと影響を与え、物語、システムともにシリーズのターニングポイントとなっている。2011年には、ニンテンドー3DS向けに立体視に対応、グラフィックを強化したリメイク版が発売。特典としてのみリリースされていた『時のオカリナ 裏』も収録されている。

※この画面はNINTENDO64版『時のオカリナ』のものです

▶ 物語

　森に住むコキリ族として暮らしていたリンク。この森で唯一自分の妖精をもっていなかった彼の元へも、ついに妖精が訪れた。妖精ナビィに導かれ、森の守り神であるデクの樹にかけられた呪いを解くと、リンクはハイリア人であり、世界を救う運命にあることを知らされる。聖地にある神の力、手にした者の願いを叶えるというトライフォースが、世界征服を企むガノンドロフに狙われているというのだ。

　森を出てハイラル城に向かい、ゼルダ姫に出会ったリンク。夢のお告げのとおりだと目を輝かせるゼルダ姫は、ガノンドロフの野望を阻止するために、聖地のトライフォースを先に手に入れることを提案する。

　聖地への鍵となる精霊石を集めたリンク。ところが城門にたどり着くと、乳母のインパとともに馬で逃げ去るゼルダ姫の姿があった。ガノンドロフが本性を現し、城でクーデターを起こしたのだ。リンクの姿に気づいたゼルダは、王家の秘宝「時のオカリナ」を託す。

　リンクはゼルダをかばい、精霊石と時のオカリナで聖地への扉を開いた。そこには、勇者だけが抜くことのできるマスターソードが……。剣を抜いたリンクだが、その身体は勇者として幼すぎた。魂は眠り続け、目覚めると7年の時が過ぎていた。

　魔物の世界へと変貌していたハイラル。ガノンドロフは聖地に侵入し、"力のトライフォース"を得て魔王となっていた。リンクは、シーカー族の少年シークの助言により、今と7年前の世界を行き来しながら六賢者を捜す旅に出た。そして六賢者が目覚めたとき、シークはトライフォースの秘密を語る。ガノンドロフが求める"勇気のトライフォース"を宿すのは、"時の勇者"として選ばれたリンク。そして知恵のトライフォースを宿す者、それは……

　「賢者の長となる七人目の賢者。この私……ハイラルの王女ゼルダです」

　シーカー族に扮してガノンドロフの目をあざむいていたゼルダ姫。しかしガノンドロフはリンクを監視、このときを狙ってゼルダ姫を捕らえてしまう。リンクは、ガノン城へと変貌した城へと急ぐ。

　ガノンドロフ、ゼルダ姫、リンク。3人のもつトライフォースが近づき、手の甲の証が共鳴する。戦い、リンクに敗れたガノンドロフの力は暴走。獣の姿に変貌した。リンクはマスターソードとゼルダ姫、そして六賢者と力を合わせ、魔王ガノンを力のトライフォースごと封印することに成功した。

　ゼルダ姫は時を行き来する扉を閉ざし、時の勇者は元の時代に戻っていく。いるべきところへ、あるべき姿で……。

　元の時代に戻ったリンクは、あのときと同じようにハイラル城へ向かい、ひとりの少女の元を訪れる。あのときと同じように振り返ったゼルダ姫。リンクの手の甲には、勇気のトライフォースの証が輝いていた。新しい時代が始まる。

1 「デクの樹サマ」と呼ばれる守り神。精霊石のひとつをもつため、ガノンドロフに狙われて呪いをかけられてしまった　2 運命を受け入れ、コキリの森をひとり旅立つリンク。それに気がついたコキリ族の少女サリアは、自分のオカリナを差し出して言った。「私たち、ずっと友達だよ」。彼女はのちに、森の賢者として覚醒する　3 精霊石を3つ集め、時の神殿に納める　4 大人になったリンクに、さまざまな助言と不思議なメロディーを伝えるシーク　5 正体を明かしたゼルダ姫に、ガノンドロフの魔の手が　6 ガノンドロフとの最終決戦。異形の姿と化したガノンにマスターソードでトドメを刺す

234

▷ 主な登場人物

❧ リンク(子供│大人)
正義感が強く、純粋な心をもつ。時間を超えることから、後に"時の勇者"と呼ばれる

❧ ナビィ
デクの樹が遣わした妖精。リンクの相棒として旅をともにし、冒険のナビゲートをしてくれる

❧ ゼルダ姫(子供│大人)
神に選ばれし力を持った王女。ハイラルの未来を夢のお告げで知り、聖地を制御しようとする

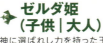

❧ ガノンドロフ
100年に一度生まれるゲルド族の男。トライフォースを手に入れるため、精霊石を狙う

❧ サリア
リンクと幼なじみのコキリ族。心優しく、慕う者が多い。後に森の賢者として覚醒する

❧ ラウル
時の神殿を造り、聖地を見守ってきた古の光の賢者。ケポラ・ゲボラとしてリンクを見守る

❧ インパ
ハイラルの伝承に詳しい、ゼルダ姫の乳母。シーカー族の唯一の生き残りであり闇の賢者

❧ シーク
リンクの大人時代に登場し、さまざまな歌を教えるシーカー族の少年。正体はゼルダ姫

❧ ダルニア
炎の賢者として覚醒するゴロン族の長。リンクに助けられ、息子の名前にリンクと名付ける。ダンス好き

❧ ルト姫(子供│大人)
ゾーラ族の姫。少しわがままな性格で、助けてくれたリンクを勝手にフィアンセとする

❧ ナボール
ガノンドロフに反発していたが、ツインローバに洗脳されゲルド族の首領に。魂の賢者として覚醒

時のオカリナ

メインビジュアル

時のオカリナ 3D

▷ 人物相関図

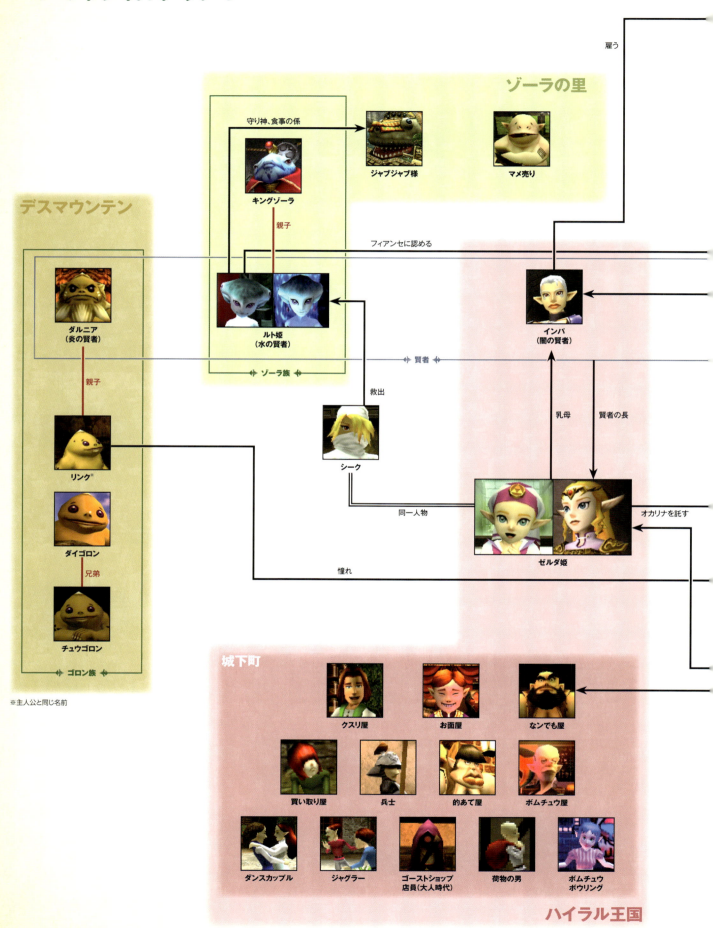

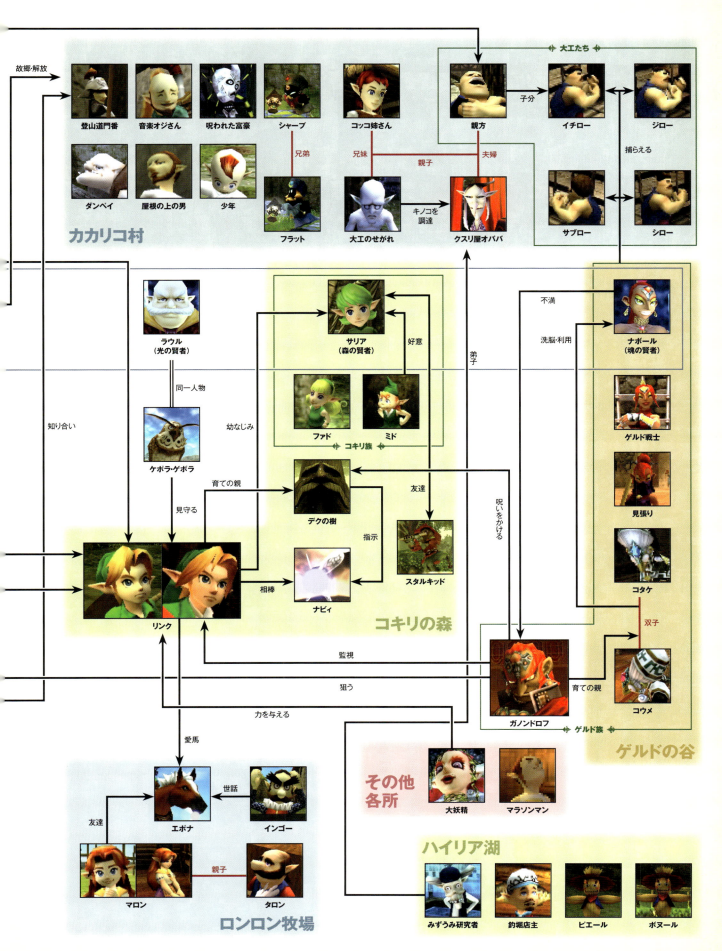

▷ 世界

広大なハイラル平原を中心に、さまざまな環境をもった地域が広がっている。住んでいる種族も地方によって異なり、コキリの森にはコキリ族、デスマウンテンにはゴロン族、ゾーラの里にはゾーラ族、ゲルドの谷にはゲルド族、といった具合だ。また、ハイラル城やカカリコ村に住む人々は、ハイリア人と呼ばれる種族。リンクはこのハイラルの「子供時代」と、7年後の「大人時代」を行き来する。

ハイラル

- Ⓐ デクの樹サマの中　Ⓑ ドドンゴの洞窟　Ⓒ ジャブジャブ様のお腹　Ⓓ 森の神殿
- Ⓔ 炎の神殿　Ⓕ 氷の洞窟　Ⓖ 水の神殿　Ⓗ 井戸の底　Ⓘ 闇の神殿　Ⓙ 魂の神殿
- Ⓚ ガノン城
- ④ コキリの森　⑧ ハイラル城 城下町　© カカリコ村　⑩ ゴロンシティ
- Ⓔ ゾーラの里　Ⓕ ゲルドの砦　Ⓖ 迷いの森　Ⓗ ハイラル城　Ⓘ ロンロン牧場
- Ⓙ 墓地　Ⓚ みずうみ研究所　Ⓛ 釣堀

時間の経過と人々の流れ

7年後の世界ではハイラル城がガノンドロフに制圧され、城下町に人が住めなくなっている。そのため住人たちはカカリコ村へ避難。カカリコ村MAPのⒶⒶⒶⒷⒶⒸは7年後の時代にだけ存在する施設で、城下町から避難してきた人たちを見ることができる。

子供時代（城下町）

大人時代（カカリコ村）

城下町

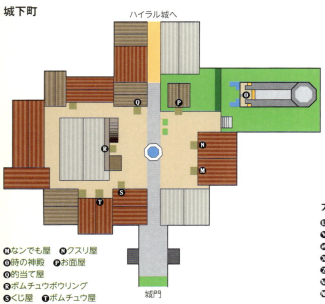

- Ⓜ なんでも屋　Ⓝ クスリ屋
- Ⓞ 時の神殿　Ⓟ お面屋
- Ⓠ 的当て屋
- Ⓡ ボムチュウボウリング
- Ⓢ くじ屋　Ⓣ ボムチュウ屋

カカリコ村

- Ⓤ スタルチュラハウス
- Ⓥ インパの家
- Ⓦ コッコ小屋
- Ⓧ 風車　Ⓨ 井戸の底へ
- Ⓩ 魔法オババのクスリ屋
- ⒶⒶ 避難所　ⒶⒷ なんでも屋
- ⒶⒸ クスリ屋

▷ 開発資料

リンク アートワーク ラフ案 ◁
まだゲーム内のリンクのデザインが固まっていない段階で、アートワークを検討するために描かれていたもののひとつ。ナビィやガノンも合わせて描かれている。

▷ ロンロン牧場 キャラクター デザイン ラフ
デザイン過程のもの。オーバーオール姿など、タロンとインゴーがマリオとルイージに似せてつくられていることがよくわかる。

メインビジュアル デザイン案 ◁
多くのデザイン案のなかのひとつ。

❦ 開発秘話 ❦

● 本作にオカリナを登場させることを決めた時点で、今回のキーポイントは音楽だと宮本茂プロデューサーは考えた。従来では魔法が果たしていたような役割を音楽に託し、サウンドディレクターの近藤浩治氏も音と物語を結びつけるアイデアの企画に加わった。

● 開発初期から「チャンバラのできるゼルダ」という命題があり、開発スタッフは太秦映画村へ見学に行った。そこで見たチャンバラから「Z注目システム」をひらめいた。大澤徹ディレクターは「鎖鎌でつながった2人が円を描いて動く姿で」、小泉歓晃ディレクターは「複数の敵がいるときに主人公が注目しているひとりと戦い、ほかの敵は待っているのを見て」と、異なる場面が参考になったと語っている。

● Z注目の試作時は無機質なマーカーだったものを、小泉氏が妖精のデザインに。仮に「妖精ナビゲーションシステム」と呼んでいた。それを見た大澤氏が「妖精の名前はナビィにしよう」と決定。ナビィの誕生は「妖精との出会いから始まり、別れで終わる」という物語の軸を生むきっかけにもなった。

● 本作でモーションキャプチャーを使用してキャラクターの動きをつくっているのは、リンクの一部の動きのみ。その他は手作業で動きをつくっている。

● 宮本氏は本作の完成後、「風のムードは一生懸命つくったけど風そのものはアイデアに取り込めなかった」と語っている。

参考文献
● N.O.M. 宮本茂プロデューサーが語る『ゼルダの伝説 時のオカリナ』の世界
● 社長が訊く『ゼルダの伝説 時のオカリナ 3D』オリジナルスタッフ編・宮本茂編
● The 64 DREAM 1999年4月号『ゼルダの伝説 時のオカリナ』感動をありがとう！ 宮本茂インタビュー

2000

Data
2000年4月27日発売
NINTENDO 64

ゼルダの伝説 ムジュラの仮面 3D

Data
2015年2月14日発売
ニンテンドー3DS

『時のオカリナ』のシステムやキャラクターモデルを利用して作られた続編。3日後に滅亡する異世界を舞台とし、時を巻き戻しながら進めていく"3日間システム"を展開。それはダンジョンでは時間制限となり、町では人々の様子が濃く描かれることになり、ゲーム性とストーリー両方に緊張感が生まれている。3つの種族に変身することで謎を解いていくことも特徴。
　2015年にはニンテンドー3DSでリメイク版が発売。グラフィックの向上のほか、遊びやすくする改良が数多く施され、釣堀や一部エピソードも追加されている。

※この画面はNINTENDO64版『ムジュラの仮面』のものです

▶ 物語

　ハイラルに伝わる王家の伝説。そこにひとりの少年が登場する。巨悪と戦いハイラルを救ったのち、彼は、伝説から姿を消した。時を越えた戦いを終え、彼は人知れず旅に出た。
　冒険の終わりで別れた、かけがえのない友を捜す旅に……。

　深い森に迷い込んだリンクは、2匹の妖精と小鬼スタルキッドに「時のオカリナ」を盗まれ、デクナッツの姿に変えられてしまった。黄色い妖精にからかわれているうちに、スタルキッドは去ってしまう。ひとり取り残されてしまった黄色い妖精の名は、チャット。弟の黒い妖精はトレイルというらしい。リンクとチャットがスタルキッドたちを追いかけていくと、たどり着いたのはクロックタウンという町の時計台の中だった。
　そこで、「しあわせのお面屋」と名乗る男が声をかけてきた。スタルキッドに大切な仮面を奪われてしまったらしい。時のオカリナとその仮面を取り戻せば、元の姿に戻してくれるという。リンクはチャットとともに、時計台の上でスタルキッドを追い詰めた。ところがスタルキッドは、月を落とし、このタルミナの世界を滅ぼそうとしていた。頭上に大きく迫る月。これにはチャット、トレイルも慌てふためく。リンクは一瞬の隙を突き、時のオカリナを奪い返した。旅に出る前にゼルダ姫から預かった大切なもの。「時の歌」を奏でてみると、時が巻き戻ったようになり、気づくと、この町に初めて足を踏み入れたときに戻っていた……。
　時計塔のお面屋を訪ねる。お面屋が魂を癒す曲を奏でると、リンクからデクナッツの仮面がはがれ落ち、元の姿に戻ることができた。しかしお面屋から奪われた「ムジュラの仮面」は、いまだスタルキッドが手にしている。あれは大きな呪いの力をもった恐ろしい仮面なのだという。一刻も早く取り戻すよう言われるが、月の落下を止めるには、4つの地方にいる巨人を呼び覚まさなくてはならない。リンクは同じ3日間を繰り返すようにし、巨人のいる神殿へと少しずつたどり着いていった。同時に、困っている人の手助けをし、さまざまなお面を手に入れていった。

　同じ3日間を、何度繰り返しただろうか。スタルキッドを追い、時計台の上で巨人を呼ぶ歌を奏でる。すると4つの地方から駆け付けた巨人が、落下する月を受け止めた。ところが、ムジュラの仮面そのものが意思をもって動きだし、月を暴走させてしまう。月の口の中に吸い込まれるリンクたち。月の中には広い野原と1本の大きな木。そして仮面をつけた少年たちがいた。ムジュラの仮面をつけた子供に声をかけると、鬼ごっこをしようと言う。「じゃあ、いこうか」
　ついに最終決戦。異形と化したムジュラの仮面を打ち倒すと、月は消滅。タルミナは救われた。スタルキッドも正気を取り戻し、リンクを見て楽しそうに笑う。お面屋はムジュラの仮面を回収し、リンクが集めたお面を見て「これは実にいい幸せだ」と言うと去っていった。

　この日クロックタウンは、盛大なカーニバルの日だった。タルミナの平和を取り戻したリンクは、元の森へと戻り、旅を再開するのだった。

1 イタズラでオカリナを盗むスタルキッド　2 デクナッツに襲われる幻覚のようなものを見るリンク。気づくとデクナッツの姿に　3 時計台の中で出会ったお面屋。スタルキッドに奪われた「ムジュラの仮面」を取り戻してほしいと懇願する　4 3日後に月が落ちてくる。タルミナは滅びる世界なのである　5 時の歌を奏で、最初の朝へと巻き戻っていく　6 自分のぬけがらを出す歌でつくられた、心をもたぬ兵。リンクが変身した種族ごとに出すことができる　7 8 人々は決まった3日間を繰り返す。そこへリンクが起こした行動により、彼らの運命は変わっていく。宿屋のアンジュを無事花嫁姿にするには、3日間を全力で立ち回らなくてはならない

▷ 主な登場人物

チャット
弟のトレイル（左）とともにスタルキッドといたずらをしていた強気な妖精。リンクと行動するように

リンク
ハイラルを救った後、7年前に戻りナビィを捜してタルミナに迷い込む。少し大人びている

スタルキッド
いたずら好きな寂しがり屋の小鬼。エポナと時のオカリナを奪い、リンクもデクナッツの姿に変える

アンジュ
ナベかま亭のひとり娘。行方がわからなくなった、婚約者のカーフェイからの連絡を待ち続ける

カーフェイ
スタルキッドにより子供の姿に変えられた。婚姻の証であるお面を盗まれ、犯人を捜している

クリミア｜ロマニー
亡くなった父に代わり、ロマニー牧場を経営する姉のクリミアと妹のロマニー

しあわせのお面屋
ムジュラの仮面をスタルキッドに盗まれ、リンクに奪回を頼む。「信じなさい…信じなさい…」

チンクル
妖精になることを夢見る35歳独身。緑の全身タイツ姿に父親は呆れ、やめさせたがってる

ムジュラの仮面

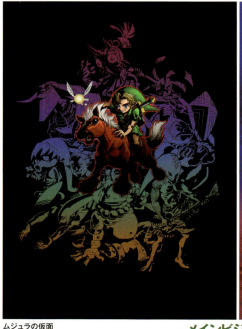
メインビジュアル

ムジュラの仮面 3D

▷ 人物相関図

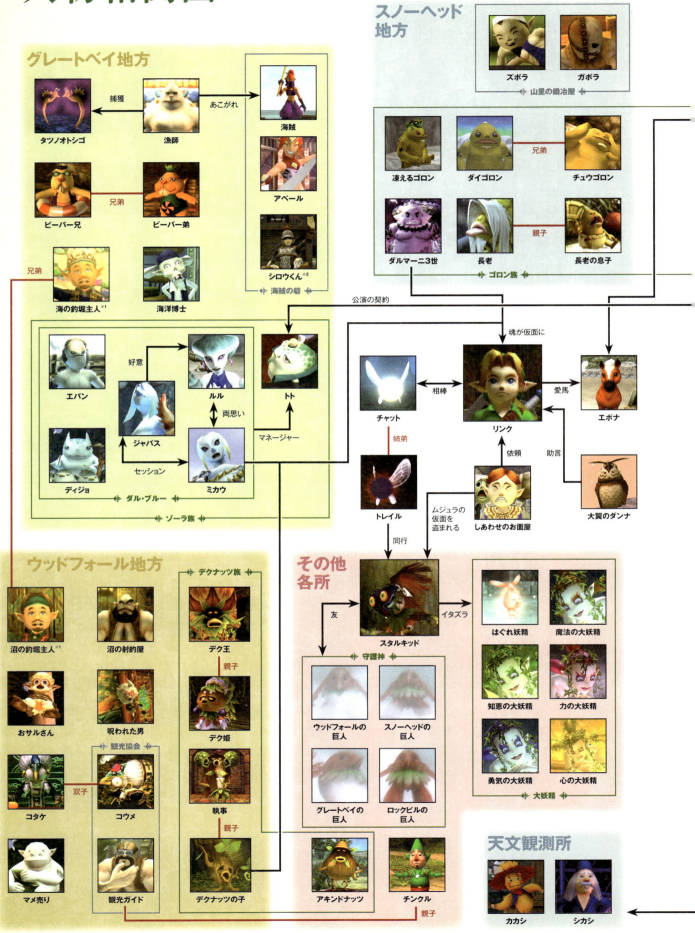

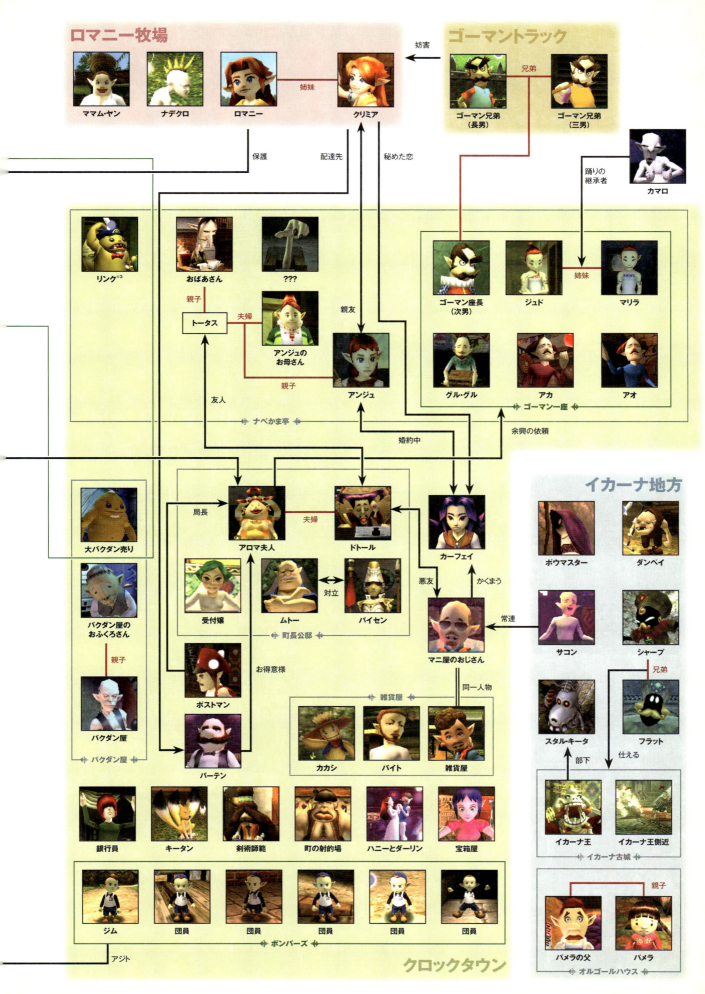

▶ 世界

中央にはクロックタウン、その周囲に広がるのはタルミナ平原。そして大きく分けて「沼」「山」「海」「谷」と呼ばれる4つの地方があり、それぞれの地域で異なる種族などが暮らしている。そのほか、タルミナ平原には巨大な双眼鏡のある天文観測所があったり、南西の方角にはロマニー牧場の牧草地が広がっている。

沼：ウッドフォール地方
大きな沼が広がる地方。デクナッツ族のデク姫が行方不明になっており、王はおサルを捕らえ、居場所を聞き出そうとしている

山：スノーヘッド地方
暖かな気候の地方だったが、異変で気温が急低下。雪と氷に覆われてしまった。里に住むゴロン族も寒さに困っている

海：グレートベイ地方
大きな海と砂浜のある地方。泳ぎの得意なゾーラ族が住むゾーラホールや、女海賊のアジトがある。異変で漁ができない状態に

谷：イカーナ地方
古のイカーナ王国があった地方。異変のため死霊が蘇り、イカーナ村の人々は避難。現在はゴーストの研究者や墓守だけが住む

タルミナ

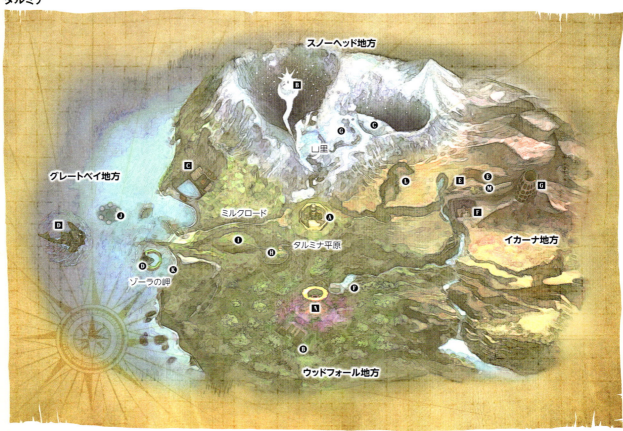

- Ⓐウッドフォールの神殿　Ⓑスノーヘッドの神殿　Ⓒ海賊の砦
- Ⓓグレートベイの神殿　Ⓔ井戸の下
- Ⓕイカーナ古城　Ⓖロックビルの神殿
- Ⓐクロックタウン　Ⓑデクナッツの城　Ⓒゴロンの里　Ⓓゾーラホール　Ⓔイカーナ渓谷
- Ⓕ沼の釣堀※　Ⓖゴロンレース場　Ⓗゴーマントラック　Ⓘロマニー牧場
- Ⓙトンガリ岩　Ⓚ海の釣堀※　Ⓛ墓地　Ⓜオルゴールハウス　※『ムジュラの仮面 3D』のみ

3日間のクロックタウンと月の様子

タルミナ最大の町クロックタウンでは「刻のカーニバル」の開催が予定され、いつも以上に人がにぎわうところだが、月の落下が懸念され暗いムードが漂う。街の住人も2日目、3日目と進むごとに不安を増し、避難する者、カーニバルの準備でとどまる者など、さまざまな人間模様が繰り広げられる。3日目の24：00を過ぎると時計台の上に登れるようになり、祭りの花火が打ち上げられる。

1日目　月が落ちてくるということについては半信半疑。カーニバルの準備続行か、避難指示を出すかでもめている

2日目　雲が多くなり、午後の天気は雨に。月が大きくなるに伴って地響きがあり、人々は不安を増していく

3日目 朝　午後には多くの住人が避難し、町はガラガラに。空は赤や黄色のおどろおどろしい色に変わり、終末を予感させる

▷ 開発資料

▷ カーフェイ デザイン ラフ案

本作の団員手帳のイベントにおいて、重要な役割を担うカーフェイ。ラフではゲーム中に姿を見せない、大人になったカーフェイも描かれている。

▷『ムジュラの仮面 3D』アートワーク　ラフ

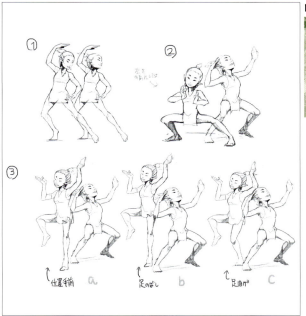

ローザ姉妹
完成版

鬼神リンク
完成版

開発秘話

● 『時のオカリナ』の資産を生かしつつ、ゲームの構造を新しくデザインすることにパワーをかけ、かつ1年で完成させることを目指して開発が始まった。最初に集まった開発メンバーは、『時のオカリナ』から引き続き参加する人間と新人が半々という構成。しかし開発の進行に悩み、元のメンバーを呼び戻して7割ほどが『時のオカリナ』スタッフとなった。

● 小泉歓晃ディレクターは、本人いわく“ものすごくやる気のあるゲーム”の企画を進めている途中で本作の開発に呼ばれ、その企画は中断。宮本茂プロデューサーから「できることは何でもやれ！」と言われ、それなら中断したゲームで考えていた要素を本作にねじ込んでやれ、という思いでつくられたのが団員手帳イベント。その人間模様は「生まれてからの30何年かで見てきたことを、すべて放り込みました」と小泉氏は語っている。

● NINTENDO 64版のときのディレクターのひとりだった、青沼英二プロデューサーは、『ムジュラの仮面 3D』を制作するときにNINTENDO 64版を隅々までプレイ。気づいた点を「なんじゃこれはリスト」にまとめた。プレイヤーにとって不親切だったポイントなどを洗い出し、それを『ムジュラの仮面 3D』ですべて解決。理不尽なことを感じることはなくなったと思う、語る。また、担当した開発会社グレッゾがネタをさらに増量した。

参考文献
● The 64 DREAM 2000年6月号
　ニンテンドウ ダブルヘッダーインタビュー 1st Match
● ほぼ日刊イトイ新聞　樹の上の秘密基地。
　「ゼルダの伝説 ムジュラの仮面」
　〜新しいゼルダを、とことん語ろう〜
● 社長が訊く『ゼルダの伝説 ムジュラの仮面 3D』

2001

DATA　2001年2月27日発売　ゲームボーイカラー

任天堂以外の制作会社（カプコン）が開発した初めてのタイトル。『時空の章』と連動して楽しめる2部作。タイトルのとおり、さまざまな効果をもつふしぎな木の実のアイテムが登場する。片方のクリア後にリンクシステムでもう片方を引き継いで始めると、物語の流れが一部変化し、真の敵が登場する。

ホロドラムを舞台とする『大地の章』は、「異世界への扉」から地下異世界を行き来し、切り株の上で「四季のロッド」を使って季節を変えながら進めていく。カラー画面を生かした季節の表現と謎解きが楽しめる。よりアクション性が高いことも特徴。

▷ 物語

　馬で平原を駆け抜けるリンク。ハイラル城が見えると、何かに誘われるかのようにトライフォースの間へと足を運んだ。
　「選ばれし勇者よ。我らの試練を受けよ！」トライフォースに導かれ、リンクは見知らぬ試練の地へと運ばれるのであった。

　リンクがたどり着いたのはホロドラムという世界。気がつくと、旅芸人一座の踊り子ディンに助けられていた。ディンはリンクを踊りに誘い、手の甲に三角のアザがあることに気がつく。
　「それはハイラルに伝わる聖なる証なのよ。もしそのアザが本物なら、リンクは特別な運命をもった勇者ってワケね」
　一座との楽しい雰囲気もつかの間、急に暗闇に包まれ雷鳴が轟き、闇の将軍ゴルゴンを名乗る声とともに竜巻が巻き起こった。ディンの正体は、四季を司る大地の巫女だという。ホロドラムに起こる異変を察知したゼルダ姫に遣わされた乳母インパとともに、旅芸人一座に扮してハイラルへと移動中であった。
　ゴルゴンはディンをさらって封印、さらに四季の精霊たちが住む四季の神殿を地下へと沈めてしまった。それによってホロドラムの四季は乱れる。四季が乱れれば、実りと恵みを失い、大地は滅ぶ……。

　四季の神殿は、ホロドラムの地下異世界であるウーラ世界へと陥没していた。リンクはウーラ世界から四季の神殿へ赴き「四季のロッド」を手に入れたものの、四季を操る力は失われてしまっていた。神殿の4つの塔にいる精霊に会えば、その力を取り戻せるはず。また、ホロドラムの守り神であるマカの木によれば、ディンを救うにはこの世界に散らばる8つの「大地のことわり」を集める必要があるらしい。
　リンクは地上と地下を行き来し、大地のことわりを集め、春夏秋冬の力をひとつずつ取り戻していく。ロッドに戻った四季の力により、新たな道を切り開いていった。

　8つの大地のことわりがそろうと、マカの木は大きなマカの実を実らせた。それはディンを封印した、闇将軍ゴルゴンの元へと導く。ゴルゴンの真の姿は、魔法使いツインローバが闇の世界から召喚した暗黒のドラゴンであった。
　ゴルゴンを倒すと、巫女ディンの封印は解かれた。これでホロドラムの地の乱れた四季は、ゆっくりと正常に戻っていくだろう。平和が訪れたことで、ディンたちはホロン村に戻っていった。
　しかしゴルゴンの真の目的は、大地を滅びで覆い、「滅びの炎」を灯すこと。その炎はとある儀式の祭壇へとすでに届けられていたのである。

　この地の試練に打ち勝ったリンク。手の甲に浮き出る三角の印は、紛れもなく勇者の証。ところが、ハイラルから伝書を受け取ったインパは、血相を変えてラブレンヌへ旅立ったのだという。
　リンクの次なる試練が始まろうとしている……。

■ 導かれるようにハイラル城にやってきたリンク。『大地の章』『時空の章』共通のオープニングシーン　② 旅芸人一座。踊り子ディンは、男勝りだが優しい女性。ゼルダの乳母インパは、料理係に扮していた　③ 四季の神殿で手にした「四季のロッド」　④ 見習い魔女メイプルちゃんが飛んできてぶつかり、アイテムが散らばって争奪戦に　⑤ ウーラ族のアイドル、ウララちゃんとのデート　⑥ 秘密の場所にある勇者の剣、ホワイトソード　⑦ 闇の将軍ゴルゴンの真の姿。ツインローバ（双子の魔法使いコタケとコウメ）に召喚された暗黒のドラゴン

▷ 主な登場人物

メインビジュアル

リンク
誘われるようにハイラル城にやってきた青年。ディンに誘われ一緒に踊ったりする一面も

ディン
四季を司る大地の巫女。男勝りで、ふだんは踊り子の姿で平和を守る

マカの木
ホロドラムを守る神木。ホロン村の奥にいる、よく居眠りをしている老木の姿

ゴルゴン
鉄球で相手を打ち砕く闇の将軍。ホロドラムの大地を滅ぼそうとする

ウララちゃん（大地の章・時空の章 共通）
幼稚なしゃべり方をするが、ウーラ族のアイドル。リボンがポイント

メイプルちゃん（大地の章・時空の章 共通）
修行中の魔女。ほうきで飛んできて、リンクと激突してしまう

インパ（大地の章・時空の章 共通）
ゼルダ姫の乳母で、彼女の命を受け、ディンをハイラルへ連れてくる。しかし、その途中でゴルゴンにディンをさらわれてしまう

▷ 人物相関図

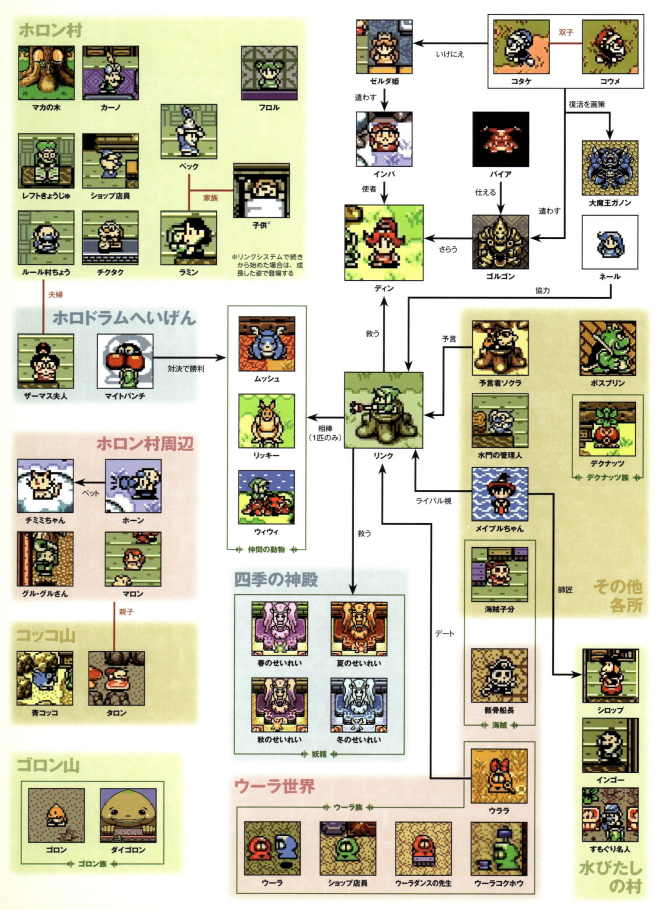

248

▷ 世界

ホロドラムの地は、ほぼ中央に守護神マカの木を有す。地下の異世界であるウーラ世界とつながっており、ホロドラムの四季の神殿はウーラ世界に陥没。もともと四季の塔があった場所は、神殿の跡地となってしまっている。ダンジョンはウーラ世界に1か所、あとはホロドラムにある。仲間になった動物によって、マップが若干変化する。

ホロドラム
※ムッシュが仲間の場合

A 勇者の洞くつ
B LV.1 ねっこのダンジョン
C LV.2 蛇のなきがら
D LV.3 どくがの巣穴
E LV.4 龍の舞うダンジョン
F LV.5 一角獣の洞くつ
G LV.6 古代の遺跡
H LV.7 冒険者の墓
I LV.8 剣と盾のダンジョン
J ゴルゴン城

[ホロドラム]
A ホロン村
B 水びたしの村
C タームいせき
D マイトパンチのジム
E ふうしゃごや
F ボスブリンようさい
G タロンとマロンのいえ
H インパのかくれが

[ウーラ世界]
I ウーラ村
J ウーラしげみ
K オタカラのもり
L ウーラぼち
M ヨーガン池
N 四季の神殿
O 春の塔
P 夏の塔
Q 秋の塔
R 冬の塔

ウーラ世界

ウーラ族の地下異世界

ウーラの世界は、地下の火山地帯。溶岩の川が流れ、産出される鉄がルピーの代わりとなる。鍛冶を行い、鉄を溶かすための溶鉱炉、温泉など、土地を生かした営みが送られている。

ホロドラムの移りゆく四季

同じ場所でも違う顔を見せる。春になると花が咲く。夏になると一部の水が干上がり、伸びたツタに登れるように。秋には積もった落ち葉が穴をふさいだり、岩キノコが熟してどかすことができたりする。冬は水が凍り、上を歩けるようになる。

春　　　　　　夏

秋　　　　　　冬

▷ 開発資料

▷ メイプルちゃん アートワーク ラフ

▷ 四季のロッド 設定画

『大地の章』のキーアイテムである「四季のロッド」。四季をモチーフにしたデザイン。

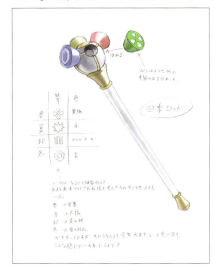

▷ 挿入カット 下絵

オープニングやエンディングなどで挿入されるカット。まずイメージラフや下絵が描かれてから、ゲーム内の絵がつくられている。

2001

THE LEGEND OF ZELDA ふしぎの木の実 時空の章

DATA 2001年2月27日発売　ゲームボーイカラー

任天堂以外の制作会社（カプコン）が開発した初めてのタイトル。『大地の章』と連動して楽しめる2部作。リンクシステムで2作を連動するかしないか、どちらを先にプレイするかで、複数のエンディングを楽しめる。また、3種類の動物のうち1匹が仲間になり、それぞれが異なる特徴をもつため、マップの進め方も少し異なる。

ラブレンヌを舞台とする『時空の章』は、「時のたてごと」で今と昔のふたつの時代を行き来する。現在で起きた異変を過去で解決することで、現在の様子が変わり、先に進むことができるようになる。よりパズル性が高いことも特徴。

▷ 物語
※『大地の章』からの引き継ぎで始めた場合

　トライフォースの試練により、ラブレンヌの地に降り立ったリンク。ゼルダ姫の乳母インパに頼まれ道をふさぐ岩をどかすと、その先には仲間と集まり、楽しそうに歌う歌姫ネールがいた。しかしそこに、闇の司祭ベランが姿を現す。結界の岩をリンクにどかさせるため、ベランはインパの体を乗っ取っていた。ベランは時の巫女であるネールを狙い、その体に乗り移るとネールの力で時空を操って、過去の世界へと消えていった。すると、ラブレンヌ中で異変が起きてしまう。

　インパに言われ守護神であるマカの木に会うが、マカの木までも消えてしまった。ネールの幼なじみラルフとともに、時空の穴から過去へ向かうリンク。時空を移動し、数百年前のラブレンヌへと……。

　過去の世界では、「アンビの塔」が建設されていた。海に出たまま帰ってこなかったアンビ女王の恋人が、いつかこの塔を目印に帰ってこられるように、と建て始められたものらしい。しかしいつしか、世界は時が止まったかのように昼間が続き、女王も人が変わったように人々をこき使うようになったのだという。そのため塔は、いまや「暗黒の塔」と呼ばれていた。

　魔物に襲われていたマカの木を助け現在の世界に戻ると、マカの木は再びそこにいた。リンクはネールの家で「時のたてごと」を手に入れ、過去の時代でネールを助け出すが、ベランは今度はアンビ女王に取り憑いてしまう。それは暗黒の時代の始まりであり、過去から現在に至るまで人々が苦しむことになる。リンクは、ベランを倒すために必要である8つの「時空のことわり」を、過去と現在を行き来して集めていった。しかし、暗黒の塔はついに天に届いてしまう。ベランは力を手にし、ラブレンヌの時を狂わせた。人々の嘆きから、とある儀式の祭壇に「嘆きの炎」が灯った……。それがベランの真の目的である。

　8つのことわりによって実ったマカの実の力で、リンクは暗黒の塔へと侵入する。そこにはラルフが一足先に駆けつけていた。ベランが乗り移ったアンビ女王を倒し、世界を元どおりにしよう、と。しかし、最後にこう言い残す。「あのさぁ……オレのこと忘れないでくれよな」

　ラルフは実は、アンビ女王の子孫であった。アンビ女王を倒せば彼も消えてしまうだろう。塔の最上部でアンビ女王、ベランと戦う。リンクはアンビ女王の体からベランを追い出すようにして倒し、人々の無事とともに平和を取り戻すことに成功した。

（以下、リンクシステム適用時）

　だが、儀式の祭壇に「滅びの炎」と「嘆きの炎」は灯った。ツインローバは希望の象徴であるゼルダ姫をさらい、「絶望の炎」を灯す。最後にゼルダ姫を聖なる生贄として捧げれば、大魔王ガノンが復活するのだ。

　大地の巫女ディンと時の巫女ネールの力を借り、リンクは儀式の祭壇に乗り込む。ツインローバを倒すが、彼女らは自身の肉体を捧げてガノンを復活させてしまう。暴走するガノンを倒し、マカの木の助けで脱出。世界の破滅の危機は回避された。

　勇者リンクは船に乗り、次の修行の地へ旅立つのであった。

1 歌姫ネールと仲間たち　**2 3** マカの木は過去でリンクに助けられ、好意をもち、数百年後の現在まで再訪を待ち続けた　**4** ネールの身から追い出され、アンビ女王に乗り移るベラン　**5** 人々を苦しみから救うため、アンビ女王に乗り移ったベランを倒そうとするラルフ　**6** ゼルダ姫は、ツインローバ（双子の魔法使いコタケ、コウメ）によって連れ去られてしまう　**7** 復活したガノン。しかし儀式は不完全であり、知性の乏しい魔物として現れた　**8** ラブレンヌとホロドラム、ゼルダ姫を助けたリンク

主な登場人物

メインビジュアル

リンク
トライフォースに導かれた青年。ラルフからライバル視される場面もある

ネール
時空を司る時の巫女。物静かで知的。平和を願いながら、歌を歌う

マカの木
女の子のような姿のラブレンヌを守る神木。リンクに好意を抱き、ゼルダ姫に嫉妬する一面も

ラルフ
ネールの幼なじみで熱血漢。ネールを助けようと奔走するが、空回りも

ベラン
他人に乗り移り操ることができる闇の司祭。ラブレンヌの時を乱す

ツインローバ
（大地の章・時空の章 共通）
双子の魔法使いコタケとコウメ。ゴルゴンとベランを各地に遣わす

ガノン
（大地の章・時空の章 共通）
ツインローバが自身の肉体を捧げて復活させた魔獣。儀式が不完全だったため、知性のない状態

ゼルダ姫
（大地の章・時空の章 共通）
王女にしてひとびとの希望の象徴。世界に不吉なことが訪れるとき、そのことを夢に見て予知する

251

人物相関図

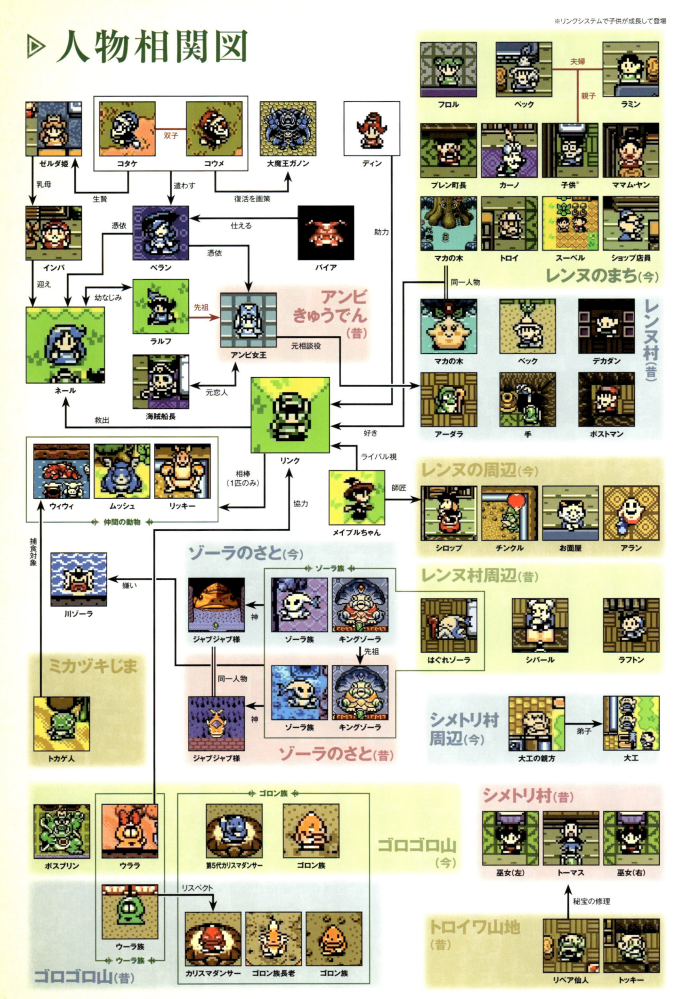

▷ 世界

仲間にした動物によってマップは若干変化。ラブレンヌの「今」と、数百年前の「昔」、2つの世界を行き来する。昔の世界はベランにより時が狂わされ、それにより今の世界にも影響が起きている。たとえば過去で海が汚されてしまったためキングゾーラが病気になり、現在では王不在となっている。過去で海を元に戻すと、現在のキングゾーラも存在する世界になる。

ラブレンヌ（今）
※ムッシュが仲間の場合

ラブレンヌ（昔）
※ムッシュが仲間の場合

Ⓐ 勇者のどうくつ（リンクシナリオ）
Ⓑ LV.1 たましいのはか
Ⓒ LV.2 つばさの ダンジョン
Ⓓ LV.3 つきかげの ほこら
Ⓔ LV.4 どくろダンジョン
Ⓕ LV.5 王かんのダンジョン
Ⓖ LV.6 にんぎょのどうくつ
Ⓗ LV.7 ジャブジャブさまのおなか
Ⓘ いにしえのはか
Ⓙ 暗黒の塔 入口

Ⓐ レンヌのまち（今）
Ⓑ ゾーラのさと（今・昔）
Ⓒ シメトリ村（今・昔）
Ⓓ 暗黒の塔（今・昔）
Ⓔ ネールのいえ（今）
Ⓕ ボスブリンようさい（今）
Ⓖ メガネじまとしょかん（今・昔）
Ⓗ レンヌ村（昔）
Ⓘ アンビきゅうでん（昔）

現在の様子

大木マカの木が守護する。皆に慕われている歌姫のネールは、実は時の巫女。

過去の様子

時が狂わされ、ずっと昼間が続く世界。人々は塔を造るために働かされ続け、暗黒の時代になってしまう。

さまざまな種族の様子

ゴロン族はゴロンダンスがブレイク。過去ではウーラ族も絶賛。トカゲ人はリンクの持ち物を剥いだり、恐竜のウィウィを食べようとした。海底にはゾーラ族が住むが、過去でキングゾーラが病気になり、王不在の状況だ。

✿ 開発秘話 ✿

● 発売の2年ほど前に、当時カプコンに在籍していた岡本吉起氏から宮本茂氏へ、「『ゼルダ』をカプコンでつくってみたい」という提案をされたことから開発がスタート。コンセプトは、"今の子供たちにファミコン時代の『ゼルダ』の良さを伝えたい"だった。

● 最初は『ゼルダの伝説 ふしぎな木の実 力の章／知恵の章／勇気の章』の三部作として予定されていた。『力の章』は現在の『大地の章』の内容で、四季を司るゼルダ姫がさらわれ、ハイラルとウーラ世界を行き来する物語であった。

● 完成版は初めに考えていたボリュームの10倍くらいになった。つくっていくうちにだんだん大きくなり、次第に独自の作品ができあがっていった。

● カプコンの開発チームは、最初にシナリオをだいたい固めたあと、マップづくりを始めた。それからキャラクター。都度シナリオも修正していく。フィールドマップは毎日のように変更しながら開発を進めた。

● 全体の60%ほどができたころ、任天堂の山田洋一氏がスーパーバイザーとして合流。その時点では"ゼルダらしさ"が足りず、たとえば新しいアイテムを手に入れたら使い方の練習になるような行動をプレイヤーにしてもらうようにするなど、"ゼルダらしさ""任天堂らしさ"が入るよう修正が行われた。カプコンの開発チームは、山田氏たちより「キャラクターに名前をつけるといいよ」などのアドバイスをもらい、「あたたかいゲームづくり」のノウハウを教わった気がする、と語っている。

● キャラクターイラストを担当したのは任天堂の中野祐輔氏。開発チームからドット絵やキャラクターのイメージを聞いてイメージを膨らませ、イラストに起こした。『時空の章』のネールは、中断した時期はあるもののキャラクターを固めるまで半年かかった。「知的で美人なお姉さんタイプの個性的な女性に」という、リクエストだったが、個性を出しつつ美人に仕上げるのが難しかった、と中野氏は語っている。

参考文献
● NINTENDO SPACEWORLD '99 会場速報
● N.O.M No.30『ゼルダの伝説 ふしぎな木の実』特集
● ニンテンドードリーム 2004年12月6日号
『ゼルダの伝説 ふしぎのぼうし』発売記念インタビュー

2002

DATA
2002年12月13日発売
ニンテンドー ゲームキューブ

DATA
2013年9月26日発売
Wii U

「触れるアニメ」というコンセプトのもと、トゥーンレンダリングと呼ばれる3DCGの技法を用いて、これまでのシリーズとグラフィックの雰囲気を一新。ゲームボーイアドバンスと連動する仕掛けも盛り込まれた。さらに2013年にはフルHDでリメイクされた『風のタクト HD』が登場。映像の向上だけでなく、快適に遊ぶための調整も行われている。ゲームキューブ版の発表時、世界中でデザインに関する賛否両論が巻き起こった本作だが、後にトゥーンリンクと呼ばれるこのリンクや、ここから生まれたデザインの数々は、リアル路線とは別の『ゼルダの伝説』の方向性のひとつとして確立されていくことになる。

※この画面はゲームキューブ版『風のタクト』のものです

▷ 物語

　その昔、神々の力が魔王に奪われたとき、緑の服をまとった若者が時を越え、魔王を封印し王国を救った。"時の勇者"とガノンドロフの戦いである。それが伝説となった頃、再び魔王が蘇った。しかし勇者が現れることはなく、人々は神に祈るばかりだった。その王国がどうなったのか、知る者はいない。

　……それから長い年月が経ち、大海原の小さなプロロ島では、今でも伝説にならい、男の子が大きくなると緑の服を着せてお祝いをする風習がある。島の少年リンクも12歳の誕生日を迎え、勇者のような緑の服を着るのだった。そのとき、偶然にも海賊の頭テトラが怪鳥に連れ去られるところを目撃。彼女は無事に助け出すが、今度は妹のアリルがさらわれてしまう。アリルを救出するべく、テトラの海賊船に乗り、魔獣島を目指すリンク。魔獣島で再会するものの、怪鳥によって海へと放り出されてしまった。リンクを救ってくれたのは"赤獅子の王"と名乗る、しゃべる船。赤獅子の王は、復活した魔王ガノンドロフが各地で娘をさらっていると語るのだった。

　風を操るタクトを手に入れ、精霊から神珠を授かり、神の塔の試練を潜り抜け……リンクは海に沈んだ不思議な城へと向かう。城の最奥にある台座から引き抜いたマスターソードを握りしめ、再び向かった魔獣島で妹を助けることに成功する。しかしガノンドロフに斬りかかるものの、まったく傷を負わすことができなかった。助太刀に入ったテトラともどもリンクは窮地に立たされるが、間一髪精霊たちが2人を助け出した。

　リンクはテトラを連れ、不思議な城のマスターソードの間へと向かう。そこでは威厳ある男性が立っていた。彼こそ赤獅子の王の正体であり、古のハイラル王、ダフネス・ノハンセン・ハイラルその人だった。テトラはハイラル王家の血を継いだゼルダ姫であり、不思議な城は海に沈んだハイラル城であると告げられる。かつて魔王が復活し、王国が再び魔の手に落ちたとき、勇者が現れない世界の人々は神に頼み、ハイラルを海の底に封印したという。そしてハイラル王は2つの使命をリンクに言い渡した。賢者の力を借りてマスターソードに退魔の力を取り戻すこと。そして、8つに分かれて散った"勇気のトライフォース"を海底から見つけ出すこと。だが、賢者のいる神殿にたどり着くも、彼らはガノンによってすでに絶命させられていた。しかし、大地の賢者の血を引く巫女メドリ、風の賢者の血を引く森の精霊マコレを覚醒させ、マスターソードに退魔の力を取り戻すことに成功する。そして勇気のトライフォースを手にし、ハイラル城の封印も解くことができた。だが、今度はゼルダ姫がガノンドロフの手に落ちてしまった……。

　ガノンドロフを追い、ガノン城へ着くリンク。ゼルダ姫、リンク、魔王ガノンドロフに宿る、知恵と勇気と力のトライフォース……伝説の神々の力が蘇る。ガノンドロフの目的は、征服すべきハイラルの地の復活。しかし一瞬早くハイラル王がトライフォースに触れ、高らかに願いを宣言する。「古き地ハイラルを消し去り、この子らの未来に光明を！」

　最終決戦。猛然と襲いかかるガノンドロフを、退魔の剣を操るリンクと魔を討ち破る光の矢を放つゼルダ姫の2人で打ち倒す。"風の勇者"に貫かれたガノンドロフは、今度こそ安らかな眠りについた。泡となり海上へと浮かんでいく2人。リンクが手を差し伸べるも、ハイラル王は古きハイラルの地とともに、海の底へと沈んでいった。

　魔王が滅し、古き大地も消えた海。プロロ島のみんなに見送られる中、テトラと海賊団、そしてリンクは船に帆を張った。大海原へ旅立ち、新たな大地を目指す——。

　「行き先は……風が教えてくれるよ！」

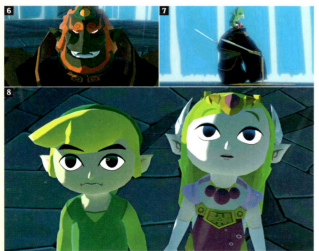

1 ガノンドロフの命により怪鳥ジーク・ロックにさらわれるアリル　2 リンクはアリルを救出するため、テトラたちと旅に出る　3 台座からマスターソードを引き抜くリンク　4 古の賢者ラルトとメドリ　5 古の賢者フォドと精霊マコレ　6 魔王ガノンドロフ　7 ゼルダ姫と協力して倒す　8 「お前たちの国だ!!」ハイラル王は未来を2人に託した

▷ 主な登場人物

❦ 赤獅子の王
言葉を話す不思議な船で、リンクのパートナー。正体は滅亡した古のハイラル王

❦ テトラ
海賊を率いるリーダーで、男勝りな性格。お守りの石の力で離れた人と話をすることもできる

❦ ゼルダ姫
知恵のトライフォースの力でテトラが覚醒。ガノンドロフをリンクとともに倒した後は、テトラの姿に戻る

❦ ガノンドロフ
海に沈んだハイラルに封印されていたが復活。知恵のトライフォースを求め、ゼルダ姫を捜す

❦ リンク
プロロ島に住む12歳。赤獅子の王は、妹を助けようとするこの少年の勇気にハイラルの未来を賭ける

❦ ジークロック
怪鳥。ガノンドロフの命により、ゼルダ姫に似た長い耳をもつ少女を魔獣島へとさらう

❦ おばあちゃん
リンクとアリルの祖母。2人のことをとても心配している。スープ作りが得意

❦ アリル
リンクの妹。にいちゃんの誕生日に怪鳥にさらわれ、魔獣島に閉じ込められる

❦ メドリ
賢者の血を引く、リト族の巫女。地の守り神ヴァルーのお付き。族長の息子コモリを励ます

❦ マコレ
年に1回のコログ族の儀式で伴奏を務める。後に賢者として覚醒する

風のタクト

メインビジュアル

風のタクト HD

人物相関図

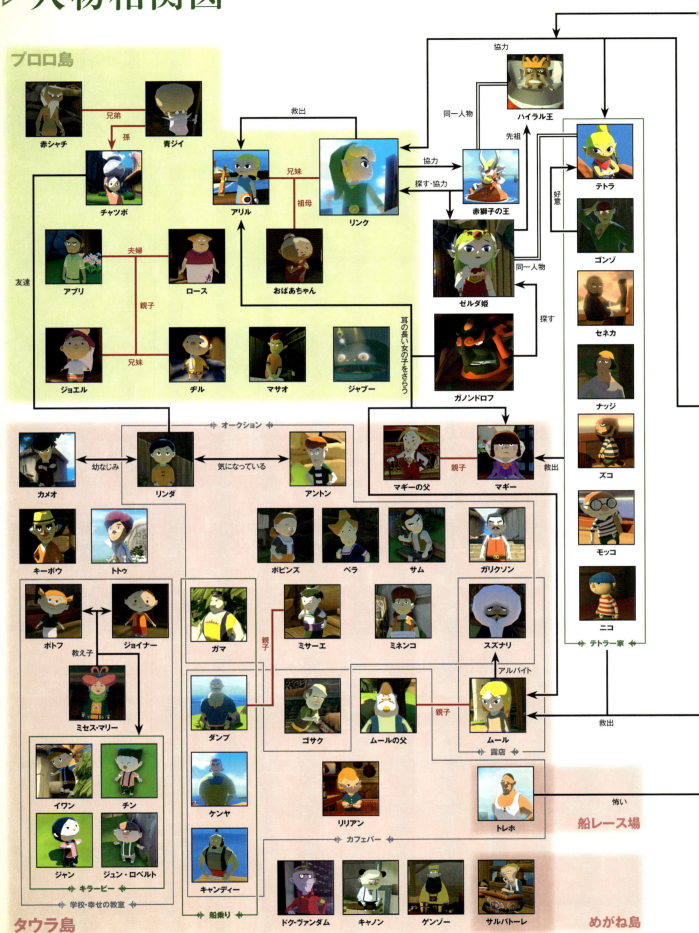

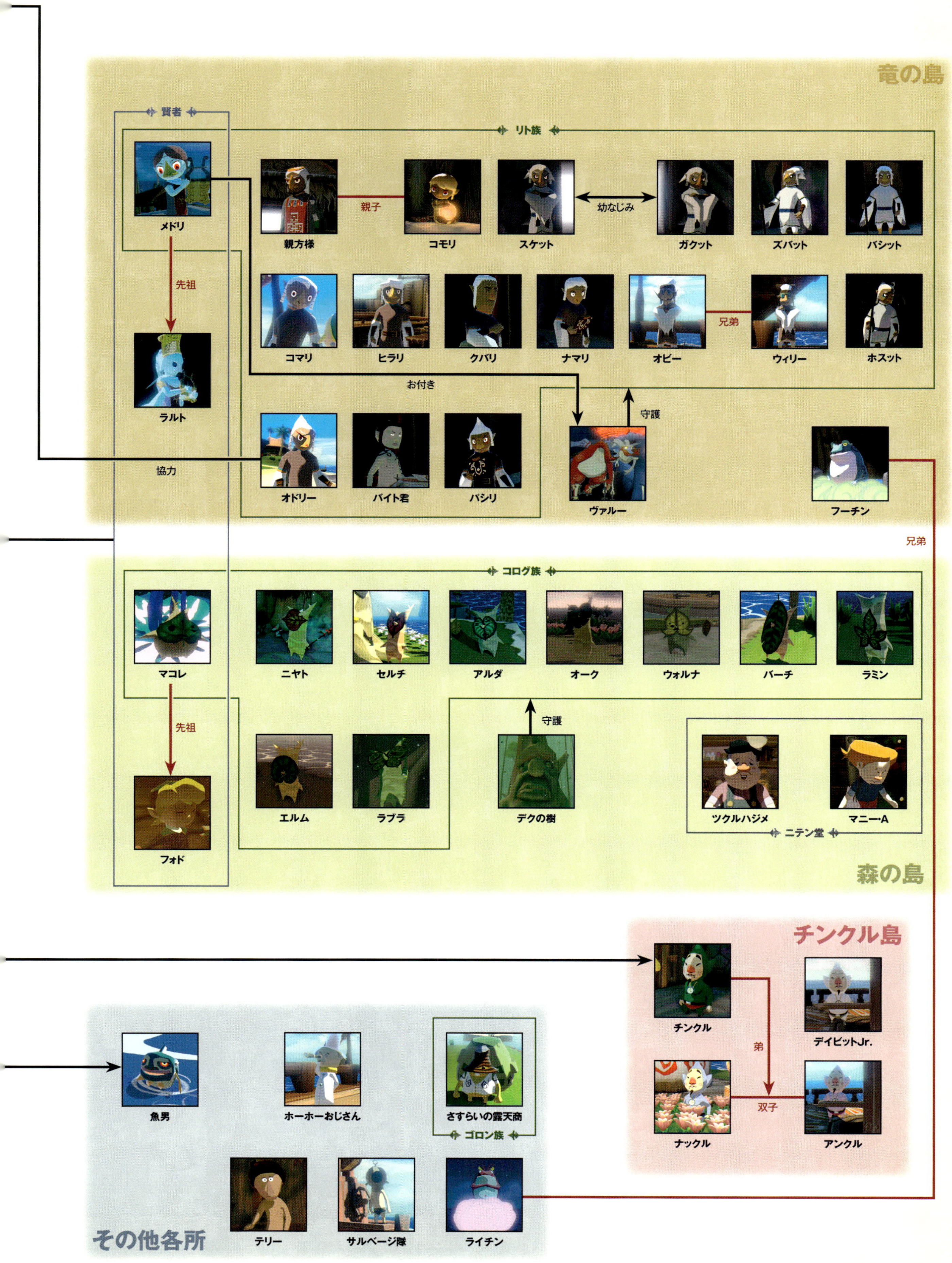

CHAPTER3 | 風のタクト

竜の島

賢者
- メドリ
  - 先祖 → ラルト
  - 協力

リト族
- 親方様 —親子— コモリ
- スケット ←幼なじみ→ ガクット
- ズバット
- バシット
- コマリ
- ヒラリ
- クバリ
- ナマリ
- オビー —兄弟— ウィリー
- ホスット
- オドリー / バイト君 / バシリ（お付き）
- ヴァルー（守護）
- フーチン
  - 兄弟

森の島

- マコレ
  - 先祖 → フォド

コログ族
- ニヤト / セルチ / アルダ / オーク / ウォルナ / バーチ / ラミン
- エルム / ラブラ
- デクの樹（守護）

ニテン堂
- ツクルハジメ / マニーA

チンクル島
- チンクル
  - 弟 → デイビットJr.
  - 双子：ナックル / アンクル

その他各所
- 魚男
- ホーホーおじさん
- さすらいの露天商
- テリー
- サルベージ隊
- ライチン

ゴロン族

▷ 世界

本作の舞台は海。海は49の海域に分かれており、それぞれに大小さまざまな島が浮かぶ。島にはダンジョンなどがある場合も。また、島はリンクたちが船で近づくと徐々に大きくなり、そのまま上陸できるシームレスなつくりになっている。海上には竜巻、幽霊船、巨大イカ（ダイオクタ）なども登場し、冒険心をかき立てる。また移動は「疾風の唄」を使って指定した海域にワープすることもでき、さらに『風のタクトHD』では「快速の帆」というアイテムが追加され、ゲームキューブ版の2倍の速度を出せるようになった。

最大の人口を誇るタウラ島

時間の流れと天候の違いによる海模様

朝　　昼　　夕方　　夜
日中 雨　　日中 雷　　夕方 雷前　　夜 雨

49の海域と点在する島々

「氷の矢」で鎮火させる前の火山島

【A-1】魔獣島【A-2】星島【A-3】北の妖精島【A-4】風の島【A-5】月島【A-6】七星島【A-7】高台の島【B-1】四の目島【B-2】親子島【B-3】めがね島【B-4】タウラ島【B-5】足形島【B-6】竜の島【B-7】飛行やぐら【C-1】西の妖精島【C-2】石渡り島【C-3】チンクル島【C-4】北の三角島【C-5】東の妖精島【C-6】火山島【C-7】三連星島【D-1】三の目島【D-2】魚の島【D-3】一の目島【D-4】六の目島【D-5】神の塔【D-6】東の三角島【D-7】トゲの妖精島【E-1】針岩の島【E-2】鉄の島【E-3】巨顔石島【E-4】南の三角島【E-5】ダレの島【E-6】バクダン島【E-7】高鳥岩の島【F-1】ひし形段の島【F-2】五の目島【F-3】さめ島【F-4】南の妖精島【F-5】氷山島【F-6】森の島【F-7】とび岩の島【G-1】てい鉄形の島【G-2】プロロ島【G-3】大地の島【G-4】二の目島【G-5】カクカク島【G-6】船レース場【G-7】五星島

▷ 開発資料

アートワーク ラフ ◁

完成版

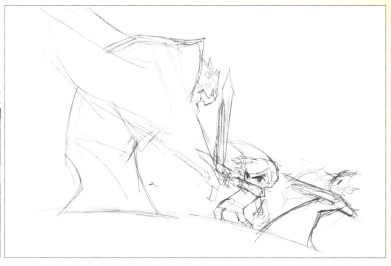

▷『風のタクトHD』メインビジュアル ラフデザイン

開発秘話

●世間的なゲームグラフィックの傾向は、質感を描き込んでいくリアル路線に寄っていたが、本作は『時のオカリナ』をよりリアルに突き詰めるのではなく、ひと目でわかる形での個性を表現する方向に舵が取られた。

●リンクの黒い大きな目は、その動きに感情移入しインタラクティブに楽しむ『ゼルダ』を目指したもの。ヨーロッパからは「色を変えてほしい」という要望があり、赤や青、グラデーションなども試しているが、最終的にはまつ毛の線と目の境目をつけることで落ち着いた。

●企画段階からフィールドは海にし、移動手段の船に対して白い線で表現された「風」が生まれた。また、船で進むと徐々に島が見えてくるといった、切れ目なくつながるシームレスな世界を目指し、それを実現するために海の広さや島の大きさが後から決定された。ゲームキューブでは島を大きくしたり、島と島の間隔を狭くすると読み込み時間が足りず、現状の表現に落ち着いたが、その後の『風のタクトHD』ではハードの処理能力が向上したため、「快速の帆」で船のスピードを上げることが可能になっている。

●本作のテーマは「風」「海」「操る」。3つの要素をさまざまな角度からひとつにまとめており、カモメの操作や、デクの葉を"扇ぐ"、神の塔の人形だったりと、「操る」仕掛けが多いのはそのため。サブタイトルにもなっているタクトは、「風」と「操る」の相性を考えたとき、「振る」という行為がアクションになるため生まれたもの。しかし当初は、触らなくても音が鳴らせる楽器「テルミン」をモチーフに考えていた。

●吊り橋のロープが切れることやモリブリンの武器のひらひらなど、「ひも」も重要なキーワードになっている。これはメインプログラマーが前作で担当した「ムジュラの魔人」の使っていたムチを進化させたもの。

●ゲームの核はこれまで同様、物語ではなくあくまで遊びを主として構成している。その意味において、NINTENDO64で構築された世界を一度まっさらにしたいという思いと、舞台が海に決まったことが重なり、ハイラルを沈めることになった。ただし冒険を始めるきっかけについては、本当に感情移入するにはどうすればいいのかを議論し、「世界を救う」ではなく身近な肉親を助けることをシナリオの導入部分とした。

●『時のオカリナ』の世界が背景にあることについては、音楽に同じメロディーを使うことで演出している。音楽はすべてコンピュータで制作され、バトルシーンでは、曲自体は同じでもリンクの状態でアレンジやテンポが変わるなど、『ゼルダ』のインタラクティブ性がより重視されている。さらに敵に攻撃がヒットしたとき鳴るトゥッティなど、本来ならSEとして処理する音をBGMに組み込むプログラムが組まれている。

●カモメの声は、象の鳴き声を加工したもの。砂浜を歩く音はポテトチップスを使い作られている。

●2013年に、オリジナル版から11年の時を経て『風のタクトHD』としてリメイクされることになったのは、『スカイウォードソード』などとともにHD表現を実験的にしてみたところ、『風のタクト』の存在感が強く、短い期間で制作が可能という条件も重なったため。

参考文献
●ほぼ日刊イトイ新聞 樹の上の秘密基地「いよいよ『ゼルダ』がやってきた!」
●ニンテンドードリーム 2002年12月21号/2003年1月6日号「風のインタビュー前編/後編」
●ニンテンドウオンラインマガジン N.O.M「ゼルダと音の世界（No.54）」
●社長が訊く『ゼルダの伝説 風のタクトHD』

2003

DATA 2003年3月14日発売　ゲームボーイアドバンス

本作はスーパーファミコンで発売された『神々のトライフォース』のリメイク版と、『4つの剣』が収録されており、この項では『4つの剣』について記述する。

『4つの剣』は『ゼルダの伝説』シリーズにおいて初めて多人数プレイを可能にしたタイトルで、カプコンが『ふしぎの木の実』に続いて制作を担当した。2～4人までのプレイに対応し、緑・青・赤・紫という色違いのリンクがステージクリアを目指す。各ステージは複数のマップが毎回ランダムで選ばれ、何度でも遊べる仕様になっている。また、2011年にはDSiウェアとして『4つの剣 25周年記念エディション』（P.307）が期間限定で配信された。ひとりプレイや、『ゼルダの伝説』シリーズをモチーフとした新ステージが追加されている。

▷ 物語

その昔、風の魔人グフーがいた。グフーは天空にある風の宮殿を占拠し、美しい娘たちを次々にさらっていった。そこへ伝説のフォーソードを携えた勇者が現れた。剣により体が4つに分かれ、4人の勇者は協力してグフーを倒した。そして、グフーを封印したフォーソードは、封印の森の台座に安置された。

そして今。代々ゼルダ姫がフォーソードの管理をしてきたが、封印の様子を確かめにきたときにグフーが復活。ゼルダ姫は風の宮殿に連れ去られてしまう。グフー復活を目の当たりにしたリンクは、妖精に言われるがままにフォーソードを手に取る。すると体が4つに分かれた。4人のリンクはゼルダ姫を救うため、旅立つ決意をしたのだった。

グフーの元へ行くには、3つの地域にいる3人の大妖精に勇気を認められなければならない。そのためにはルピーを集めなければいけなかった。4人のリンクは魔物を倒していき、ルピーを集めていく。すると大妖精から勇者のタマゴと認められ、風の宮殿へつながる鍵を授かった。

風の宮殿の最奥でグフーを倒した4人のリンクは、ゼルダ姫を救出し、フォーソードに再びグフーを封印する。リンクが台座に剣を戻すと、その体も元のひとりになるのだった。

1 封印の森、フォーソードの前で伝説を語るゼルダ姫　**2** 目の前で復活したグフー。ゼルダ姫を捕らえ「ワシの花嫁になってもらう！」　**3 4** フォーソードをリンクが引き抜くと、体が4つに分かれた　**5** グフーはリンクの手により倒され、再びフォーソードに封印される　**6** グフー討伐によりゼルダ姫も解放された。そしてリンクも元の姿に……

▷ 主な登場人物

メインビジュアル

◆ リンク
目の前でさらわれたゼルダ姫を救うため、フォーソードで4人にわかれた少年

◆ グフー
かつて勇者に倒され、フォーソードによって封印された風の魔人

◆ ゼルダ姫
フォーソードを管理していた。復活したグフーに花嫁として連れ去られてしまう

▶ 人物相関図

▶ 世界

3つの試練と風の宮殿

大妖精の試練が待ち構える地域は、それぞれ森・岩山・火山と性質の違う自然を備えている。すべてをクリアすると空に浮かぶ「風の宮殿」が出現する。

A 帰らずの森　B 岩山のほらあな　C デスマウンテン　D 風の宮殿

▶ 開発資料

▶ はねマント デザイン ラフ

身につけると、長くジャンプして滑空ができる「はねマント」のイメージイラスト。

▶ 封印の森 デザイン ラフ案

実際にはゲームに登場しないシーンも含めて、本作の開発を担当したカプコンのチームによる多くのイメージボードが存在する。上記は開発初期に描かれたフォーソードがある場所のデザイン案。ゲーム中では水の流れはないが、敷かれた石が円状に並んでいる部分に名残りがあり、妖精や木洩れ陽といった、神聖なイメージは変わっていない。

▶ マップ画面 デザイン案

マップ画面の見せ方を、イラストを交えて提案している。雲が徐々に晴れていく演出は、ゲームに採用された。

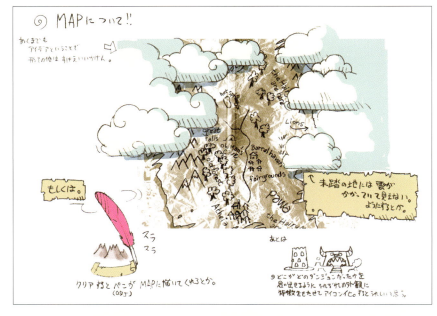

開発秘話

● リンクが小さくなる「小人のぼうし」は、宮本茂氏から「宝箱に入ってみたい、いろいろいたずらしてみたい」という話を聞いた藤林秀麿ディレクターが「リンクが小さくなるアイテムはどうか」と考えて生まれた。

● 4人のリンクのカラーは、カプコンの開発チームからの提案で決まった。

参考文献
● ニンテンドードリーム 2004年12月6日号
『ゼルダの伝説 ふしぎのぼうし』
発売記念インタビュー
● ニンテンドードリーム 2004年4月21日号
『ゼルダの伝説 4つの剣＋』発売記念
プロデューサー＋Wディレクター開発インタビュー

2004

DATA 2004年3月18日発売　ニンテンドー ゲームキューブ

ニンテンドーゲームキューブとゲームボーイアドバンスを接続する「GBAケーブル」が付属。最大4人で、テレビ画面と手もとの画面を個別に見ながら遊べるゲームが3タイトル収録されている。3つのコースで構成されたエリアを順にクリアしていく『ハイラルアドベンチャー』、音声ナビによって広いマップを走りメダル集めを競う『ナビトラッカーズ』、4人のリンクが対戦する『シャドウバトル』。本項では、ストーリー展開と協力プレイが楽しめる『ハイラルアドベンチャー』について記述している。

※この画面は『ナビトラッカーズ』のものです

▷ 物語

『4つの剣』の物語が遠い遠い伝説となった時代……。

ハイラルは突然、黒い雲に包まれた。人々を不安にさせる不吉な雲を見て、ゼルダ姫はリンクをハイラル城に呼び出した。伝説の剣「フォーソード」に封印されている「風の魔神グフー」の仕業ではないかと感じたゼルダ姫は、6人の巫女とともに祈りを捧げ、聖域への道を開こうとする。そのとき、聖域へ通じる光が闇に覆われ、黒い影が現れた。

「リ、リンク？」影を見てそうつぶやいたゼルダ姫。リンクと似たその影"シャドウリンク"は、ゼルダ姫と巫女たちを捕らえ姿を消してしまった。リンクはゼルダ姫を救うため、聖域への扉を通ってフォーソードを引き抜く。伝説のとおり、リンクは体を4つに分身させて戦う力を手に入れるが、それは同時にグフーの封印を解くことを意味していたのである。しかもフォーソードは、闇を打ち砕くフォースの力を失っていた。フォースはこの世界のあらゆる物に宿る力。リンクはフォースを集めながら各地を巡り、巫女たち、邪悪な姿に変えられていたハイラル騎士団、さらにはハイラルに住む者たちを救いながら、風の宮殿にいるグフー討伐を目指していく。

シャドウリンクを生み出していた「闇の鏡」を取り戻すと、シャドウリンクは消えた。6人の巫女とゼルダ姫も救い出し、グフーと対決する。リンクは討伐に成功。すると宮殿は崩れ落ち、脱出する途中で足もとが崩れ、リンクとゼルダ姫は地下に落ちてしまった。そこにいたのは、魔王ガノンだったのである。

「破壊への渇き！　怒りを解き放つこの快感!!　フォーソードなどこのトライデントが打ち砕いてくれるわ！」

ゲルド族の盗賊ガノンドロフ、彼は村の掟を破り、魔の邪器トライデントを手にして闇の魔王になったのだ。望むのはただ、闇の力による支配。シャドウリンクを使ってグフー復活を手引きし、グフーを使って闇の力を集めていた。リンクはフォーソードの力で、ゼルダ姫や巫女とともにガノンの封印に成功する。

フォーソードは再び聖域に納められ、ハイラルは光を取り戻した。ハイラル城には、トライフォースの紋章が光り輝いていた。

■1 雨の夜、リンクはゼルダ姫に呼ばれてハイラル城へ　■2 6人の巫女とゼルダ姫がいなければ、聖域への扉は開かれない　■3 突如現れたシャドウリンクによって、自由を奪われたゼルダ姫と巫女たち　■4 抜けばグフーが復活する。それを覚悟してフォーソードを手に取り、身体が4つに分かれたリンク　■5 フォーソードの台座から飛び出した影。グフーの復活である　■6 ゼルダ姫の力によって、シャドウリンクを生み出していた闇の鏡を取り戻した　■7 グフーを倒し、姫と崩れる城から脱出　■8 ガノンとの最終決戦に勝利。巫女たちの協力で封印に成功した

▷ 主な登場人物

リンク
ゼルダ姫を助けるため、グフーの復活と引き換えにフォーソードを引き抜く

メインビジュアル

▷ 人物相関図 L1-L4

『ハイラルアドベンチャー』にはLEVEL1～8までのエリアがあり、それぞれのLEVELは3つのコースに分かれている。ここではその前半、LEVEL4までのエリアにおけるキャラクター相関図を、登場エリア別に記している。

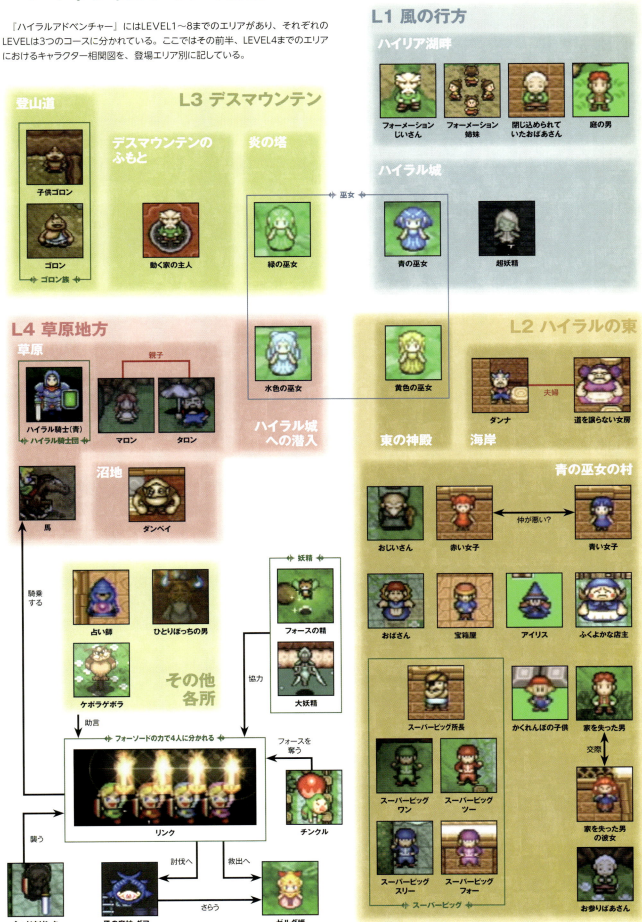

人物相関図 L5-L8

ゲームの後半、LEVEL5～LEVEL8までの相関を示している。ゼルダ姫の救出やリンクとシャドウリンク、グフーなどの関係が前半とは変わっている。こちらの項でも登場するエリア、コース名で人々を分けている。

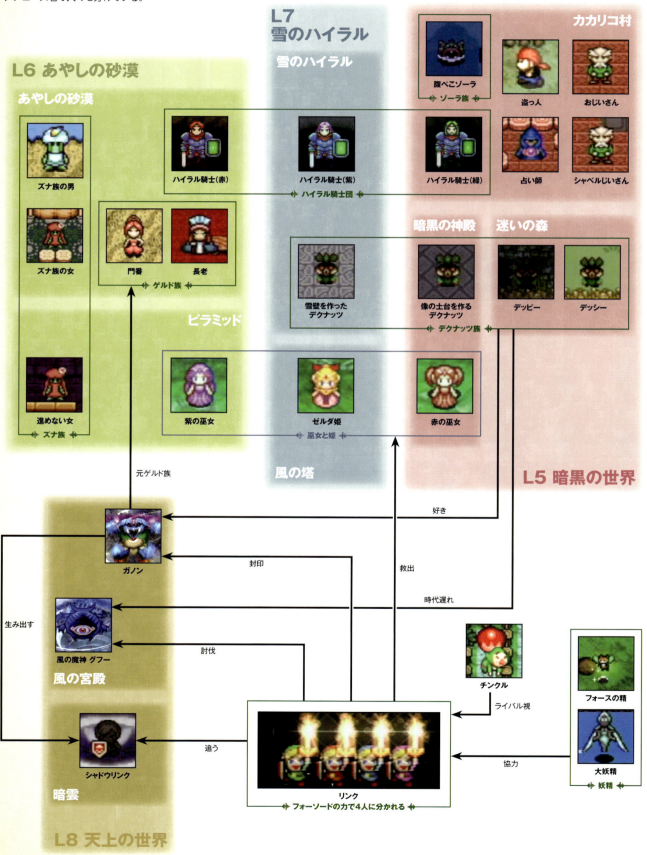

世界

地域によって自然環境が異なっており、さまざまな種族が暮らしている。ひとりずつ巫女を救い出すことにより、行動範囲が広がっていくクリア方式。たとえば「L1 風の行方」で青の巫女を救い出せば、青の巫女が統治する「青の巫女の村」がある「L2 ハイラルの東」へ向かうことができる。

- A 戻らずの洞窟　B ハイラル城　C 東の神殿
- D 炎の塔　E 暗黒の神殿　F 砂漠の神殿
- G ピラミッド　H 氷の神殿　I 風の塔　J 風の宮殿
- A 青の巫女の村　B カカリコ村
- C ゲルド族の村　D ズナ族の村

開発資料

アートワーク 下絵

兵士（緑）アートワーク用 ラフ

ドットで描かれた左のキャラクターをアートワーク用にイラスト化（メインビジュアル P.262）するにあたり、フォルムの検討用に描かれたもの。鎧の形状や盾の模様はもちろん、甲冑のすき間に見える茶色い腕部分まで、「布よりもっと格好いい処理があれば……」と担当者間で伝えられている。

アートワーク ラフ

本作で遊べる3つのゲームのうちのひとつ、『ナビトラッカーズ』のアートワーク。開発当初は『テトラズトラッカーズ』の名称で、ルールはスタンプを集めるものだった。最終的にはメダルを集める内容となったため、ゴンゾではなく、セネカがメダルを持つバージョンのイラストもある。

開発秘話

● 青沼英二氏は本作の前に「『ゼルダ』シリーズから降ろさせてほしい」と宮本茂氏に相談していた。宮本氏は「プロデューサーをやりなさい。一度引いた視点から見てみなさい。才能をもった新しい人たちが『ゼルダ』をつくっているのを見ながら、『ゼルダ』とは何なのか、もう一度考えてみたら」と青沼氏に進言。それがきっかけとなり、青沼氏は本作で初めて『ゼルダ』のプロデューサーとなった。

● 『ハイラルアドベンチャー』はルピーを集める競争ゲームだった。そこからしっかり遊び込める謎解きゲームへ移行、フォースを集めて退魔の力を得るという方向性になった。

仕様の途中変更を何度も軽いフットワークで行えたのは、2D視点のゲームだからである（3D視点のゲームで同様の変更を行うと、ゲーム全体に影響してつくり直す作業量がとても多くなり難しい）。

● 『ハイラルアドベンチャー』は当初多人数プレイがメインで、ひとり用モードはおまけで遊べる程度だった。発売の約2か月前、宮本茂氏はディレクターの鈴木利明氏に「ひとり用を入れるならキチンとやりなさい。『ゼルダ』はひとりで遊べるゲームとしておもしろくなければダメだ」とアドバイス。それから1か月間、発売日も予定より1か月延長しているが、ひとり用の視点で重点的につくり直した。

● 『ハイラルアドベンチャー』のフォースは、『夢をみる島』に登場した「ちからのかけら」が発想のヒントになっている。敵を倒すとたまに出現するアイテムで、一定時間攻撃力がアップするもの。このアイデアにより、フォーソードにスポットが当たり、空から降ってきても違和感がなくなった。

● 『ハイラルアドベンチャー』のコースクリアスタイルは、『スーパーマリオ』を意識してつくられた。コースが完全に独立しているため、「ダンジョンを24個つくっているようなものだ。贅沢すぎる！」と言うスタッフもいた。

参考文献
● ニンテンドードリーム 2004年4月21日号
『ゼルダの伝説 4つの剣＋』発売記念
プロデューサー＋Wディレクター 開発インタビュー

2004

DATA 2004年11月4日発売　ゲームボーイアドバンス

カプコンとの共同開発作品第3弾。『4つの剣』などで登場した"聖剣フォーソード"および"魔神グフー"の誕生の物語が描かれる。分身を使っての謎解きやアクションは随所で継承しつつ、同タイトルで登場したアイテム「小人のぼうし」による「小さくなって新たな道を発見する」要素をメインに昇華。人間の世界と、その中に隠されている小さな小人の世界を行き来しながら各地を探索・冒険していく。

2011年には、ニンテンドー3DS本体の早期購入者特典「ニンテンドー3DS アンバサダー・プログラム」で遊べるソフトの1本として無料配信された。

▷ 物語

遠い昔、突如人間界に魔物が現れ、世界は暗黒につつまれそうになる。そのとき、天から光とともに小さなピッコルが現れ、人間の勇者に無限の力"フォース"と一本の剣を授けた。勇者はその力で魔物を封印。人々はピッコルに感謝し、以降、年に一度ピッコル祭りを開催するようになった。

ある年のピッコル祭り当日。鍛治見習いの少年リンクは、幼なじみのゼルダ姫に誘われてハイラルの町へ祭り見学へ出かける。この年はちょうど100年に一度の、ピッコルの世界とこちらの世界をつなぐ秘密の扉が開く年とされており、町は例年以上ににぎわいを見せていた。

ゼルダ姫とともにハイラル城に向かったリンクは、祭りのイベントである、武術大会の優勝者への"表彰の儀"に立ち会う。魔物を封じているというピッコルの剣の前で、儀式が開始される。しかしそこに現れた優勝者グフーは突如ピッコルの剣を折り、魔物の封印を解き放つ。さらにリンクをなぎ倒し、聖なる力を垣間見せたゼルダ姫を呪いで石に変えてしまった。魔物を封じていた箱の中に目的のものがないことを知ったグフーは、そのまま立ち去っていった——

ゼルダ姫の呪いを解くには、折れた剣をピッコルに直してもらわねばならない。ハイラル王の話では、ピッコルは伝説ではなく実際にいるのだという。ただし子供にしか見えないため、リンクがピッコルを探しに森へと向かうことになった。その道中、魔物に襲われているふしぎな帽子エゼロに出会い、その導きで森のピッコルたちの里に向かう。

森のピッコルの里の長老に面会したリンクは、呪いを解くには剣を打ち

直しホワイトソードとするだけでなく、各地に眠る4つのエレメントを探し出し、その力を剣に宿して聖剣"フォーソード"を完成させなければならないと知る。リンクとエゼロは長老に教わった神殿に赴きエレメントを集めていく。その道中エゼロは、自分とグフーは元はピッコルの賢者とその弟子であったこと、かぶった者の願いを叶える帽子をグフーが奪い魔人と化したこと、そしてグフーはさらなる力を手に入れるため、古に天から与えられたフォースを捜しているのだと打ち明けるのだった。

エレメントを集めたリンクたちは、ハイラルの世界とピッコルの世界の真ん中にあるという聖域の台座にてホワイトソードに聖なる力を宿し、フォーソードを完成させる。それと同時に開いた扉から奥に進むと、そこには「フォースは代々王家の姫に宿る」という古の伝承が記されていた。

そこに現れるグフー。フォースの手がかりを得るために、2人の後をつけていたのだ。グフーはゼルダ姫を城の屋上に連れ去り、その体からフォースを抜き取って大魔神となるための儀式を行う。儀式の完遂はなんとか阻止するものの、多くのフォースの力を得たグフーは大魔神と化す。リンクはフォーソードがもつ力で4人に分身しながら戦い、大魔神グフーを撃退。フォーソードをもって、これを封印した。

ゼルダ姫とエゼロの呪いは解けたが、国は大きな犠牲を出した。エゼロはねがいのぼうしをゼルダ姫にかぶせる。ゼルダ姫の願いはただひとつ。その体にわずかに残されたフォースの力と、強い想いにより願いは届き、ハイラルは元の美しい姿と平和を取り戻した。

そして、ピッコルの国への扉が閉じるときが来た。エゼロはリンクに感謝の言葉と、ともに冒険していたときの自身に似た緑色のぼうしを与える。

「オヌシのその姿は初めて見るが……似合うぞ小さな勇者」

そう言うと、エゼロはピッコルの国へと帰っていったのであった。

1 お祭りをいっしょに楽しむリンクとゼルダ姫　**2** グフーにより魔物を封じていた箱が解放され、ゼルダ姫は石にされる　**3** いきなり乗ってきたエゼロ。頭上からちょっと偉そうにアレコレと指示してくる　**4** エントランスではエゼロの力で小さくなれる　**5 6** ハイラル城に侵入し、ダルタス王を襲うグフー。王を地下牢へと幽閉し、変身して王に成り代わったグフーは、兵士たちにフォースの捜索を命ずる　**7** 風のとりでに残されていた文献には、風の民がエレメントとともに空へ登ったと記されていた　**8** エレメントの眠る神殿への道を探すため、町の中の小さな世界を探索　**9** ゼルダ姫からフォースの力の大部分を抜き取って我が物とし、凶悪な大魔神と化したグフー　**10** ピッコルの国へ帰る賢者エゼロ。去り際にリンクに緑の帽子を与える

266

▷ 主な登場人物

リンク
鍛冶職人スミスの弟子。エゼロと行動し、体を小さくさせてピッコルの世界を行き来できる

エゼロ
帽子のような姿でリンクと行動を共にする。実はグフーに姿を変えられたピッコルの賢者

メインビジュアル

グフー
フォースを追い求める魔人。エゼロの助手だったが、「ねがいのぼうし」で魔人の力を得た

ゼルダ姫
リンクの幼なじみ。グフーにより石にされてしまう。伝説のフォースを身に宿している

ピッコル
伝説として伝わる小さな種族。各地に住んでいるが大人には見えない

267

▷ 人物相関図

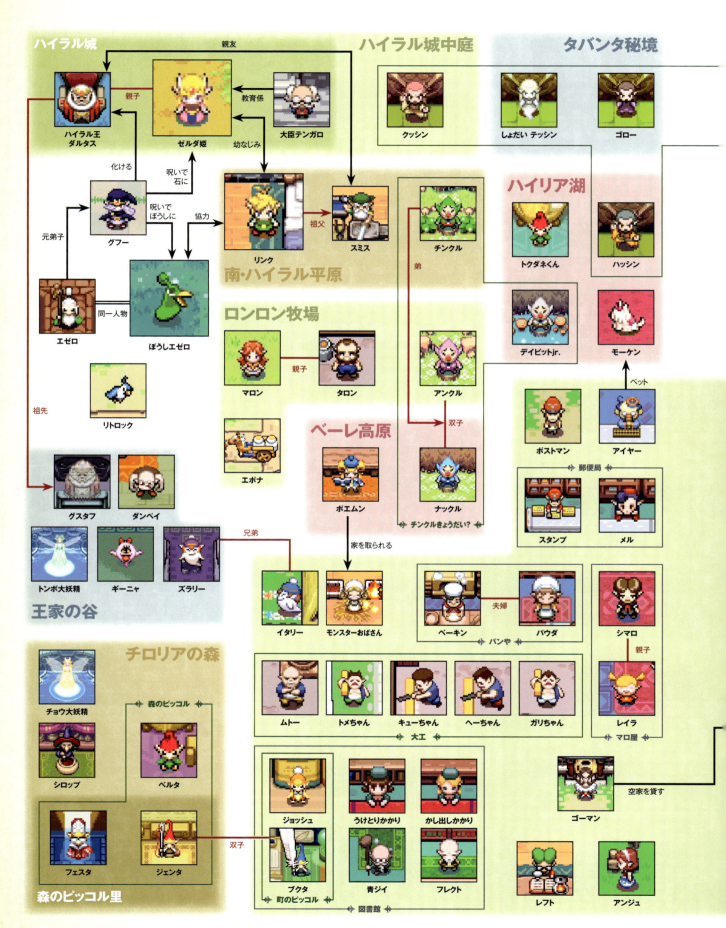

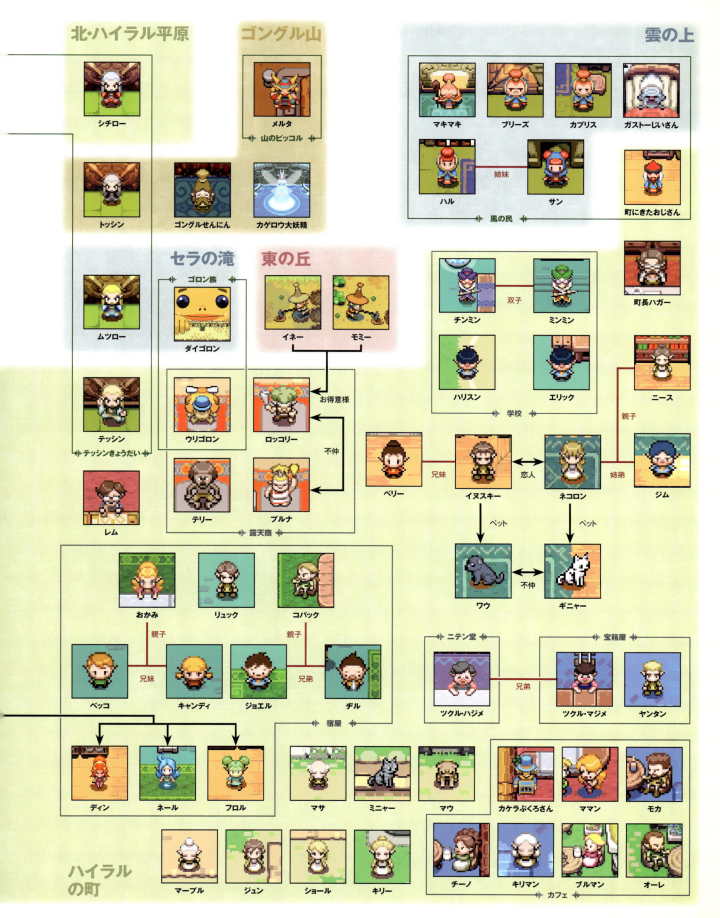

▷ 世界

　ハイラル城とハイラルの町を中心に森林や山岳、湿地帯などが東西に広がる。王国は全部で17のエリアに分かれており、各地には住人たちとのカケラ合わせで解放される隠し洞窟や通路などが点在。さらに、さまざまな場所にあるエントランスを使うことで、体を小さくしてピッコルたちの住む区域に入ることができる。

ハイラル王国

Ⓐ 森のほこら　Ⓑ 炎のどうくつ　Ⓒ 風のとりで　❶ リンクの家　❷ ハイラルの町　❸ ハイラル城　❹ 森のピッコル里　❺ メルタのこう山　❻ 聖域　❼ マロンとタロンの家
Ⓓ しずくの神殿　Ⓔ 風の宮殿　Ⓕ 闇ハイラル城　❽ 魔法使いシロップのお店　❾ アイヤーの家　❿ 町長ハガーの湖の小屋　⓫ 墓守の家　⓬ 王家の墓　⓭ 風の民の家

人間の目線とピッコルの目線

　ピッコルの道や住処は一見なんの変哲もないような場所にひっそりと存在している。見慣れた町の中にも、実は大勢のピッコルが暮らしている。

各地のピッコルたちの家

　ハイラルの各地に住むピッコルたちは、人間のさまざまなモノや自然の地形を利用して住処にしている。その内装もバラエティ豊か。

開発資料

ピッコルの世界 設定ラフ

ピッコルたちがどんな種族か、どのように生活しているか、などのイメージを伝えるためのもの。開発初期、藤林ディレクターの依頼でこのようなイメージボードや設定が大量に作成された。また、こびとの種族について、デザインは初期ラフからすでにほぼ完成していたが、種族名は「チロリアン」や「コビット族」などさまざまな候補があがっていた。

エゼロ 設定案

ぼうし姿の相棒「エゼロ」のイメージ集。ガノンの名を口にしているものも。この設定画のイメージからエゼロの性格付けや、2人の関係を象徴する実際のイラストなどが形づくられていった。

開発秘話

●ディレクターの藤林秀麿氏は、『ゼルダ』開発の際、まず謎解きやアクションのほかに遊びの仕組みの主軸となるプラスアルファのアイデアを考えていく。しかしあまり『ゼルダ』らしい世界観から離れないよう、今ある世界の中で、かつこれまでに使われていない、ゲームに展開できる別の次元がどこかに残っていないか、と頭を悩ませた。そこで、リンクが小さくなれば今ある世界も別の世界になるのでは、と本作の世界観を思いついたという。

●"小さくなるぼうし"のアイデアの元になった『4つの剣』のアイテム「小人のぼうし」は、宮本茂氏の一言（P.261）を受けリンクが小さくなるアイテムがあればどうか、と考えて生まれたもの。実際に採用してみると小さなドットになったリンクの姿が面白かったため、機会があれば再度使ってみたいと考えていたことが、今作の世界観における「大きい・小さい」のアイデアと重なった。

●『ふしぎの木の実』開発の際、ナビゲートキャラがいないことに苦労した経験から、今作では最初から相棒キャラを作ることを決めていた。それとは別に、リンクがさまざまな仮面やぼうしをかぶるというアイデアを考えていたため、それならばいっそぼうしにしゃべらせよう、と考えエゼロの原型が生まれた。

●藤林ディレクターは新アイテムのアイデアを考えるとき、おとぎ話などに出てくるものか、科学の実験で使われるものから引き出すことがある。本作の新アイテム「魔法のつぼ」は、『西遊記』に登場する、何でも吸い込むふしぎなひょうたんから発想したもの。

●リンクが小さくなったとき、周りをすべて大きくするのではなくリンクのみが小さくなる表現にしたのは、今あるものを最大限にいかしつつ、覚えた地形をそのまま利用できるようにという理由から。この表現は2Dだからこそできる表現方法であったと青沼英二プロデューサーは語った。結果、迷うことばかりが増えるストレスがなくなり、さらに大きいときには行けなかった場所にアクセスでき、世界に広がりを持たせることができるようになった。

●藤林ディレクターは「町とピッコルのゲームをつくりたかった」と語っている。町と、そこで暮らしている人の"生きている感"をつくり込み、町をひとつのダンジョンのような遊び応えのあるものにすることで今までになかったものができあがると信じていたという。青沼プロデューサーも、ハイラルの町の濃さは『ムジュラの仮面』のクロックタウン以上であると絶賛している。

参考文献
●ニンテンドードリーム 2004年12月6日号
『ゼルダの伝説 ふしぎのぼうし』発売記念インタビュー

2006

ゼルダの伝説 トワイライトプリンセス

DATA
2006年12月2日発売
Wii
ニンテンドーゲームキューブ

ゼルダの伝説 トワイライトプリンセス HD

DATA
2016年3月10日発売
Wii U

Wiiとゲームキューブで同時に発売された本作は、リアルなグラフィックとダークファンタジックな世界観、人と獣の2つの姿を使い分けて進むことが特徴。ゲームキューブ版とWii版ではすべてが左右反転した世界が舞台になっており、両機種合わせてシリーズ最多の世界累計販売本数885万本を突破した（2017年2月現在）。2016年にはWii Uでリメイク版が発売。グラフィックの向上に加え、手もとのGamePadによるマップ表示やアイテム切り替えなど利便性が増したほか、同時発売のamiiboで遊べる「獣の試練」など新要素が追加された。

※この画面はWii版『トワイライトプリンセス』のものです

▶ 物語

ハイラル王国の南の果てにある小さな農村、トアル村で牧童として働く青年リンクは、村唯一の剣士モイの薦めで見聞を広めるために、ハイラル城へ献上品を運ぶ役目を担うこととなった。しかし旅立ちの日、幼なじみであるイリアと村の子供たちが、目の前で魔物に拉致される。リンクはこれを追い森へと急ぐが、昨日まで穏やかであったはずの森は不気味な"影"となっていた。領域内へと引きずり込まれたリンクは黒い毛並みを持つ獣の姿へと変化してしまい、気を失う。

どこともわからぬ牢屋で目覚めた獣姿のリンクの前に、ミドナと名乗る謎の人物が現われる。探し物を手伝うことを条件にミドナの手助けを受け牢屋を脱出したリンクは、ミドナに導かれたどり着いた城の最上部でゼルダ姫と対面。ここが影の領域と成り果てたハイラル城であることを知り、王国が影の魔物を率いる影の王ザントにより侵略されたことを告げられた。じきにハイラル全土を影が覆い尽くすだろう……。

村へと戻って光の精霊を救い、再び人の姿を得たリンクは、子供たちとイリアを捜すため、そしてミドナの"探し物"でありザントに対抗する力を秘めた「影の結晶石」を手に入れるため旅立つ。影の領域に侵されたハイラル各地に光を取り戻し、3つの影の結晶石を集めていった。

1 人間が魂の姿になる影の領域において、神に選ばれし勇者リンクは獣の姿となる 2 村の子供たちとイリアをさらったキング・ブルブリン。冒険の途中で幾度となく刃を交える 3 ザントの襲撃を受けてリンクは獣となり、ミドナも瀕死に 4 自分たちの代わりに奔走し傷ついたミドナを癒すため、己の魂を注ぎこむゼルダ姫 5 マスターソードを抜いたことでリンクの体を離れた陰呪。以降はこれを用いて人と獣、2つの姿に自由に変身できるようになる 6 影の世界へと続く陰りの鏡が破壊されていた。しかし、偽の王であるザントには完全には破壊できず、かけらとなって各地に散らばる 7 強い力を秘めた陰りの鏡の欠片は人の心と体を狂わせる 8 すべての元凶であるガノンドロフと宿命の対決 9 真の姿を取り戻したミドナは陰りの鏡を破壊し、影の世界へと帰っていく

ついにすべての影の結晶石を集めたリンクだったが、突然のザントの襲撃にあい、呪いで再び獣の姿となる。また、ミドナも瀕死の危機に陥ってしまう。リンクはハイラル城のゼルダ姫の元に赴き、退魔の剣であれば呪いを解くことができると教わった。そしてミドナの正体に気が付いたゼルダ姫は、自分の魂のすべてをミドナに注いでその命を救う。ゼルダ姫の残した助言どおり森の聖域にたどり着いたリンクは、退魔の剣マスターソードを手に入れ、再び人の姿を取り戻した。そしてミドナとも真の協力関係となり、打倒ザントのために動き始める。

影の世界にいるザントを倒すためには、光と影の世界をつなぐ唯一の道である"陰りの鏡"を通らねばならない。鏡の間に赴いたふたりは古の賢者たちと出会い、遥か昔、神に選ばれながらも世界の征服を図った魔盗賊ガノンドロフの魂を影の世界に追いやったこと、その怨念にザントが利用され影の世界の安寧が崩されたことを知る。そしてミドナこそが影の世界を追いやられた真の王……黄昏の姫君であり、賢者たちは過去の行為を詫びるのであった。

陰りの鏡はザントによって壊されており、2人は飛び散った破片を世界各地から集めて修復。影の宮殿へと乗りこむ。そしてミドナは影の結晶石に宿る古の影の力でザントを倒した。さらに2人はガノンドロフを倒すためハイラル城へ。ミドナから力の一部が戻ったことで復活したゼルダ姫と協力し、激戦の末にこれを撃破。ガノンドロフに宿っていた神の力の証は消え去り、ミドナも真の姿を取り戻した。

別れの時。再びこの悲劇が繰り返されぬよう、ミドナは陰りの鏡を砕く。「この世には、もうひとつの世界があるってことを……忘れないでくれよ」そう言い残し、影の世界へと去っていくのだった。

かくしてマスターソードは森へ帰され、リンクはトアル村へ帰還する。世界は再び神の祝福の光に包まれ、平和な時を刻み始めるのであった。

▷ 主な登場人物

ガノンドロフ
影の世界に追放され、ザントをそそのかして光と影の2つの世界を支配しようともくろむ

リンク
勇者の資質をもった、山羊追いをして暮らす青年。影の領域でも魂とならず、獣の姿になった

イリア
リンクの幼馴染みで、トアル村の村長ボウの娘。数々の苦難にあう

ザント
影の世界の住人。ガノンドロフの力を得てミドナを追い出し、王の座についた

ゼルダ姫
ハイラルへ侵攻してきたザントの前に降伏をする。追悼の意を込め、黒いローブを身にまとう

ミドナ
獣となったリンクと出会い、よきパートナーとなる。正体はザントに姿を変えられた姫

テルマ
城下町の酒場主人。ハイラルの異変を調査するレジスタンスへも協力している

アゲハ
「虫さん王国のプリンセス」を名乗る少女。金色の虫を家に招待しようとしている

トワイライトプリンセス　　メインビジュアル　　トワイライトプリンセス HD

人物相関図

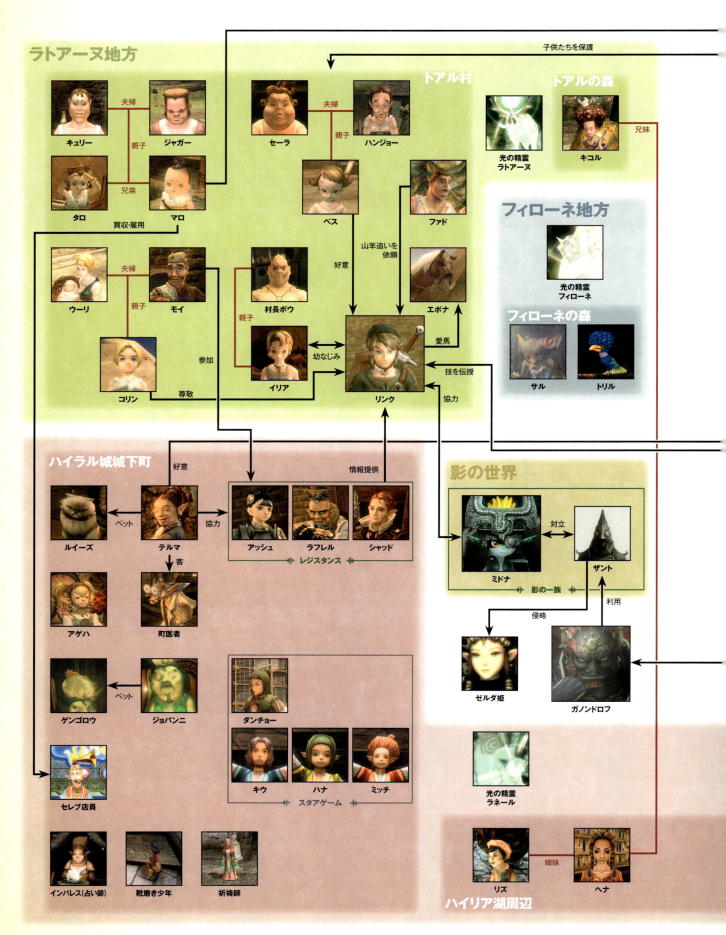

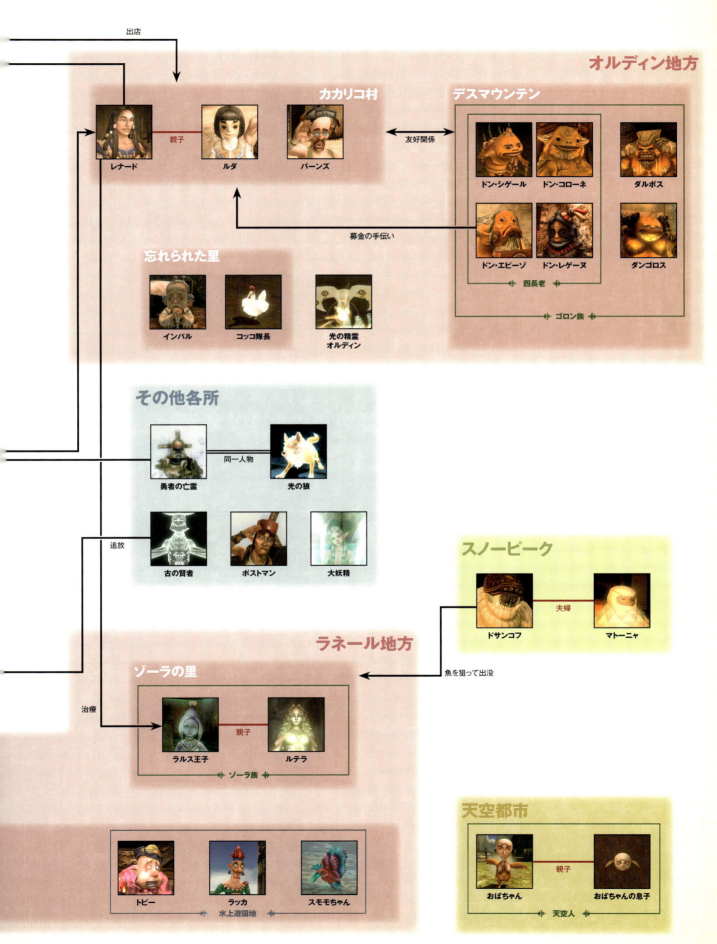

▷ 世界

　ハイラル城を中心に東西南北に平原が広がり、それを越えると火山地帯や森林地帯などの自然豊かな土地が広がる。王国全土は自然環境の違いなどにより、4つの地方に大別される。
　また、4つの地方以外にも砂漠や雪山などの辺境地も存在。いずれも自然環境が厳しいため人間の姿はないが、環境に適応した魔物や獣人たちが居を構えている。
　さらにハイリア湖上空には、この地の先住民であり高度な文明をもつ"天空人"が築いた天空都市が浮遊している。

※このワールドマップはゲームキューブ版およびWii U版のもの

ハイラル王国

Ａ ハイラル城　Ｂ 森の神殿　Ｃ ゴロン鉱山
Ｄ 湖底の神殿　Ｅ 砂漠の処刑場
Ｆ 雪山の廃墟　Ｇ 時の神殿
Ｈ 天空都市（都市へ赴くための天空砲の所在地）
Ｉ 影の宮殿　Ｊ 大妖精の試練

Ａ トアル村　Ｂ トアル牧場　Ｃ トアルの森の泉
Ｄ カカリコ峡　Ｅ カカリコ村　Ｆ 墓地
Ｇ デスマウンテン　Ｈ オルディン大橋
Ｉ ハイラル城城下町
Ｊ 湖上遊園地（大砲屋・ラッカのトリトリップなど）
Ｋ 釣堀　Ｌ ゾーラの里　Ｍ 砂漠のキャラバン
Ｎ 森の聖域　Ｏ 鏡の間　Ｐ 忘れられた里

精霊の守護する4つの地方とトワイライト化

　4つの地方は、それぞれ異なる動物に似た姿をもつ4人の光の精霊の守護下にあり、豊かで美しい自然を有する。しかし影の世界による侵略を受けた地方は、一部地域の環境が変化。中には光が戻った後も影響が残ってしまった場所も存在する。

ラトアーヌ地方

トアルの村と森を擁する、王国最小の地域。唯一トワイライト化を免れた。精霊の姿は山羊で、村の象徴でもある

フィローネ地方

領域の多くを森林が占め、自然の多い地域。トワイライト化の後、森の一部に毒霧地帯が発生した。精霊の姿はサル

オルディン地方

カカリコ村や火山など、岩場の多い地域。トワイライト化の影響により火山の活動が活発化した。精霊の姿はタカ

ラネール地方

王国最大にして要となる地域。水辺を多く擁するが、トワイライト化により水源が凍り水不足に。精霊はヘビの姿

ハイラル城城下町

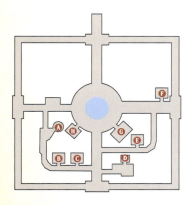

Ａ スタアゲーム　Ｂ アゲハの家　Ｃ 占いの館
Ｄ 酒場　Ｅ ジョバンニの家　Ｆ 町医者
Ｇ セレブショップ／マロマート城下町支店
Ｈ 展望台

中央エリア

南エリア

都市と地方の格差変動による景気の変化

　王国では中心都市である城下町とほかの地域の村での人口格差が大きく、その差は物価にも直結。インフレによって城下町のショップの商品価格は高騰しており、富裕層しか購入できない。しかしカカリコ村およびマロマートの発展を援助すると、ショップはマロマートに買収され価格も大幅に値下げ。町中でも同店の袋を持ち歩く一般住民を目撃できるようになる。

富裕層向けの店が庶民向けの店にリニューアル

靴が汚いと門前払いとなる高級店。同じ商品でもほかの店の数十倍の価格設定で、当然店内に客は少ない

マロマートによる買収後は、城下町支店として商品も適正価格に。内装や店内BGMも親しみやすいものに変化

▷ 開発資料

▷ トワイライトプリンセスHD アートワーク ラフ

HD版開発に当たり、ミドナ、リンク、ガノンドロフ、ゼルダなど主要な人物たちは新規にイラストが作成された。完成版は（P.273）。リンクの新規イラストとして考案された構図の中には、弓を構えたポージングのものもあった。

開発秘話

●『風のタクト』のリンクがトゥーン調だったことから、本作では「大人のリンク」を描くことが最大のテーマとされた。そこからリアルな表現が選ばれ、リアルだからこそできる操作性のつくり込みがなされたり、子供がはりつけにされるなど、これまで扱われなかった少々残酷な表現も取り入れられた。

●当初はWii版でもゲームキューブ版と同じくBボタンで剣を振っていたが、E3（見本市）で受けた意見や体験したユーザーが無意識にリモコンを振っていたことから、リモコンを振ると剣を振るように変更された。それに伴いBボタンは弓を射る際などに使われ、さらに直感的な操作が可能になった。右手でリモコンを振るようになった結果、Wii版は右に剣を持つことになり、反転した世界として仕上がっている。

●リンクが獣へと変わるシステムは、青沼英二プロデューサーが次の『ゼルダ』について構想を練っている時期に、海外出張でたまたま自分が狼の姿で牢屋に閉じこめられている夢を見て、目覚めたときに自分がどこにいるのかわからなくなった経験から考案された。『時のオカリナ』に続く物語として、「旅の途中のはずのリンクがいきなり捕まっていて、さらに、狼に変身している状態だったらプレイヤーを驚かせられるのでは」というアイデアだった。そのため開発初期では、ゲームを遊び始めた直後から獣になっている予定だったが、本作で初めて『ゼルダ』を遊ぶ人に向け、最初はトアル村から始まる形になった。

●これまでの作品はフィールドとダンジョンが明確に分けられていたが、フィールドもダンジョンのように遊べないかと考えた結果、「光の雫集め」が生まれた。モチベーションづくりのためには影の領域を居心地の悪い世界にする必要があったが、同時にゲームを続けさせるためには不快すぎてもいけない。青沼プロデューサーは、トワイライトの世界のBGMについて、「イヤだけど、それほど不快でもなくって、なんとかしなきゃあって思えるような曲。しかも空気感が感じられるように」とスタッフにリクエストしたと語る。

●「馬上戦」の採用は『時のオカリナ』以来からの念願であった。プレイヤーデザインを担当した西森啓介氏は、つくり込みのために実際に乗馬の体験取材を敢行。馬に乗った感覚や横に並んだときの大きさを体感して学び、ゲーム内に落とし込んでいった。

●遠くの景色までクリアに見えるだけで現状把握がしやすくなり、謎解きがより楽しくなると確信していたことから、本作のHD化に踏み切った。HD化を担当したオーストラリアの開発会社「Tantalus Media」とは、本作特有の"柔らかくにじむ空気感"を再現したいという強いこだわりからイメージの擦り合わせに苦労し、"良いさじ加減を探ること"にもっとも時間をかけた。

参考文献
●社長が訊く Wiiプロジェクト
　Vol.5『ゼルダの伝説 トワイライトプリンセス』編
●ニンテンドードリーム 2007年2月号
　「ゼルダの伝説 トワイライトプリンセス大特集
　青沼英二ロングインタビュー」
●Miiverse「開発者の部屋」Miiting
　第6回『ゼルダの伝説 トワイライトプリンセスHD』

2007

DATA 2007年6月23日発売　ニンテンドーDS

日本中で『脳トレ』をはじめとしたニンテンドーDS旋風が吹き荒れるなか、時代に合わせたまったく新しい『ゼルダの伝説』として誕生したのが本作である。リンクの移動はもちろん、アクションのすべてをタッチ操作で行い、さらにニンテンドーDSだからこそできる謎解きがいたるところに盛り込まれた。

結果、携帯機における新しい『ゼルダの伝説』の幕開けをプレイヤーに印象付け、『時のオカリナ』以来、日本国内のみでミリオンセラーを達成する大ヒット作となった。

▶ 物語

『風のタクト』の冒険から数か月後、テトラ海賊団は海王が治めるという海域を進んでいた。そこへ深い霧とともに不気味な幽霊船が現れ、乗り込んだテトラを連れて消え去ってしまう。リンクは助け出そうと幽霊船に飛び移るが、一歩届かず深い海へと投げ出されてしまった。

……メルカ島の海岸に流れ着いたリンクは、記憶を失くした妖精シエラに助けられ、謎の老人シーワンと出会う。幽霊船を見つけ出すため、船が必要だったリンクは、お宝を求めて船旅をしているラインバック船長とも出会い、ともに幽霊船の手掛かりを探すことになった。そして、無敵の夢幻騎士ファントムが闊歩し、中にいるだけで命を吸い取られてしまう海王の神殿で海図を手に入れ、ついに大海原へと漕ぎ出した。

占い師フォーチュンから、3体の精霊を見つけ出すことを助言されたリンクは、海王の神殿で時を操る「夢幻の砂時計」を手に入れ、さらに奥深くへと足を踏み入れていく。そして島々をめぐり、力の精霊と知恵の精霊を助け出した後、シーワンによってシエラが"勇気の精霊"だったことが明かされ、シエラはその力を取り戻すことになった。力・知恵・勇気の3体の精霊がそろい、リンクは幽霊船へ乗り込む。しかし、幽霊船

で見つけたテトラは、フォースを奪われ石の姿になっていた。

途方に暮れるリンクたちの前に、再びシーワンが現れ、彼こそがこの海を治める"海王"その人であることや、フォースを喰らう夢幻魔神ベラムーのこと、そしてベラムーを倒せるのは、3つのハガネから作られた「夢幻のつるぎ」だけであることを知る。精霊たちを助け出したリンクを本物の勇者と認めたシーワンは、ハガネを集めてベラムーを倒してほしいと告げるのだった。

新たな海域でリンクたちを待っていたのは、ハガネを一族の宝として古くから守ってきた種族だった。仲間意識が強くリンクを認めないゴロン族の理解を得、同じ島に住むユキザルといがみ合うユキワロシ族のお願いを聞き、巨大な遺跡と化した神殿に眠るダイク王国の騎士たちと国王に自らの知恵と勇気を示し、ついにリンクは3つのハガネを手に入れた。ハガネは鍛冶屋サウズの槌により刃となり、海王が時の砂の力を加えて夢幻のつるぎが完成する。

ベラムーを打ち倒すため、海王の神殿の最深部へと向かうリンク。戦いの途中"時の精霊"として時間を止める力を取り戻したシエラとともに、ついにベラムーを倒すことに成功する。テトラもフォースが戻り、元の姿に戻る。しかし、再び襲い来るベラムー。ラインバックの勇気ある行動でピンチを脱したリンクは、本当の決着をつけるため、再び夢幻のつるぎを手にする———

決着の後。いつもの海、仲間の元へ戻ったテトラとリンク。遠くに浮かぶラインバック号と思しき船を見つめ、何もなかったかのように、大地を求めて船旅を再開するのだった。

1 テトラを追って海に落ちたリンクは、流れ着いたメルカ島でシーワンとシエラに出会う　**2** 幽霊船の宝を手に入れるため、手掛かりがあるという「海王の神殿」に潜り込んでいたラインバック。罠に捕まって身動きがとれないところをリンクが助ける　**3** 幽霊船という共通目的のもと、ラインバック号で2人の航海が始まった　**4** 3体の妖精を捜す大冒険の旅、各地の神殿を巡る　**5** 時の砂を手に入れて「夢幻の砂時計」に力を取り戻していく　**6** 幽霊船で石になったテトラを見つけ、シーワンからベラムーの存在をはじめとした真実を知る　**7** 3種のハガネを捜すため、再び大海原へ　**8** 緋色、紺碧、深緑のハガネを集め完成させた「つるぎの刃」と「夢幻の砂時計」が、シーワンの力により「夢幻のつるぎ」になった　**9** ラインバックにとり憑いたベラムーと最終決戦　**10** 海域に平和が戻り、シーワンは海王へと戻る。リンクとテトラが元の世界に帰ると、海に落ちてから10分程度しか経過していなかった。しかし、リンクの手には「夢幻の砂時計」がしっかりと握られていた

▷ 主な登場人物

シエラ
メルカ島に流れ着いたリンクを見つけた、昔の記憶を失っている妖精

ラインバック
莫大な財産が眠るという幽霊船を求める、小心者の船乗り。リンクと旅をともにする

リンク
ハイラルを救った"風の勇者"。だらしない一面もあるが、テトラを助けるために奮闘する

ファントム
ベラムーが生み出した海王の神殿に徘徊する騎士。正面からはどんな攻撃も通じない

テトラ
幽霊船の正体は海賊だと考え、暴いて海賊のルールを教えようと意気込む船長

ベラムー
フォースを食う魔神。テトラのフォースも奪い、石の姿に変える

シーワン
浜で倒れていたシエラと一緒に暮らしている。リンクの冒険を導き、サポートする

メインビジュアル

▷ 人物相関図

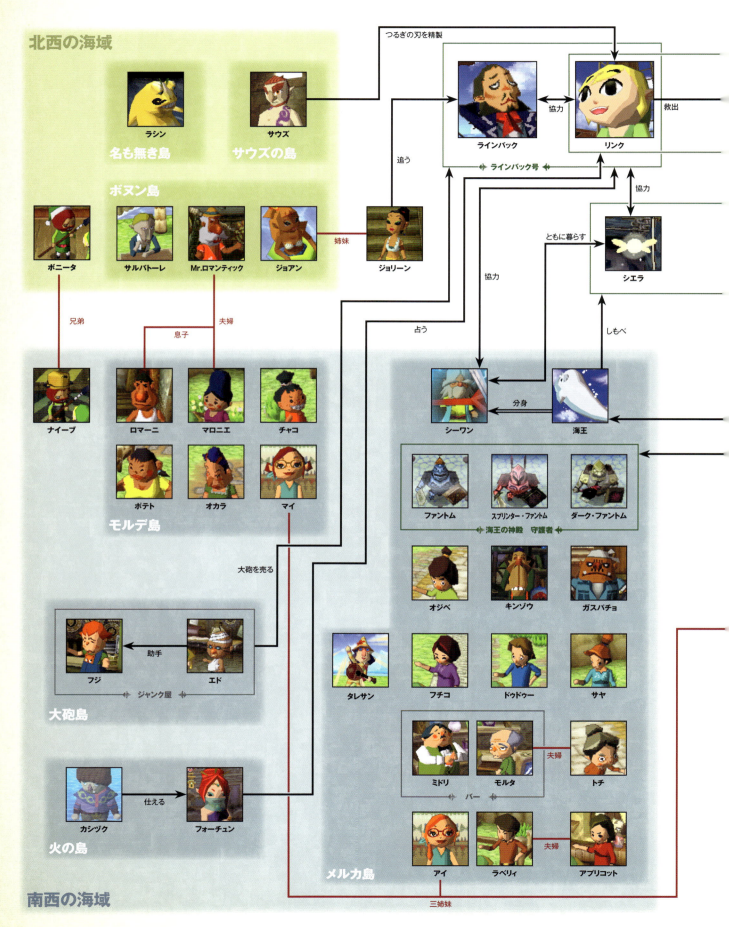

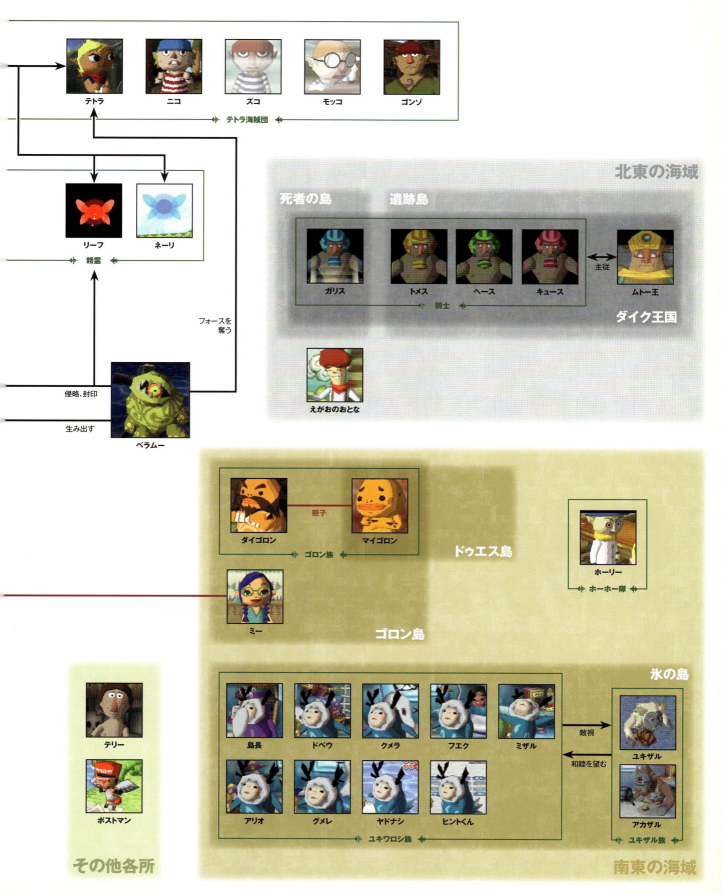

▷ 世界

　大精霊「海王」が治める、テトラたちの住む世界とは別の世界。『風のタクト』の舞台からひとつ隣の海と言われる。南西、北西、南東、北東の4つの海域からなり、合計16の島々が点在する大海原である。島々は人々が暮らす大きなものから、ミニゲームのみが遊べる小島までバラエティに富む。メルカ島にある「海王の神殿」で方角の海図を手に入れることにより、新たな海域へと進めるようになる。海での移動はラインバック号が基本だが、「カエルのラシンバン」を使ってワープすることもできる。

北西の海域　北東の海域
南西の海域　南東の海域

Ⓐ海王の神殿　Ⓑ炎の神殿　Ⓒ風の神殿
Ⓓ勇気の神殿　Ⓔ幽霊船　Ⓕゴロンの神殿
Ⓖ氷の神殿　Ⓗムトーの神殿

Ⓐメルカ島　Ⓑ火の島　Ⓒ大砲島　Ⓓモルデ島
Ⓔほこらの島　Ⓕ風の島　Ⓖボヌン島　Ⓗサウズの島
Ⓘ名も無き島　Ⓙゴロン島　Ⓚ氷の島　Ⓛホリホリ島
Ⓜドゥエス島　Ⓝ死者の島　Ⓞ遺跡島　Ⓟメイズ島

海からの眺め

メルカ島／火の島／大砲島／モルデ島／ほこらの島／風の島／ボヌン島／サウズの島
名も無き島／ゴロン島／氷の島／ホリホリ島／ドゥエス島／死者の島／遺跡島／メイズ島

大海原の友「ラインバック号」

　リンクが乗り込むラインバック号は船のパーツの組み換えにより、形状がさまざまに変化する。船長ラインバックのもと、海王の海域を冒険するラインバック号をシリーズごとにまとめてみた。

最終決戦でベラムーからリンクを救う、ラインバック船長の勇姿

ラインバックシリーズ／芸術シリーズ／鉄シリーズ
石造りシリーズ／ビンテージシリーズ／地獄シリーズ
南国シリーズ／玄人シリーズ／黄金シリーズ

島々に生える植物

　海域に点在する島々には場所によっても異なる植物が自生している。

バクダン花／アイテム花／ヒラヒラ草
トゲトゲ草／フサフサ草／ハナバナ草
木／切り倒せる木／ヤシの木
モルデ島の木／死者の島の木

▶ 開発資料

▶ アートワーク デザイン ラフ案

下のイラストは決定稿のビジュアルイメージとかなり近い。しかし構図が左右逆になっていることや、ラインバックのポーズが異なっているのも見てとれる。

◁ ユキワロシ
デザイン ラフ

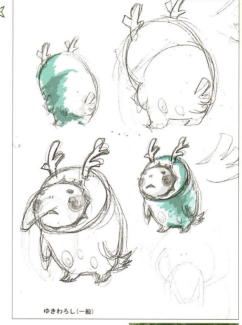

ゆきわろし（一般）

不思議な大人

▷ えがおのおとな
デザイン ラフ

❦ 開発秘話 ❦

●開発は2004年の5月ごろ、『4つの剣＋』が終わってすぐ、2画面やタッチペンを使ってどのようなことができるかの実験から始まった。ただし、ニンテンドーDSはまだ発売されていなかったため、試作機で行っていた。当初は『4つの剣＋』からの流れもあり、ゲームボーイアドバンスとつながるような2画面の使い方をテーマとして制作していた。しかし、途中からニンテンドーDSでのスタンダードとなるような、まったく新しいシステムを考えることになる。結果"すべてにタッチペンを使う"というテーマになった。

●当初はタッチペンのみの操作には不安もあり、ボタン操作も残していた。しかし、軌道を描いて投げる「ブーメラン」ができたときに、ほかのアクションもすべてタッチペンで大丈夫という確信が得られた。

●"単なるハート集め"ではない成長要素を模索してる過程のなかで「海王の神殿」が生まれた。何度も経験することによって、プレイヤーが上達していく感覚をストレートに感じられるように、まず絶対に倒せない敵として幻（ファントム）が生まれ、さらに緊張感を出すために時間制限が設けられた。

●時間制限は『ムジュラの仮面』のときに手応えを感じており、それを違った形で表現したもの。ただし、システムはあったものの"砂時計"というアイデアがなかなか出ず、開発終盤に生まれた。それを後からストーリーに組み込んでいった。タイトル名も、冒険のキーワードであるファントムと砂時計を合わせて付けられた。

●パッケージのイメージも、当初はこれまでのシリーズを遊んだことのない人たちに向けたものを考えた。ニコの紙芝居のような絵を推すアイデアもあったが、「『ゼルダ』っぽくない」という意見もあり、最終的にはかわいらしいなかにも"らしさを残した新しい『ゼルダの伝説』"をアピールすることになった。

●操作方法を含め新しい『ゼルダの伝説』に挑戦している本作は、シリーズのお決まりを見直している部分が多数ある。ビン集め、サイフの成長などもなく、ハートのかけらもハートの器が手に入るだけになった。

●勇気の神殿のボスであるレヤード戦は、『時のオカリナ』のキングドドンゴ戦などに見られる、ボス視点によるデモ映像を昇華させたもの。2画面があるからこそ実現した。

●ダイク王国の名前の由来は大工。『ムジュラの仮面』に登場する大工の親方の名前がムトーであり、彼は『ふしぎのぼうし』にも登場。そのときの弟子の名前が「キューちゃん」「ヘーちゃん」「トメちゃん」「ガリちゃん」。ダイク王国の騎士キュースたちもそこから名付けられている。またメルカ島、モルデ島の名称はメルカトル図法、モルワイデ図法という地図投影法が由来となっている。

●「ラインバックのテーマ」作曲担当の峰岸透氏は、青沼プロデューサーに最初の曲をボツにされた。理由は「中年男の悲哀を感じたから」。その後、青沼プロデューサーに「なにわ節」を入れてほしいと参考楽曲を渡され、そこからやり取りを経て生まれたのが現在の曲となっている。

参考文献
●ニンテンドードリーム 2007年9月号『ゼルダの伝説 夢幻の砂時計』開発スタッフインタビュー
●ニンテンドードリーム 2010年3月号 開発者が語る 大地の汽笛の深イイ話
●任天堂ゲーム攻略本『ゼルダの伝説 夢幻の砂時計』
●社長が訊く『ゼルダの伝説 大地の汽笛』開発スタッフ篇

2009

DATA 2009年12月23日発売　ニンテンドーDS

ニンテンドーDS用タイトル第2弾。『夢幻の砂時計』で完成されたタッチ操作や仕掛けがさらに洗練された。『風のタクト』『夢幻の砂時計』と地続きの物語であることが明言されていたが、これは時系列の発表がなされていなかった当時としては異例のことで、さらに前2作の舞台が海だったことに対し、本作の舞台が大地であり汽車であるということも話題となった。設定面でもテトラとリンクがたどり着いた新しい地で、快活なゼルダ姫とともに旅をするという、新しいこと尽くめの冒険活劇となっており、『夢幻の砂時計』で切り開いた新しい『ゼルダの伝説』をさらに拡大するものとなった。

▷ 物語

　機関士の任命式に出向いたリンクは、線路が消えた原因を調べるためゼルダ姫と神の塔へ行くことになった。空中で分裂した神の塔を目の前にしたとき、魔列車とともにキマロキ大臣が現れ、魔族であることが判明する。そして、ともにやってきたディーゴという男にゼルダ姫の魂と体が分離させられ、体がさらわれてしまうのだった。

　魂だけとなったゼルダ姫と再び神の塔へ向かい、塔を守るロコモ族の賢者シャリンに話を聞く。ゼルダ姫の体は塔に封印された魔王マラドーの復活の器として使われるという。阻止するには、邪気に包まれた塔から石版を解放し、各地の神殿から塔への結界……つまり線路を元に戻さなくてはならない。話を聞いた2人は最初の石版を手に入れるため、神の塔の上階に進んでいく。しかし、そこは魔物に乗り移られた守護者ファントムが徘徊する場所となっていた。ファントムに襲われ、絶体絶命のリンク。そのとき、ゼルダ姫がファントムから魔物の魂を追い出すことに成功、さらに彼女はファントムの体に乗り移った。ここにゼルダファントムが誕生し、力を合わせ石版を手に入れるのだった。シャリンの元に戻った2人は、シャリンからいにしえの時代に神が使っていたという「神の汽車」を授かる。こうして、リンクとゼルダ姫の長い汽車の旅が始まった。

　サクーヨの村で森人の話を聞き、迷いの森を抜けたリンクは森のホコラへたどり着く。ゼルダ姫から預かっていた「大地の笛」で賢者バルブと復活の唄を奏でると、石版の力が増幅。森の神殿への線路が復活した。

そして神殿の結界を張り直すと、分裂した塔の一部が元に戻り、もっと上の階へ進めるようになった。2つ目の石版を解放し、次なる大地を目指して出発する。

　吹雪と邪気が渦巻く雪の大地、続く海底を進む海の大地で賢者の力を借りて結界を張り直し、次の火の大地へ進むための石版を目指して塔を上るリンクたちの前に、ディーゴが立ちふさがる。それを止めに入ったのはシャリン。なんとディーゴはシャリンの元弟子であった。神を越える力を欲して魔王を復活させようとする不肖の弟子に、シャリンは戦うことを決意する。リンクとゼルダ姫に、次の神殿の結界を急いで張り直すように告げて……。

　火の神殿の結界を張り直したリンクたちは、シャリンを破ったディーゴに神の塔で勝利する。頂上の祭壇へと急ぐが、キマロキは魔王マラドーを復活させ、その場を去ってしまった。そこへ、無事な姿で現れたシャリンから、マラドーを倒すには砂の大地に眠る「光の弓矢」が必要であることを聞く。

　汽車はシャリンと、キマロキに利用されていたことに気付いたディーゴを乗せ、砂の大地へと出発する。砂のホコラで最後のロコモ族の賢者テンダに会い、砂の神殿の試練をこなして光の弓矢を手に入れた。さらに神の塔でマラドーのいる魔列車の場所を探る「光のラシンバン」を取り、決戦の地である闇の世界へ向かうのだった。

　最後の死闘。マラドーに光の矢を撃ち込み、体を取り戻すゼルダ姫だが、ディーゴが犠牲となってしまう。涙をこらえ、ゼルダ姫の聖なる力とリンクの勇気がマラドーを撃破。シャリンたちは2人にこの世界を託して去り、リンクとゼルダ姫は、またいつもの生活に戻っていくのだった。

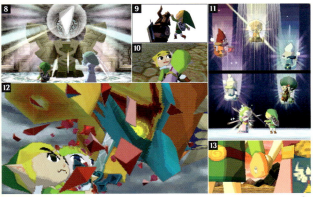

1 リンクは機関士として任命式に出席する　**2** 神の塔は分裂していた　**3** 現れたディーゴによって、師匠シロクニは敗れてしまう　**4** 魂のみとなったゼルダ姫　**5 6** ファントムに襲われるその瞬間、ゼルダファントム誕生!　**7** 神の汽車をシャリンから授かり4つの大地へ出発する　**8 9** ゼルダ姫とリンクは4つの大地を巡りながら石版を手に入れ、さまざまな困難に立ち向かっていく　**10** ディーゴの助けで、ついにゼルダ姫の体が元に戻る　**11** 聖なる力を満たしたゼルダ姫の歌声が、ロコモ族の楽器とともに威力を増す　**12** キマロキに憑依した魔王マラドーとの最終決戦。光の矢を放ち、2人で打ち勝つ　**13** シャリンたちロコモ族の賢者は、リンクとゼルダ姫に世界を託し、空へと帰っていった。リンクがこの先どうするのか、プレイヤーの選択肢によってエンディングは分岐する

▷ 主な登場人物

リンク
機関士見習い。正式な機関士となるためハイラル城に向かい、ゼルダ姫と出会う

ゼルダファントム
魂となったゼルダ姫がファントムに乗り移った姿。神の塔でリンクとともに謎に挑む

メインビジュアル

ゼルダ姫
魂となり、リンクとともに行動する。姫のときよりもやんちゃで、普通の女の子としての言動も多い

シャリン
先住民ロコモ族の賢者のひとり。神の塔を護り、2人に神の汽車やロコモの剣を授け協力する

ニコ
リンクとモヨリ村で暮らす。紙芝居をつくるのが趣味。元海賊で100歳以上の生きる歴史

キマロキ
ハイラル王国の大臣にして魔族。魔列車に乗り、ゼルダ姫の体を奪う機会をうかがう

ディーゴ
神以上の存在となるため、キマロキと魔王マラドー復活をもくろむ。シャリンの元弟子

▷ 人物相関図

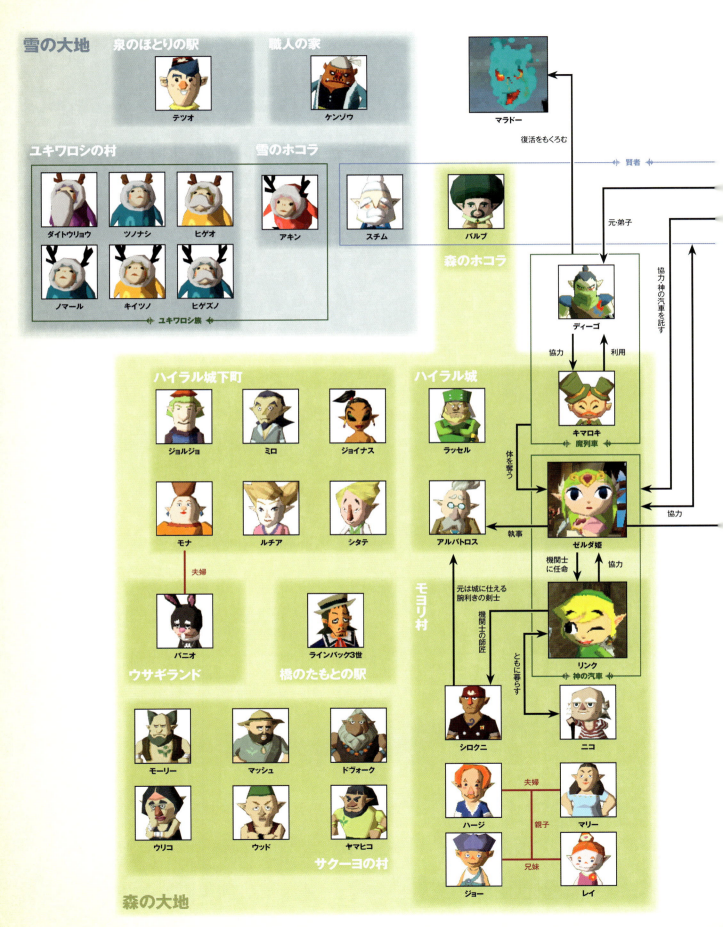

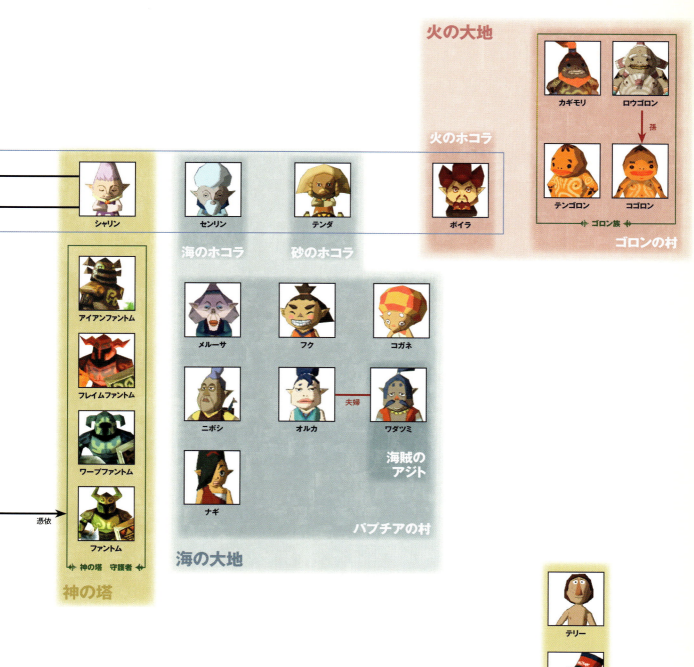

▷ 世界

『夢幻の砂時計』の冒険の後、テトラたちが降り立った、ロコモ族が住んでいる大陸が舞台。ハイラル国と名付けられたこの大陸には、フォースの力を使ったレールが神の塔を中心にして張り巡らされており汽車で移動するのが一般的である。また、ここには気候や環境が異なる4つの大地があり、その中には合計22か所の駅が建設されている（神殿などを除く）。

雪の大地

雪と氷に覆われた大地。極寒のためか、ユキワロシ族が最大の集落を形成。また鉄道ファンのテツオの撮り鉄ポイントもある

森の大地

最初に冒険することになる深緑豊かな大地。神の塔の麓にはハイラル城が建設され、駅の数も最多。この世界の文化の中心である

火の大地

火山弾が降り注ぐ灼熱の大地。レールのすぐ傍までマグマが流れている。人々はほぼ住んでおらず、ゴロン族が遊技場などを経営している

海の大地

南国情緒溢れる大地。海上と海底の2つの路線がある。上部の砂の大地に向かう場合、最初は火の大地側から回って来なければならない

A 神の塔　B 森の神殿　C 雪の神殿
D 海の神殿　E 火の神殿
F 砂の神殿　G 闇の世界

A 雪の隠れ駅　B 氷の隠れ駅　C 雪のホコラ　D ユキワロシの村　E 泉のほとりの駅　F 職人の家　G ウサギランド
H ハイラル城・ハイラル城下町　I 森のホコラ　J サクーヨの村　K モヨリ村　L 橋のたもとの駅　M 山の隠れ駅　N ゴロン遊技場
O ゴロンの村・火のホコラ　P 最果ての隠れ駅　Q ヤミの採石場　R 砂のホコラ　S 海賊のアジト　T パプチアの村
U 海のホコラ　V 海の隠れ駅

車窓から見たスポット

 雪の隠れ駅
 雪の神殿
 氷の隠れ駅
 雪のホコラ
 ユキワロシの村
 泉のほとりの駅
 職人の家
 森の神殿
 ウサギランド

 ハイラル城 ハイラル城下町
 森のホコラ
 サクーヨの村
 モヨリ村
 闇の世界
 神の塔（森の大地より）
 橋のたもとの駅
 山の隠れ駅
 ゴロン遊技場
 ゴロンの村

火の神殿　最果ての隠れ駅　ヤミの採石場　砂のホコラ　砂の神殿　海賊のアジト　パプチアの村　海のホコラ　海の神殿　海の隠れ駅

いにしえの時代から伝わる「神の汽車」

シャリンから授かり、大地を駆ける「神の汽車」。ラインバック商会で、お宝と汽車のパーツを交換すれば、カスタマイズが可能となる。4種類のパーツから構成される汽車を、そのシリーズごとにまとめてみた。

 客車内

 神の汽車
 木製シリーズ
 鋼鉄シリーズ
 どくろシリーズ

 中世シリーズ
竜シリーズ
 おかしシリーズ
 黄金シリーズ

路線上にある建造物

汽車が人々の主な交通手段になっているこの世界には、路線上にも移動を円滑にすすめるための建造物が存在する。機関士はこれらを巧みに操る。

時空ゲート

起動・連動の2つで組になっているゲート。起動させ潜ると、遠く離れた大地にワープできる

標識

路線の脇に立っている標識。この世界には信号がないため、乗客がいる場合などは、安全運転の指標にもなる

減速 始点　減速 終点　汽笛　停止

▷ 開発資料

アートワーク 下絵
ラフでのデザイン決定稿を経て、実際にアートワーク制作をおこなっていく過程で描かれた下絵。

▷ 神の汽車 デザイン ラフ案
物語中での汽車の動力源は線路から受け取るフォースの力だが、この開発中のデザイン検討ラフの段階でも、すでにその設定が記されている。

▷ ファントム デザイン ラフ
ファントムの種類が前作と異なるだけでなく、本作はゼルダファントムも登場する。そのため、デザインも2種ずつ用意されている（下がゼルダファントム）。ちなみにゲーム中にファントムに話しかけると呟くぼやきは、開発スタッフの思い（愚痴）でもあるという。

開発秘話

● 本作は『時のオカリナ』をベースにして『ムジュラの仮面』が生まれたように、『夢幻の砂時計』をベースにして違うアプローチでつくられた。そして、『夢幻の砂時計』にあったマイゴロンとリンクを切り替えて操作する遊びを昇華させ、ファントムを操作するということを遊びの核にすると早い段階から決めていた。

● 冒険をともにするサブキャラクターは当初決まっていなく、今まであまり描かれていないキャラクターとしてゼルダ姫に着目した。理由としては、一緒に旅をするのならやはり女の子にしたいという思いと、毎回テトラではなく、『ゼルダの伝説』なのでお姫様を連れていきたいというものがあった。

● ゲーム自体の汽車というアイデアは、青沼英二プロデューサーが子供に読み聞かせていた絵本からインスパイアされたもの。線路を描いていくお話は『ゼルダの伝説』の開拓心と結びつき、「自由に線路を描いて移動できるゲーム」の開発がスタートした。しかし、自由に線路を描けるということは、物語上、行ってはいけない場所にも移動できることを意味し、開発は難航する。結果、現在の線路があらかじめ引いてあり、それが何かの理由で消され元どおりにするという遊びになった。開発期間2年間のうち、実に1年を線路を自由に描くことに費やしていた。

● ゼルダ姫の性格は、プレイヤーが想像する"お姫様像"のキャラクターでは遊びの幅が狭くなるため、少しハメを外す方向になった。結果、スタッフがとことんやろうと、明るく、そして普通の女の子として発言するキャラクターとなる。デモシーン担当のスタッフがいちばんハメを外したポイントは「ゼルダ姫が乗り移られて、天に昇っていく瞬間」。

● 神の塔の螺旋階段を上る演出は当初なかったが、開発終盤に青沼プロデューサーのひと声で入れることになった。理由として「修復されて上に行けるようになったのに、扉を出入りするだけで塔を上るイメージを感じられなかったから」と語っている。

● 岩本大貴ディレクターの思い入れのあるキャラクター、ラインバックは、前作と同じになってしまうので控え目にサブキャラクターで登場することになった。しかし、こだわりは残っており、たとえばリンクやゼルダ姫以外に、通常ボイスがあるのはラインバック3世だけだったりする。「イヤッハー」

● 作曲担当の峰岸透氏は汽車の汽笛の音からパンフルートを連想し、その音色を汽車BGMのメロディーとして採用した。パンフルートであれば『風のタクト』以降のサウンドの重要な要素"民族音楽"をもっと前面に出せるとも考えていた。また本作でもプレイヤーの動きに合わせて音楽が変化する従来のインタラクティブ性を継承している。具体的には汽車の走行スピードに合わせて曲が変化し、最高速になったときだけ汽車の「シュッシュッ」という走行音とBGMがシンクロするようになっている。

参考文献
● 社長が訊く『ゼルダの伝説 大地の汽笛』
● 任天堂ゲーム攻略本『ゼルダの伝説 大地の汽笛』
● ニンテンドードリーム 2010年3月号 開発者が語る 大地の汽笛の深イイ話

2011

THE LEGEND OF ZELDA Skyward Sword
ゼルダの伝説 スカイウォードソード

DATA 2011年11月23日発売　Wii

『ゼルダの伝説』シリーズ25周年記念作品として登場した、Wii用タイトル2作目。「濃密ゼルダ」と銘打たれた本作は、細やかな動きを感知する「Wiiモーションプラス」専用ソフトとして登場した。リモコンの向き・角度・振りの速さや方向などを感知し、プレイヤーの動きとリンクの動きが細かく連動。さらにこれを利用した謎解きが多く用意され、これまでにないゲームとの一体感を実現した。また、ストーリーは歴代のキーアイテムである「マスターソード」が誕生する"歴史の始まりの物語"が描かれ、まさに25周年にふさわしいタイトルとなった。

▷ 物語

　触れた者の願いを叶える神の力"トライフォース"。その力を狙い、地より邪悪なる魔族たちが這い出た。女神ハイリアは人間を空に逃がし、戦いの末、終焉の者と呼ばれた魔族の長を封印する。しかし封印は長く持たないことは明らかだった。女神は終焉の者を消滅させるため、人間に転生する策を講じる。そして幾千年もの時が過ぎ、女神と地上の伝承は伝説の中だけの物語となり、天空の人々の間でも忘れ去られていった。

　大空に浮かぶ島、スカイロフト。騎士学校に通う騎士見習いのリンクは、鳥乗りの儀を終え幼なじみのゼルダと空の散歩を楽しんでいた。そのとき突如黒い竜巻が2人を襲い、ゼルダは雲海の下へと落下してしまう。その日の夜、謎の声に導かれたリンクは女神像の中で、台座に安置されていた女神の剣を手にする。そして剣の精霊ファイとともに、ゼルダ捜索のため雲の下へと身を投じ、地上へと舞い降りた。

　探索の後、砂漠にある時の神殿でゼルダと再会を果たすが、終焉の者の復活をもくろむギラヒムの襲撃に遭う。ゼルダは護衛のインパとともに時の扉をくぐり太古の時代へと向かい、ギラヒムが追ってこられぬよう時の扉を破壊。リンクはゼルダたちの後を追うため、封印の神殿にあるもうひとつの時の扉を機能させる力を得ようと、女神の剣をマスターソードとする試練に挑む。地上に隠された3つの聖なる炎により剣を鍛えあげ、その剣が放つ"スカイウォード"の力で時の扉の力を復活させた。

　まだスカイロフトが地上を離れてから間もない、太古の時代の封印の地で再びの再会を果たしたリンクとゼルダ。そしてゼルダは語る。神の遺産でありながら、神の一族にはトライフォースの力を使うことはできない。だから女神ハイリアは世界を守るため、神の身を捨て人間へ転生することを決意したのだと。そして……ゼルダ自身こそが女神ハイリアの生まれ変わりであるのだ、と。

　ゼルダは、戦いの運命にリンクを巻き込んでしまったことを謝罪。そして終焉の者の封印を強め、現代まで安定させるために、過去の地で数千年もの永い永い眠りにつくという。

　「いつもはお寝坊さんのあなたをわたしが起こしに行っていたけれど……。今度はリンクがわたしを起こしに来てくれるかな？」

　現代に戻ったリンクは、スカイロフトで伝説のトライフォースを見つけ出す。その万能の力をもって封印されし者は消滅。役目を終えたゼルダが現代で目覚めた。しかしその時ギラヒムが現れ、ゼルダを太古の世界へと連れ去る。まだ終焉の者が消滅していない時代で、復活の儀式を執り行うという。あとを追ったリンクはギラヒムを撃破するが、儀式は完了。終焉の者は復活を遂げてしまった。

　リンクは終焉の者を追い、戦いに打ち勝った。その怨念はマスターソードに封印された。

　役目を終えたファイは封印の神殿に残り、マスターソードの中で眠りにつく。現代に戻るゼルダたちを見送ったインパも、老婆として現代まで封印を見守ってきた役目を終え、静かに消滅していった。

　地上から魔族の脅威は去り、世界に平穏が戻った。そしてゼルダとリンクは、トライフォースを守りながら地上で暮らしていくことを決意したのだった——

■幼なじみのゼルダとリンク　■ギラヒム。巫女たるゼルダを執拗に狙い、リンクと幾度も刃を交わす　■スカイロフトの青年バド。地上に降りて自分の無力さを痛感するが、自分なりの戦い方を見つける　■世界各地に残された女神の試練「サイレン」では、勇者の精神の強さが試される　■ゼルダの力を吸収し、完全に復活した終焉の者。魔の力に支配された亜空間で決戦を迎える　■長く苦楽をともにしたファイとの別れ。心を解さぬはずのファイだが、最後にはリンクへ感謝の言葉を贈る

▷ 人物相関図

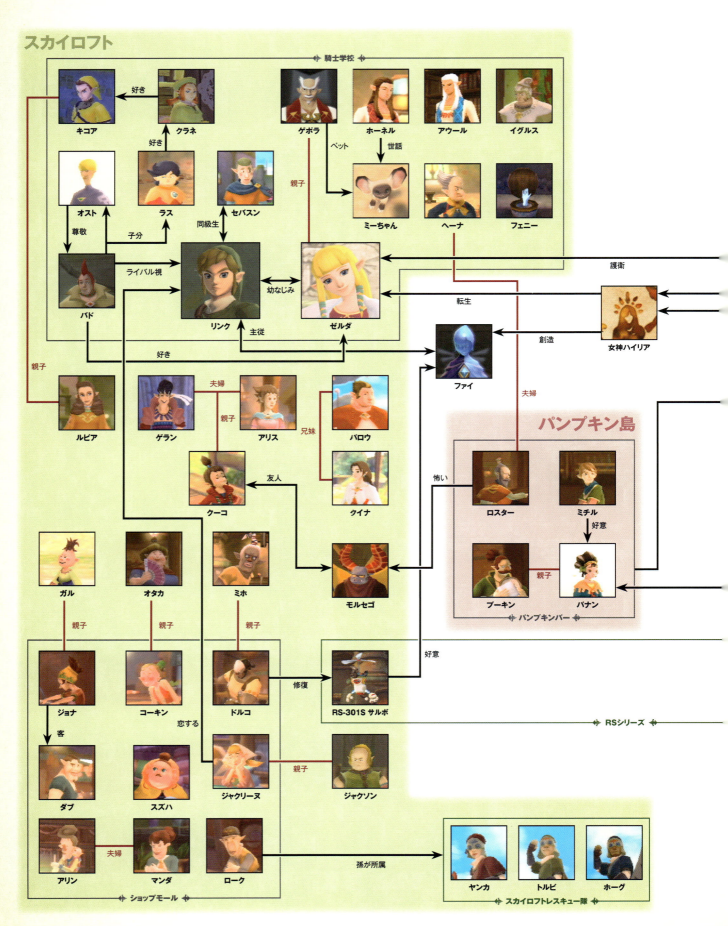

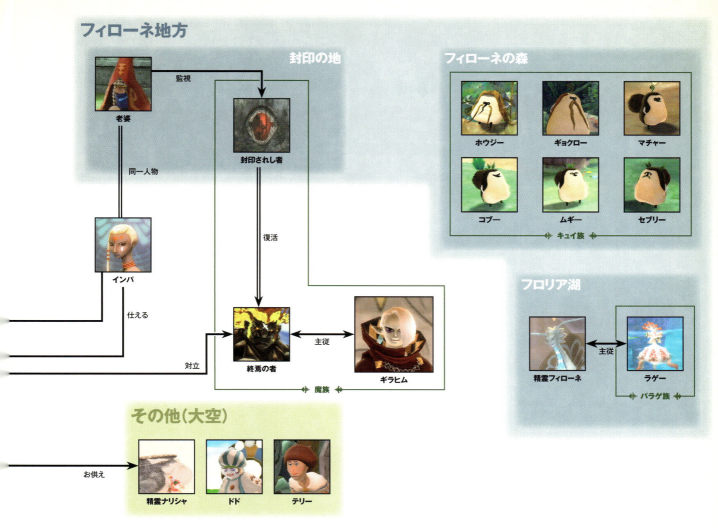
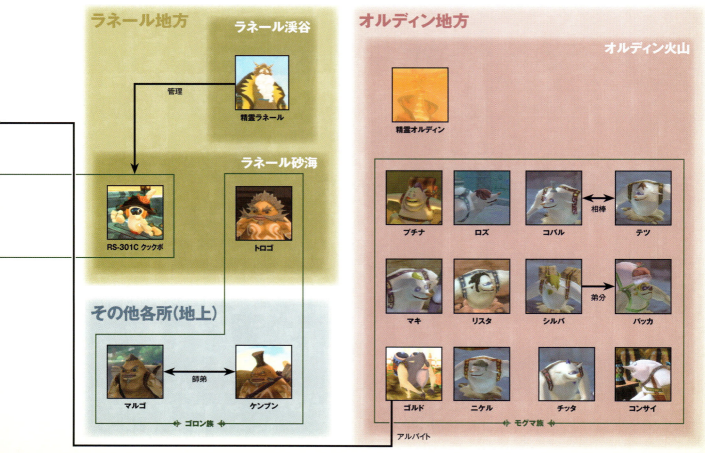

▷ 世界

世界は「大空」と「地上」に大きく二分され、大空には人間、地上は"亜人"と呼ばれるさまざまな種族が暮らしている。

地上へは、大きく分けて3つの地方に下り立つことになる。フィローネの森地方、オルディンの火山地方、ラネールの砂漠地方があり、それぞれの土地を治める3匹の龍の名前が、各地域の名称に付けられて親しまれている。

ワールドマップ（地上）

Ⓐ 天望の神殿　Ⓑ 大地の神殿　Ⓒ ラネール錬石場　Ⓓ 古の大石窟　🅐 スカイロフト　🅑 封印の神殿　🅒 時の神殿
Ⓔ 砂上船　Ⓕ 古の大祭殿　Ⓖ 空の塔　🅓 大樹の中　🅔 船長の家　🅕 造船所　🅖 海賊の本拠地

スカイロフト

騎士学校

Ⓐ 女神像　Ⓑ 剣道場　Ⓒ 騎士学校
Ⓓ ショップモール　Ⓔ ジョナの家　Ⓕ ゲランの家
Ⓖ ジャクリーヌの家　Ⓗ パロウとクイナの家　Ⓘ 風車
Ⓙ 光の塔　Ⓚ 墓地　Ⓛ モルセゴの家への入口
Ⓜ コーキンの家　Ⓝ スズハの家　Ⓞ ドルコの家
Ⓟ キコアの家　Ⓠ アリンの家　Ⓡ 滝の裏の洞窟入口
Ⓢ ガーヴアさまの像

ショップモール

大空に浮かぶ 大小さまざまな島々

大空にはスカイロフト以外にも、重要な役割を持っていたり、ミニゲームが楽しめる浮島が存在。名もないような小さな島も多い。

パンプキン島

竹斬り島

ルーレツ島　詩島　虫の島

特定の期間のみ大きく姿を変える大地

勇者の詩を完成させるために降り立つ際のみ、森と火山は環境が変化。細かい地形などは変わりないが泳ぎ回って探し物をしたり、武器を失った状態で敵の目をかいくぐって進んだりと、通常とは異なるテクニックが必要となる。

［上］水龍フィローネにより全体が水没したフィローネの森
［下］炎龍オルディンの力によって噴火したオルディン火山

開発資料

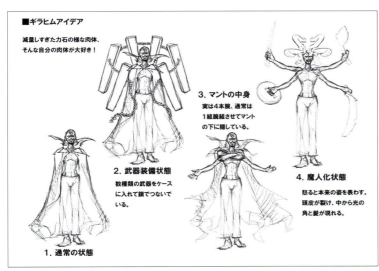

■ギラヒムアイデア
減量しすぎた力石の様な肉体、そんな自分の肉体が大好き！

1. 通常の状態
2. 武器装備状態
   数種類の武器をケースに入れて鎖でつないでいる。
3. マントの中身
   実は4本腕、通常は1組腕組させてマントの下に隠している。
4. 魔人化状態
   怒ると本来の姿を表わす。頭皮が裂け、中から光の角と髪が現れる。

▷ギラヒム デザイン ラフ案

敵側のキーキャラクターとなるギラヒムは、非常に多くのデザイン案が描かれた。どれも「異質な者」を表現している。決定稿は「ファイと対極の悪い剣の精霊が徐々に正体を現していく」デザイン。左のデザインは、さまざまな状態において姿が変わっていくもの。またギラヒムのネーミングの由来は、敵らしい響きの「ギラ」＋『神々のトライフォース』の敵司祭「アグニム」から付けられている。

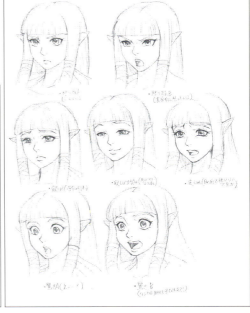

ゼルダ アートワーク ラフ ◁

ロフトバードとたわむれる決定稿（P.291）とほぼ同じポーズではあるが、スケッチでは小鳥にほほえみを送っている。また、人の表情を細かく動かすことができるフェイシャルモーションをゲームに取り入れていたこともあり、ゼルダの表情も多数描かれている。

❧ 開発秘話 ❧

●本作を作るにあたり、藤林秀麿ディレクターが最初に書いた企画書の段階から"発見と探索"というテーマを掲げ「迷わない」ことを重要なコンセプトのひとつとした。立体的な3Dマップの弱点である迷いやすさ、現在地の見失いやすさを逆に遊びへ昇華させるという観点から「のろし」や「ダウジング」のシステムを考案。また、初めて降り立った地上でマップが拡大していく演出は、現在地や方角などがわかるように最後まで試行錯誤された部分である。

●「まほうのツボ」のポインタ操作やバクダンの転がす動作など、すべてのアイテムは"Wiiリモコンプラスをどう活用するか"という考えから考案。また、開発途中には選択画面に移行しなくてもリモコンの構えや位置によってアイテムが切り替わる仕様が検討されたこともあり、そこから円形に並んだ欄からWiiリモコンプラスを傾けて選ぶ方式に変更。画面を見なくても切り替えられるこのシステムは宮本茂氏にも大変好評で、藤林氏はユーザーインターフェース担当の田中怜氏とハイタッチして喜んだと語った。また、宮本氏はこのシステムに非常に手応えを感じており、できあがった際に岩田聡社長（当時）に自慢したという。

●本作では未登場の「ブーメラン」も当初は「リモコンブーメラン」として検討されていた。軌道を自由に操作でき、ブーメランがリンクをつかんで飛び、任意の場所で落とすという仕様が検討されていた時期も。しかし順路を無視して進めてしまうことから不採用となる。その後、物をつかむ機能から「ロケットパンチ」が考案されるなどといった段階を経て、最終的に「ビートル」が生みだされた。ビートルが腕から射出されるのはその名残。

●ファイの解説テキストは、そのキャラクターに思い入れのあるスタッフがそれぞれ元となるテキストを作成した。また、ファイは開発途中でパラショールのかわりにリンクと肩車をしたり、剣を投げて刺さった先に現れたり、というアイデアが考えられたこともあった。

●開発中には『裏ゼルダ』として、大地に降り立ったゼルダがどんな冒険を繰り広げたかを実際に操作できるゲームにするアイデアも検討された。実現には至らなかったが、エンディング後のムービーとしてそのストーリーの設定が生かされている。

●キャラクターの表情は、表情集の作成からはじまり、シナリオに合わせて各シーンにおける感情を設定、フェイシャルモーション（顔に骨構造を入れて細かく動かす技術）を使ってつくっている。藤林ディレクターはいちばん注目してほしい表情に「初めてゼルダが振り向いて顔を見せるシーン」を挙げている。

●ギラヒムの復活の儀式は、藤林ディレクターの「すごく気持ち悪い踊りを」という依頼から、デモ班のスタッフが作成した数コマの絵コンテが元になっている。デモシーンのコンテは休憩スペースに置かれることが多かった。休憩にきたほかのスタッフがその場でコンテにコメントを書き込んだり、自分の担当キャラクターだった場合はコンテどおりの動きができるようにモデルを改造したりなど、休憩スペースが情報共有の場にもなっていた。

参考文献
●社長が訊く『ゼルダの伝説 スカイウォードソード』
●ニンテンドードリーム 2012年2月号
　開発スタッフに訊く『スカイウォードソード』
　力と勇気の?インタビュー

2013

THE LEGEND OF ZELDA 神々のトライフォース2

DATA　2013年12月26日発売　ニンテンドー3DS

『ゼルダの伝説』シリーズにおいて過去作と同じ副題を冠し、『2』と入った初めてのタイトル。前作をプレイしていれば、懐かしいマップ構成やキャラクターなども楽しめる。基本は見下ろし型だが、壁の絵になると途端に立体的な画面に切り替わるという斬新なシステム。見えなかった部分が見えたり、行けなかった場所へたどり着けたりすることで、なじみある仕掛けも今までとは違った手応えで楽しめる。ほかにも青沼英二プロデューサーは"ゼルダのアタリマエを見直す"と公言しており、謎解きに活用するアイテムを任意のタイミングでレンタルできる、それによって攻略するダンジョンの順番をある程度自由にできる、ルピーの使いどころを悩ませるといった試みを盛り込んでいる。

▷ 物語

遥か昔、トライフォースの力を使い、大魔王ガノンがハイラル王国を襲った。マスターソードを手にした勇者は七賢者とともにガノンを封印する。その後、トライフォースは3つに分かれ眠りについたという。ひとつはガノンの封印とともに、ひとつはハイラル王家に、そしてひとつは勇者の心に……。この伝説は今もハイラルの地で語り継がれている。

鍛冶屋の見習いをしている少年リンクは、お客の忘れものの剣を届けるお使いへと出かけた。しかし、教会で人が額に入った絵になる場面を目撃する。絵にした男の名はユガ。リンクもユガの強烈な一撃を受け、気を失ってしまうのだった。

リンクはラヴィオと名乗る人物に自分の家へと運ばれていた。そして、彼からお近づきの印にと古びた腕輪を受け取る。リンクはこの変事を伝えるためにハイラル城へ向かい、ゼルダ姫に事態の調査を命じられるのだった。

その道中、東の神殿で司祭ユガと再び相まみえる。七賢者の子孫を次々と絵に変えていくユガに戦いを挑むものの、反対にリンクも魔法をかけられ、壁画の姿になってしまった。しかしユガが去った後、腕につけたラヴィオの腕輪が輝き、元の姿に戻ることができた。リンクは人間の姿と壁画の姿を使い分けられるようになったのである。

一方、ユガの次の狙いは知恵のトライフォースの持ち主であるゼルダ姫。ユガはハイラル城を結界で覆い、ゼルダ姫のもとへ向かう。リンクは結界を打ち破るのに必要な伝説の剣、マスターソードを手に入れるために冒険に出る。2つのダンジョンを進み、迷いの森を抜けてマスターソードを手に入れるが、ハイラル城では一歩及ばず、ユガの手によってゼルダ姫は絵にされてしまった。その場から逃げるユガを追って、壁画の

姿で亀裂に入っていくリンク。そこで待っていたのは、魔王ガノンを復活させ一体化したユガだった。その力に圧倒され窮地に陥ったリンクを救ったのはヒルダ姫。リンクは亀裂を通り、もうひとつの世界ロウラルにやってきていたのだった。ロウラルの王女ヒルダは自身の力を使い、ユガの動きを封じたが、それも短い時間しか持たないという。そこでリンクはその間に、絵にされてしまった7人の賢者を救い出し、勇気のトライフォースを手に入れてユガを倒す力を身につけることになる。

リンクはハイラルとロウラルを行き来しながら賢者たちを救出し、勇気のトライフォースとともに再びロウラル城へ向かった。しかしそこでヒルダ姫はロウラルの悲劇、真実を語り始めた。ロウラルにも過去にトライフォースがあったが、それを巡る争いが絶えなかったことから先祖が破壊してしまったのだと。しかしトライフォースは世界の基盤そのもの。それを失ったロウラルは、滅びゆく運命にある。

「私はこの国の王女。先祖の過ちを正さねばなりません。勇気のトライフォースを渡しなさい！」

ヒルダ姫はロウラルを復活させるために、ハイラルのトライフォースを奪うことに目をつけ、部下のユガを使いゼルダ姫の持つ知恵のトライフォースを手に入れた。そしてガノンと一体化し、力のトライフォースをもったユガ。残すのはリンクの持つ勇気のトライフォースのみ。しかしユガはヒルダ姫を裏切り、自分の欲のためにトライフォースを奪おうとヒルダ姫までも絵に変えた。2つのトライフォースを得たユガに対し、リンクはゼルダ姫から光の弓矢を受け取り対抗する──

ユガを討伐をした後、ゼルダ姫とヒルダ姫は元の姿に戻った。それでもロウラルを救うため、トライフォースをあきらめきれないヒルダ姫。すると、そこにラヴィオがやってきて彼女を説得した。ロウラルでヒルダ姫を止めることができなかったラヴィオは、勇者を頼るためにハイラルにやってきたのである。諭されたヒルダ姫は考えを改め、運命を受け入れることを決意した。絵になる力をもつ腕輪の最後の力を使い、2人をハイラルへと帰す。別れ際にラヴィオは言った。

「ハイラルの勇者リンク。ボクもキミのようになりたかった」

ハイラルに戻ってきたリンクとゼルダ姫。2人はトライフォースに触れ、何かを願った。闇に包まれたロウラルに変化が起きた。破壊されたはずのトライフォースが復活し、ロウラルに光が戻ったのである。

1 リンクが目撃したのは、人が絵になる光景。彼女は賢者の子孫だった　**2** リンクも絵の姿に。しかし「ラヴィオの腕輪」によって救われた　**3** マスターソードを抜いたリンク　**4** 変貌した姿のユガをヒルダ姫が押さえる　**5 6** トライフォースを狙うヒルダ姫と、その命に背き暴走するユガ　**7** ヒルダ姫を止めるためにやってきたラヴィオ　**8** 2人の願いはひとつであった

296

▷ 主な登場人物

✦ リンク
鍛治屋の見習い。壁画になる能力を使い、ハイラルとロウラルを行き来する

メインビジュアル

✦ ユガ
ロウラルの司祭。人を絵にする力をもった芸術家。ハイラルの七賢者たちを絵にする

✦ ヒルダ姫
ロウラルの王女。滅び行く我が世界を憂い、ハイラルのトライフォース奪取をもくろむ

✦ ゼルダ姫
心優しきハイラルの王女。ハイラルに迫る危機を予知し、代々伝わるお守りをリンクに授けた

✦ ラヴィオ
リンクの家を改造し、相棒のシロくんとともにアイテムを提供するレンタル屋を開業する

✦ アイリン
七賢者のひとり。魔法少女で、占い結果からリンクに親切。ベルで呼べば風見鶏まで運んでくれる

✦ グリ
七賢者のひとり。リンクが働く鍛治屋一家の息子。朝寝坊しがちなリンクを起こすのが役目

✦ セレス
七賢者のひとり。教会の優しいシスター。ガノン復活を企む司祭ユガにより、絵画にされてしまう

✦ インパ
七賢者のひとり。ハイラル城に勤める、ゼルダ姫のお付き。リンクをゼルダ姫に謁見させる

✦ アスファル
七賢者のひとり。賢者サハスラーラのもとで修業に励む。自信家で自身が世界を救う勇者だと信じている

✦ オーレン
七賢者のひとり。水辺に暮らすゾーラ族の女王。スベスベ石を盗まれて姿が変わってしまう

✦ ロッソ
七賢者のひとり。採掘を生業としている。リンクの働く鍛治屋一家とは仕事柄顔なじみ

▷ 人物相関図

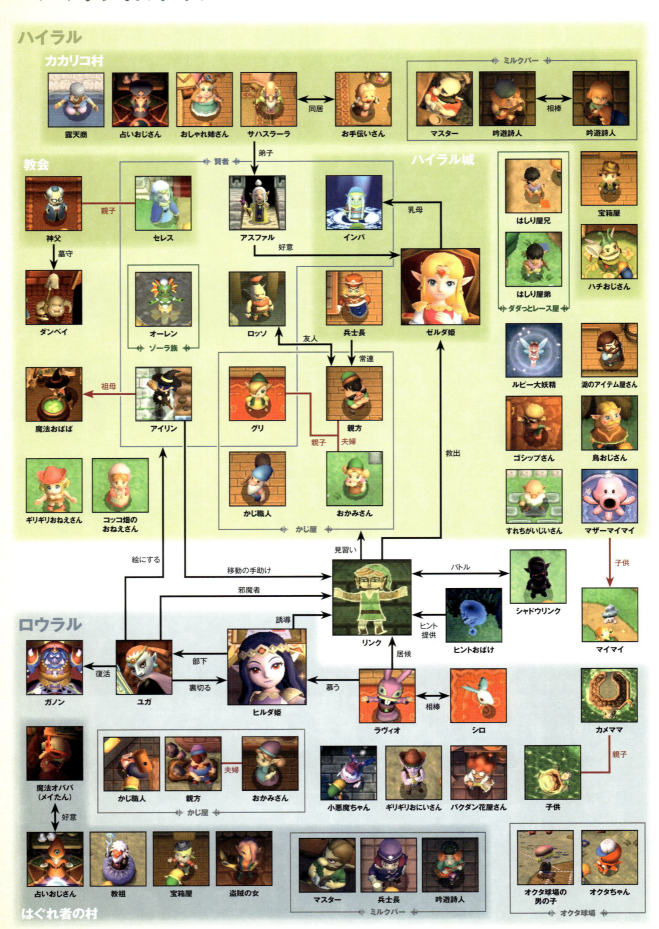

▷ 世界

ハイラル王国は、世界の中心にハイラル城が建ち、そのまわりに森、山、砂漠など多彩な環境をもつ土地が広がっている。土地の構成は『神々のトライフォース』の時代と非常によく似ている。一方のロウラル王国は土地の構成こそハイラル王国とよく似ているものの、全体的に暗く、荒廃している様子がうかがえる。

ハイラル王国

A 東の神殿　B 風の館　C ヘラの塔　D ハイラル城
E 闇の神殿　F 水のほこら　G ドクロの森
H はぐれ者のアジト　I 氷の遺跡　J 砂漠の神殿
K カメイワ　L ロウラル城

A カカリコ村　B ゾーラの里　C はぐれ者の村
D リンクの家／レンタル屋　E 教会
F マイマイの洞くつ　G 魔法おばばの薬屋
H かじ屋　I ロッソの鉱石屋
J ギリギリルピー広場　K 動物広場　L オクタ球場
M バクダン花屋　N 空き家　O コッコ畑
P 痛快！大バトル道場

ロウラル王国

表裏一体・空気の異なる ハイラルとロウラル

普通の姿と壁画の姿を使い分けられるようになったリンクは、世界の数か所に存在する亀裂を壁画の姿で通り抜けることにより、ハイラルとロウラルを行き来できる。しかし普通の人間にはとても不可能なことであり、この2つの世界はすぐそばにある異世界にもかかわらず、果てしなく遠い世界なのである。

ハイラル　　　　ロウラル

同一の場所

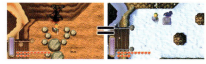

▷ 開発資料

▷ 壁画化したリンク　デザイン ラフ案

本作のキーポイントとなる「リンクが壁の中に入り移動する」効果をゲームでどのように表現するか、さまざまなアイデアが検討された。壁画になったときの画風やハイラルとロウラルを繋ぐ"ゲート"の設計はもちろん、リンクがどのようなアクションで壁画になるのかをアニメーションにして解説した開発資料も存在する

▷ ユガ デザイン ラフ案

リンクや七賢者たちを絵の姿に変えてしまう存在。ユガの名前の由来は「油画」で、絵筆を用いたデザインが多く描き起こされている。

▷ ゼルダ姫 デザイン ラフ

歴代のデザインを踏襲しつつ、本作のゼルダ姫はどうあるべきか、数多くのデザインを経て決められた。髪型や衣装、頭身、目のデザインなど、その組み合わせのデザインがいくつも存在する。

▷ ヒルダ姫 デザイン ラフ

ヒルダ姫のデザインは、ゼルダ姫と対照的に描かれ、暗い色調と憂いのある表情となっている。

▷ ラヴィオ デザイン ラフ

『神々のトライフォース』で、リンクが闇の世界でウサギになったことを暗示したデザインとなっている。ロウラルよりやってきたリンク（勇者）というアイデアが加わったことで、物語の根幹のひとつが固まった。

❦ 開発秘話 ❦

●ニンテンドー3DSの新作として『大地の汽笛』開発終了直後に企画が立ち上がった本作だが、『スカイウォードソード』の開発期間と重なったことから、当初のスタッフは四方宏昌ディレクターと毛利志朗サブディレクター兼プログラムリーダー、プログラマー1名の3人のみ。1年ほどは3人だけで細々と概要を考え続けており、その中で四方氏が何気なく口にした「リンクが壁に入る」というアイデアにほかの2人が喰いついたことで、今作の開発が進み始めたという。

●壁に入るアイデアから、青沼プロデューサーは『時のオカリナ』で壁の絵の中を移動する魔物ファントムガノンを連想。「今度はプレイヤーができたら面白いのでは」ということから、「リンクが絵になる」形が検討された。

●壁画リンクのデザインに関しては、さまざまな案が出されるものの進行は難航。開発初期は当初採用予定だったトゥーン調のリンクを平らにし張り付けていたが、そのままでは難しく、奇抜過ぎてもリンクがまったく別物に変身した風に見えるため、子供の落書き風・線画風などさまざまな方向性が提示された。また、なぜ絵になるのかという観点からストーリーが検討されはじめ、「おかしな芸術家のような敵」としてユガが誕生した。

●楽曲以外やシステムなどについて、続編という形ではあるものの『神々のトライフォース』は絶対のものとはしなかった。前作ですでにあるフィールド地形の中に新しく考えられたネタを詰め込むように進行しつつ、「もとからある使えるものは使う」「変えられるなら変えてもいい」というスタンスを取り、まったく新しいゲームをつくる心づもりで制作された。

参考文献
●社長が訊く『ゼルダの伝説 神々のトライフォース2』
●ニンテンドードリーム 2014年2月号
『神々のトライフォース2』きっと遊びたくなる！ネタバレなしの発売直前インタビュー
●ニンテンドードリーム 2014年3月号
2度目の旅がもっと楽しくなる
『ゼルダの伝説 神々のトライフォース2』
もっと深く楽しむための開発秘話に迫る

2015

ゼルダの伝説 トライフォース3銃士

DATA　2015年10月22日発売　ニンテンドー3DS

『4つの剣+』以来11年ぶりとなる、マルチプレイをメインとした『ゼルダの伝説』。最大3人まで同時プレイ可能。インターネット接続にも対応し、幅広くマルチプレイを楽しめるようになった。ゲームの根幹には『神々のトライフォース2』のゲームエンジンが使われ、本作では高さの概念とマルチプレイを生かした「トーテム」というシステムを導入。プレイヤー同士が上に乗って連携し、高い場所へ移動したり攻撃できるのが特徴である。

本作の発売に先駆け、2015年10月7日より『トライフォース3銃士 試勇版』が無料で配信された。これは3人でのマルチプレイが試遊できるもので、発売前の週末には青沼英二プロデューサーらも参加した「オンライン試勇会」が開催された。

▷ 物語

オシャレを愛する国ドレース王国は、オシャレが大好きな人々が暮らす国。中でも王女のフリル姫はとても美しく、国民たちに愛されていた。だが、それをよく思わない人物がいた……。

ある日、フリル姫の元に贈り物が届いた。送り主の書かれていない不審な贈り物だったが、姫は箱があまりにもオシャレだったため、つい開けてしまう。すると、中から妖しげな煙が吹き出し、姫はそれに包まれ……脱ぐことのできない、全身タイツの恥ずかしい姿になってしまった。

「アンタにはそれがお似合いだよ」

どこからともなく、声が聞こえた。これは……あの魔女、シスターレディの声。フリル姫はショックのあまり自室に閉じこもるようになり、美しい姿が見られなくなった国民たちは悲しみに暮れた。

最も涙したのは、国王であり父親のカールキング王であった。フリル姫にかけられた魔法を解くには、魔法をかけた魔女を討伐するしかない。しかし、魔女の住む魔境はとても危険で、選ばれし勇者のみが入ることができる。そこで王は、近隣諸国におふれを出すことにした。

そんなとき、ひとりの若者がドレース王国にやってきた。広場の掲示板に書かれていた「求ム!! トーテム勇者!!」に目をやる。

「トーテム勇者の証を持つ者達よ！ 憎き魔女を倒し フリル姫の呪いを解いてくれた者には唯一無二の褒美を与えよう」

若者の姿はトーテム勇者にふさわしかった。名前はリンク。ハイラルを救った勇者である。

城下町の服屋、マダムテーラーで勇者の服を仕立ててもらい、魔境へ出る許可を得た。魔境へ挑むには自分を含めた3人で協力することが必要だった。3人は伝説に伝わるトーテム、タテにつながるフォーメーションなどで数々の仕掛けや敵を撃退。魔境探索を進めていく。

フリル姫のタイツ姿もだんだんとなじんではきたが、「おフリフリのおドレスが着たいのですわ……」と待ちくたびれている。

勇者たちはさまざまなオシャレと冒険を重ねた末、シスターレディの元までたどり着く。シスターレディは巨大な衣装で着飾り猛攻を仕掛けてくるが、勇者たちは3人で力を合わせ、持ち前の勇気とチームワークでそれを撃破した。魔女シスターレディも、ついに観念するのだった。

「お姫さんもアンタたちも、ダサい奴ら同士仲良くしてたらいいだわヨ……」

魔女の魔法は消え去り、フリル姫は恥ずかしい姿から元に戻ることができたのである。ドレース王国は歓喜に沸いた。美しいフリル姫とともに国民に笑顔が戻り、リンクたちは勇者としてたたえられた。

かくして勇者には唯一無二の褒美……フリル姫が着ていた「ダサいタイツ」が贈られたのであった。

①②あまりに美しかった箱を開けてしまったフリル姫。煙に包まれると、ダサいタイツ姿に。鏡を見て愕然とする ③魔法をかけた魔女は高らかに笑う ④変わり果てた我が娘の姿に、王は号泣を禁じ得ない ⑤リンクは魔境で手に入れた素材で服を作り、新しい能力を身につけていく ⑥城にある討伐ロビーから、魔境へと向かう3人の勇者 ⑦余裕たっぷりのシスターレディ ⑧討伐に成功したリンクと、美しい姿を取り戻した姫を歓迎するお祝い

▷ 人物相関図

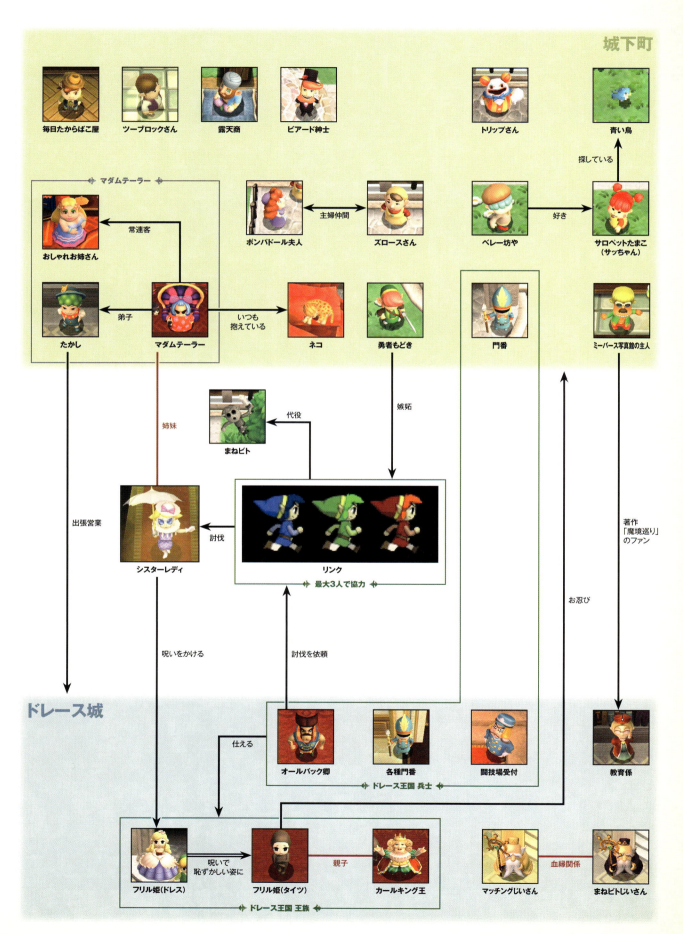

▷ 世界

選ばれし3人の勇者が、ドレース城の討伐ロビーにあるトライフォースより旅立つのが、この魔境である。大きく9つのエリアに分かれており、「魔窟エリア」を除く8エリアはそれぞれ4つのコースが広がっている。「魔窟エリア」は8種類のゾーンにわたり30種類以上のステージを持つ広大なエリアとなっている。

魔境

A 森林エリア　B 水源エリア　C 火山エリア　D 氷雪エリア　E 要塞エリア　F 砂漠エリア　G 廃墟エリア　H 天空エリア　I 魔窟エリア（更新データで追加）

"勇者求ム" ドレース王国の異変

リンクが訪れたドレース王国は、もともと国民が皆オシャレで有名な場所だった。シスターレディの魔法でフリル姫が呪われたことにより、国民たちは質素なオシャレ生活を送っている。この状況を打破できるのは、容姿に3つの特徴をもった「トーテム勇者」だけである。

トーテム勇者の条件

③ 九一分け
① 耳がとんがり
② 太いモミアゲ

日々変わる素材の入荷状況

オシャレを自粛中のドレース王国ではあるが、服を作るための素材は常に活発に流通している。露天商は連日異なる素材を陳列し、毎日たからばこ屋の宝箱にも日々素材が並んでいる。服を仕立ててくれるマダムテーラーの店は客足が多少減ったものの、常連客などは常に店へ通っている。

城下町の様子

ドレース王国の城下町には猫や鳥などの小動物が多く、ハイラル王国とはまた違う雰囲気が楽しめる。また、勇者たちが魔境の攻略を進めていくと、城下町の様子に変化が起こる。

朽ちたマネビトやお忍びのフリル姫、セミの抜け殻などを見つけることができる

マダムテーラーでは、鏡にだけ映るネコの姿がある

女の子が探しているのは、見つけると幸せになれるという青い鳥

▷ 開発資料

▷リンク デザイン ラフ

当初は『神々のトライフォース2』のリンクが冒険にいくことから、リンクのデザインも「神々のトライフォース2」に準拠したデザインで進んでいた。しかし、青沼プロデューサーの「トゥーンリンクでいくぞ」という声でデザインが現状の方向へ決まった。

▷フリル姫（タイツ姿） デザイン ラフ案

愛らしい姫のデザインは多数のアイデアが出された。タイツ姿の姫は、非オシャレな姿ながらも姫だということがわかるデザインがいくつも試されていた。

▷マダムテーラー デザイン ラフ案

男性や若い女性のデザイン案もあったが、年配女性とすることに。そこからもいくつかの案が出され猫を抱えた姿に決定。没になった案の中には、シスターレディの元となるデザインがある。

▷シスターレディ デザイン ラフ案

初期は年齢もさまざまな案があったが、マダムテーラーのデザイン決定後、合わせて年配のイメージに。

▷討伐ロビー 設定画

城や城下町、そして魔境のあらゆる建物、地形はこのように詳細な設定画によってデザインされた。銅像や木といったオブジェクト単位のデザイン画も存在する。

開発秘話

● 最初はひとりで遊べるモードは存在していなかった。それくらい3人で遊ぶことがいちばん楽しい、と四方宏昌ディレクターは思っていたが、青沼英二プロデューサーに言われ組み込んだ。すると思ったより良いものができた、と四方氏は語っている。

● リンクが最初に着ている「アレな服」は、梅田啓介チーフデザイナーの「リンクの勇者服は、緑色の部分がチュニックのようになっていて、脱ぐと黄緑色の肌着や白タイツが残るのでは」という発想からデザインされた。

● 3人のリンクが同時に登場するゲームの物語はどうするべきか、という問題があった。自分以外のリンクは勇者候補という設定も検討されたが、それではプレイヤーが勇者としての自信が強くもてない。そこで『神々のトライフォース2』ですごい冒険をした勇者がドレース城にやってきた設定にされた。リンクが真の勇者だという自信がもてる設定である。

● 「8bit Boy」の服を着るとゲーム中の音楽がすべてファミコンのような音に変わるが、この曲はそもそもダウンロードプレイでほかの3DS本体へゲームを転送する際、データを軽くするための工夫から生まれた。その曲をいつでも聴けるように、と作られたのが「8bit Boy」である。

参考文献
● ニンテンドードリーム 2015年12月号
『ゼルダの伝説 トライフォース3銃士』
3銃士プラス1インタビュー
● Miiverse「開発者の部屋」Miiting!
第4回『ゼルダの伝説 トライフォース3銃士』

本編以外のシリーズ

『ゼルダの伝説』シリーズは、本書で取り上げているタイトル以外にも関連作が多く発売されている。それはスピンオフタイトルであったり、リンクのゲスト出演のみであったりとさまざま。ここではそれらのタイトルを解説していく。

派生タイトル

シリーズの本筋ではないが、その名を冠しているものやリバイバル作品群。ちなみに「ファミコンミニ」や『ゼルダの伝説1』についてはP.216、『リンクの冒険』についてはP.220で紹介している。

▶1989年8月 ゲーム＆ウオッチ（国内未発売）
ZELDA

任天堂の携帯ゲーム機の元祖「ゲーム＆ウオッチ」。日本で唯一未発売だった『ゼルダの伝説』がこのゲーム＆ウオッチ版『ZELDA』。右の写真のように2画面を使って遊ぶアクションとなっている。斧が最強装備であったり、敵がドラゴンであったりと本編と設定が異なる部分も多い。後にゲームボーイアドバンスのソフトの『ゲームボーイギャラリー4』に収録されたが、こちらも日本未発売だったため遊ぶことができなかった。しかし2016年になり、Wii Uのバーチャルコンソールで配信開始、日本でも遊ぶことができるようになった。

写真はバーチャルコンソール版。2画面構成を1画面に落とし込んでいるため、実機とは比率が異なる

ドラゴン
ダンジョンのボス。炎を吐き尻尾で攻撃してくる

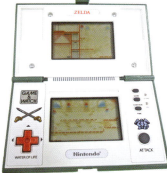

▲パッケージとゲーム＆ウオッチ本体

登場キャラクター

リンク
ゼルダ姫を救いに悪のドラゴンに立ち向かう

ゼルダ姫
ドラゴンにさらわれたリンクの恋人

ゴブリン
ダンジョンに潜む中ボス。倒さないと進めない

スタルフォス
各部屋に複数出現。攻撃が効かない

ゴースト
背後から攻撃してくる。攻撃が効かない

後に海外でLCDゲームとしても販売された

©1989 Nintendo　©1980-2003 Nintendo　©Nintendo

キャンペーン・特典タイトル

▶2002年11月 ニンテンドーゲームキューブ
ゼルダの伝説 時のオカリナ GC

2002年11月28日から12月12日までに、『風のタクト』を予約するともらえた「限定キャンペーンディスク」（後に予約者全員プレゼントに）に収録。『時のオカリナ』をニンテンドーゲームキューブ用に移植し、さらに周辺機器64DDで開発されていたが未発売となった幻の「裏ゼルダ」も『時のオカリナ GC裏』として収録している。この『裏ゼルダ』は後に『時のオカリナ 3D』に収録されて遊べるようになる。

©1998-2002 Nintendo

▶2004年3月18日 ニンテンドーゲームキューブ
ゼルダ コレクション

任天堂の会員制サービス「クラブニンテンドー」（現在は終了）において、ポイント引き換えで入手することができたニンテンドーゲームキューブ用ソフト。『ゼルダの伝説』『リンクの冒険』『時のオカリナ』『ムジュラの仮面』（US版）の4タイトルを遊ぶことができる。また名場面や『風のタクト』のムービーも収録されている。

©2004 Nintendo

BSゼルダの伝説 シリーズ

BSアナログ放送を利用した、スーパーファミコンの周辺機器「サテラビュー」を使うことで遊べた音声連動ゲーム。決められた放送時間にのみ遊ぶことができた。衛星回線によりデータを受信しながら全国のプレイヤーが同じ時間にプレイする。そのため、主人公はリンクではない。各4話ずつ2タイトルが放送された。現在は遊ぶことのできないタイトルである。

サテラビュー

▷ 1995 スーパーファミコン サテラビュー
BSゼルダの伝説

音声連動でゲームをプレイする本作は、ドラマCDを聴きながら遊ぶ感覚に近い。イベントの進行に合わせてドラマが声で展開する。音声を受信しながら遊ぶため、同様に受信される音楽もとても豪華だった。ゲーム内容は、初代『ゼルダの伝説』をスーパーファミコンのグラフィックにリファインしたような形になっている。しかしオープニングで語られる物語は、『神々のトライフォース』と同じ封印戦争のものであった。すべての放送が終わった時点での成績優秀者に、受信したデータ放送番組を記録する「メモリーパック」が贈られるなど、全員が同一時間帯で遊ぶことを楽しめるつくりになっていた。

©1995 Nintendo

▷ 1997 スーパーファミコン サテラビュー
BSゼルダの伝説 古代の石盤

『BSゼルダの伝説』第2弾は、メニュー回りも含めたすべてのグラフィックが『神々のトライフォース』により近くなった。物語はリンクがガノンを倒した6年後、魔物が再び現れはじめたハイラルを舞台に展開する。リンクを捜す旅に出たサハスラーラが不在の中、弟アジナーとゼルダ姫が光の中で見つけた奇妙な若者がプレイヤーとなる。

©1997 Nintendo

▷ 2008年 5月1日 Wii
リンクのボウガントレーニング

Wiiリモコンとヌンチャクを付属のアタッチメント「Wiiザッパー」に装着し、ボウガンに見立てて狙い撃つシューティング。『トワイライトプリンセス』の世界を舞台にした派生タイトルとなっている。

©2007-2008 Nintendo

関連キャラクターのamiibo (2017年2月現在)

NFCを使ってゲームと連動し、さまざまな遊びが楽しめるフィギュア「amiibo」。『大乱闘スマッシュブラザーズ』シリーズをはじめ、『ゼルダの伝説』シリーズ、『ブレス オブ ザ ワイルド』シリーズが登場している。

リンク	ゼルダ	シーク	トゥーンリンク	ガノンドロフ
ウルフリンク【トワイライトプリンセス】	リンク【時のオカリナ】	リンク【ゼルダの伝説】	トゥーンリンク【風のタクト】	ゼルダ【風のタクト】
リンク(弓)	リンク(騎乗)	ゼルダ	ボコブリン	ガーディアン

©Nintendo

▷ 2011年 9月28日 DSiウェア
ゼルダの伝説 4つの剣 25周年記念エディション

『ゼルダの伝説』生誕25周年記念に、2011年9月28日から2012年2月20日まで無料で限定配信された。『神々のトライフォース&4つの剣』の『4つの剣』のみをDSiウェア用にしたもの。追加要素として、『ゼルダの伝説』『夢をみる島』『神々のトライフォース』をモチーフにしたステージが登場する。

©2002-2011 Nintendo

▷ 2016年 3月17日 ニンテンドー3DS ダウンロードソフト
マイニンテンドーピクロス ゼルダの伝説 トワイライトプリンセス

縦と横の数字をヒントに隠されたイラストを完成させるパズルゲーム『ピクロス』。『トワイライトプリンセス』をテーマにした45の問題が楽しめるダウンロードソフト。会員制サービス「マイニンテンドー」のポイントと交換ができる。

©2016 Nintendo ©2016 Jupiter

コラボレーションタイトル

シリーズのキャラクターや世界そのものが他作品に登場したタイトルをまとめてみた。任天堂製品だけでなく、他社とも多くのコラボレーションがされており、その世界が広がり続けていることが窺える。

大乱闘スマッシュブラザーズ シリーズ

▶ 1999年 1月21日 NINTENDO 64
ニンテンドーオールスター! 大乱闘スマッシュブラザーズ

『スマブラ』の愛称でおなじみの任天堂人気キャラクターが一堂に集う対戦アクション第1弾。スティックを弾く操作や場外に弾き飛ばすルールなど、この時点でゲーム性はすでに確立。プレイヤーキャラクターとしてリンク（正確には人形という設定）が参戦。

© 1999 Nintendo / HAL Laboratory, Inc.
Character © Nintendo / HAL Laboratory, Inc. / Creatures Inc. / GAME FREAK inc.

▶ 2001年 11月21日 ニンテンドーゲームキューブ
大乱闘スマッシュブラザーズDX

『スマブラ』第2弾。国内で唯一ミリオンセラーとなったゲームキューブタイトル。プレイヤーキャラクター（以降はフィギュアと呼称）として、リンク、ゼルダ（シーク）、こどもリンク、ガノンドロフが参戦。キャラクターが大幅に増えた。

© 2001 Nintendo / HAL Laboratory, Inc.
Characters © Nintendo / HAL Laboratory, Inc. / Creatures Inc. / GAME FREAK inc. / APE inc. / INTELLIGENT SYSTEMS

▶ 2008年 1月31日 Wii
大乱闘スマッシュブラザーズ X

大ボリュームで発売されたシリーズ第3弾。横スクロールアクション「亜空の使者」も遊べるようになり、Wi-Fiコネクションによるインターネット対戦（現在はサービス終了）にも対応。システム面でもアシストフィギュアや「最後の切りふだ」が登場している。またソニックやスネークといったサードパーティキャラの参戦も話題となった。『ゼルダの伝説』シリーズからは、リンク、ゼルダ（シーク）、ガノンドロフ、トゥーンリンクがプレイヤーキャラクターとして登場。アシストフィギュアにはチンクルの姿も。

©2008 Nintendo / HAL Laboratory, Inc.
Characters : ©Nintendo / HAL Laboratory, Inc. / Pokémon. / Creatures Inc. / GAME FREAK inc. / SHIGESATO ITOI / APE inc. / INTELLIGENT SYSTEMS / Konami Digital Entertainment Co., Ltd. / SEGA

▶ 2014年 9月13日 ニンテンドー3DS ｜ 2014年 12月6日 Wii U
大乱闘スマッシュブラザーズ for Nintendo3DS/Wii U

携帯機であるニンテンドー3DS版とWii U版との初のマルチプラットホーム展開で制作。連動要素はあるが、互いに異なる遊びでそれぞれ楽しめるのも特徴になっている。参戦キャラクターは、リンク、ゼルダ、シーク、トゥーンリンク、ガノンドロフ。ゼルダとシークが別キャラ扱いになった。そしてアシストフィギュアにはチンクル、スタルキッド、ミドナ、ギラヒムが登場（両バージョン同じ）。Wii U版にはシリーズ初の8人対戦も実装された。

©2014 Nintendo　Original Game : ©Nintendo / HAL Laboratory, Inc.　Characters: ©Nintendo / HAL Laboratory, Inc. / Pokémon. / Creatures Inc. / GAME FREAK inc. / SHIGESATO ITOI / APE inc. / INTELLIGENT SYSTEMS / SEGA / CAPCOM CO., LTD. / BANDAI NAMCO Games Inc. / MONOLITHSOFT / CAPCOM U.S.A., INC. / SQUARE ENIX CO., LTD.

▷ 2003年 3月27日 ニンテンドーゲームキューブ
ソウルキャリバーⅡ

ナムコ（現バンダイナムコエンターテインメント）からマルチプラットホームで販売された対戦格闘アクション。ゲームキューブ版にのみ、プレイヤーキャラクターとしてリンクが登場。リンクはハイラルを脅かす邪剣ソウルエッジを破壊するため、マスターソードを手に、異世界へと乗り込む。リンクのアクションは弓矢や爆弾など、原作を生かしたものも多い。

©2003 BANDAI NAMCO Entertainment Inc.
"The Legend of Zelda": ©1986-2003 Nintendo
"NECRID": Character ©2003 BANDAI NAMCO Entertainment Inc./Illustration ©2003 TMP, Inc.

▷ 2013年 10月24日 Wii U
ソニック ロストワールド

セガ（現セガゲームス）より発売された高速3Dアクション。追加ダウンロードコンテンツ第3弾の「ゼルダの伝説ZONE」（2014年3月28日配信）において、ソニックが『ゼルダの伝説』の世界を冒険するゾーンが登場。『スカイウォードソード』のリンクやロフトバードも出演している。ちなみに、同名タイトルでニンテンドー3DS版も発売されているが、本ゾーンを追加できるのはWii U版のみである。

©SEGA ©2012 NINTENDO

▷ 2014年 5月29日 Wii U ｜ 2017年 4月 28日 Nintendo Switch
マリオカート8 ｜ マリオカート8 デラックス

レースゲーム『マリオカート』と『ゼルダの伝説』のコラボレーション。Wii Uの追加コンテンツ第1弾「ゼルダの伝説×マリオカート8」（2014年11月13日配信）で遊べるようになった。プレイヤーキャラクターにリンク、マシンにマスターバイクが追加されたほか、ハイラルサーキットも登場。コース上に散らばるコインがルピーになっているなど、うれしい演出がちりばめられている。その後、Nintendo Switch『デラックス』にも登場する。

©2014 Nintendo
※写真はWii U版のものです。

ゼルダ無双 シリーズ

▶ 2014年8月14日 Wii U
ゼルダ無双

コーエーテクモゲームス発売。同社の看板アクションである『無双』シリーズと、『ゼルダの伝説』シリーズがコラボレーションしたタイトル。リンクたちが『時のオカリナ』『トワイライトプリンセス』『スカイウォードソード』の世界で一騎当千のアクションを繰り広げる。オリジナルキャラクターを含むプレイヤーキャラクターには、リンクのほか、インパ、ゼルダ、シーク、ダルニア、ルト、ミドナ、アゲハ、ファイ、ザント、ギラヒム、ガノンドロフが登場する。

©Nintendo ©コーエーテクモゲームス All rights reserved. Licensed by Nintendo

▶ 2016年1月21日 ニンテンドー3DS
ゼルダ無双 ハイラルオールスターズ

Wii U版を移植し、要素をパワーアップさせたニンテンドー3DS版。女性オリジナルキャラ・リンクルも登場。追加コンテンツを含み、使用キャラクターが大幅に増えた。Wii U版のキャラに加え、真のミドナ、子供リンク、チンクル、テトラ、ハイラル王、トゥーンリンク、スタルキッド、メドリ、マリン、トゥーンゼルダ、ラヴィオ、ユガが使えるように。これらのキャラはWii U版でも追加コンテンツで使用可能。

©Nintendo ©コーエーテクモゲームス All rights reserved. Licensed by Nintendo

スピンオフ チンクル シリーズ

『ムジュラの仮面』から登場しているチンクル。彼は独り立ちし主人公となっている。ここではスピンオフタイトルとして紹介していく。

▶ 2006年9月2日 ニンテンドーDS
もぎたてチンクルの ばら色ルッピーランド

35歳独身のさえない男がチンクルとなり旅に出るRPG。彼はルピじいの甘い言葉に誘われて、ルピーを稼ぎ、夢の楽園"ルッピーランド"を目指すことになる。本作はルピー(お金)がテーマであり、チンクル自身の体力も先に進むにも、すべてにルピーが必要という、一風変わったタイトルになっている。

▶ 2009年8月6日 ニンテンドーDS
いろづきチンクルの 恋のバルーントリップ

第2弾はアドベンチャー。本の中に吸い込まれチンクルとなった35歳独身彼女なしの主人公は、シティの舞踏会でプリンセスと踊れば本から脱出できることを耳にする。知恵をつけたいカカシ、やさしい心をもたないブリキ、勇気がないライオンとともに、美女たちと出会いながらシティを目指していく。

▶ 2007年4月 ニンテンドーDS
チンクルの バルーンファイトDS

会員制サービス「クラブニンテンドー(現在は終了)」の2006年度プラチナ会員特典。往年の名作アクション『バルーンファイト』のキャラクターがチンクルに置き換わっている。

©2007 Nintendo

▶ 2009年6月24日 DSiウェア
できすぎチンクルパック

占いや電卓、タイマーなど、チンクルが作ったというお役立ち小道具が詰まったツール。

©2009 Nintendo

©2006 Nintendo ©2009 Nintendo

そのほかの出演タイトル

最後に『ゼルダの伝説』シリーズにまつわるものが他作品に出演したものを表にしてみた。前ページまで紹介したものをのぞき、発売日順に掲載している。※編集部調べ。2016年12月現在。

▶**1990.11.9** **GB** F1レース
グランプリに優勝するとリンクからエールをもらえる

▶**1995.11.21** **SFC** スーパードンキーコング2 ディクシー&ディディー
DKコインを集めたあとのリザルト画面にVIDEO GAME HEROとしてリンクが登場

▶**1996.3.9** **SFC** スーパーマリオRPG
ユミンパ攻略後、ローズタウンの宿屋に泊まるとリンクが寝ている

▶**1996.3.21** **SFC** 星のカービィ スーパーデラックス
「洞窟大作戦」のたからにトライフォースが登場

▶**1999.12.1** **SFC** ピクロスNP Vol.5
「ニンテンドウパワー」書き換えの『ピクロス』シリーズ。キャラクターモードの問題に『ゼルダの伝説』キャラが登場

▶**1999.12.11** **64DD** マリオアーティスト ペイントスタジオ
マウスを使って絵を描くソフト。『時のオカリナ』のスタンプが登場

▶**2001.12.14** **GC** どうぶつの森+
隠しファミコン家具として『ゼルダの伝説』が登場

▶**2003.3.21** **GBA** メイド イン ワリオ
「ゼルダのでんせつ」のプチゲームがある

▶**2003.6.27** **GC** どうぶつの森e+
「どうぶつの森カードe+」に「ゆうしゃのふく」がある

▶**2003.10.17** **GC** あつまれ!! メイド イン ワリオ
ナインボルトの「ニンテンドー」に「ゼルダのでんせつ」

▶**2004.7.1** **GC** ドンキーコンガ2 ヒットソングパレード
リズムアクション。収録楽曲に「ゼルダの伝説のテーマ」

▶**2004.7.1** **GBA** スーパードンキーコング2
SFC版に要素を追加したGBA移植版。オリジナル同様、リザルトにリンクが登場

▶**2004.10.14** **GBA** まわるメイド イン ワリオ
「ファミコンかいてん」に「ゼルダのでんせつ」がある

▶**2004.12.2** **DS** さわるメイド イン ワリオ
「にんてんタッチ」に「ゼルダのでんせつ」が登場

▶**2004.12.2** **DS** 大合奏!バンドブラザーズ
演奏ソフト。収録曲に「ゼルダの伝説メドレー」

▶**2005.3.17** **GC** ドンキーコンガ3 食べ放題!春もぎたて50曲
収録曲「ファミコン」内に「ゼルダの伝説」

▶**2005.11.23** **DS** おいでよ どうぶつの森
『ゼルダ』シリーズをモチーフにした家具などが登場

▶**2006.12.2** **Wii** おどるメイド イン ワリオ
ステージに『風のタクト』が登場

▶**2008.6.26** **DS** 大合奏!バンドブラザーズDX
Wi-Fiコネクション接続で追加ダウンロードできる曲の中に『ゼルダ』関連のものも

▶**2008.8.28** **Wii** キャプテン★レインボー
任天堂キャラが集合する"アクションベンチャー"。『夢をみる島』のトレイシーが登場。また部屋にリンクの絵も飾ってある

▶**2008.11.6** **DS** 星のカービィ ウルトラスーパーデラックス
「洞窟大作戦」のおたからにトライフォースなど

▶**2008.11.20** **Wii** 街へいこうよ どうぶつの森
『ゼルダの伝説』シリーズをモチーフにした家具などが登場

▶**2008.12.25** **DS** ファンタシースター ZERO
現セガゲームス発売のRPG。コラボレーション装備に「ハイリアシールド」

▶**2009.4.29** **DS** メイド イン 俺
ナインボルトの「ニンテンドー」内に「ゼルダのでんせつ」がある

▶**2009.4.29** **Wiiウェア** あそぶメイド イン 俺
DS版と連動ほか、『リンクの冒険』モチーフのアクションも

▶**2011.2.26** **3DS** すれちがいMii広場
本体内蔵ソフト。「ピースあつめの旅」のパネルや、「すれちがい伝説」のぼうし系など、更新とともに随時登場

▶**2011.2.26** **3DS** ARゲームズ
本体内蔵ソフト。付属のARカードにリンクがあり、撮影可能

▶**2011.10.5** **3DS DL** 引ク押ス
パズルアクション。シリーズ関連の問題が登場

▶**2011.12.21** **3DS DL** いつの間に交換日記
日記&交換ができたソフト。「ゼルダのびんせん」が登場

▶**2011.12.27** **3DS DL** とびだすプリクラ☆キラデコレボリューション
撮った2D写真にデコレーションできるソフト。スタンプにリンク

▶**2012.4.26** **3DS** 真・三國無双VS
コーエーテクモゲームス発売の一騎当千アクション。コラボ衣装に『スカイウォードソード』の「リンクの服」

▶**2012.9.13** **3DS DL** クラブニンテンドーピクロス
任天堂がテーマの問題を収録したピクロス。『ゼルダの伝説』も登場

▶**2012.11.8** **3DS** とびだせ どうぶつの森
家具や服にシリーズモチーフのものが登場

▶**2012.12.8** **Wii U** Nintendo Land
アトラクションの中に「ゼルダの伝説 バトルクエスト」

▶**2013.9.14** **3DS** モンスターハンター 4
カプコン発売のハンティングアクション。コラボ装備など

▶**2013.11.14** **3DS** 大合奏!バンドブラザーズP
演奏・作曲可能な音楽ソフト。曲や衣装、遊べる動画にシリーズのものが

▶**2013.11.21** **Wii U** 太鼓の達人 Wii Uば〜じょん!!
バンダイナムコエンターテインメント発売のバチで叩くリズムゲーム。追加楽曲に『ゼルダの伝説』

▶**2013.12.19** **Wii U DL** ファミコンリミックス
ファミコンをお題で楽しむゲーム集。『ゼルダの伝説』が登場

▶**2014.4.24** **Wii U** ファミコンリミックス1+2
シリーズ2本を収録してパッケージに。『ゼルダの伝説』『リンクの冒険』のお題も

▶**2014.4.24** **Wii U DL** ファミコンリミックス2
ファミコンをお題で楽しむゲーム集。『リンクの冒険』が登場

▶**2014.9.20** **Wii U** ベヨネッタ2
同梱の『ベヨネッタ』内にスペシャルコスチュームで「ハイラルの勇者」がある

▶**2014.10.9** **3DS DL** クラブニンテンドーピクロスプラス
『ゼルダの伝説』など任天堂がテーマの問題を収録したピクロス

▶**2014.10.11** **3DS** モンスターハンター 4G
カプコン発売のハンティングアクション。コラボ装備ほか

▶**2014.11.13** **3DS** ワンピース 超グランドバトル! X
バンダイナムコエンターテインメント発売のアクション。リンクのamiibo使用でゾロがリンク衣装に

▶**2014.12.17** **3DS DL** バッジとれ〜るセンター
定期的にシリーズをモチーフにしたバッジが登場

▶**2015.1.29** **3DS** エースコンバット 3D クロスランブル+
バンダイナムコエンターテインメント発売のフライトアクション。リンクとゼルダ姫のamiiboでコラボ機体に

▶**2015.4.23** **Wii U DL** タッチamiibo いきなりファミコン名シーン
amiiboを使うと名シーンが遊べる無料ソフト。『ゼルダの伝説』『リンクの冒険』『神々のトライフォース』を収録

▶**2015.5.13** **3DS DL** 引ク出ス ヒッパランド
「おじいさんのファミコン広場」にシリーズのドット問題が登場

▶**2015.7.16** **Wii U** ヨッシーウールワールド
amiiboを読み込むとそのキャラを模したあみぐるみヨッシーに

▶**2015.7.22** **3DS DL** 大合奏!バンドブラザーズP デビュー
『大合奏!バンドブラザーズP』の無料デビュー版

▶**2015.7.30** **3DS** どうぶつの森 ハッピーホームデザイナー
「ゆうしゃのふく」などシリーズに関連するものが登場

▶**2015.8.27** **3DS** ファミコンリミックス ベストチョイス
移植版で『ゼルダの伝説』『リンクの冒険』が登場

▶**2015.9.10** **Wii U** スーパーマリオメーカー
amiiboを使うとそのamiiboのドットキャラにマリオが変身

▶**2015.10.1** **3DS** カタチ新発見!立体ピクロス2
amiiboを使うとそのキャラのスペシャルパズルが遊べる

▶**2015.11.28** **3DS** モンスターハンタークロス
カプコン発売。『風のタクト』より、リンクネコシリーズなどのオトモ武具も配信

▶**2016.3.17** **iOS/Android** Miitomo
Miiをコーディネートするふくやカツラなど、シリーズモチーフのものが随時登場

▶**2016.10.8** **3DS** モンスターハンター ストーリーズ
カプコン発売のRPG。装備ほか、オトモンに「エポナ」、ナビルー衣装に「スタルキッドの仮面」も配信

▶**2016.11.22** **3DS DL** イラスト交換日記
イラストを送り合えるソフト。イラストレッスン、シールなどにシリーズが登場

▶**2016.11.23** **3DS** とびだせ どうぶつの森amiibo+
前作から引き続きモチーフ家具などが登場

▶**2016.12.8** **3DS** Miitopia
ファンタジー世界でMiiが戦うみまもりシミュレーション。amiiboを使うとそのamiiboのキャラ衣装に

【略称はゲームが発売されたハードおよび販売フォーマットを示しています】
GB：ゲームボーイ　**SFC**：スーパーファミコン　**GC**：ニンテンドー ゲームキューブ
GBA：ゲームボーイアドバンス　**DS**：ニンテンドー DS　**3DS**：ニンテンドー3DS　**3DS DL**：ニンテンドー3DS ダウンロードソフト　**Wii U DL**：Wii U ダウンロードソフト　**iOS/Android**：スマートデバイス

雑誌広告・チラシ

『ゼルダの伝説』シリーズの販売用に制作された、多くの店頭配布用のチラシや雑誌広告を掲載。なお、ゲームボーイアドバンス時代以降、店頭配布物は単体タイトルのチラシから、複数タイトルをまとめた小冊子形態がとられるようになった。

1986　ゼルダの伝説

1994　ゼルダの伝説1

1987　リンクの冒険

1991　ゼルダの伝説 神々のトライフォース

1993　ゼルダの伝説 夢をみる島

1998　ゼルダの伝説 夢をみる島DX

1995　BS ゼルダの伝説

1998　ゼルダの伝説 時のオカリナ

2011　ゼルダの伝説 時のオカリナ 3D

2000　ゼルダの伝説 ムジュラの仮面

2015　ゼルダの伝説 ムジュラの仮面 3D

2001　ゼルダの伝説 ふしぎの木の実 大地の章・時空の章

2002　ゼルダの伝説 風のタクト

2013　ゼルダの伝説 風のタクト HD

2003　ゼルダの伝説 神々のトライフォース&4つの剣

2004　ゼルダの伝説 4つの剣+

2004　ゼルダの伝説 ふしぎのぼうし

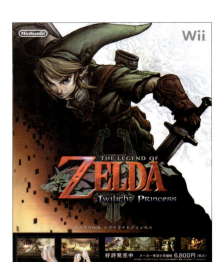
2006　ゼルダの伝説 トワイライトプリンセス

2016　ゼルダの伝説 トワイライトプリンセス HD

2008　リンクのボウガントレーニング

2007　ゼルダの伝説 夢幻の砂時計

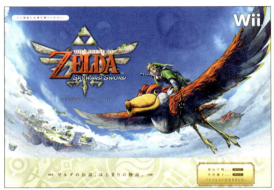

2011　ゼルダの伝説 スカイウォードソード

2009　ゼルダの伝説 大地の汽笛

2011　ゼルダの伝説 25周年

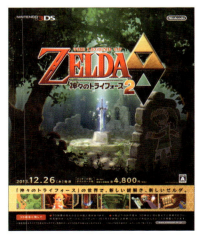
2013　ゼルダの伝説 神々のトライフォース2

2015　ゼルダの伝説 トライフォース3銃士

『ゼルダの伝説』シリーズ総合プロデューサー　青沼英二インタビュー

『ゼルダの伝説』のアタリマエ。そして、そのアタリマエを見直すということ。

　本書の最後を締めくくるのは『ゼルダの伝説』総合プロデューサーである青沼英二氏。青沼氏は20年近くシリーズを見つめ、そしてシリーズとともに歩んできた。
　ここでは、この30年間で『ゼルダの伝説』が培ってきたもの、シリーズのお約束"ゼルダのアタリマエ"を見直していく。そしてそれらを集積し、2017年3月3日にNintendo SwitchとWii Uで発売となる『ブレス オブ ザ ワイルド』に、どのようにつないでいったのかを問う。『ゼルダの伝説』とは何か？　そしてこれからどこへ向かおうとしているのか？　31年目に漕ぎ出す『ゼルダの伝説』についてじっくりと語っていただく。
　2016年12月　任天堂本社開発棟にて収録

青沼英二
Eiji Aonuma

1963年、長野県生まれ。スーパーファミコン用ソフト『マーヴェラス〜もうひとつの宝島〜』を開発したのちに、『時のオカリナ』の開発チームに参加。以来、『ゼルダの伝説』のすべてのタイトルに、ディレクターやプロデューサーとして関わっている。

1000人以上の開発者が関わってきた『ゼルダの伝説』シリーズ

── イギリスのゲーム賞である、ゴールデンジョイスティック（※1）の受賞おめでとうございます。
青沼 ありがとうございます。
── 受賞記念のビデオメッセージのなかで、青沼さんは『ゼルダ』シリーズには、これまで1000人以上の開発者が関わってきた」という話をされてましたね。今回の「ハイラル百科」にも、たくさんのキャラクターやアイテム、ダンジョンなどが収録されていて、それを見るだけでも、大勢の人たちがこのシリーズに関わったことが実感できます。
青沼 本当にそうですね。この本を見て、ファンの方々には「懐かしいなあ」と感じてほしいですし、『ゼルダ』の開発に関わった人たちにも、「これ、おれがやったんだよ」と思ってもらえるとうれしいです。

ダンジョンとはいったい何なんだろう？

── さて、『ゼルダの伝説』の最新作である『ブレス オブ ザ ワイルド』（※2）は、「ゼルダのアタリマエを見直す」というコンセプトで開発されたんですよね。
青沼 そうです。
── そこでお聞きしたいのですが、そもそも「ゼルダのアタリマエ」とはどのようなことなんでしょうか？
青沼 僕がシリーズに関わりはじめたのは『時のオカリナ』が最初で、すでにそのときに、ある種の「アタリマエ」が存在していて、それを『時のオカリナ』で3D化していったわけです。
── そうでしたね。
青沼 で、僕はそのとき、ダンジョンの設計を担当したんです。
── ダンジョンのディレクターだったんですよね。
青沼 はい。でも、『ゼルダ』をつくるのが初めてなら、ダンジョンをつくるのも初めてのことでしたので、最初は「ダンジョンとはいったい何なんだろう？」というところから入っていったわけですね。
── で、青沼さんはダンジョンをどのように解釈したんですか？
青沼 『ゼルダ』の大まかな構成としては、まず村からスタートして、ダンジョンに潜ります。で、そこをクリアすることで、できることが増えていきますので、次の世界に行けるようになって、その先にまた新たなダンジョンが待っていると。
── はい。
青沼 で、ダンジョンのなかには中ボスもいて、それを倒すことによってアイテムが手に入って、それを使うと、それまではできなかったことができるようになるし、それを使ってボスを倒すという構造になっているんですね。
── つまり、手に入れたアイテムは、その場ですぐに使うようになっていて、最後にボスを倒すという流れが、『ゼルダ』のアタリマエだったんですよね。
青沼 そうですね。まず中ボスを倒して手に入れたアイテムを使っての基礎編があり、その先には応用編が待っているような感じです。
── 応用編……つまり、ちょっと知恵を働かせないと、謎解きができないような……。
青沼 はい。で、いろいろ試していくなかで、「そうか、こういう使いかたをすればいいんだ」ということで、ボスを倒して、さらに次のダンジョンで……。
── 新たな例題がもらえるんですね（笑）。
青沼 という構成なんですよ。ただ、そのような構成だと困ったことも起こるんです。

一本道というアタリマエの構造

── 困ったこと、というのはどのようなことなんですか？
青沼 アイテムは、こちらが決めた順番に取ってもらわないといけないんです。
── そうしないとゲームバランスが崩れるわけですね。
青沼 そうです。だから一本道だったんですね。
── 据え置き機の『ゼルダ』は、3Dでつくられた世界を自由に行き来できるようでいて、実は一本道だったんですね。
青沼 構造的にはそうなんです。
── 一本道であっても、3Dだとときには迷ったりもします。
青沼 だから、できるだけプレイヤーが迷わないようにつくってきたわけです。たとえば目印をたくさん置いて、それに従って進んでくれたらいいように、とか。
── のろしをあげられるようにしたり、とか（笑）。
青沼 そうそう（笑）。そうやって迷わないように、迷わないようにとつくってきたんですけど、冷静になって考えると、迷わないようにつくるというのは、実は一本道であるということを、開発自らが言ってるようなものなんです。
── ああ、確かにそうですね。
青沼 そういう構造で『ゼルダ』がつくられることが、はたして本当におもしろいのか、ということを、ちょっと距離を置いてみたときに、感じるようになってきたわけです。
── なるほど。
青沼 それに、これまでの『ゼルダ』では、デバッグをしてもらったときに、「こういうことをすると、一気にここまで行けちゃいますけど、いいですか？」という報告が来たりしていたんですけど、もしそこをショートカットされちゃったら、せっかくその途中につくったいろんなものが、全部おじゃんになってしまうわけで……。
── スルーされてしまいますから。
青沼 なので「それは困ります」と言って、抜け道をどんどん埋めていくような作業をしていたんです。
── 岩を置いたりとか（笑）。
青沼 そうです（笑）。ところが、最新作の『ブレス オブ ザ ワイルド』では、そのようなことは、すべてOKにしたんです。
── 一本道というアタリマエの構造を見直したと。
青沼 そうです。たとえば自分で抜け道を見つけて、別の世界に行けたときは、楽しさが最高潮になるじゃないですか。「やったー、新しい道を見つけちゃったぜ」って（笑）。
── ええ（笑）。
青沼 そういう楽しみを奪うのはやめましょう、というところから、『ブレス オブ ザ ワイルド』の開発がスタートしているんです。
── そのために、オープンワールドの世界をつくることにしたんですね。
青沼 そうです。だから今回も、デバッグを担当している人たちから、抜け道を見つけたという報告が来たりしたんですけど、「それは仕様です」と言って戻すようにしていました（笑）。

「これで地の果てまで行けるかも？」

── 『ブレス オブ ザ ワイルド』では、岩を登るという新しいアクションが重要になっています。
青沼 どこでも登れるということが本作ではとても重要で、登りきった先には、また違う世界がバーンと広がるんですね。
── 『神々のトライフォース』のときは、フックショットを手に入れることによって、川向こうに渡ることができ、すると世界がバーッと広がりました。
青沼 だけど、あのときはフックショットを

※1 ゴールデン ジョイスティック アワード。2016年で34回目を迎えたイギリスの歴史あるビデオゲームアワード。ゲームオブザイヤーやベストオリジナルゲームなど、多数の部門にわかれ、そのなかには人物に贈られる賞もある。今回青沼さんが受賞したのは「Lifetime Achievement Award（和訳：生涯功労賞）」

※2 『ゼルダの伝説 ブレス オブ ザ ワイルド』。2017年3月3日、Nintendo SwitchとWii Uで発売される現時点（2017年2月）での最新作。どこまでも広がるフィールドをシームレスに移動でき、どこから攻略するかもプレイヤーにすべて委ねられているという、史上最大規模の『ゼルダの伝説』となっている

手に入れないと、次の世界には行けませんでした。でも、『ブレス オブ ザ ワイルド』では、最初から行こうと思えば、新しい世界に行けるんです。それに、途中まで登って、その先を進むのはもう無理だ、となったときに、パラセールを使えば一気に降りることもできるんです。で、降り立った地点から、それまで登ってきたところを見ると……。
── 登山ルートが見つかることもある。
青沼　そうです。「あのルートだったら登れそうじゃん」ということで、こう攻めれば先に進めるんだ、という楽しさにつながっていくんです。
── なるほど。
青沼　それに、高いところに登って、そこから見渡すと、たとえば穴のようなものを見つけて、じゃあそこに行ってみよう、という遊びにつながるようにもなっていて、そういうことができることもオープンワールドのゲームの醍醐味だと思っているんですね。
── ちなみに、高いところから見渡せるようにしたのは、青沼さんが山に囲まれた信州で育ったことと関係があるんですか？
青沼　まったく関係ありません（キッパリ）。小中学校の頃は、学校の行事なんかで山に登ったりもしましたけど、大嫌いでしたから（笑）。
── （笑）
青沼　実は元になったアクションがあるんです。『スカイウォードソード』のときに、「がんばりの実」を食べることで……。
── ダッシュで急な坂道も駆け上がることができました。
青沼　そもそもダッシュで壁に向かっていったときに、ピタッと張り付くのは気持ちが悪いということで、そのまま登れるようにしたほうが楽しいよね、という話から生まれたアクションだったんです。でも、あのときは完全に消化することができなかった。自由に行ける世界じゃなかったので（笑）。
── 勝手に行かれたら困ることもあって（笑）。
青沼　ええ（笑）。ゲームが完全に崩壊してしまうんです。でも、オープンワールドの世界だと、自由にどこにでも行けるようになっていますので、壁を登るアクションが生まれたというわけなんです。で、先ほど、山に登るのは嫌いという話をしましたけど、バイクにはめちゃくちゃハマった時期があったんです。
── それはいつのことだったんですか？
青沼　学生時代なんですけど、バイクの免許をとったときに、「これで地の果てまで行けるかも？」なんて思いながら走りまくっていたんです。で、バイクは狭い路地とかでも平気で入っていけるので、そこで迷ったりするのが楽しかったりしたんです。それに近い感覚

が、今回の『ブレス オブ ザ ワイルド』にも、まさしく通じているんだなあと思っています。
── なるほど。
青沼　だから、本作では馬も重要なんです。もちろん、自分でも操作できるんですけど、ちゃんと意思をもって、馬が走ってくれるので、周りを見渡しながら走ることができるんです。それがめっちゃ楽しいです。過去、何回か馬をつくってきましたけど、今回は最高の馬になりました。

「そんなこともできちゃうんだ」のオンパレードに

── 話をもとに戻します。一本道というほかに、「ゼルダのアタリマエ」にはどんなものがありますか？
青沼　これも伝統的なことなんですけど、ダンジョンに入って、ゲームオーバーになると、入口に戻されてしまいますよね。
── はい。入口からやりなおすのはちょっと嫌ですよね（笑）。
青沼　ひどい話だと思うんです。敵にやられても、その場で復活させてくれればいいのに、とは思うんですけど、その一方で、入口からやりなおすことで、新たな発見もいろいろあるわけです。
── 最初に入ったときには気づかなかったものを見つけられたりしますから。
青沼　ええ。その仕組みが『ゼルダ』の謎解きに必要な "作法" なんだ、ということだったんですけど、シリーズを重ねるごとに、ダンジョンがどんどんでかくなっていったんですよ（笑）。
── たしかに（笑）。
青沼　それなのに、入口に戻されるということが、どれだけ大変か、ということで、『ブレス オブ ザ ワイルド』ではそういうことも見直しているんです。
── 草を刈ったり、敵を倒したらルピーやハートが出てくるというのも、「ゼルダのアタリマエ」ですよね。
青沼　そうですね。でも、草を刈ったらルピーが出てくるというのは、「もしかしてルピーの実をつける草でもあるの？」とか「誰かがルピーを隠しているの？」という話になったんです。さらに「お金を集めるために草を刈るようなことって、そもそも勇者のやることだろうか」って。
── （笑）
青沼　もちろん『ブレス オブ ザ ワイルド』でも草はちゃんと刈れますけど。
── ルピーは出てこないんですね。

青沼　もっとナチュラルなもの、ということで、虫が出てきます。その虫を使うとおもしろい料理ができたりするんです。
── なるほど。そもそも、草を刈ったり、木を揺すったりできるというのは、『ゼルダ』らしい遊びでしたよね。『時のオカリナ』のときは、看板を切ることができましたし。
青沼　そのおもしろさについては、僕は最初、まったく理解できなかったんです。『時のオカリナ』をつくっているとき、僕はひたすらダンジョンの構造に取り組んでいたんです。で、自分がヒーヒー言ってるところに、宮本が近寄ってきて、「あの看板、剣を振った方向に切れるようにしない？」とか言うので、（あんぐりと口を開けて）「はぁ？」って（笑）。
── （笑）
青沼　「それに何の意味があるんですか!?」って。で、そのあとプログラマーが「切れた看板は水の上に浮くようにしましたから」って言うんです。「何してるんだ、この人たちは」って（笑）。ゲームのクリアにはぜんぜん関係ないことをやってるわけですから。
── 真面目にコツコツとダンジョンをつくっている青沼さんからすると、ふざけているとしか思えなかったんですね。
青沼　そうなんです。そもそも、そういう遊びを入れるのは、心に余裕がないとできないことだと思うんです。
── そのとき、青沼さんには余裕がなかったんですね。
青沼　でも、落ち着いて考えると、この『ゼルダ』の世界にあるものに対して、自分が何かのアクションをしたときに、ちょっとした反応が起こる。それが驚きにつながっていくわけですよね。そうすると、あんなこともしてみようか、こんなことも試してみようかって、そこからいろんな仕掛けに広がっていくと。
── 『ブレス オブ ザ ワイルド』でも、そのような仕掛けが？
青沼　もちろんいっぱい入っています。スタッフのひとりがゲームを遊びながらすごく爆笑しているので「何がおかしいの？」って聞いたら、「ほら、これがこうなるんです」って。
── 青沼さんでも知らない、楽しいことがたくさん入っているんですね。
青沼　そうなんです。スタッフが裏技集みたいなものをつくってくれたんですが、それを見て、僕でも「へえー」と思うことがいっぱいありましたからね。だから今作は「そんなこともできちゃうんだ」のオンパレードになっています。
── 今回は、心に余裕があったんですね（笑）。
青沼　そこは、スタッフがすごくがんばってくれました。僕というよりはね（笑）。

絶対に変えるべきではない要素

—— リンクの見た目に関するアタリマエについてはどうですか?

青沼 タイトルによっては緑の服が、赤になったり、青になったり、4色になったり、いろいろやってきましたけど、みんな同じような帽子をかぶっていて、それがアタリマエというか、それでいいじゃん、ということで、これまでは進めてきたんです。でも、冷静になって考えると、「緑の服や帽子が本当にかっこいいの?」という話になりまして。

—— でも、緑の服は勝負服のようなところもあって、それを着ると、いよいよ戦いがはじまるぞ、という気持ちになりますが。

青沼 もともとリンクは、普通の少年だったのに、何かの運命に巻き込まれて、緑の服を着ることになり、何かに目覚めていくという設定にしていますしね。

—— だから、緑の服を着ると、身が引き締まって、すごくかっこいいとも感じます。

青沼 そこはデザイナーたちが、一生懸命にかっこよくしようとがんばってくれましたから(笑)。

—— ですよね(笑)。

青沼 ただ『ブレス オブ ザ ワイルド』では、主人公のリンクがいったいどういう姿をしていればうれしいんだろうというところから見直そうと。そもそも「アタリマエになっているところが、何かをしばっているんじゃないの?」というのが、今回の「アタリマエを見直す」ということの原点になっているんです。その呪縛から開放されたときに、どんな新しい世界が見えてくるか、というチャレンジでもあるんですね。

—— なるほど。あと、リンクが左利きだというのも、Wii版の『トワイライトプリンセス』が出るまではアタリマエでした。

青沼 それも伝統だと言われてましたけど、諸説いろいろあって、何が本当なのか、僕もいまだに知りません。ただ、「なぜ『ゼルダ』はこうじゃなきゃいけないのか」という問いかけに、ハッキリした答えが見つからないのであれば、そこはどんどん変えてもいいと思っているんです。

—— そこで、新作のリンクは帽子をかぶらずに青い服を着て登場し、しかも右利きになっていると。そのようにいろいろと「アタリマエ」を見直していくなかで、絶対に変えるべきではない、と考えているのはどんなところですか?

青沼 「成長」という要素です。

—— リンクとともに、プレイヤーも成長するという……。

青沼 そうです。さっきも言ったように、次第にいろんなことができるようになっていくなかで、プレイヤーもいろんな経験を重ねていき、次へ次へとステップアップしたときに、「やったー! こんなこともできるようになった」という喜びを味わいながら、最後まで楽しんでほしいという気持ちがあるんです。だから、リンクだけでなく、プレイヤーも成長するというのは、『ゼルダ』ではもっとも重要なことですし、そこは絶対に変えるべきではない要素だと考えています。

支持してくれるみなさんに心から「ありがとう」

—— 青沼さんはこれまで、『時のオカリナ』の開発期間を入れると、およそ20年間、『ゼルダ』の開発に関わってきたわけですよね。

青沼 そうですね。

—— しかも、他のタイトルに関わることなく、『ゼルダ』一筋というのは、任天堂のなかでも、とても珍しいことだと思うんですけど。

青沼 なので「Lifetime Achievement Award(和訳:生涯功労賞)をいただきました(笑)。

—— (笑)。どうして一筋で続けてこられたんだと思いますか?

青沼 そこは、自分でもすごく不思議だなあと思っているんです。実は僕、ものすごい飽き性なんです。

—— 飽きっぽいんですね(笑)。

青沼 僕、ひとつのことを長く続けられることって、そんなにないんです。釣りなんかも一時期ハマったことがあるんですけど、ある程度のやった感を味わうと、すぐに飽きちゃいましたし。

—— でも、飽きないものもあるんですね?

青沼 はい。3つだけずっとやり続けていることがあるんです。そのひとつが『ゼルダ』で、もうひとつが社内でやっている吹奏楽部、そして料理です。

—— 料理。

青沼 料理するの、大好きなんです(笑)。で、最近になってようやくわかってきたんです、この3つをやり続けている理由が。この3つに共通しているのは、遊んでくれる人、聴きに来てくれる人、食べてくれる人がいるからなんです。

—— 釣りをやっていても、見てくれる人はいませんからね。つまり、人が喜んでくれる顔を見られることが大事なんですか。

青沼 そうなんです。そうなんですけど、ゲームは『ゼルダ』じゃなくてもいいじゃない、と言われるかもしれないですよね。

—— たしかにそうですね。

青沼 なんだけども、たとえば料理をつくるにしても、よく知ってる人に対してじゃないと出せないじゃないですか。それに吹奏楽部も、コンサートを開くたびに聴きに来てくれる人たちがいるわけです。で、コンサートが終わったあと、「どうでしたか、今回は?」という会話を楽しめたりするんです。

—— 料理をつくっても、「さすが青沼。すごくおいしい」とか言われるでしょうし。

青沼 (笑)。で、『ゼルダ』もずっと遊び続けてくれる人たちがいるので、新作をつくるたびに、どのように受け取ってもらえるだろうかと……。

—— ワクワクするんですね。

青沼 はい。すごくワクワクします。一方でドキドキすることもあるんですけどね(笑)。

—— そういう楽しみがあるにしても、20年もの間、ひとつのタイトルをつくり続けてこられたというのは、やっぱりすごいなあと思います。

青沼 それは『ゼルダ』というタイトルの器の大きさに依るところも大きいかなと思っています。たとえば、テニスのような戦闘をしたり、野球みたいなこともやってみたり……。

—— 相撲をやったこともありましたし(笑)。

青沼 だから、いろんなゲームの要素をあの世界に放り込めちゃいますので、それが「ゼルダらしさ」なのかもしれないですね。『ブレス オブ ザ ワイルド』でも、ばかばかしいことをいろいろやっています。「ええーっ、これでこんなことをさせるの?」みたいなこともありますから。

—— なるほど。

青沼 それに、個人的な開発歴は20年ですけど、『ゼルダの伝説』には30年の歴史があり、まさにこの「ハイラル百科」に掲載されているものは、そのときどきでいろんなチャレンジをしてきたものが結実したものになります。もちろんこういった本が出せるのも、『ブレス オブ ザ ワイルド』をつくることができたのも、それを支持してくださったファンの方々がいたからこそだと思っています。ですので、みなさんには心から「ありがとう」と言いたいですね。

THE LEGEND OF ZELDA
HYRULE ENCYCLOPEDIA
ゼルダの伝説　ハイラル百科

STAFF

企画・統括・執筆	坂井一哉
編集・構成・執筆	冠 美花
構成・執筆	嘉山直幸
	太細友香里
執筆	左尾昭典
	巽 吟子
	三瓶千智
データ・図版・資料制作	古谷正人
	高木伸夫
	茂呂優太
撮影	中道昭二
編集協力	佐藤大作
	冠 喜美子
	冠 春江
	たけのすけ
	岡澤 隆
Special Thanks to	青沼英二（任天堂）
	姫川 明
	中原 康（小学館）
監修・協力	任天堂株式会社
デザイン	有限会社フリーウェイ
アートディレクター	齋藤詩音（有限会社フリーウェイ）
DTP	有限会社ウィッチ・プロジェクト
印刷・製本	凸版印刷株式会社

© 2017 Nintendo
Licensed by NINTENDO

© ambit 2017
Printed in Japan

ゼルダの伝説：© 1986 Nintendo	ゼルダの伝説 ふしぎのぼうし：© 2004 Nintendo
リンクの冒険：© 1987 Nintendo	ゼルダの伝説 トワイライトプリンセス：© 2006 Nintendo
ゼルダの伝説 神々のトライフォース：© 1991 Nintendo	ゼルダの伝説 夢幻の砂時計：© 2007 Nintendo
ゼルダの伝説1：© 1986-1992 Nintendo	ゼルダの伝説 大地の汽笛：© 2009 Nintendo
ゼルダの伝説 夢をみる島：© 1993 Nintendo	ゼルダの伝説 時のオカリナ 3D：© 1998-2011 Nintendo
ゼルダの伝説 時のオカリナ：© 1998 Nintendo	ゼルダの伝説 スカイウォードソード：© 2011 Nintendo
ゼルダの伝説 夢をみる島DX：© 1993, 1998 Nintendo	ゼルダの伝説 風のタクト HD：© 2002-2013 Nintendo
ゼルダの伝説 ムジュラの仮面：© 2000 Nintendo	ゼルダの伝説 神々のトライフォース2：© 2013 Nintendo
ゼルダの伝説 ふしぎの木の実 大地の章／時空の章：© 2001 Nintendo	ゼルダの伝説 ムジュラの仮面 3D：© 2000-2015 Nintendo
ゼルダの伝説 風のタクト：© 2002 Nintendo	ゼルダの伝説 トライフォース3銃士：© 2015 Nintendo
ゼルダの伝説 神々のトライフォース&4つの剣：© 2002, 2003 Nintendo	ゼルダの伝説 トワイライトプリンセス HD：© 2006-2016 Nintendo
ファミコン ミニ 05 ゼルダの伝説1：© 1986-2004 Nintendo	ゼルダの伝説 ブレス オブ ザ ワイルド：© 2017 Nintendo
ゼルダの伝説 4つの剣+：© 2004 Nintendo	
ファミコン ミニ 25 リンクの冒険：© 1987-2004 Nintendo	本書で使用しているニンテンドー3DSの画面はすべて2D表示のものです。

NintendoDREAM編集部　編著
2017年3月31日　第1刷
2017年5月31日　第2刷

発行人
山森 尚

発行
株式会社アンビット
〒101-0054　東京都千代田区神田錦町3-6共同ビル（錦町3丁目）201号
TEL:03-3291-2340（編集）

発売
株式会社徳間書店
〒105-8055　東京都港区芝大門2-2-1
TEL:048-451-5960（販売）
振替:00140-0-44392

乱丁・落丁本はお取り替えいたします。
本書のコピー、スキャン、デジタル化等の無断複製は著作権法上での例外を除き禁じられています。
本書を代行業者等の第三者に依頼してスキャンやデジタル化することは、たとえ個人や家庭内の利用であっても一切認められておりません。
写真撮影、スキャン、キャプチャー等を行って無断でインターネット上に公開する行為は、法律に違反するものとして損害賠償請求を受け、
また刑事罰が科せられるおそれがありますので、お止めください。

禁無断転載

ISBN978-4-19-864378-2